JN244467

最新主要文献でみる

脳神経外科学レビュー 2023-'24

監修

新井　一　順天堂大学学長

齊藤 延人　東京大学教授

若林 俊彦　名古屋大学名誉教授

総合医学社

本書の構成

・本書は原則として2019年１月～2022年３月に発表された，脳神経外科学に関する主要な文献を各領域の第一線の専門医が執筆者となって選択し，2023-'24年版としてレビューしたものです．

・文献は，できるだけ公平な立場から選択し，また原則として，臨床的なトピックスを中心に構成しました．特に重要な文献，および本文中の重要個所は太ゴチック文字で表示しました．

序（2023-'24 年版）

今回，『脳神経外科学レビュー』の 2023-'24 年版を出版する運びとなった．初版の発刊からおよそ 3 年後である．この 3 年間に，脳神経外科関連領域には様々な変化が起こっている．例えば，脳脊髄疾患に関連した各種ガイドラインの制定と発刊，WHO 脳腫瘍分類の第 5 版の発刊，脳血管障害を含めた循環器疾患に関連する関連法案の制定と各種治療体制の整備事業の展開，てんかん診療に対する診療科を横断した治療体制の地域毎の整備，小児悪性疾患の地域包括的診療拠点の整備拡充，認知症に対する新たな治療薬の開発，悪性脳腫瘍の対する新規ウイルス療法の世界に先駆けての本邦での医薬品承認，本態性振戦の治療として注目されている集束超音波治療によるパーキンソン病の安静時振戦への治療適応拡大や認知症治療への可能性の展開，など，挙げれば枚挙に暇がない．そのため，最先端医療の鏑矢的指南役である本誌の使命としては，最近 3 年間の研究成果を包括して，『2023-'24 年版』として新たに世に送り出す宿命となったのである．脳科学の進歩は留まる所を知らない．

今回も本書は，前回の項目分けを踏襲して，「脳腫瘍」，「脳血管障害」，「脳外傷」，「定位・機能」，「小児」，「脊髄・脊椎・末梢神経」，「水頭症」，「神経科学」，「手術・手技」，「画像診断」の従来の 10 のテーマに，さらに「感染症」を追加した．そして，それぞれの執筆者も，新進気鋭の若手研究者を多数登用した．その結果，『脳神経外科学レビュー 2023-'24 年版』は，『初版』とは全く内容の異なる，新たな息吹が吹き込まれたと言える．

最後に，各項目について，編集者から様々な要望を依頼したにもかかわらず，迫力に満ちた原稿をいただき，本書が刊行できたことは，ひとえに執筆者諸氏の寛大なる包容力と絶大な知識量に只々頭の下がる思いである．今回の，『2023-'24 年版』が脳神経外科領域診療や研究の糧となり，次に続く新たな世代への橋渡しとなっていくことを祈念しつつ序文を終えたい．

令和 4 年 10 月

新井　一　順天堂大学学長
齊藤延人　東京大学教授
若林俊彦　名古屋大学名誉教授

執筆者一覧

監修者

新井　一　順天堂大学学長
齊藤　延人　東京大学教授
若林　俊彦　名古屋大学名誉教授

執筆者（掲載順）

園田　順彦　山形大学医学部 脳神経外科
武笠　晃丈　熊本大学大学院生命科学研究部 脳神経外科学講座
寺島　慶太　国立成育医療研究センター 小児がんセンター脳神経腫瘍科
三木俊一郎　Department of Medicine, University of California San Diego
関　俊隆　道東の森総合病院 脳神経外科
大宅　宗一　埼玉医科大学総合医療センター 脳神経外科
西岡　宏　虎の門病院 間脳下垂体外科
宮脇　哲　東京大学医学部 脳神経外科
森田　明夫　日本医科大学 脳神経外科
髙木　康志　徳島大学大学院医歯薬学研究部 脳神経外科
髙橋　淳　近畿大学医学部 脳神経外科
立林洸太朗　兵庫医科大学 脳神経外科
中村　晋之　九州大学大学院 医学研究院 病態機能内科学
宇野　昌明　川崎医科大学 脳神経外科
飯原　弘二　国立循環器病研究センター
早川　幹人　筑波大学医学医療系 脳卒中予防・治療学講座
石橋　敏寛　東京慈恵会医科大学 脳神経外科学講座
石井　暁　京都大学大学院医学研究科 脳神経外科
徳永　浩司　岡山市立市民病院 脳神経外科
平野　照之　杏林大学医学部 脳卒中医学
末廣　栄一　国際医療福祉大学医学部 脳神経外科学
荻野　雅宏　獨協医科大学 脳神経外科
荒木　尚　埼玉医科大学 総合医療センター 高度救命救急センター／埼玉県立小児医療センター 外傷診療科
前田　剛　日本大学医学部脳神経外科学系神経外科学分野／青森大学脳と健康科学研究センター／日本大学病院麻酔科
國枝　武治　愛媛大学大学院医学系研究科 脳神経外科学
前原　健寿　東京医科歯科大学 脳神経外科
堀澤　士朗　東京女子医科大学 脳神経外科
前澤　聡　名古屋大学大学院医学系研究科 脳神経外科学
竹林　成典　名古屋セントラル病院 脳神経外科
髙橋　弘　医療法人景雲会 春日居サイバーナイフ・リハビリ病院 サイバーナイフセンター／日本医科大学 脳神経外科
下地　一彰　国際医療福祉大学医学部 脳神経外科学
荻原　英樹　国立成育医療研究センター 脳神経外科
河村　淳史　兵庫県立こども病院 脳神経外科
原　毅　順天堂大学医学部 脳神経外科

竹島　靖浩	奈良県立医科大学 脳神経外科
隈元　真志	福岡記念病院 脊髄脊椎外科
中島　康博	宏潤会大同病院 脳外科・脊椎センター
武藤　　淳	藤田医科大学 脳神経外科
岩﨑　素之	北海道大学病院 脳神経外科
中島　　円	順天堂大学医学部 脳神経外科学講座
室井　　愛	筑波大学医学医療系 脳神経外科
種井　隆文	名古屋大学医学部附属病院 脳神経外科
百武　佑理	北里大学メディカルセンター 脳神経外科
土井　大輔	京都大学 iPS 細胞研究所 臨床応用研究部門 神経再生研究分野
佐々木祐典	札幌医科大学医学部附属フロンティア医学研究所 神経再生医療学部門
大岡　史治	名古屋大学大学院医学系研究科 脳神経外科学
竹内　和人	名古屋大学医学部附属病院 脳神経外科
貴島　晴彦	大阪大学大学院医学系研究科 脳神経外科
伊藤　博崇	東京大学医科学研究所附属病院 脳腫瘍外科
黒住　和彦	浜松医科大学 脳神経外科
周藤　　高	横浜労災病院 脳神経外科
松尾　孝之	長崎大学 脳神経外科
黒岩　敏彦	畷生会脳神経外科病院 脳神経外科
村垣　善浩	東京女子医科大学 先端生命医科学研究所 先端工学外科学分野
周郷　延雄	東邦大学医学部医学科 脳神経外科学講座（大森）
佐々木達也	東北医科薬科大学 脳神経外科
渡谷　岳行	東京大学医学部 放射線医学講座
松澤　　等	柏葉脳神経外科病院 先端医療研究センター
厚見　秀樹	東海大学医学部 脳神経外科
千田　光平	岩手医科大学 脳神経外科学講座
金　　太一	東京大学医学部 脳神経外科

目　次

最新主要文献でみる
脳神経外科学レビュー 2023-'24

Ⅰ章　脳腫瘍

Ⅱ章　脳血管障害

Ⅲ章　脳外傷

Ⅳ章　定位・機能

Ⅴ章 小 児

Ⅵ章 脊髄・脊椎・末梢神経

Ⅶ章 水頭症

Ⅷ章　感染症

Ⅸ章　神経科学

Ⅹ章　手術・手技

XI章　画像診断

I章 脳腫瘍

1. WHO 中枢神経系腫瘍病理分類 第 5 版と cIMPACT-NOW update

園田順彦（そのだ ゆきひこ）
山形大学医学部 脳神経外科

最近の動向

- WHO 中枢神経系腫瘍病理分類 改訂第 4 版（WHO CNS R4）において，中枢神経系腫瘍は形態病理診断と分子診断による統合診断が行われることとなった．その中で日常臨床にもっとも影響を与えたのは，神経膠腫診断における *IDH* 遺伝子変異と 1p/19q 共欠失の検査の必須化である．これらは当時の本邦においては保険診療範囲では行えない検査であり，あくまでも研究レベルの検査であった．このことによる混乱をさけるために，日本脳腫瘍病理学会から本邦の実情に合わせた診断レベルごとに分けたフローチャートが提案された．
- WHO 中枢神経系腫瘍病理分類 改訂第 4 版（WHO CNS R4）が刊行されて以後，いくつかの問題点が指摘されるようになり，それに対応するべく cIMPACT-NOW update（the Consortium to Inform Molecular and Practical Approaches to CNS Tumor Taxonomy–Not Official WHO）が設立され，これまでに 7 編の論文が発表されている．いずれも WHO 中枢神経系腫瘍病理分類 改訂第 5 版（WHO CNS 5）の出版に備えた提言であった．
- WHO CNS 5 は，WHO CNS R4 から 5 年経過し刊行された．内容は WHO CNS R4 からさらに分子診断へシフトしたものである．神経膠腫，上衣腫などのパートにおいて特に大きな改訂がされている．基本的には遺伝子の変異パターンごとに疾患が定義されていること，疾患ごとに悪性度を Grade 1〜4 のようなアラビア数字で分類していることが大きな変化である．

WHO 中枢神経系腫瘍病理分類 改訂第 4 版（WHO CNS R4）の発刊と問題点

WHO CNS R4 は，これまで原則，病理組織学的診断に基づいて診断されてきた中枢神経系腫瘍の診断を，病理組織学的診断と分子病理診断を統合させ診断するものである[1]．実際，統合診断が強く反映された腫瘍は，びまん性星細胞腫と乏突起膠腫，一部の上衣腫，髄芽腫のみであり，過渡期という印象は拭えなかった．びまん性星細胞腫と乏突起膠腫の診断には，*IDH* 遺伝子の変異の有無，1p/19q 共欠失の有無の 2 つを解析することが正確な診断のために必須であるが，もし何らかの理由でそれが解析できない場合は Not Otherwise

1) Louis DN et al：WHO classification of Tumors of the Central Nervous System, ed Rivised 4th edition. Lyon：International Agency For Research On Center, 2016

2434-9992/22/¥100/頁/JCOPY

Specified（NOS）という記載をすることになっていた．例えば星細胞腫系の腫瘍で IDH1 R132H の免疫染色を行い陰性と判定されてもシークエンス解析を行っていなければ Diffuse astrocytoma, NOS であり，Diffuse astrocytoma, IDH-wildtype と診断することはできないということである．これだけでも *IDH* 遺伝子変異，1p/19q 共欠失の解析が保険診療範囲内で行えない本邦において，現場はかなりの混乱をきたすことになった．そこで本邦の実情に合わせて，日本脳腫瘍病理学会から，診断のフローチャートが提案された[2)]．本フローチャートは，診断のレベルを形態学的診断のみのレベル 1，レベル 1 に加え遺伝子変異特異抗体等を用いた免疫染色を行うレベル 2，レベル 2 に加え分子生物学的解析を行うレベル 3 に分け，本邦においてレベル 2 までの診断をあらゆる病理診断施設に求めるものである．

この診断フローチャートは決して WHO CNS R4 に完全に対応したものではなかったが，緊急避難的対応として WHO CNS 5 でも肯定的に引用されている．

2) Sonoda Y, Yokoo H, Tanaka S et al : Practical procedures for the integrated diagnosis of astrocytic and oligodendroglial tumors. Brain Tumor Pathol 36 : 56-62, 2019

cIMPACT-NOW update

cIMPACT-NOW とは the Consortium to Inform Molecular and Practical Approaches to CNS Tumor Taxonomy–Not Official WHO）の略称であり，WHO 中枢神経系腫瘍病理分類 改訂第 4 版（WHO CNS R4）の出版後，将来の第 5 版の出版に備えて提言を行うために設立されたコンソーシアムである．これまで 7 編の論文が cIMPACT update として発表されており，update 1～3 は 2018 年に発表されているが一連のものであるので，併せて紹介したい．

cIMPACT-NOW update 1

cIMPACT-NOW update 1 は 2018 年に発表されたもので，Not Elsewhere Classified（NEC）の概念を提唱した論文である[3)]．WHO CNS R4 で提唱された NOS は不完全な解析により診断ができない場合用いられるが，きちんと解析を行ってでも WHO CNS R4 に分類されたカテゴリーのどれにも当てはまらない場合がある．例えば Oligodendroglioma と組織学的に診断され，*IDH* 変異が検出されたが，1p/19q 共欠失が認められなかったときなどである．このような場合は「Diffuse glioma, IDH-mutant, NEC」などと記載される．むろん，1p/19q 共欠失の検査を行っていない場合は Oligodendroglioma, NOS と表記されるので，NOS と NEC の違いを理解しておくことが重要である．

3) Louis DN, Wesseling P, Paulus W et al : cIMPACT-NOW update 1 : Not otherwise specified（NOS）and not elsewhere classified（NEC）. Acta Neuropathol 135 : 481-484, 2018

cIMPACT-NOW update 2

cIMPACT-NOW update 2 も 2018 年に発表された[4)]．本論文では WHO CNS R4 で初めて提唱された Diffuse midline glioma, *H3 K27M*-mutant の診断と，Diffuse astrocytoma, IDH-mutant と anaplastic astrocytoma, IDH-mutant

4) Louis DN, Giannini C, Capper D et al : cIMPACT-NOW update 2 : diagnostic clarifications for diffuse midline glioma, H3 K27M-mutant and diffuse astrocytoma/anaplastic astrocytoma, IDH-mutant. Acta Neuropathol 135 : 639-642, 2018

の診断の注意点について記載しており，内容はかなり実践的な内容になっている．まず，Diffuse midline glioma，*H3 K27M*-mutantは脳幹・視床・脊髄に発生する主に小児の腫瘍であり，きわめて予後不良の疾患である．しかしながら*H3 K27M*変異は上衣腫や毛様細胞状星細胞腫といった他の疾患でも認められることが報告され，これらの疾患における*H3 K27M*変異の予後因子として重要性は不明確である．したがってDiffuse midline glioma，*H3 K27M*-mutantの診断はあくまでも，Diffuse, midline, glioma，*H3 K27M*-mutatntの基準を満たしたもののみであると警鐘を鳴らしている．またIDH変異型星細胞腫の診断に関して，WHO CNS R4の診断基準ではIDH変異とともに1p/19q共欠失の有無を検査することが必須となっている．しかしながら，本論文ではびまん性星細胞腫系の腫瘍で*IDH*変異が認められかつ，免疫染色でATRXの核での発現が消失しているか，p53のびまん性の強陽性所見が認められた場合は1p/19q共欠失の有無を検査しなくてもよいというものである．かなり臨床的には煩雑さが解消されると考えられる．

cIMPACT-NOW update 3

cIMPACT-NOW update 3も2018年に発表された論文であり[5)]，cIMPACTの中では臨床的にもっとも重要なものかもしれない．IDH野生型で組織学的にはびまん性星細胞腫と診断されるものの中に膠芽腫と同等のきわめて予後不良の症例が存在することは，以前よりよく知られていた．そこでそのような症例がもつ分子生物学的な異常を検討し，*EGFR*遺伝子の増幅，第7染色体全体の増加と第10染色体の全欠失が両方みられる，*TERT*プロモーター変異の3つのうち，いずれかが認められるものを膠芽腫の分子生物学的特徴を備えたIDH野生型びまん性神経膠腫と診断することが提唱された．

5) Brat DJ, Aldape K, Colman H et al：cIMPACT-NOW update 3：recommended diagnostic criteria for "Diffuse astrocytic glioma, IDH-wildtype, with molecular features of glioblastoma, WHO grade Ⅳ". Acta Neuropathol 136：805-810, 2018

cIMPACT-NOW update 4

cIMPACT-NOW update 4は，IDH野生型，H3野生型のびまん性神経膠腫のうち，update 3で提唱のような予後不良の分子生物学的特徴がない対象に焦点を当てている[6)]．この中で小児期・青年期に好発するGradeⅡ相当のびまん性神経膠腫で*BRAF*遺伝子の*V600E*変異，*FGFR*遺伝子の異常，*MYB*, *MYBL1*遺伝子の構造改変のいずれかを伴い，臨床的には緩徐な増殖をし，悪性化は稀であるという特徴をもった集団が存在する．後述するWHO CNS 5では，さまざまな遺伝子異常により，結果的に1つの経路の異常を認める疾患を1つのサブタイプとして定義することとなった．

6) Ellison DW, Hawkins C, Jones DTW et al：cIMPACT-NOW update 4：diffuse gliomas characterized by MYB, MYBL1, or FGFR1 alterations or $BRAF^{V600E}$ mutation. Acta Neuropathol 137：683-687, 2019

cIMPACT-NOW update 5

cIMPACT-NOW update 5は，IDH変異型の星細胞腫のGradingに関する

論文である．IDH 変異型星細胞腫によくみられる遺伝子異常にスポットを当て，これらが Grading にどのように影響を与えるかを検討している[7]．結論として *CDKN2A/B* 遺伝子のホモ欠失が患者の予後不良に強く相関することから，この異常のある IDH 変異型星細胞腫は GradeⅣと臨床的に見なすことが提唱された．一方でその他の異常である RB 経路の異常や *PDGFRA* 遺伝子の増幅，*PIK3R1* や *PIK3CA* 遺伝子の変異などは十分なエビデンスがなく，今回は見送りになっている．

cIMPACT-NOW update 6

update 6 では，WHO CNS 5 に登場予定の新しい entity の紹介をしている[8]．2020 年に発表されており，ほぼ，その後発刊される WHO CNS 5 の内容紹介に近く，細かな terminology は修正されているものの，ほぼ同様の疾患名となっている．

cIMPACT-NOW update 7

上衣系腫瘍は発生部位によりテント上，後頭蓋窩，脊髄の３つに分類され，さらに病理組織学的・分子生物学的特徴に基づき診断されている．ただし，上衣下腫と粘液乳頭状上衣腫は病理組織学的診断に基づいて別に分類されている．WHO CNS R4 では，テント上上衣腫は *RELA* 融合遺伝子が診断名となっていたが，*C11orf95-RELA* 融合遺伝子以外にも *C11orf95* にはパートナーが存在することが報告され，その後の解析によりテント上上衣腫は *C11orf95* と *YAP1* の融合遺伝子がより多くに認められることが明らかになった．したがって cIMACT-NOW では，この２つの融合遺伝子の有無でテント上上衣腫の診断を行うことを提唱している[9]．一方で，後頭蓋窩上衣腫に関しては WHO CNS R4 で従来の病理組織学的分類のままであったが，cIMPACT-NOW ではメチル化プロファイリングによる診断が推奨されている．これにより，後述する通り PFA，PFB のサブタイプが WHO CNS 5 より採用された[10]．

WHO 中枢神経系腫瘍病理分類 第５版 (WHO CNS 5)

WHO CNS 5 が刊行されるにあたり，そのサマリーが 2021 年６月に Neuro-Oncology 誌に発表されている[11]．

全体的な変更点

WHO CNS 5 の大きな特徴は，疾患の発生に大きく関与している key gene, protein を多く疾患名に採用していることである．また，IDH や H3 のように遺伝子変異をもって診断するのでなく，MAPK 経路の異常のような，さまざ

7) Brat DJ, Aldape K, Colman H et al：cIMPACT-NOW update 5：recommended grading criteria and terminologies for IDH-mutant astrocytomas. Acta Neuropathol 139：603-608, 2020

8) Louis DN, Wesseling P, Aldape K et al：cIMPACT-NOW update 6：new entity and diagnostic principle recommendations of the cIMPACT-Utrecht meeting on future CNS tumor classification and grading. Brain Pathol 30：844-856, 2020

9) Ellison DW, Aldape KD, Capper D et al：cIMPACT-NOW update 7：advancing the molecular classification of ependymal tumors. Brain Pathol 30：863-866, 2020

10) WHO classification of tumors editorial board：WHO classification of Tumors of the Central Nervous System, 5th edition. Lyon：IARC Press, 2021

11) Louis DN, Perry A, Wesseling P et al：The 2021 WHO Classification of Tumors of the Central Nervous System：a summary. Neuro Oncol 23, 1231-1251, 2021

まな原因で起こるものも1つの疾患群としてまとめられている．また他のWHO分類と統一性をもたせるために，entityの代わりにtypeが，variantとの代わりにsubtypeの用語が使用されている．中枢神経系腫瘍の命名は好発部位が記載されているものもあるが（例：Chordoid glioma of the third ventricle），好発部位があるにもかかわらず，疾患名に記載されていないものもある（例：Medulloblastoma）．また特徴的な遺伝子異常が記載されているもの（Glioblastoma, IDH-wildtype），特徴的遺伝子変異があるにもかかわらず記載されていないもの（Atypical teratoid/rhabdoid tumor（AT/RT））がある．これらの統一するために，臨床的に意味があるもののみを疾患名として残すこととなった．

もう1つの大きな改訂なポイントは，腫瘍のGradeの表記である．中枢神経系腫瘍のGradingは各疾患のentityを超えて統一したGradeが表記されていた．例えば，Anaplasticという病名がついた疾患はすべてGradeⅢと表記される．したがって，Anaplastic astrocytomaもAnaplastic meningiomaもGradeⅢの腫瘍であるが，臨床的な悪性度は同一ではない．そこでWHO CNS 5では他のWHO分類にならい，各疾患ごとにGradeを定めることとし，Diffuse astrocytoma, IDH-mutant, Grade 2, 3, 4というような，ローマ数字の表記でなくアラビア数字で表記することになった．

新しい検査法

WHO CNS R4ではDNA RNAシークエンス，FISH，RNA発現解析などの検査法が診断や分類に用いられた．WHO CNS 5ではさらに進んでメチロームプロファイリングが導入されている．WHO CNS 5のほとんどすべての腫瘍型が独自のメチル化パターンを取ることから，診断にはきわめて有用であると考えられる．しかしながら，本邦においてはWHO CNS R4で必須となった検査法すら保険診療範囲では施行できず，メチロームプロファイリングは少数の施設で研究段階として施行されているに過ぎない．

統合・層別診断

WHO CNS R5では，層別診断報告書といった形式が推奨されている．これは病理組織学的診断を2段目，CNS WHO gradeを3段目，分子生物学的情報を4段目に記載し，最終的に統合診断を1段目に記載するものである．これにより分子生物学的情報がない場合，あるいは不十分な場合でも，その旨を4段目に記載し，統合診断は病理診断学的情報のみから診断される．この場合は病名の末尾にNOSが記載されることが多いと予想される．おそらく先進的な施設，国においては今後，詳細な分子生物学的診断に基づいた統合診断が進んでいくことになるが，一般的な施設においてもNOSを記載することで，診断は一応完結できるといえる.

新しい疾患概念・疾患名の変更

WHO CNS 5 において新たに加わった疾患は 22 に及ぶ. そのうち 14 は何らかの遺伝子, 経路の異常が疾患名に記載されており, その診断は容易ではない. また 3 つは仮の疾患名であり, 今後変更も有りうる.

明確な変更点

1. 膠腫, 神経細胞・膠細胞系腫瘍, 神経細胞系腫瘍

まず, この大項目は WHO CNS R4 にはなく, ①びまん性星細胞腫系および乏突起膠細胞系腫瘍, ②その他の星細胞系腫瘍, ③上衣系腫瘍, ④その他の膠腫, ⑤神経細胞および混合神経細胞・膠細胞系腫瘍は個別に扱われていた. WHO CNS 5 はこの 5 つを 1 つの大項目にまとめ, さらに①成人型びまん性膠腫, ②小児型びまん性低悪性度膠腫, ③小児型びまん性高悪性度膠腫, ④限局性星細胞膠腫, ⑤神経細胞および神経・膠細胞系腫瘍, ⑥上衣系腫瘍の 6 つに再分類されている. なお, 脈絡叢腫瘍はこのカテゴリーには含まれていない. このカテゴリーには新たに 14 種の病名が加えられているが, これらの診断には分子生物学的診断が必須なものが多い. 代表的なものには Diffuse astrocytoma, *MYB*- or *MYBL1*-altered, Diffuse pediatric-type high grade-grade glioma, H3-wild type and IDH-wildtype などがあるが, 実際の臨床現場でこのような診断を正確に行うのはきわめて困難であり, より中央診断のようなシステムの構築が望まれる.

ちなみに成人型, 小児型という名称は, 典型的には成人, 小児にみられるという意味であり, 成人, 小児に限らないということに注意が必要である. また, WHO CNS R4 で導入された Diffuse midline glioma, *H3-K27M* mutant は WHO CNS 5 では, Diffuse midline glioma, *H3 K27*-altered にマイナー修正されている. 今回の改訂の特徴は, 特有の遺伝子の異常のみを 1 つの疾患として定義するのではなく, 特徴的な経路の異常をもつものをひとまとめにして 1 つの疾患群としてとらえていることにある.

一方で, もっとも頻度の高い成人型びまん性膠腫の分類は非常に簡略され, Astrocytoma, IDH-mutant, Oligodendroglioma, IDH-mutant and 1p/19q codeleted, Glioblastoma, IDH-wildtype のみとなった. 脳腫瘍の診断で欠かせない退形成性 Anaplastic の名称はすべての疾患において削除されている. Diffuse Astrocytoma, IDH-wildtype, Gliobalstoma, IDH-mutant の診断名も今回の改訂から削除されている. Glioblastoma, IDH-mutant は Diffuse astrocytoma, IDH-mutant WHO grade 4 に移行すると思われるが, 一方で Diffuse astrocytoma, IDH-mutant の Grading に関しては, 従来の組織診断に

加えて，*CDKN2A* と *CDKN2B* のホモ欠失の解析が必須となっている．例えばDiffuse astrocytoma，IDH-mutant で微小血管増殖，壊死がなくても上記遺伝子のホモ欠失がないことを証明しないと，Grade 2, 3 の診断は不可能である．本邦のように，Grade 2, 3 で後療法が大きく変わる実臨床の状況ではかなり深刻な問題である．

Diffuse Astrocytoma，IDH-wildtype は Glioblastoma の病理組織学的特徴がなければ分子生物学的解析を行い *TERT* 遺伝子プロモーター変異，*EGFR* 遺伝子増幅，7 番染色体のコピー数の増加かつ 10 番染色体のコピー数の減少を証明すれば，Glioblastoma，IDH-wildtype の診断が可能になる．証明できない場合は Diffuse glioma，IDH-wildtype，NOS あるいは NEC 等の診断名を付けることになると思われる．

今回の改訂では，分子生物学的にきちんと異常が証明されたものを 1 つ 1 つの疾患名に落とし込んでいき，均一な集団とする．そうでないものに関しては NOS，NEC を積極的に使うことによって対応しようという方針が見てとれる．今後の臨床試験等を見据えたものと考えられるが，本邦においては前述したとおり，現状の対応は困難で大幅に NOS の診断が増加する可能性がある．

上衣系腫瘍は発生部位ごとに病理組織学的診断と分子生物学的診断による統合診断が行われているが，上衣下腫および粘液乳頭状上衣腫の 2 つは病理組織学的診断のみで診断可能である．テント上上衣腫では前述した通り，WHO CNS R4 では上衣腫，*RELA* 融合陽性という診断名が提唱されていたが，CNS5 では上衣腫，*ZFTA*（*C11orf95*）融合陽性の診断名が採用され，一つのサブタイプである *YAP1* 融合陽性の上衣腫も新たに診断名として採用されている．一方で，後頭蓋窩上衣腫では WHO CNS 5 で大きな改訂がされている．以前より知られていた，DNA メチル化パターンの違いによる後頭蓋窩グループ A（PFA）上衣腫と後頭蓋窩グループ B（PFB）上衣腫である．DNA メチル化パターンを一般診療で解析するのは本邦ではきわめて困難であるが，H3 p.K28me3 の免疫染色について PFA 上衣腫は腫瘍細胞において，その染色が陰性であることが知られており，80％のカットオフ値をもって PFA，PFB の診断が可能と報告されている．PFA 上衣腫は PFB 上衣腫と比較し，発症年齢が若年で予後は不良である．WHO grading は PFA，PFB ごとに組織診断に基づいて行われ，WHO CNS R4 まで用いられていた退形成性上衣腫という診断は削除されている．脊髄の上衣腫は予後良好であることが知られているが，*MYCN* 遺伝子の増幅が認められる場合は予後不良であり，WHO CNS 5 では脊髄上衣腫，*MYCN* 増幅として別のサブタイプとして分類されることとなった．

2. 胎児性腫瘍

胎児性腫瘍の項目で，髄芽腫の部分は WHO CNS R4 と比較しマイナーな改訂にとどまっている．他の胎児性腫瘍にはCNS neuroblatoma，FOXR2-activatedやCNS tumor with *BCOR* internal tandem duplicationといった新たな診断名が追加されているが，稀少疾患かつ一般臨床において診断することは困難であり，病理の中央診断で最終的な診断がされるべきと考える．

3. 髄膜腫

髄膜腫もWHO CNS 5で大きな変更があった腫瘍型である．WHO CNS R4まで明記されていた15の病理式学的診断に基づいたサブタイプはなくなり，髄膜腫として1つだけの診断名となった．むしろGradingのほうがサブタイプより重要とされるが，サブタイプの中で脊索腫様髄膜腫，明細胞髄膜腫のみが再発しやすいことから，Grade 2の髄膜腫とされている．病理組織学的悪性度に加えて，*TERT*プロモーター変異や*CDKN2A*のホモ欠失がWHO grade 3に分類すべき分子マーカーとして明記されている．

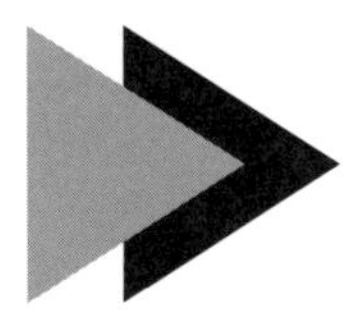

2. Diffuse midline glioma

武笠晃丈（むかさあきたけ）
熊本大学大学院生命科学研究部 脳神経外科学講座

最近の動向

- WHO2021 脳腫瘍病理分類において，Diffuse midline glioma, H3 K27-altered と“-mutant”から“-altered”に名称の一部が変更となり，ヒストン遺伝子変異のないグリオーマもこの病理型に含むようになった．
- 予後や治療反応性に関しては，小児脳幹部に発生するびまん性橋膠腫（diffuse intrinsic pontine glioma：DIPG）と，成人例や視床・脊髄などその他の部位の diffuse midline glioma（DMG）とでは異なる可能性があり，症例の蓄積による検証が必要である．
- リキッドバイオプシーによる分子診断が試みられているが，その診断感度は報告によりばらつきがあり，安定した診断のための検査法確立が必要である．
- MRI 画像を主に利用した radiomics などの手法により，非侵襲的な H3K27 変異診断や予後予測が試みられている．
- 分子標的療法，CAR-T 療法やワクチンなど免疫療法，ウイルス療法など種々の治療法の開発が精力的に行われている．
- 本邦の 2021 年版脳腫瘍診療ガイドラインにおいて，DMG の多くを占める DIPG の診療ガイドラインが公開された．これまでのコンセンサス同様，主に臨床経過，臨床所見，画像検査から診断すること，腫瘍切除は行わないことを提案している．治療としては，放射線治療を行うことを推奨するが，化学療法を行わないことを提案している．

WHO2021 脳腫瘍病理分類における変更点

Diffuse midline glioma（DMG）は，2016 年の WHO 脳腫瘍病理分類改訂から新たに加わった病理分類名であり，中枢神経系正中に存在する浸潤性高悪性度グリオーマに，ヒストン H3.3 をコードする遺伝子 *H3F3A* またはヒストン H3.1 をコードする *HIST1H3B/C* の K27M 変異を認めることを診断基準に，“diffuse midline glioma, H3 K27-mutant”と命名された．今回，2021 年の WHO 脳腫瘍病理分類の第 5 版への改訂の際に，この名称が，“diffuse midline glioma, H3 K27-altered”と変更された[1]．定義の記載も変更され，**正中に存在**

1）Louis DN, Perry A, Wesseling P et al：The 2021 WHO Classification of Tumors of the Central Nervous System：a summary. Neuro Oncol 23：1231-1251, 2021

するびまん性グリオーマでH3 p.K28me3（K27me3）の喪失があり，かつ，①ヒストンH3アイソフォームの一つにH3 c.83A > T p.K28M（K27M）置換，② EZHIPの異常高発現，③ *EGFR*変異，のいずれかを認めることとなった．さらに**この①～③を満たすDMGと同じメチル化プロファイルを有すること**によっても診断できる．

なお，ヒストンのアミノ酸位置は，慣用的には翻訳後速やかに切除される最初のメチオニンを除いて数えるため，置換が生じるのは27番目としていたが，遺伝子配列から考えると28番目となる．このような混乱を避けるため，第5版ではthe Human Genome Variation Societyの推奨に従い28と記載するのを正式とし，慣用的に使用してきた27を括弧の中に記載するようになった[1]．定義の中で重要な**H3 p.K28me3（K27me3）の喪失とは，ヒストンの転写抑制性修飾となる28（27）番目のリジン（K）に付加されている3つのメチル基（トリメチル化）が消失した状態**で，主に上記定義中の①～③の遺伝子異常に伴い生じ，本腫瘍の病因として鍵となる病態と考えられている．このK28（K27）トリメチル化の消失は，特異的抗体を用いた免疫染色により同定できるため，臨床上有用である．

EZHIPの異常高発現を認める diffuse midline glioma

EZHIP（EZH inhibitory protein）は，後頭蓋窩の上衣腫（PFAグループ）において高発現を認めるX染色体上のopen reading frame 67（CXorf67）と呼ばれていた分子であり，これがK27M変異蛋白と同様の機序にて，エピジェネティックな修飾に重要なポリコーム複合体PRC2（polycomb repressive comple 2）の酵素活性を司るEZH2（enhancer of zeste homolog 2）を抑制するため，H3 K27のトリメチル化が消失し，上衣腫の腫瘍化が引き起こされることが示されていた[2,3]．これに対し，脳幹部グリオーマの3.7%（9/241例）に，ヒストン変異がないにもかかわらず，びまん性橋膠腫の組織像を示し，H3 K27のトリメチル化消失を認める症例があることが確認され，このうち1例を除くすべてで上衣腫（PFA）同様にEZHIPが遺伝子・蛋白ともに高発現していた[4]．そして，これら腫瘍のメチル化プロファイルを解析すると，後頭蓋窩上衣腫（PFA）よりもむしろH3 K27変異をもつDMGに近いことがわかり，これらはDMGと見なしうる腫瘍であることが明らかとなった．そこで**WHO2021分類では，ヒストン変異を伴うことなくH3 K27トリメチル化消失を認めるこられの腫瘍もDMGに含めることとなり，“H3 K27-altered”と名称も一部変更になった．**

2) Hübner JM, Müller T, Papageorgiou DN et al：EZHIP/CXorf67 mimics K27M mutated oncohistones and functions as an intrinsic inhibitor of PRC2 function in aggressive posterior fossa ependymoma. Neuro Oncol 21：878-889, 2019
3) Jain SU, Do TJ, Lund PJ et al：PFA ependymoma-associated protein EZHIP inhibits PRC2 activity through a H3 K27M-like mechanism. Nat Commun 10：2146, 2019
4) Castel D, Kergrohen T, Tauziède-Espariat A et al：Histone H3 wild-type DIPG/DMG overexpressing EZHIP extend the spectrum diffuse midline gliomas with PRC2 inhibition beyond H3-K27M mutation. Acta Neuropathol 139：1109-1113, 2020

両側視床グリオーマと *EGFR* 遺伝子異常を有する diffuse midline glioma

視床グリオーマでは半数以上にH3 K27変異を認め，DMGと診断されることが多いが，稀な両側性視床グリオーマにはH3 K27変異をほとんど認めないことから，片側性視床グリオーマとは異なる分子遺伝学的特徴を有することが以前より指摘されていた．Mondalらは[5]，2～16歳に生じた13例の**両側視床グリオーマの分子遺伝学的解析**を行い，やはり**ヒストンH3変異が稀であり，一方で*EGFR*遺伝子異常を高率に有し，それ以外のグリオーマサブタイプのいずれとも異なるメチル化プロファイルを有する**ことを報告した．この*EGFR*遺伝子異常は，エクソン20にある細胞内チロシンキナーゼ部位への小さなインフレームの遺伝子挿入か，エクソン7にある細胞外のリガンド結合部位のミスセンス変異であり，遺伝子増幅は伴わなかった．また，これら*EGFR*遺伝子異常は，いずれも腫瘍原性を有し，チロシンキナーゼ阻害薬に感受性をもつことが示された．報告されている組織診断された41例の小児両側視床びまん性グリオーマの生存期間中央値は10ヵ月ほどであり，このきわめて予後の悪い腫瘍に対する新たな治療標的として期待される．

また，Sieversらはさらに[6]，前述のMondalらの両側視床グリオーマと同様のメチル化プロファイルを有する悪性グリオーマ58例を収集したところ，小児例や視床のグリオーマが多かった．そして，これらにつき分子遺伝学的解析を施行したところ，そのうちの27%に*EGFR*遺伝子増幅を認め，ミスセンス変異や小さなインフレームの遺伝子挿入は67%に認めた．また，H3 K27変異も27%に認めていた．さらに，調べ得た全例にH3 K27me3染色の消失を認め，このうちH3ヒストン野生型のものではEZHIPの異常発現上昇を認めていた．この58例にはMondalらが報告したような*EGFR*遺伝子異常を伴う両側視床グリオーマを含んでいたものの，片側視床やその他の部位のグリオーマも多数含まれており，*EGFR*遺伝子異常と，H3 K27変異またはEZHIP高発現による広範なH3 K27me3消失を特徴とする腫瘍群があることを示す結果であった．これら腫瘍群のDMGの中での位置づけには不確かな部分が残るが，EGFR阻害による治療の可能性という観点からも重要なサブグループだと考えられる．

Diffuse midline gliomaのサブグループと予後

DMGを発症年齢や発生部位から分類しようと考えた場合，その代表的なものは小児脳幹部に好発する，びまん性橋膠腫（diffuse intrinsic pontine glioma：DIPG）と呼ばれてきた一群であろう．DIPGの中で，H3 K27変異を認めるものは予後不良とされる．一方で，中枢神経系正中位に存在する浸潤性

5) Mondal G, Lee JC, Ravindranathan A et al：Pediatric bithalamic gliomas have a distinct epigenetic signature and frequent EGFR exon 20 insertions resulting in potential sensitivity to targeted kinase inhibition. Acta Neuropathol 139：1071-1088, 2020

6) Sievers P, Sill M, Schrimpf D et al：A subset of pediatric-type thalamic gliomas share a distinct DNA methylation profile, H3K27me3 loss and frequent alteration of EGFR. Neuro Oncol 23：34-43, 2021

高悪性度グリオーマであっても，典型的DIPG以外のDMG，つまり成人に発生したものや視床・脊髄に発生したものの病態は，そのまとまった症例数が少ないことから，H3 K27変異の予後に与える意義を含めていまだ十分に明らかになっておらず，報告により結果の不一致もしばしばみられる．

成人DMGに関する報告として，Schulteらの成人DMG，H3 K27変異60例の検討では[7]，発生部位は34例が視床で，脊髄10例，脳幹5例，小脳4例，その他4例，多部位3例であった．すべてH3.3変異であり，小児DMGには多いH3.1変異は認めなかった．全生存期間は27.6ヵ月と，小児のDMG，H3 K27変異や，成人の膠芽腫と比較して予後良好であった．このように，同じDMGであっても，小児と成人では予後や発生部位，遺伝子異常の特徴等に相違のあることがわかる．

視床DMGに関する報告として，Grimaldiらの成人視床グリオーマ38例（平均年齢56.5歳，生存期間中央値15.6ヵ月）の検討では[8]，遺伝子解析可能であった症例の4/20例（20%）にH3 K27変異を認めた．H3 K27変異を有する4症例の予後は，野生型のものと比較して良好であったと報告しているが，症例数が少なく，バイアスが存在することも考えられ，十分な信頼に足りうる結果とはいいがたい．H3 K27変異は視床グリオーマの予後に影響を与えないという他の報告との結果の不一致もあるが，いずれにせよ，DIPGほどH3 H27変異が予後不良因子とはならないことが推定される．

脊髄DMGに関する報告として，Chaiらの脊髄びまん性星細胞腫83例（うちH3 K27変異35例）[9]，およびChengらの脊髄星細胞腫59例（うちH3 K27変異28例）の検討では[10]，いずれも組織学的に高悪性度のものではH3 K27変異による予後の相違はないものの，低悪性度のものではH3 K27変異例のほうが予後不良であった．また，**DMGは定義上すべてグレード4となるが，組織学的に低悪性度のものは高悪性度のものより予後良好であったことから，組織学的所見も意味がある**ことを示しており，これは，Wangらの脊髄DMG，H3 K27変異44例においても同様の結果であった[11]．一方，Yiらの脊髄グリオーマ（グレード4）25例（うちH3 K27変異20例）[12]，およびAkinduroらの成人脊髄高悪性度グリオーマ30例（うちH3 K27変異18例）では[13]，いずれも組織学的グレード4ではH3 K27変異例のほうが予後良好であり，小児脳幹部高悪性度グリオーマの場合とは異なる結果であった．ただし以上のような報告と，Yaoらの脊髄グリオーマ70例（うちH3 K27変異33例）や[14]，Ishiらの26例（うちH3 K27変異7例）とでは[15]，予後に関して必ずしも一致した結果でなく，今後さらに症例を集積しつつ注意深くデータを見比べる必要がある．

発症年齢や発生部位による分類に対し，分子遺伝学的特徴と臨床的な性質からは，およそ**4つのサブグループ**が存在することが示唆される．つまり，

7）Schulte JD, Buerki RA, Lapointe S et al：Clinical, radiologic, and genetic characteristics of histone H3 K27M-mutant diffuse midline gliomas in adults. Neurooncol Adv 2：vdaa142, 2020

8）Grimaldi S, Harlay V, Appay R et al：Adult H3K27M mutated thalamic glioma patients display a better prognosis than unmutated patients. J Neurooncol 156：615-623, 2022

9）Chai RC, Zhang YW, Liu YQ et al：The molecular characteristics of spinal cord gliomas with or without H3 K27M mutation. Acta Neuropathol Commun 8：40, 2020

10）Cheng L, Wang L, Yao Q et al：Clinicoradiological characteristics of primary spinal cord H3 K27M-mutant diffuse midline glioma. J Neurosurg Spine doi：10.3171/2021.4.SPINE2140, 2021［online ahead of print］

11）Wang YZ, Zhang YW, Liu WH et al：Spinal cord diffuse midline gliomas with H3 K27m-mutant：clinicopathological features and prognosis. Neurosurgery 89：300-307, 2021

12）Yi S, Choi S, Shin DA et al：Impact of H3.3 K27M mutation on prognosis and survival of grade IV spinal cord glioma on the basis of new 2016 World Health Organization Classification of the Central Nervous System. Neurosurgery 84：1072-1081, 2019

13）Akinduro OO, Garcia DP, Higgins DMO et al：A multicenter analysis of the prognostic value of histone H3 K27M mutation in adult high-grade spinal glioma. J Neurosurg Spine 35：834-843, 2021

14）Yao J, Wang L, Ge H et al：Diffuse midline glioma with H3 K27M mutation of the spinal cord：a series of 33 cases. Neuropathology 41：183-190, 2021

15）Ishi Y, Takamiya S, Seki T et al：Prognostic role of H3K27M mutation, histone H3K27 methylation status, and EZH2 expression in diffuse spinal cord gliomas. Brain Tumor Pathol 37：81-88, 2020

① H3.3 K27 変異を有する，② H3.1 または H3.2 K27 変異を有する，③ H3 野生型で EZHIP 高発現を有する，④ *EGFR* 遺伝子変異を有するもの，の 4 つに分類される[4, 6, 16]．**このうち H3.1 K27 変異症例は 10 歳以下の年少者に多い．また H3.3 K27 変異例は，H3.1 K27 変異例や EZHIP 高発現例よりも予後不良とされる**[4]．このように，発症年齢や発生部位ごとに分類するよりも，これら分子遺伝学的特徴により分類したほうが，予後推定や治療選択には有用な可能性も高く，今後のさらなる検討が期待される．

非侵襲的診断法

DMG では，組織診断と遺伝子解析により予後予測が可能となりつつあり，また，分子標的薬等による治療の可能性も開けつつあることなどから，生検術の必要性は高まっているところではあるが[17]，特に小児 DIPG などでは非侵襲的診断の重要性は高い．そこで，髄液や血液を用いて H3 K27 変異などの遺伝子異常を同定する，リキッドバイオプシーが期待を集めてきた[18]．Pan らは，髄液検体を次世代シーケンサーにて解析することで，83%（31/37 例）以上の症例で，腫瘍検体に存在するすべての遺伝子異常を同定できたと報告している[19]．一方で On らは，腰椎穿刺で得た髄液検体から抽出した DNA を droplet digital PCR（ddPCR）を用いて解析した場合，H3 K27 を確かに同定できたのは 10%（1/10 例）しかなかったと報告しており，検出力の改善が課題である[20]．Li らは，この ddPCR による方法の標準化を図ることにより，H3.3 K27 変異を感度・特異度 100%にて同定することができたことを報告しており，検査方法確立の重要性を示している[21]．

画像診断による DMG の H3 K27 変異同定の試みも行われており，Chen らは，MRI の ADC（apparent diffusion coefficient）値により，変異の有無を予測できると報告した[22]．また Su らは，MRI 画像を使用し，機械学習を用いた radiomics の手法で，H3 K27 変異を平均適合率 0.855 と高い精度で予測できることを報告している[23]．一方で，予後と相関する MRI 画像上の特徴量はあるものの，H3 K27 変異の同定までは困難とする報告もあり[24]，画像診断による変異や予後の推定には，さらなる検討が必要なものと思われる．

新規治療法の開発

種々の新規治療法の開発も精力的に進められている．DMG, H3 K27 変異では dopamine receptor D2/3（DRD2/3）が高発現しており，これに対するアンタゴニスト ONC201 を用いた治療開発がその一つである．H3 K27 変異を有する DIPG 患者 18 名に投与された治療効果の報告では，今後に期待のもてる効果を示していた[25]．

さまざまな免疫療法の開発も進められている[26]．キメラ抗原受容体

16) Castel D, Philippe C, Kergrohen T et al：Transcriptomic and epigenetic profiling of 'diffuse midline gliomas, H3 K27M-mutant' discriminate two subgroups based on the type of histone H3 mutated and not supratentorial or infratentorial location. Acta Neuropathol Commun 6：117, 2018
17) Williams JR, Young CC, Vitanza NA et al：Progress in diffuse intrinsic pontine glioma：advocating for stereotactic biopsy in the standard of care. Neurosurg Focus 48：E4, 2020
18) Azad TD, Jin MC, Bernhardt LJ et al：Liquid biopsy for pediatric diffuse midline glioma：a review of circulating tumor DNA and cerebrospinal fluid tumor DNA. Neurosurg Focus 48：E9, 2020
19) Pan C, Diplas BH, Chen X et al：Molecular profiling of tumors of the brainstem by sequencing of CSF-derived circulating tumor DNA. Acta Neuropathol 137：297-306, 2019
20) On J, Natsumeda M, Watanabe J et al：Low detection rate of H3K27M mutations in cerebrospinal fluid obtained from lumbar puncture in newly diagnosed diffuse midline gliomas. Diagnostics（Basel）11：681, 2021
21) Li D, Bonner ER, Wierzbicki K et al：Standardization of the liquid biopsy for pediatric diffuse midline glioma using ddPCR. Sci Rep 11：5098, 2021
22) Chen H, Hu W, He H et al：Noninvasive assessment of H3 K27M mutational status in diffuse midline gliomas by using apparent diffusion coefficient measurements. Eur J Radiol 114：152-159, 2019
23) Su X, Chen N, Sun H et al：Automated machine learning based on radiomics features predicts H3 K27M mutation in midline gliomas of the brain. Neuro Oncol 22：393-401, 2020
24) Leach JL, Roebker J, Schafer A et al：MR imaging features of diffuse intrinsic pontine glioma and relationship to overall survival：report from the International DIPG Registry. Neuro Oncol 22：1647-1657, 2020
25) Chi AS, Tarapore RS, Hall MD et al：Pediatric and adult H3 K27M-mutant diffuse midline glioma treated with the selective DRD2 antagonist ONC201. J Neurooncol 145：97-105, 2019

(chimericantigen receptor：CAR)-T 細胞療法は，癌に高発現する特定の抗原を認識する受容体を遺伝子工学的に人工的に発現した T 細胞を用いた免疫療法であり，すでに特定の白血病やリンパ腫等において保険適用されている．これを用い，DMG において高発現する disialoganglioside D2 を標的とした CAR-T 細胞療法の開発が進められている．H3 K27 変異を有する DIPG/DMG 4 症例への投与では，3 例に臨床症状と画像上の改善を認め，血清および髄液中で炎症性サイトカインの上昇を認めていた[27]．また，この GD2-CART 細胞療法に IGF1R/IR 阻害薬を併用するとよいとの報告もある[28]．他の免疫療法として，H3 K27 変異を腫瘍抗原（ネオアンチゲン）としたペプチドワクチン療法の臨床試験では，変異に特異的な CD8 陽性 T 細胞の増幅を認めた DIPG/DMG 患者で，生存期間延長を認めたことが報告されている[29]．

最近になり，腫瘍内で選択的に増殖する腫瘍溶解性アデノウイルス DNX-2401 を用いた臨床試験の結果が報告された[30]．初発 DIPG の 12 症例に対し，小脳脚に留置したカテーテルからのウイルス注入と放射線照射が施行され，9 例にて画像上の腫瘍縮小を認めた．生存期間中央値は 17.8ヵ月であり，2 例は論文執筆時に生存中で，うち 1 例は 38ヵ月病状進行を認めていなかった．副作用として片麻痺と四肢麻痺を 1 例ずつ生じている．

この他，本稿では紙面に制限がありすべてを紹介できないが，有効な治療法を探索する数々の基礎研究，convection enhanced delivery（CED）を用いた薬剤注入の臨床試験や，EZH2 や HDAC を標的としたものなど，さまざまな標的療法の開発が精力に行われ，将来に期待がもてる有効性の報告が多数報告されている．これらの治療法が種々のハードルを乗り越えて臨床応用されることに期待したい．

26) Persson ML, Douglas AM, Alvaro F et al：The intrinsic and microenvironmental features of diffuse midline glioma：implications for the development of effective immunotherapeutic treatment strategies. Neuro Oncol doi：10.1093/neuonc/noac117, 2022［online ahead of print］

27) Majzner RG, Ramakrishna S, Yeom KW et al：GD2-CAR T cell therapy for H3K27M-mutated diffuse midline gliomas. Nature 603：934-941, 2022

28) de Billy E, Pellegrino M, Orlando D et al：Dual IGF1R/IR inhibitors in combination with GD2-CAR T-cells display a potent anti-tumor activity in diffuse midline glioma H3K27M-mutant. Neuro Oncol 24：1150-1163, 2022

29) Mueller S, Taitt JM, Villanueva-Meyer JE et al：Mass cytometry detects H3.3K27M-specific vaccine responses in diffuse midline glioma. J Clin Invest 130：6325-6337, 2020

30) Gállego Pérez-Larraya J, Garcia-Moure M, Labiano S et al：Oncolytic DNX-2401 virus for pediatric diffuse intrinsic pontine glioma. N Engl J Med 386：2471-2481, 2022

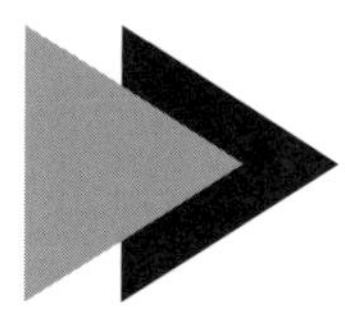

3. 小児悪性脳腫瘍の分類と展望

寺島慶太（てらしまけいた）
国立成育医療研究センター 小児がんセンター脳神経腫瘍科

最近の動向

- グリオーマについては，新しい WHO 分類に関係した文献と，分子標的薬の臨床試験の論文のインパクトが高い．
- 遺伝子診断による分類と分子標的薬は，長年標準治療として世界中で行われてきた小児グリオーマの薬物療法を大きく変化させることになる．
- 低悪性度，高悪性度といった単純な形態病理診断だけでは適切な治療が選択できなくなり，MAPK 経路活性型か RTK 融合遺伝子型かそれ以外かを，分子診断しなくてはならない．
- 髄芽腫については，米国より大規模な第Ⅲ相 RCT の結果が報告され，結果が分子サブグループごとに解析された．
- 放射線照射の軽減が引き続きテーマになるが，分子サブグループごとに戦略を見直す必要がある．
- 後期臨床試験に限らず日常の初期治療においても，リアルタイムな分子診断が必須になってくる時代が来たことを実感する．
- 最後に紹介する論文は，本邦が基礎研究をリードしてきた胚細胞腫瘍発生の遺伝学的背景にせまる GWAS 研究である．
- 日本人をはじめとする東アジア人に，中枢神経系胚細胞腫瘍が多く発生する理由の一部が解明されたといえる．

脳腫瘍の診断は，分子生物学的検索法の発展とともに，新たな知見に基づいて診断の基本概念が再定義され，これまでに組織形態学的に 1 つの診断と考えられていた腫瘍が細分化されたり，別の診断であった腫瘍が再グループ化されるなど，現在もダイナミックに変容を続けている．国際標準診断基準である WHO 分類も 2021 年に改訂され，the WHO Classification of Tumors of the Central Nervous System（WHO CNS5）5th edition には小児脳腫瘍の分類について，多くのドラスティックな変更が行われた[1, 2]．WHO CNS5 の総論については「1. WHO 中枢神経系腫瘍病理分類第 5 版と cIMPACT-NOW update」で，また小児中心に発生する diffuse midline glioma（DMG）については「2. Diffuse midline glioma」でレビューされているため，本稿では DMG 以外の小

1）WHO classification of tumours editorial board：WHO classification of Tumors of the Central Nervous System, 5th edition. Lyon：IARC Press, 2021
2）Louis DN, Perry A, Wesseling P et al：The 2021 WHO Classification of Tumors of the Central Nervous System：a summary. Neuro Oncol 23：1231-1251, 2021

2434-9992/22/¥100/頁/JCOPY

児中心に発生する脳腫瘍に関する小児悪性脳腫瘍の分類や診療に関する最新の文献についてレビューする．

小児低悪性度グリオーマ (pediatric low grade glioma：PLGG)

WHO CNS5では，① Diffuse astrocytoma（DA），*MYB*- or *MYBL1*-altered，② Angiocentric glioma（AG），③ Polymorphous low-grade neuroepithelial tumor of the young，④ Diffuse low-grade glioma（LGG），MAPK pathway-alteredという3つの新しい診断名と1つの既存の診断名が，びまん性小児低悪性度グリオーマ（pediatric-type diffuse LGG）というカテゴリーにまとめられた．

Bale と Rosenblum によるこのカテゴリーのレビュー[3]によると *MYB* は，増殖と分化に重要な癌遺伝子として機能し，他の悪性腫瘍でも報告されている．*MYB* の変化は高増幅，あるいは3'UTR制御部位または抑制性C末端ドメインのいずれかの切断であるが，その共通の生物学的結果は，*MYB* 自体の発現増加である．同じ *MYB* 遺伝子ファミリーの転写調節因子として *MYBL1* があり，*MYBL1* は *MYB* と構造および機能が似ている．AGの特徴的な組織学的特徴をもたないが，さまざまな遺伝子パートナーとの融合を含む *MYB* および *MYBL1* の反復増幅および構造変化をもつPLGGのサブセットを，DA，*MYB*- or *MYBL1*-alteredとした．これらの腫瘍は，前版のWHO分類では，すべてIDH-wild type diffuse gliomaという悪性転化する自然歴をもつ腫瘍と同じ診断名になっていたが，小児および成人の両方でDA，*MYB*- or *MYBL1*-alteredは一般的に緩徐で通常WHO grade 1に近い進行をするため，この区別は重要である．実際，St. Jude小児病院からの，*MYB* または *MYBL1* 変異を有する46人のグリオーマの報告によると，ほとんどの患者が長期生存している[4]．この報告によると，患者は診断年齢の中央値は5歳で，男女差はなかった．発生部位は大脳皮質（58.7%），大脳白質または深部（26.1%），脳幹（15.2%）であった．皮質腫瘍，中枢腫瘍，脳幹腫瘍はそれぞれ，てんかん，頭蓋内圧上昇症状，脳神経障害を呈することが多かった．転帰データが得られた37人の患者について，10年無増悪生存率と全生存率は，それぞれ89.6%，95.2%（追跡期間中央値）であった．病理組織学的特徴は転帰と関連していなかった．MRI上腫瘍はT1等強度から低強度であり，T2/FLAIRでは混合信号または高強度であった．微弱なびまん性造影を認めた1例を除き，造影や拡散制限は認められなかった．すべての腫瘍は低悪性度の病理組織学的特徴を示し，淡明な核が特徴的で分裂増は稀であった．腫瘍はDA（n = 11）とAG（n = 35）に大別された．免疫染色の特徴は類似しており，腫瘍細胞はGFAPを発現し，MAP2に対してさまざまな反応性を示して，SOX10に対しては陰

3) Bale TA, Rosenblum MK：The 2021 WHO Classification of Tumors of the Central Nervous System：an update on pediatric low-grade gliomas and glioneuronal tumors. Brain Pathol 32：e13060, 2022

4) Chiang J, Harreld JH, Tinkle CL et al：A single-center study of the clinicopathologic correlates of gliomas with a MYB or MYBL1 alteration. Acta Neuropathol 138：1091-1092, 2019

性であった．DA，AG ともに浸潤腫瘍細胞は一般に OLIG2 を発現し，血管周囲の腫瘍細胞は OLIG2 陰性であった．EMA の細胞質内のドット状の発現パターンがすべての腫瘍で観察された．すべての腫瘍に *MYB*（n = 44）または *MYBL1*（n = 2）が関する変化があった．*IDH1*，*IDH2*，*TP53*，*ATRX*，またはヒストン *H3* 遺伝子に変異があるものはなかった．2 例は *BRAF*：*p.V600E* 変異を併発していた．*MYB* と *MYBL1* はさまざまな遺伝子パートナーと融合していた．*MYBL1* が変化している 2 つの腫瘍は DA であった．分子生物学的変化は臨床パラメータとの明確な関連性を示さなかった．ゲノムメチル化プロファイリング解析により，*MYB/MYBL1* 変異グリオーマは，病理組織学的診断や解剖学的位置に関係なく，単一のクラスターを形成していた．

2017 年に Huse らによって記述された polymorphous low grade neuroepithelial tumors of the young（PLNTY）は，主に小児や若年成人の側頭葉の皮質下に発生し，形態的に多様である一方で，浸潤性増殖，乏突起膠腫様成分，頻繁な石灰化および強い CD34 発現という組織学的特徴を有する脳腫瘍群である．PLNTY では顕著な乏突起星細胞成分が一定の頻度に認められるが，線維性，紡錘状，および多形性の星細胞成分も存在し，さらに局所的な血管周囲の偽ロゼットも認められることがある[5)]．他の多くの PLGG と同様に，PLNTY は，*FGFR* 遺伝子ファミリーの変異を含む MAPK 経路の活性化につながる分子異常をもつことが示されてきた．これらの中で，*FGFR2*（キナーゼドメインを含む）と *CTNNA3*（その C 末端二量化ドメイン全体を含む）が結合した新規で PLNTY に特異的な融合転写物が報告された．Gupta らは，PLNTY を含むさまざまな組織診断を受けた *FGFR2* 融合遺伝子を有する LGG 患者 9 人のコホートに対して，標的次世代シーケンサーとゲノムワイドメチル化プロファイリングを実施した[6)]．対象は男性 6 名，女性 3 名，年齢中央値 11 歳（範囲 6〜38 歳）で，いずれもてんかんを呈していた．画像所見では大脳半球内に実質性および嚢胞性病変が認められた．ほとんどの症例で肉眼的全摘が行われ，発作は消失し，後療法を行わず再発はなかった．組織学的に，主に円形の乏突起細胞様核を有する腫瘍細胞からなる低悪性度浸潤性神経膠腫であった．石灰化はしばしば広範に認められ，ほとんどの腫瘍に存在したが，すべてではなかった．CD34 の免疫組織化学的検査では，9 個中 6 個の腫瘍で PLNTY に特徴的な腫瘍細胞がびまん性に強く標識されており，他の 3 個の腫瘍では少数の陽性細胞が散在するだけで，神経節腫の特徴を有していた．4 つの腫瘍は *INA* をパートナーとして *FGFR2* 融合を示し，1 つの腫瘍は *KIAA1598*，*ACTR1A*，*OPTN* との融合を示し，2 つの腫瘍は標的 DNA 配列解析に基づく融合パートナーが不明な複合 *FGFR2* 再配置を示した．*FGFR2* 融合は，すべての腫瘍で確認された唯一の病原性変化であった．8 症例でゲノムワイドメチル化プロファイリングを実施し tSNE クラスタリングした結果，*FGFR2* 融合 LGG は，

5）Huse JT, Snuderl M, Jones DT et al：Polymorphous low-grade neuroepithelial tumor of the young（PLNTY）：an epileptogenic neoplasm with oligodendroglioma-like components, aberrant CD34 expression, and genetic alterations involving the MAP kinase pathway. Acta Neuropathol 133：417-429, 2017

6）Gupta R, Lucas CG, Wu J et al：Low-grade glioneuronal tumors with *FGFR2* fusion resolve into a single epigenetic group corresponding to 'Polymorphous low-grade neuroepithelial tumor of the young'. Acta Neuropathol 142：595-599, 2021

現行バージョンのDKFZ classifierにおけるメチル化クラスとは異なる単一のグループを形成した．

Diffuse LGG, MAPK pathway-alteredについては，現在分子標的薬治療の開発が進んでいる．MAPK pathwayで現在druggableな代表的な遺伝子は*BRAF*と*MEK*である．現在開発中の*BRAF*阻害薬は*V600E*変異による活性型変異type 1には有効であるが，diffuse LGG, MAPK pathway-alteredで頻度の高いBRAF-KIAA1549融合遺伝子などのV600E以外の活性型変異type 2に対しては無効である．そのためtype 1とtype 2では異なる戦略で開発が進められている．Type 1つまり*BRAF V600E*変異を有するLGGに対しては，*BRAF*阻害薬と下流の*MEK*阻害薬を併用する戦略がとられている．これまでの研究で*MEK*阻害薬を追加すると*BRAF*阻害薬単独治療よりも，薬剤抵抗性が生じにくいことと副作用が減少することが判明している．現在*BRAF*阻害薬であるdabrafenibと*MEK*阻害薬であるtrametinibを用いた国際共同治験が進行中で，速報では既存の化学療法を上回る有効性が示された．国際共同治験の論文報告はこれからであるが，論文として先行して報告されたのは，*BRAF V600E*変異を有するさまざまな腫瘍に対する有効性を18歳以上の患者で検証した第Ⅱ相試験のうち，神経膠腫患者の成績をWenらが報告したものである[7]．LGG患者13人では，追跡期間中央値32ヵ月で，13人中9人が客観的な腫瘍縮小を認め，CRが1人，PRが6人，minor responseが2人含まれていた．一方，V600E以外の活性型変異type 2および，*BRAF*以外のメカニズムによるMAPK pathway活性化を有するLGGに対しては，経路下流の重要な癌遺伝子である*MEK*の阻害薬単独による治療の有効性が報告されている．Fangusaroらは米国の小児脳腫瘍臨床研究グループPediatric Brain Tumor Consortium（PBTC）がPLGGに対するselumetinibの第Ⅱ相試験結果を報告した[8,9]．この試験のstratum 1は*BRAF*の活性型変異（type 1と2）を有する再発・進行性の毛様細胞性星細胞腫である．25人中9人（36％（95％ CI 18-57））が持続的部分奏効を達成した．カットオフ日（追跡期間中央値は36～40ヵ月）までに11人の患者に進行イベントが発生しなかった．Stratum 3は神経線維腫症1型（NF1）を背景に有する再発・進行性のPLGGで，25人中10人（40％（95％ CI 21-61））が持続的部分奏効を達成し，カットオフ日（追跡期間中央値は48～60ヵ月）までに17名の患者に進行イベントが発生しなかった[8]．Stratum 4は視路および視床下部腫瘍25人が対象で，19人は病理診断でPLGGと診断され6人は臨床診断であった．25人中6人（24％）が部分奏効，14人（56％）が安定，5人（20％）が治療中に進行した．主な副作用は発心，消化器症状，CPK上昇で，治療関連の死亡は認めず，忍容性は高い治療であった．

7) Wen PY, Stein A, van den Bent M et al：Dabrafenib plus trametinib in patients with BRAF^{V600E}-mutant low-grade and high-grade glioma（ROAR）：a multicentre, open-label, single-arm, phase 2, basket trial. Lancet Oncol 23：53-64, 2022

8) Fangusaro J, Onar-Thomas A, Young Poussaint T et al：Selumetinib in paediatric patients with BRAF-aberrant or neurofibromatosis type 1-associated recurrent, refractory, or progressive low-grade glioma：a multicentre, phase 2 trial. Lancet Oncol 20：1011-1022, 2019

9) Fangusaro J, Onar-Thomas A, Poussaint TY et al：A phase Ⅱ trial of selumetinib in children with recurrent optic pathway and hypothalamic low-grade glioma without NF1：a Pediatric Brain Tumor Consortium study. Neuro Oncol 23：1777-1788, 2021

高悪性度グリオーマ（high grade glioma：HGG）

WHO CNS5において，HGGも成人型と小児型に大別することになった．DMG以外のびまん性小児高悪性度グリオーマ（pediatric-type diffuse HGG）にはヒストン蛋白遺伝子*H3*のもう一つのhot-spot mutationである*G34*変異が診断として確立した．また，乳幼児のHGG，infant-type hemispheric gliomaにおいて，*ALK*，*ROS1*，*NTRK1/2/3*，*MET*のいずれかの融合遺伝子による活性化が起きていることがわかり，これまでも臨床的に年長児や成人と異なった臨床的特徴をもっていた腫瘍が，乳幼児期独特の分子生物学的な特徴を有していて，分子標的治療が有効であることも明らかになった[10〜12]．Guerreiroらは，日本人患者も含め世界中から集積された乳児グリオーマについて包括的な遺伝子解析を行い，3つの臨床的サブグループが存在することを明らかにした．グループ1の腫瘍は大脳半球に発生し，受容体チロシンキナーゼ*ALK*，*ROS1*，*NTRK*および*MET*に変化を有する．この群の予後は中間的といえる．グループ2およびグループ3のグリオーマはRAS/MAPK経路の変異を有し，それぞれ大脳半球および正中構造に発生する．グループ2の腫瘍は長期生存率が高いが，グループ3の腫瘍は急速に進行し，化学放射線療法にあまり反応しない[10]．

これらの融合遺伝子を有する腫瘍に有効な分子標的薬として，entrectinibとlarotrectinibが小児脳腫瘍に対して開発された．Entrectinibは*NTRK*融合遺伝子以外の*ROS1*や*ALK*の融合遺伝子を阻害する効果がある一方で，larotrectinibは*NTRK*に選択性が高い．Desaiらは，*NTRK*，*ROS1*，*ALK*融合遺伝子を有する再発・進行性小児固形腫瘍に対するentrectinibの安全性と有効性評価する第I/II相試験（STARTRK-NG試験）のうち，中枢神経系腫瘍の結果を報告した．データカットオフ時点で評価可能であった中枢神経系腫瘍患者16人中8人で客観的奏効が確認された（complete response（CR）：4人，partial response（PR）：4人，objective response rate（ORR）50.0％，95％ CI 24.7–75.4）．コホートB（第II相試験，n＝11）の患者においてORRは54.5％（95％ CI 23.4–83.3）であり，中間解析における有効性の閾値である40％を満たし，迅速かつ持続的な抗腫瘍効果を示した[11]．一方，Dozらは*NTRK*融合遺伝子を有する再発・進行性固形腫瘍に対するlarotrectinibの安全性と有効性を評価する，成人と小児が対象の2つの臨床試験（SCOUT第I/II相試験，NAVIGATE第II相試験）のうち中枢神経系腫瘍の結果を報告した．データカットオフ時点で，奏効評価可能であった*NTRK*融合遺伝子陽性の中枢神経系腫瘍患者は33人（年齢中央値：8.9歳，範囲：1.3〜79.0）であった．もっとも一般的な組織型は，HGG（n＝19）およびLGG（n＝8）であった．全患者のORRは30％（95％ CI 16–49）であった．24週目の病勢コントロー

10）Guerreiro Stucklin AS, Ryall S, Fukuoka K et al：Alterations in ALK/ROS1/NTRK/MET drive a group of infantile hemispheric gliomas. Nat Commun 10：4343, 2019
11）Desai AV, Robinson GW, Gauvain K et al：Entrectinib in children and young adults with solid or primary CNS tumors harboring NTRK, ROS1 or ALK aberrations（STARTRK-NG）. Neuro Oncol doi：10.1093/neuonc/noac087, 2022 [online ahead of print]
12）Doz F, van Tilburg CM, Geoerger B et al：Efficacy and safety of larotrectinib in TRK fusion-positive primary central nervous system tumors. Neuro Oncol 24：997–1007, 2022

ル率は73％（95％ CI 54-87）であった．測定可能な病変を有する患者28人中23人（82％）は，腫瘍の縮小を認めた．12ヵ月の奏効期間，無増悪生存期間，全生存率はそれぞれ75％（95％ CI 45-100），56％（95％ CI 38-74），85％（95％ CI：71-99）であった．奏効までの期間中央値は1.9ヵ月（範囲：1.0〜3.8ヵ月）であった．治療期間は1.2〜31.3ヵ月以上であり，こちらも迅速かつ持続的な抗腫瘍効果を示した[12]．*ALK*，*ROS1*，*NTRK*融合遺伝子を有するinfant-type hemispheric gliomaに対して分子標的薬entrectinibとlarotrectinibは有望な治療オプションである．

髄芽腫（medulloblastoma：MB）

髄芽腫のWHO CNS5の分子生物学的サブグループ分類については，前版に引き続き，WNTとSHH（さらにTP53-wild typeとTP53-mutantに分類），non-WNT/non-SHHという3分類を維持している．Non-WNT/non-SHHは多様な腫瘍の集合であり，2012年時点のコンセンサスのグループ3，グループ4という分類だけでは臨床的有用性に限界がある．Sharmaらは，1,501人の髄芽腫のDNAメチル化プロファイリングデータシリーズを解析（そのうち852人はトランスクリプトームデータあり）することによって，グループ3/グループ4の既存のサブグループ定義の方法と比較した．もっともシンプルな解析手法では，グループ3とグループ4というコンセンサスサブグループを引き続き支持したが，より高度な解析では，8つの強固なサブタイプ（タイプⅠ〜Ⅷ）からなる定義をもっとも強く支持した．これら8つのサブタイプの分子的および臨床病理学的特徴をまとめると，各サブタイプに特異的なドライバー遺伝子変異や細胞遺伝学的異常が濃縮されており，生存期間も大きく異なっていたことから，その生物学的および臨床的な意義がさらに裏付けられた[13]．

初発髄芽腫の治療において，とても重要な臨床的課題に取り組んでいた米国COGの2つの大規模臨床試験結果が発表された[14, 15]．ACNS0331は平均リスクの3歳以上21歳未満の髄芽腫患者について，全脳脊髄照射（craniospinal irradiation：CSI）に追加するブースト照射の範囲を後頭蓋窩照射（posterior fossa radiation therapy：PFRT）または腫瘍床照射（involved field radiation therapy：IFRT）のいずれかに無作為に割り付けた．また3〜7歳の幼児については，CSIの線量を標準線量CSI（23.4 Gy）または低線量CSI（18 Gy）のいずれかに無作為に割り付けた．549人の患者が試験に登録され，そのうち464人でPFRTとIFRTの比較，226人で23.4 GyCSIと18 GyCSIの比較が可能であった．5年無イベント生存率（event-free survival：EFS）は，IFRTとPFRTレジメンでそれぞれ82.5％（95％ CI 77.2-87.8）および80.5％（95％ CI 75.2-85.8），18 Gyレジメンと23.4 Gy CSIレジメンでそれぞれ71.4％（95％ CI 62.8-80）および82.9％（95％ CI 75.6-90.2）であった．IFRTはPFRTより

13) Sharma T, Schwalbe EC, Williamson D et al：Second-generation molecular subgrouping of medulloblastoma：an international meta-analysis of Group 3 and Group 4 subtypes. Acta Neuropathol 138：309-326, 2019
14) Michalski JM, Janss AJ, Vezina LG et al：Children's oncology group phase Ⅲ trial of reduced-dose and reduced-volume radiotherapy with chemotherapy for newly diagnosed average-risk medulloblastoma. J Clin Oncol 39：2685-2697, 2021
15) Leary SES, Packer RJ, Li Y et al：Efficacy of carboplatin and isotretinoin in children with high-risk medulloblastoma：a randomized clinical trial from the children's oncology group. JAMA Oncol 7：1313-1321, 2021

劣っていなかった（ハザード比（HR）0.97）が，18 Gy CSI は 23.4 Gy CSI より劣っていた（HR 1.67）．サブグループ解析では，特にグループ 4 において，18 Gy CSI の EFS が劣ることが示された（p = 0.047）．23.4 CSI を受けた小児は，IQ の後期低下が大きかった（推定値：5.87，p = 0.021）．平均リスクの髄芽腫において放射線ブーストの照射野を縮小することは安全であった．一方，平均リスクの幼少児の MB において CSI 線量を減らすと，おそらくサブグループに依存した形で予後が悪くなるが，神経認知の予後はよくなると結論づけた[14]．ACNS0332 は高リスクの 3 歳以上 21 歳未満の髄芽腫患者について，放射線増感剤としてのカルボプラチンとアポトーシス誘導薬としてのイソトレチノインによる治療強化を無作為化比較した臨床試験である．第一の無作為割付は，両群とも 36 Gy の頭蓋脊髄放射線療法と週 1 回のビンクリスチン投与を行うが，照射中にカルボプラチン連日投与を受ける群と受けない群に無作為割付を行う．その後両群ともシスプラチン，シクロホスファミド，ビンクリスチンによる維持化学療法 6 サイクルを行うが，12 サイクルのイソトレチノイン投与を受ける群と受けない群への第二の無作為割付が行われた．全参加者の 5 年 EFS は 62.9%（95% CI 55.6-70.2），全生存率は 73.4%（95% CI 66.7-80.1）であった．イソトレチノインの無作為化は，無益性のため早期に終了した．すべてのグループを合わせた全体の解析では，5 年 EFS は，カルボプラチン使用群で 66.4%（95% CI 56.4-76.4），カルボプラチン不使用群で 59.2%（95% CI 48.8-69.6）であり両群に有意な差は認めなかった（p = 0.11）．一方でサブグループごとの解析では，グループ 3 の患者にのみ有効性が認められた（カルボプラチン使用群 73.2%（95% CI 56.9-89.5），非使用群 53.7%（95% CI 35.3-72.1）（p = 0.047））．5 年全生存率は，分子サブグループによって異なっていた（WNT 群：100 %（95 % CI 100-100），SHH 群：53.6 %（95 % CI 33.0-74.2），group 3：73.7%（95% CI 61.9-85.5），group 4：76.9%（95% CI 67.3-86.5），p = 0.006）[15]．髄芽腫の治療において，臨床的および分子的な統合リスク層別化が重要である．

胚細胞腫瘍（germ cell tumors：GCT）

頭蓋内胚細胞腫瘍（intracranial GCT：IGCT）は，主に小児・adolescent and young adult（AYA）世代に発生する稀な脳腫瘍であり，特に東アジア人で高い発生率を示している．Sonehara は筆者らとともに，IGCT 日本人患者 133 人と日本人の対照者 762 人を対象に，ゲノムワイド関連研究（GWAS）を実施した．その結果，*BAK1* に隣接するプロモーター近位エンハンサー領域の高頻度多型である 4 bp の欠失が，疾患リスクと有意に関連していた（rs3831846，p = 2.4×10^{-9}，オッズ比（OR）2.46（95% CI 1.83-3.31），リスクアレル頻度：0.43）．rs3831846 は，既知の精巣 GCT 感受性バリアント rs210138 と強い連鎖不平衡にあった．遺伝子多型が異なる組織で遺伝子発現に与える影響を調べるため，GTEx データベースを用いて eQTL 解析を行い，リスクアレルが幅広い組織で *BAK1* の発現をダウンレギュレートすることが明らかになった．さらに *in vitro* レポーターアッセイにより，rs3831846 はエンハンサー活性を減弱させる機能性変異であり，*BAK1* の発現を変化させることで IGCT の素因に寄与していると示唆された．欧州の GWAS から得られた精巣 GCT のリスクアレルは，本邦の IGCT の GWAS と効果量において有意な正の相関を示した（$p = 1.3 \times 10^{-4}$，Spearman の順位相関係数 $\rho = 0.48$）．57 の遺伝子座のうち 11 の遺伝子座が IGCT と有意な関連を示し，これらの遺伝子座は，KIT/KITLG シグナル伝達，アポトーシス制御，テロメラーゼ活性など，広範な生物学的経路に関与していることが示唆された．これらの結果は，民族や原発部位を超えて，GCT の遺伝的感受性が共有されていることを示唆している[16]．

16）Sonehara K, Kimura Y, Nakano Y et al：A common deletion at BAK1 reduces enhancer activity and confers risk of intracranial germ cell tumors. Nat Commun 13：4478, 2022

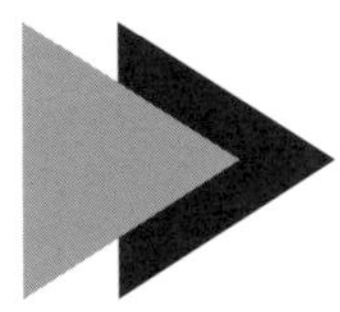

4. グリオーマ遺伝子解析 update

三木俊一郎（みき しゅんいちろう）
Department of Medicine, University of California San Diego

最近の動向

- Whole genome sequence（WGS）や single cell RNA sequence（scRNA-seq）のデータが蓄積し，より多くの検体を用いた再解析による新たな知見や工夫した解析方法により，これまで見逃されていた変異の発見等が報告された．
- cIMPACT-NOW update を踏まえた遺伝子解析・臨床データの再検証が行われた．

IDH-wildtype glioblastoma の初期腫瘍形成経路

Köber らは 50 症例の初発・再発検体（longitudinal samples）に対して遺伝子・発現・エピゲノム解析を行い，多くの IDH-wildtype glioblastoma（GBM）に共通する初期腫瘍形成経路を考察し報告している[1]．この論文中の症例のほとんどは，実臨床でもっとも多く目にする術後後療法として temozolomide（TMZ）+ 放射線療法が施行された局所再発症例である．遺伝子解析の結果，7 番，9 番，10 番のいずれかの染色体異常（81％の症例で 2 つ以上）が初発・再発検体中のすべての細胞（clonal）に認められた．このことから，IDH-wildtype GBM においては染色体異常が発癌の初期イベントであると考えられ，特に各染色体上の遺伝子 *EGFR*（7 番），*CDKN2A/2B*（9 番），*PTEN*（10 番）が発癌に影響していると予想された．一方で，これまでよく知られていた *TP53* 変異などのドライバー変異は，多くが検体中の一部の細胞（subclonal）にのみ認められることが明らかになった．検体間でもっとも高頻度（初発・再発 41/42 検体）に認められた *TERT* promoter（*TERT*p）変異であっても，1/3 の検体で subclonal であった．この結果から Köber らは，IDH-wildtype GBM の初期腫瘍形成経路はまず染色体異常をもった細胞が発癌に至り，そのうちの一部が subclonal に *TERT*p 変異のような追加変異（特に陽性率からは他の変異であることは考えにくいと考察されている）を獲得することで細胞が細胞死を免れて増大し，臨床的に可視化されるようになると考え，さらにこれを数理モデルで検証し，この過程は初発診断時の 2～7 年前から始まっていると予測

1) Körber V, Yang J, Barah P et al：Evolutionary trajectories of IDH^{WT} glioblastomas reveal a common path of early tumorigenesis instigated years ahead of initial diagnosis. Cancer Cell 35：692-704. e612, 2019

2434-9992/22/¥100/頁/JCOPY

した．また，21例中15症例の再発がoligoclonal（元々存在したいくつかのsubpopulationが再発時にも同様に存在すること）であったことから，IDH-wildtype GBMの腫瘍内の多くのsubpopulationがTMZ＋放射線治療に耐えうる卓越した増殖能と悪性度を初期診断時点で兼ね備えていると考えられた．Glioma Longitudinal Analysis Consortium（GLASS）（https://www.glass-consortium.org/）から報告された成人diffuse gliomaのlongitudinal samplesに対するWGS解析でも，症例の多くで化学療法，放射線療法にかかわらず，治療後にclonal selection（腫瘍内のsubpopulationが再発時に腫瘍内のほとんどを占めるようになること）が認められなかった．逆に，IDH-wildtypeではselectionが起きた症例は特に予後が悪いことが示されている[2]．術後の迅速な遺伝子診断による標的治療の選択・追加は，初発症例よりも腫瘍の構成が均一な状態に近いであろう予後不良の再発の症例に対して効果的なのかもしれない．またIDH-wildtype GBMの染色体異常に関しては近年Umeharaらにより，7番，9番，10番の異常をすべてもつ症例の予後がその他と比較し有意に悪いことが報告されている[3]．これらの染色体異常は，腫瘍の発生だけでなく増悪にも重要な役割を果たしていると考えられる．

びまん性グリオーマにおける*TERT* promoter（*TERT*p）変異の意義

2016年のWHO脳腫瘍分類第4版改訂により，グリオーマの病理診断にIDH変異，1p/19q欠損の有無が取り入れられ，びまん性グリオーマはまず大きくIDH-mutantとIDH-wildtypeに大別されることとなり，IDH-mutant diffuse gliomaの中でも1p19q欠損を認めるものをOligodendroglioma，IDH mutant，1p19q-codeleted，認めないものをDiffuse astrocytoma，IDH mutantと定義することになった．一方で，ほぼすべてのoligodendrogliomaで1p/19q欠損と共存する*TERT*p変異とIDH変異の組み合わせでも，びまん性グリオーマの予後を有効に鑑別できることが報告されていた[4, 5]．また，続くcIMPACT-NOW update 3では，IDH-wildtype diffuse gliomaの中の予後不良群をhistological grade Ⅳと診断する3つの予後不良マーカーとして，*EGFR*の増幅と7番染色体の増幅＋10番染色体の欠損，*TERT*p変異が追加された．近年Fujimotoら，Aritaらにより，IDH-wildtype diffuse gliomaとIDH-mutant diffuse gliomaにおける*TERT*p変異の重要性が検証され，報告されている[6, 7]．

Fujimotoらは131例のIDH-wildtype diffuse gliomaに対して，target sequence，multiplex ligation-dependent probe amplification（MLPA），bisulfite DNAを使用したO-6-methylguanine-DNA methyltransferase promoterのmethylation statusの検出，一部の症例にgenome-wide methylation analysis

2) Barthel FP, Johnson KC, Varn FS et al：Longitudinal molecular trajectories of diffuse glioma in adults. Nature 576：112-120, 2019

3) Umehara T, Arita H, Yoshioka E et al：Distribution differences in prognostic copy number alteration profiles in IDH-wild-type glioblastoma cause survival discrepancies across cohorts. Acta Neuropathol Commun 7：99, 2019

4) Eckel-Passow JE, Lachance DH, Molinaro AM et al：Glioma groups based on 1p/19q, IDH, and TERT promoter mutations in tumors. N Engl J Med 372：2499-2508, 2015

5) Arita H, Yamasaki K, Matsushita Y et al：A combination of TERT promoter mutation and MGMT methylation status predicts clinically relevant subgroups of newly diagnosed glioblastomas. Acta Neuropathol Commun 4：79, 2016

6) Fujimoto K, Arita H, Satomi K et al：TERT promoter mutation status is necessary and sufficient to diagnose IDH-wildtype diffuse astrocytic glioma with molecular features of glioblastoma. Acta Neuropathol 142：323-338, 2021

7) Arita H, Matsushita Y, Machida R et al：TERT promoter mutation confers favorable prognosis regardless of 1p/19q status in adult diffuse gliomas with IDH1/2 mutations. Acta Neuropathol Commun 8：201, 2020

を行い，臨床情報を合わせた多変量解析から，前述の3つの予後不良マーカーの中で*TERT*p変異の有無のみが有効に予後を予測することを示した．残りの2つのマーカーが予後予測に有効でなかった原因はサンプルサイズの影響も考えられるが，その中でも*TERT*p変異の有無が有効であった意義は大きい．いずれかの予後不良マーカーが陽性でgrade Ⅳと診断された47/131症例の中で，*TERT*p変異は46/47例で認められたのに対して*EGFR*の増幅を認めた症例は13/47例，7番染色体の増幅＋10番染色体の欠損を認めた症例は15/47例のみであったことからも，この変異を検索することの重要性が示された．一方で，*TERT*p野生型の症例では*TERT*p変異をもつ症例と比較し，*PDGFRA*の増幅を認める症例が有意に多かった．これらの症例は*TERT*p野生型の中で有意に予後が悪かったことから，*PDGFRA*の増幅はIDH-wildtype diffuse glioma *TERT*p野生型の新たな予後マーカーになり得ることも明らかにした．また，p.24でも挙げた染色体7番，9番，10番を含むほとんどのcopy number alternations（CNAs）は，histological grade ⅡよりもⅢで有意に多くの症例で認められていた．早くもこの新たなgrade Ⅳの診断から早期に強力な治療を行うことの有効性を示す報告も出てきているものの[8]，今回の改訂によってgrade Ⅳに分類された元来の組織学的診断がgrade Ⅱの症例の予後は，grade Ⅳの予後に相当しないという報告もある[9]．実臨床での治療方針は明確になった一方で，今後発表される予後データを解釈する際には，引き続き症例の組織学的悪性度にも着目する必要があるだろう．

Aritaらは560例のIDH-mutant diffuse gliomaの1p19q欠損と*TERT*p変異を解析し，臨床情報と併せて多変量解析を行った．279/560例で*TERT*p変異と1p19q欠損両方（double positive：DP），24例が*TERT*p変異のみ，251例でどちらも認めなかった（double negative：DN），1p19q欠損のみを認めた症例は6例のみであった．特にhistological grade Ⅱ/Ⅲ，Karnofsky performance status（KPS）90～100の症例に解析を限ると，*TERT*p変異のみ認めた症例はDP群と予後が変わらず，DN群と比較して有意に予後がよかったことから，IDH-mutant diffuse gliomaにおいても*TERT*p変異の検索は予後予測に有用であると考えられた．興味深いことに，histological grade Ⅱ/Ⅲの中でもKPS＜90の症例の解析では，DP群，DN群の間でも生存曲線に有意差が認められなかった．Histological grade ⅡとⅢ自体はoligodendrogliomaの予後を分けなかったことから，この結果はこの疾患群におけるKPS，臨床情報の重要性を示していると考えられる．

グリオーマに対するsingle cell RNA sequence（scRNA-seq）

scRNA-seqによるGBMの解析は2014年にPatelらにより初めて報告され，

8）Zhang Y, Lucas CG, Young JS et al：Prospective genomically-guided identification of ‘early/evolving’ and ‘undersampled’ IDH-wildtype glioblastoma leads to improved clinical outcomes. Neuro Oncol doi：10.1093/neuonc/noac089, 2022［online ahead of print］
9）Berzero G, Di Stefano AL, Ronchi S et al：IDH-wildtype lower-grade diffuse gliomas：the importance of histological grade and molecular assessment for prognostic stratification. Neuro Oncol 23：955-966, 2021

従来考えられていた発現パターンによるグリオーマサブタイプが一つの腫瘍切片に混在することが明らかになった[10]．またGBMに続いて行われたIDH-mutant glioma（oligodendroglioma/astrocytoma），H3K27M gliomaに対する解析では，さらに腫瘍内のheterogeneityとそれぞれの構成の分化階層が示された[11〜13]．近年，同グループよりGBM成人20症例，小児8症例に対するscRNA-seqによって，さらに詳細な解析結果が報告されている[14]．この解析でNeftelらは，腫瘍内の細胞は① neural-pregenitor-like（NPC-like），② oligodentrocyte-progenitor-like（OPC-like），③ astrocyte-like（AC-like），④ mesenchymal-like（MES-like）の4つの形質に分けることが可能であり，またそれぞれの形質に可塑性があることを示した．さらにそれぞれの存在量は腫瘍のもつ遺伝子異常によって影響を受けることを見出した．例えば*CDK4*の増幅を認める腫瘍ではNPC-like，*PDGFRA*の増幅を認める腫瘍ではOPC-like，*EGFR*の増幅を認める腫瘍ではAC-like，*NF1*の変異を認める腫瘍ではMES-likeの形質をもつ細胞がそれぞれ多かった．TCGAのbulk RNA sequenceデータをscRNA-seqの結果を用いて検証すると，従来のproneural typeはNPCあるいはOPC-like，classicalはAC-likeがもっとも当てはまる．mesenchymalはMES-likeが当てはまることに加え，マクロファージやmicrogliaの遺伝子発現パターンも認め，これらの非腫瘍細胞がMES-likeの状態維持にかかわる可能性が示唆された．過去のIDH-mutant/H3K27M gliomaの結果と同様に，NPC-like，OPC-likeの状態にある細胞がセルサイクルの増殖期にあることを示す傾向は，特に小児症例で顕著に認められた．小児症例では，成人症例とは異なりNPC/OPC-likeの細胞がAC-likeよりも多く存在していた．小児と成人症例間で細胞形質の分布に違いが認められることは，GBMが発症年齢により由来細胞が違うことを示唆しているのかもしれない．加えて本研究では，2つの形質を併せもつ細胞（hybrid）が全体の15%に認められたことが報告されている．著者らはそれぞれの組み合わせのhybridの期待量と実際に検出された量を比較して，4つの状態の関係性をイラストに描出している．また，最後にマウス腫瘍モデル，patient-derived xenograft（PDX）モデルを用いて1つの形質を腫瘍から抽出しても，増殖の過程で再び4つの形質の細胞が現れていたことを示し，各形質には可塑性があることを証明した．4つの形質それぞれに特徴があることから，今後は形質特異的な治療や特定の形質に細胞を誘導してから治療するなどの戦略が検討されるだろう．GBMのheterogeneity，可塑性は，同グループを含む2つのグループによりsingle-cell methylome解析（最新の1細胞単位でDNA上のmethylation statusを検索する最新技術）からも確認されている[15,16]．この新しい技術は現時点ではDNA全体の一部の領域の解析しかできないものの，今後さらに進化し新たな知見を見出してくれることが期待される．

10) Patel AP, Tirosh I, Trombetta JJ et al：Single-cell RNA-seq highlights intratumoral heterogeneity in primary glioblastoma. Science 344：1396-1401, 2014

11) Tirosh I, Venteicher AS, Hebert C et al：Single-cell RNA-seq supports a developmental hierarchy in human oligodendroglioma. Nature 539：309-313, 2016

12) Venteicher AS, Tirosh I, Hebert C et al：Decoupling genetics, lineages, and microenvironment in IDH-mutant gliomas by single-cell RNA-seq. Science 355：eaai8478, 2017

13) Filbin MG, Tirosh I, Hovestadt V et al：Developmental and oncogenic programs in H3K27M gliomas dissected by single-cell RNA-seq. Science 360：331-335, 2018

14) Neftel C, Laffy J, Filbin MG et al：An integrative model of cellular states, plasticity, and genetics for glioblastoma. Cell 178：835-849. e21, 2019

15) Chaligne R, Gaiti F, Silverbush D et al：Epigenetic encoding, heritability and plasticity of glioma transcriptional cell states. Nature Genet 53：1469-1479, 2021

16) Johnson KC, Anderson KJ, Courtois ET et al：Single-cell multimodal glioma analyses identify epigenetic regulators of cellular plasticity and environmental stress response. Nature Genet 53：1456-1468, 2021

また，近年ependymomaに対するscRNA-seqの結果も報告された[17]．Gojoらはposterior-fossa ependymomaの18検体（うち14検体がPF-A，3検体がPF-B，1検体がPF-subependymoma（PF-SE）），supratentorial ependymomaの8検体（うち5検体がST-RELA，1検体がST-YAP1），spinal ependymomaの2検体，また8つの患者由来セルライン，2つのPDXモデルに対する解析を行い，これまで解析されたグリオーマ同様に，腫瘍内にheterogeneityが存在することと，それぞれの構成に分化階層が存在することを確認した．また，予後の悪いとされるPF-A，ST-RALAや再発検体では未分化な細胞が腫瘍内に多く存在することを見出した．次に，これら未分化な細胞群に特徴的な発現パターンを使い，臨床情報を伴うbulk RNA seqデータを解析したところ，予後を予測できることを発見した．この発現パターンは，PF-A症例のみを対象として解析しても予後を分けた．この知見から，ependymomaに対して今後さまざまな新規治療戦略が検討されるだろう．

17) Gojo J, Englinger B, Jiang L et al : Single-cell RNA-seq reveals cellular hierarchies and impaired developmental trajectories in pediatric ependymoma. Cancer Cell 38 : 44-59. e49, 2020

髄芽腫におけるU1 snRNA変異

近年，髄芽腫のwhole-genome sequencing（WGS）から非常に重要な知見が，Suzukiらにより報告されたので，最後に紹介したい[18]．著者らは合計341症例の髄芽腫に対するWGSデータを解析し，データをmulti-mappingする特殊な手法を使い，これまで見逃されていた変異を検出することで，約50％のSonic Hedgehog（SHH）サブグループの症例でスプライソソーム（mRNAのスプライシングに関与する蛋白複合体）の構成要素であるU1核内低分子RNA（U1 snRNA）の3番目の塩基にA＞Gの変異（r.3A＞G）が認められることを見出した．さらに，159症例の臨床情報をもつSHHサブタイプの髄芽腫検体に対してターゲットシークエンスを行い，この変異がSHHサブグループの中でも成人症例（SHHδ）の97％，青年期症例（SHHα）の25％に認められることを発見した．特に後者の症例はSHH全体の中でも予後不良であり，多くがTP53の変異の共存を認めた．この変異を認める腫瘍ではHedgehog signalingの抑制にかかわる*PTCH1*と*GLI12*，また細胞周期にかかわる*CCND2*，がん抑制遺伝子として知られる*PAX5*のスプライシング異常がRNAシークエンスにより同定され，SHHサブタイプの髄芽腫の発生にかかわっていると考えられた．今後はこれらの異常をきたす遺伝子を標的とした治療や，スプライソソームを標的とする治療が検討されるだろう．また同様の手法を用いた新規変異の解析が，グリオーマに対しても進むと予想される．

18) Suzuki H, Kumar SA, Shuai S et al : Recurrent noncoding U1 snRNA mutations drive cryptic splicing in SHH medulloblastoma. Nature 574 : 707-711, 2019

おわりに

2019年からのグリオーマ遺伝子解析にかかわる重要論文を紹介した．今後もさらに多くのデータの蓄積により，発癌メカニズム，治療抵抗性に関与する

subpopulation の存在や，non-coding 領域の変異が明らかになっていくだろう．また，これらから得られた腫瘍内多様性の解明は，空間的な情報を含めて検証される方向に進むと予想される．腫瘍中心から辺縁にかけての局在性を伴ったそれぞれの腫瘍細胞の染色体・遺伝子異常，発現・転写と翻訳，微小環境との関係性に対する知見が得られることは，手術のみでは治療が不十分な悪性脳腫瘍に対して重要な進歩につながると考えられる．この項がグリオーマ診療にかかわるすべての人に少しでも参考になれば幸いである．

謝　辞
本稿の執筆にあたり国立がん研究センター研究所脳腫瘍連携研究分野　鈴木啓道先生にご指導，ご助言頂きましたことを深謝いたします．

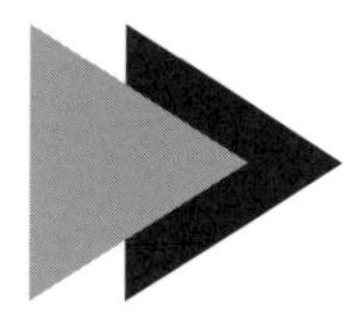

5. 脊椎・脊髄腫瘍 update

関　俊隆（せき　としたか）
道東の森総合病院 脳神経外科

最近の動向

- World Health Organization（WHO）中枢神経系腫瘍病理分類 改訂第 4 版では，ヒストン遺伝子の *H3K27M* を有する diffuse midline glioma, *H3K27M*-mutant が新たに導入されたが，2021 年に改訂された WHO 中枢神経系腫瘍病理分類 改訂第 5 版[1)]では，より拡張した概念として diffuse midline glioma, *H3K27*-altered の名称が用いられた．
- 現在のところ主に頭蓋内神経膠腫に対して解析が行われているため，脊髄神経膠腫における頻度は明らかではない．
- Diffuse midline glioma, *H3K27*-altered と診断された脊髄神経膠腫の症例では，MRI 所見は悪性所見に乏しかったが，60％に腫瘍の再発が認められた．また，無増悪生存期間の中央値は 9ヵ月であったとの報告がある．
- 脊髄海綿状血管腫に関しては，出血発症例の年間再出血率は決して低いものではなく，再出血の予防と神経機能の悪化を避けるために外科的介入を検討する必要があるが，そのタイミングに関しては現在のところはっきりしていない．
- 脊髄髄膜腫は一般的に良性腫瘍とされ，再発率は高くはないが，完全切除（Simpson's grade 1～3）された場合でも再発が認められることがあり，長期的な経過観察が必要である．

脊髄神経膠腫の予後

2016 年に改訂された WHO 中枢神経系腫瘍病理分類 改訂第 4 版に diffuse midline glioma, *H3K27M*-mutant が新たに採用されるとともに，多数の報告がなされている．Chai ら[2)]は脊髄星細胞腫の WHO グレード 2，3，および 4 における *H3K27M* 野生型と変異型の臨床的特徴と予後について検討した．WHO グレード 2 では，*H3K27M* 野生型（37 例）と比較して変異型（14 例）では全摘出の割合が低く（野生型 vs 変異型：81％ vs 21％，$p < 0.0001$），さらに Ki-67 の陽性率が高かった（野生型 vs 変異型：19％ vs 57％，$p = 0.0108$）．また生存期間に関しては，WHO グレード 3 および 4 では有意差は認められなかったが，WHO グレード 2 では変異型で有意に短かった（p＜

1) Louis DN, Perry A, Wesseling P et al：The 2021 WHO Classification of Tumors of the Central Nervous System：a summary. Neuro Oncol 23：1231-1251, 2021

2) Chai RC, Zhang YW, Liu YQ et al：The molecular characteristics of spinal cord gliomas with or without H3 K27M mutation. Acta Neuropathol Commun 8：40, 2020

2434-9992/22/¥100/頁/JCOPY

0.0001). WHO グレード 3 では生存期間に有意差は認められなかったが，細胞の増殖にかかわる RAF 蛋白質の一つである *BRAF* 遺伝子変異の陽性率のみ変異型で高かった（p = 0.0020). WHO グレード 4 では，診断時の年齢のみ変異型で有意に若かった（野生型 vs 変異型：中央値 51 歳 vs 20 歳，p = 0.0101).

2016 年に改訂された WHO 中枢神経系腫瘍病理分類 改訂第 4 版では，病理学的な悪性度によらず *H3K27M* が認められた場合には WHO グレード 4 と診断される．Pang ら[3]は，脊髄星細胞腫を non-WHO グレード 4（*H3K27M* が認められない WHO グレード 2 および 3）と WHO グレード 4 に分け，それぞれの予後因子を検討している．その結果，non-WHO グレード 4 では，腫瘍摘出率（カットオフ≧ 90%）と Ki-67 の陽性率が予後予測因子であった．一方，WHO グレード 4 では McCormick score と末梢血中の好中球 / リンパ球比（neutrophil-to-lymphocyte ratio：NLR）が予後予測因子として挙げられた．以上の結果から，脊髄星細胞腫を予後良好順に 4 つに分類している．分類 1：WHO グレード 2/3，Ki-67 ＜ 10%，および切除率≧ 90%．分類 2：WHO グレード 2/3，Ki-67 ≧ 10%，または切除率＜ 90%．分類 3：WHO グレード 4，NLR ≦ 3.65，および McCormick score ≦ 3．分類 4：WHO グレード 4，NLR ＞ 3.65，または McCormick score = 4．評価項目も少なく，簡便なグレード分類と思われる．脊髄星細胞腫は一施設で経験できる症例数は限られており，多施設共同での検証が望まれる．

2021 年に改訂された WHO 中枢神経系腫瘍分類第 5 版[1]では diffuse midline glioma, *H3K37M*-mutant をより拡張した概念として diffuse midline glioma, *H3K27*-altered の名称が採用された．Diffuse midline glioma, H3K27-altered は小児に多いが，脊髄神経膠腫における頻度や特徴については現在のところ定かではない．Gu ら[4]は diffuse midline glioma, *H3K27*-altered と診断された 5 例の成人脊髄神経膠腫の臨床的特徴について報告している．対象症例は 27〜65 歳（中央値 39 歳）で，MRI 所見では悪性を強く疑わせる所見に乏しかったが，5 例中 3 例で腫瘍の再発が認められた．また，無増悪生存期間の中央値は 9ヵ月，最長生存期間は 45ヵ月であった．Diffuse midline glioma, *H3K27*-altered の脊髄に関する報告はまだ少数であり，症例報告ではあるが貴重な論文と思われる．

小児脊髄神経膠腫

小児脊髄神経膠腫に関しての報告は少なく，その予後ならびに予後因子に関しては不明な点が多い．Perwein ら[5]は，128 例の小児 low-grade 脊髄神経膠腫（18 歳以下）に対する多施設共同前向き研究について報告している．診断時の年齢は 0.7〜16.2 歳（中央値 8.1 歳）であった．Pilocytic astrocytoma が 94 例でもっとも多く，diffuse glioma が 12 例，そして ganglioglioma が 11 例

3) Pang B, Chai RC, Zhang YW et al：A comprehensive model including preoperative peripheral blood inflammatory markers for prediction of the prognosis of diffuse spinal cord astrocytoma following surgery. Eur Spine J 30：2857-2866, 2021

4) Gu Q, Huang Y, Zhang H et al：Case report：five adult cases of H3K27-altered diffuse midline glioma in the spinal cord. Front Oncol 11：701113, 2021

5) Perwein T, Benesch M, Kandels D et al：High frequency of disease progression in pediatric spinal cord low-grade glioma (LGG)：management strategies and results from the German LGG study group. Neuro Oncol 23：1148-1162, 2021

であった．72検体全例で*H3K27M*の変異は認められず，検査が可能であった66例中1例で*BRAF*V600Eの変異を認めていた．Follow-up期間の中央値は8.8年（0〜25.4年）で，120例（93.8%）が生存していた（complete response：34例，stable disease：78例）．10年全生存率とイベントフリー生存率はそれぞれ93%±2%と38%±5%であった．播種を16例に認め，全生存率とイベントフリー生存率の低下に関連していた．一方，11歳以上および全摘出が可能であった症例では，良好なイベントフリー生存率が得られていた．初期治療としては，全摘出術が24例，亜全摘出術が14例，部分摘出術が64例，生検術が22例，そして放射線診断のみが4例に行われていた．初期治療後に117例は経過観察され（全摘出術：24例，亜全摘出術：14例，部分摘出術：60例，生検術：16例，放射線診断のみ：3例），11例は補助療法（放射線治療：2例，化学療法：9例）を受けていた（部分摘出術：4例，生検術：6例，放射線診断のみ：1例）．放射線治療を受けた2例は5.6〜8.6年間stable diseaseであった．化学療法を受けた9例のうち2例は3.3〜13.2年間stable diseaseであった．診断または初期治療から最大20.8年間に73例（57%）が画像所見または臨床症状の進行を認めていた．36例が複数回の腫瘍摘出を受けていた．また，47例が化学療法または放射線治療を受けていた．1回または複数回の腫瘍摘出を受けた73例，そして補助療法を受けた47例中35例で長期間の病勢コントロールが得られた（中央値6.5年間）．小児low-grade脊髄神経膠腫の大多数で腫瘍の進行が認められ，3分の1以上で複数の治療介入が必要であった．しかし，集学的治療によって長期間の病勢コントロールが可能であったと報告している．今後の追加オプションとして，治療標的を特定する必要性があるとも述べている．

一方，Nunnaら[6]はNational Cancer Databaseを使用して，小児high-grade脊髄神経膠腫に与える要因について検討している．対象症例は97例で，全小児脊髄腫瘍におけるhigh-grade脊髄神経膠腫の発生率は7.5%であった．平均生存期間は25.3ヵ月（stable disease：21.0ヵ月），5年生存率は17.0%であった．多数の症例で手術（n＝87，89.7%），放射線療法（n＝73，75.3%），および化学療法（n＝60，61.9%）を受けていた．しかしながら，これらは転帰の改善には関連していなかった．

小児low-grade脊髄神経膠腫の全生存率は比較的良好であったが，イベントフリー生存率は決して良好とはいえない．現在の標準的な治療である手術，化学療法，そして放射線療法には限界があり，小児high-grade脊髄神経膠腫を含めて，小児脊髄神経膠腫に対する治療のブレークスルーとして分子標的治療の開発が望まれる．

6) Nunna RS, Khalid S, Behbahani M et al：Pediatric primary high-grade spinal glioma：a National Cancer Database analysis of current patterns in treatment and outcomes. Childs Nerv Syst 37：185-193, 2021

脊髄上衣腫

2021年に改訂されたWHO中枢神経系腫瘍病理分類 改訂第5版[1]では，脊髄上衣腫は異なるサブグループに分類された．Rudàら[7]は小児および成人の脳，脊髄に発生した上衣腫についてレビューを行った．その中で，脊髄上衣腫は比較的良性な腫瘍ではあるが，予後不良な転帰をとる脊髄上衣腫として，播種する傾向がありMycファミリー遺伝子の転写因子である*MYCN*遺伝子が増幅した脊髄上衣腫について述べている．現在のところ，この*MYCN*遺伝子が増幅した脊髄上衣腫に対する最適な治療戦略はないが，*MYCN*阻害に対してワクチン接種等の研究が行われている．また，WHOグレード2または3の治療成績に関しては，機能予後は腫瘍サイズと術前の神経症状に関連しており，全摘出可能であった脊髄上衣腫の予後は良好であったと述べている．全摘出できなかった症例では後療法として放射線治療が行われることがあるが，亜全摘出のみの無増悪生存期間が48ヵ月であったのに対して，放射線治療を追加した症例のそれは96ヵ月であったと述べている．

Ghasemiら[8]も，13例の*MYCN*が増殖した脊髄上衣腫について報告している（WHOグレード3：10例，WHOグレード2：3例）．この*MYCN*が増殖した脊髄上衣腫は主に頚椎および胸椎レベルの硬膜内髄外に好発し，全例で播種が認められ，脊髄に浸潤していた．集学的な治療が行われたにもかかわらず，*MYCN*の増殖が認められない脊髄上衣腫，脊髄上衣下腫，および粘液乳頭状上衣腫と比較して有意に無増悪生存期間が短かった．さらに*MYCN*が増殖した脊髄上衣腫の無増悪生存期間と全生存期間中央値は，RELA fusionを伴うテント上に発生した上衣腫および後頭蓋窩上衣腫のそれと類似しており，*MYCN*が増殖した脊髄上衣腫を新しいサブグループとするように提唱している．今回改訂されたWHO中枢神経系腫瘍病理分類 改訂第5版[1]では，この*MYCN*が増殖した脊髄上衣腫が“spinal ependymoma, *MYCN*-amplified”として新たに採用された．

脊髄海綿状血管腫

MRIが普及し，脊髄海綿状血管腫に遭遇する機会が増えている．しかしながら手術適応，さらに手術時期に関しては現在のところ一定の見解は得られていない．Goyalら[9]は，85例の脊髄海綿状血管腫について検討している．発症時には，21例（24.7%）が摘出術を受け，64例（75.3%）は保存的に治療されていた．この64例のうち16例（25.0%）はfollow-up中に出血し，脊髄海綿状血管腫の出血のリスクは年間5.5%であったと報告している．また，保存的に治療された64例中11例（17.2%）が，間欠的な出血または神経症状の悪化のため摘出術が行われていた．脊髄海綿状血管腫の年間の出血率は，無症候

7) Rudà R, Bruno F, Pellerino A et al：Ependymoma：evaluation and management updates. Curr Oncol Rep doi：10.1007/s11912-022-01260-w, 2022 [online ahead of print]

8) Ghasemi DR, Sill M, Okonechnikov K et al：MYCN amplification drives an aggressive form of spinal ependymoma. Acta Neuropathol 138：1075-1089, 2019

9) Goyal A, Rinaldo L, Alkhataybeh R et al：Clinical presentation, natural history and outcomes of intramedullary spinal cord cavernous malformations. J Neurol Neurosurg Psychiatry 90：695-703, 2019

性の場合は0.8%であったのに対して，症候性および出血の既往歴のある症例では有意に高く，それぞれ9.5%および9.7%であったと報告している．多変量解析では，神経症状の有無が唯一予後予測因子として挙げられた（OR 7.49, 95% CI 1.42-137.8, p = 0.013）．統計学的有意差は認められなかったが，1 cmを超える脊髄海綿状血管腫も出血に関連していたと報告している（p = 0.06）．Nagoshiら[10]も66例の脊髄海綿状血管腫について検討し，予後予測因子について報告している（手術例：57例，保存療法例：9例）．術前のmodified McCormick Scaleは，グレードⅠ：38.6%），Ⅱ：24.6%，Ⅲ：26.3%，Ⅳ：8.8%，Ⅴ：1.8%で，最終follow-up時のmodified McCormick Scaleは，グレードⅠ：43.9%，Ⅱ：22.8%，Ⅲ：28.1%，Ⅳ：0%，Ⅴ：5.3%であった．最終follow-up時の歩行機能は，安定歩行を38例，不安定歩行を19例に認めていた．2回以上の出血の既往（p = 0.016），胸髄レベルの病変（p = 0.036），および術前の歩行障害（p < 0.001）が術後の歩行機能の回復に影響を与えていたと報告している．また，術前に歩行障害を認めていた21例中7例に歩行機能の回復が認められたが，歩行機能が回復しなかった14例と比較して有意に病変が小さかったと報告している（3.5 ± 1.6 mm vs 8.6 ± 4.5 mm, p = 0.011）．

出血発症の脊髄海綿状血管腫の年間出血率は決して低いものではなく，再出血の予防とそれによる神経機能の悪化を避けるため，外科的介入を検討する必要がある．しかし，大きな病変を有する場合は手術により神経症状の悪化を招く恐れがあり，病変の変化と神経機能の経過観察を慎重に行い，外科的介入のタイミングを見誤らないことが必要である．

脊髄血管芽腫

脊髄血管芽腫は，全脊髄腫瘍の1.6～5.8%を占めている．脊髄血管芽腫の一般的な症状には，運動麻痺，感覚障害，膀胱直腸障害などがある．Etliら[11]は神経障害性疼痛に焦点を当て，13例の脊髄血管芽腫について検討した．術前に神経障害性疼痛を認めていたのは1例（7.7%）のみで，腫瘍がdorsal root entry zone（DREZ）の背側に局在していた．術後に神経障害性疼痛を認めた6例（46.2%）は，いずれも腫瘍が脊髄の背側に位置していた．腫瘍が脊髄の腹側に位置していた症例では，術後も神経障害性疼痛は認めなかった（p = 0.034）．また，腫瘍吻側のtumor cystと神経障害性疼痛には関連があり，尾側のみにtumor cystを認めていた症例では神経障害性疼痛は認められなかった（p = 0.013）．これらの結果から，DREZ近傍の腫瘍と吻側のtumor cystの存在が神経障害性疼痛に関係すると結論している．

脊髄血管芽腫は主に髄内に発生するが，多くの症例で全摘出可能である．しかし最近，定位放射線治療が補助的治療となる可能性が指摘されている．Cvekら[12]はvon Hippel Lindau病に伴う脊髄血管芽腫5例，18個に対して

10）Nagoshi N, Tsuji O, Nakashima D et al：Clinical outcomes and prognostic factors for cavernous hemangiomas of the spinal cord：a retrospective cohort study. J Neurosurg Spine 31：271-278, 2019

11）Etli MU, Sarıkaya C, Onen MR et al：Spinal hemangioblastomas and neuropathic pain. World Neurosurg 149：e780-e784, 2021

12）Cvek J, Knybel L, Reguli S et al：Stereotactic radiotherapy for spinal hemangioblastoma - disease control and volume analysis in long-term follow up. Rep Pract Oncol Radiother 27：134-141, 2022

定位放射線治療を行った．放射線量は25〜26 Gy/5fr，または24 Gy/3frであった．追跡期間の中央値は5年間で，1例でナイダスの増大，1例で外科的介入，そして2例でtumor cystの増大による神経症状の進行を認めた．定位放射線治療に関連する有害事象は認められなかったものの，1例で照射2年後に無症候性ではあったが脊髄症を思わせる画像変化が認められた．全例で腫瘍体積の減少を認めていた（中央値：28%減少，$p = 0.012$）．脊髄血管芽腫に対する定位放射線治療は外科的摘出術の代替手段としては有効であると結論している．またMori[13]は，髄内病変に対する定位放射線治療のレビューを行っており，その中で脊髄血管芽腫に対する定位放射線治療は病変が小さな場合または摘出後の残存腫瘍に適応があると述べている．さらに病変が複数個存在する場合は，病変の発育を遅延させる可能性があるとも述べている．しかしながら，脊髄血管芽腫に対する定位放射線治療に関する報告は少なく，また，経過観察期間も短いため，脊髄血管芽腫に対する補助的治療となり得るかの判断は中・長期成績をみる必要がある．脊髄血管芽腫が希少疾患であることを考えると，今後，多施設での前向き研究も検討する必要があると思われる．

脊髄髄膜腫

脊髄髄膜腫は脊髄硬膜内腫瘍の24〜45%，およびすべての髄膜腫の約2%を占めている．一般的に良性腫瘍であり，完全切除後（Simpson's grade 1および2）の再発率は低いとされている．しかしながら，手術摘出後の局所再発率はfollow-up期間が長期になるにつれて高くなるため，完全切除後の脊髄髄膜腫の再発の要因を知ることは重要である．Maiuriら[14]は，脊髄髄膜腫の完全切除後の再発に関連する危険因子について検討している．1986年から2016年までに120例の脊髄髄膜腫に対して手術が行われ，Simpson's grade 1または2が行われた6例に再発が認められた．この6例を，初回手術から10年以上再発が認められなかった脊髄髄膜腫50例，および初回手術でSimpson's grade 1または2が行われ10年以上が経過した頭蓋内髄膜腫（再発例：50例，非再発例：50例）と比較している．結果として，くも膜への浸潤とKi-67の陽性率は脊髄髄膜腫群と頭蓋内髄膜腫群の両方で，再発群・非再発群ともに有意差が認められた．腫瘍の大きさ，Simpson's grade 1そして2，およびプロゲステロンレセプターの発現は頭蓋内髄膜腫においては再発の有意な要因ではあったが，脊髄髄膜腫では有意ではなかったと報告している．Kweeら[15]は，1989年から2018年までに脊髄髄膜腫で手術を受けた166例を後方視的に検討した（follow-up期間：0〜23年，中央値：0.77年）．術前および術後の機能評価はmodified Rankin Scale（mRS）で評価し，良好群（mRS：0〜3）と不良群（mRS：4〜5）の2群に分類した．2010年以降は，手術後3ヵ月，6ヵ月，1年，2年，5年，そして10年後にMRIが行われている．Simpson's gradeの

13) Mori Y：Stereotactic radiotherapy for intramedullary spinal lesions. International Medicine 3：158-163, 2021

14) Maiuri F, Del Basso De Caro M, de Divitiis O et al：Recurrence of spinal meningiomas：analysis of the risk factors. Br J Neurosurg 34：569-574, 2020

15) Kwee LE, Harhangi BS, Ponne GA et al：Spinal meningiomas：treatment outcome and long-term follow-up. Clin Neurol Neurosurg 198：106238, 2020

記載があった159例中141例（88.7%）でSimpson's grade 1，2，または3が行われていた．mRSでは，術前では良好群：85例（52.8%），不良群：76例（47.2%）であったが，術後では良好群：149例（92.0%），不良群：13例（8.0%）であった．術前と術後のmRSの比較では117例が改善（79.1%），24例が不変（16.2%），そして7例（4.7%）が悪化していた．再発は12例（7.2%）に認められ，Simpson's grade 4で有意に高かった（18例中5例，p = 0.008）．Simpson's grade 1の33例中2例（6.1%），およびSimpson's grade 2の96例中5例（5.2%）にも再発が認められた．Simpson's grade 1〜3の10年および15年の無再発生存率は86.4%および67.2%であった．Simpson's grade 4および5では10年および15年の無再発生存率はともに21.9%であった．

脊髄髄膜腫は良性腫瘍ではあるが，完全切除（Simpson's grade 1〜3）された場合であっても再発の可能性があり，術後の状態にかかわらず長期的なfollow-upが必要である．

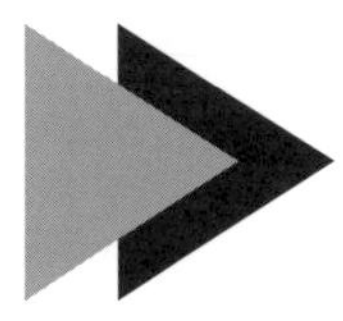

6. 良性脳腫瘍の遺伝子解析と治療

大宅宗一（おおや そういち）
埼玉医科大学総合医療センター 脳神経外科

最近の動向

- 本稿では，良性脳腫瘍の中でも代表的な髄膜腫を中心として，そのほか頭蓋咽頭腫と前庭神経鞘腫に対する遺伝子解析とそれに関連した治療についての文献レビューを行う．
- 髄膜腫では，いくつかの診断的価値の高い遺伝子変異を反映し，WHO 2021 の改訂が行われた．
- 分子・ゲノム解析に基づく精緻な再発予測スケールも提案されている．
- さらに手術摘出度や従来の組織学的基準を統合した新統合グレードも報告されつつある．
- これらの新統合グレードでは，WHO 分類より正確な再発予測が可能であるとされる．
- 各髄膜腫ごとに，メチル化分類やゲノム解析により再発リスクの細分化された評価が可能となれば，術直後の adjuvant radiation や化学療法奏効性を加味した precision medicine に貢献することが期待されている．
- 頭蓋咽頭腫は，従来の組織学的分類である乳頭状型とエナメル上皮型のそれぞれに特徴的な遺伝子変異が同定されており，特に乳頭状型に対する BRAF と MEK に対する阻害薬併用療法試験の結果が待たれている．
- 神経線維腫症Ⅱ型に関連した前庭神経鞘腫においては，手術や放射線治療では両側聴力消失や polysurgery に関連した問題が現在も解決できておらず，薬物療法の発展が望まれる．
- 近年では，こうした治療困難な神経線維腫症Ⅱ型関連前庭神経鞘腫に対する，血管新生阻害薬の有効性に関する臨床報告が増加している．

髄膜腫

髄膜腫の治療に関しては手術摘出と放射線治療が主軸であり，大部分の腫瘍は制御可能である．しかし，一部の腫瘍はこれらの治療に抵抗性を示し，制御不能な増大も生じうる．こうした髄膜腫では複数回の手術や放射線照射が必要となり，また治療を繰り返す中で患者の生活の質は徐々に低下し，生命予後にも影響しうる．髄膜腫はもっとも発生頻度の高い脳腫瘍であるため，実はこのような治療抵抗性の髄膜腫に苦しむ患者数は決して少なくない．髄膜腫における過去 10 年間の分子・ゲノム解析の進歩は発症や増殖能に関連するメカニズ

2434-9992/22/¥100/頁/JCOPY

ムの理解を大きく前進させ，手術と放射線治療に抵抗性の髄膜腫に対する治療の開発につながることが期待されている．

診断と予後予測

髄膜腫の予後予測の尺度としては，古くからWHO分類が用いられてきた．WHO分類はそもそも予後を予測することを目的とした分類法であり，髄膜腫においても旧来のgradingを実際の予後との解離を修正すべく段階的に改訂が行われてきた．そして**WHO 2021からは，組織学的な分類と分子分類を統合した診断基準が一部の髄膜腫において採用**され，より正確で客観的なgradingが可能になった．例として，*KLF4/TRAF7*変異があればWHO grade 1のsecretory meningioma，*SMARCE1*変異があればWHO grade 2のclear cell meningioma，*TERT* promotorの変異や*CDKN2A/B*のホモ接合性欠失があればWHO grade 3のanaplastic meningioma，などである[1]．しかしなおも，「髄膜腫において，WHO分類が正確な予後予測を可能にする手段として最適なのか」と，最近の遺伝子変異あるいはエピゲノム異常に基づく研究成果は問うている．

Nassiriらはゲノム全体のDNAメチル化解析（メチローム解析）を基礎とした予測因子と従来の確立した因子であるWHO gradeそしてSimpson分類に基づく摘出度，を統合することにより，術後5年間の再発リスクが精密に予測できることを示し，特に術後adjuvant radiationの効果が高い患者を抽出することに貢献する，とした[2]．しかし，罹患率が高くしばしば手術で治癒させることも可能な髄膜腫は，一般病院でも多数の手術が行われているという事実がある．つまりこうしたメチル化プロファイリングやDNA/RNAの配列の解析を要するアプローチが可能な施設はどうしても限定されてしまう．そのような中，他の癌腫と同様に遺伝子のコピー数異常と悪性度の関連が髄膜腫でも注目されてきた．Driverらは，より多くの施設で実行可能であると思われるこのコピー数解析に注目した．髄膜腫において過去に報告されているコピー数異常の中から，再発リスクの高いコピー数異常を抽出し点数化するとともに，さらにきわめて再発オッズの高い*CDKN2A/B*ホモ接合性欠失の有無，そして従来の組織学的基準である強拡大10視野での細胞分裂像が4～19個か20個以上か，を点数化して，それらの和をもって統合グレード1～3を決定した[3]．その結果，WHO grade Ⅰ～Ⅲよりも統合グレード1～3のほうが再発リスクを精緻に予測することが可能であることを証明した．こうした実際の治療方針の決定に影響しうる予後予測法は，欧米の国際的共同研究体によって大きく発展し確立されつつある．驚くことに，**従来のWHO gradeⅡは新しい統合グレードでは完全に1～3の再発リスクに3等分される**ことがわかった[3]．つまり，今まではこれらの大きく再発リスクの異なる集団が，WHO gradeⅡという同質

1) Louis DN, Perry A, Wesseling P et al：The 2021 WHO Classification of Tumors of the Central Nervous System：a summary. Neuro Oncol 23：1231-1251, 2021

2) Nassiri F, Mamatjan Y, Suppiah S et al：DNA methylation profiling to predict recurrence risk in meningioma：development and validation of a nomogram to optimize clinical management. Neuro Oncol 21：901-910, 2019

3) Driver J, Hoffman SE, Tavakol S et al：A molecularly integrated grade for meningioma. Neuro Oncol 24：796-808, 2022

の腫瘍群として治療されてきたことになる．この結果は従来のWHO分類に基づく臨床試験の一部で効果が認められなかった原因の一つであるのかもしれない．

治療に関して

髄膜腫の再発を規定する重要な因子には，これらの腫瘍細胞の生物学的特性だけではなく摘出度ももちろん含まれている．上述の2つの報告では摘出度を含めた再発予測のノモグラムを作成しているが[2,3]，象徴的であるのはいずれも摘出度としての全摘出（gross total resection）と亜全摘（subtotal resection）の差は，腫瘍細胞の生物学的特性と比較すればその寄与度がかなり小さいことである．やはり**再発リスクの高い一部の髄膜腫に対しては，外科的摘出以外の治療法の開発が必須**である．髄膜腫で手術摘出に次いで腫瘍制御効果が証明されているのは放射線治療であるが，放射線治療の効果に関しては現時点でも前向き比較試験は存在しない．最近の研究ではWHO gradeに摘出度を加味して，再発リスクを3群（high risk/intermediate risk/low risk）に分けて検討がなされることが多い．このうちhigh risk meningiomaには“あらゆる摘出度のWHO gradeⅢと亜全摘のWHO gradeⅡ髄膜腫”が含まれるが，これら非常に再発率の高い髄膜腫には実質的に放射線照射は必須であり，有害事象は許容範囲内であった[4]．これに対して，intermediate riskに分類される“再発したWHO gradeⅠ髄膜腫，全摘出がなされたWHO gradeⅡ髄膜腫”に対するadjuvant radiationの効果は，過去の後方視的観察研究の間でも割れていた．米国のRTOG0539，欧州のEORTC22042-26042の各前向き観察試験で，対照群はないもののhistorical controlとの比較などで，術後のadjuvant radiationの有効性が証明された[5]．そして逆説的であるが，もっとも放射線治療効果が証明されているのはWHO gradeⅠの良性髄膜腫である．しかし，本邦の脳腫瘍全国統計の傾向スコアマッチング解析では，亜全摘のWHO gradeⅠ髄膜腫に対するadjuvant radiationの効果は頭蓋底髄膜腫にしか認められず，非頭蓋底髄膜腫では認められなかった[6]．このように，再発を繰り返すような高悪性度髄膜腫に対する放射線治療の有効性が定まらない中で，**本邦から再発高悪性度髄膜腫に対する中性子捕捉療法（boron neutron capture therapy：BNCT）の結果**が報告された．BNCT治療後の全生存期間はWHO gradeⅡ/Ⅲそれぞれで中央値44.4ヵ月と21.6ヵ月であり，局所再発は全体で22％にしかみられず，既報の治療成績を大幅に上回るきわめて良好なものであった[7]．今後は，精緻化された髄膜腫の分子・ゲノム解析に基づく分類がadjuvant radiationの効果の増幅と合併症の軽減にどれくらい寄与するかの検証が重要となるであろう．

また，治療抵抗性の髄膜腫に対してはさまざまな薬物治療が試みられてきた

4）Rogers CL, Won M, Vogelbaum MA et al：High-risk meningioma：initial outcomes from NRG Oncology/RTOG 0539. Int J Radiat Oncol Biol Phys 106：790-799, 2020

5）Goldbrunner R, Stavrinou P, Jenkinson MD et al：EANO guideline on the diagnosis and management of meningiomas. Neuro Oncol 23：1821-1834, 2021

6）Oya S, Ikawa F, Ichihara N et al：Effect of adjuvant radiotherapy after subtotal resection for WHO grade Ⅰ meningioma：a propensity score matching analysis of the Brain Tumor Registry of Japan. J Neurooncol 153：351-360, 2021

7）Takai S, Wanibuchi M, Kawabata S et al：Reactor-based boron neutron capture therapy for 44 cases of recurrent and refractory high-grade meningiomas with long-term follow-up. Neuro Oncol 24：90-98, 2022

が，現在までに有効性が確立した薬物は存在しない．そのような中でも髄膜腫の発生や髄膜腫細胞の高増殖能に関連したドライバー変異に対する分子標的治療研究が継続して行われている．*NF2* 変異による mTOR 経路の活性化が腫瘍細胞増殖に関与するが，mTOR 阻害薬であるエベロリムスとオクトレオチドを併用した CEVOREM 試験では，6ヵ月後の無再発生存（6PFS）が 55%，12ヵ月後の全生存（12OS）が 75%で，投与前3ヵ月の腫瘍体積増大率中央値が 16.6%であったのが，投与後3ヵ月で 0.02%とほぼ停止し，投与後6ヵ月でも 0.48%であり，有意差をもって増大が抑制されていたと報告された[8]．また，*TERT* promotor 変異を有する髄膜腫は再発リスクが高く，WHO 2021 でも独立した grade 3の基準と定められている．同変異は WHO grade Ⅰ/Ⅱ/Ⅲ髄膜腫にそれぞれ 4.7%/7.95%/15.4%で認められ，やはり独立した再発および死亡のリスク因子であることが最近のメタアナリシスで報告されている[9]．この *TERT* promotor 変異を有する髄膜腫細胞株に対する *TERT* promoter 活性化阻害薬の *in vitro* の効果が報告されており[10]，制御困難な髄膜腫の一部に対する新たな治療手段として臨床応用が期待されている．

一方で，以前から高悪性度の髄膜腫細胞は heterogeneous な遺伝子変異プロファイルを示すため，変異そのものは薬物治療の標的とはしにくく，むしろ免疫療法などが有効ではないかという議論があった．最近では全身の多くの癌治療で効果が示されている PD-1（programmed death 1）阻害薬であるが，髄膜腫でも腫瘍細胞および腫瘍浸潤免疫細胞が PD-1 のリガンドである PD-L1 を発現していることが示され[11]，悪性髄膜腫細胞株や患者から採取した悪性髄膜腫サンプルの解析などから，PD-L1 の発現レベルが WHO grade に相関していることも報告された[12]．そこで，PD-1 阻害薬であるニボルマブを用いて，WHO gradeⅡ/Ⅲの再発髄膜腫患者を対象に第Ⅱ相試験が行われた[13]．ニボルマブによる深刻な副作用はなかったが，6PFS は 42.4%にとどまり，最近の薬物療法のメタアナリシスのデータ 26%よりは高かったが，事前に計算した 51%を超えるものではなかった．以前も報告されていたが，本研究内の髄膜腫でも遺伝子変異量（tumor mutation burden：TMB）や腫瘍浸潤リンパ球（tumor infiltrating lymphocyte：TIL）密度は低かった．しかし一部の患者では腫瘍の縮小もみられ，また本研究のすべての患者で検討されているわけではなく，統計学的評価も可能ではなかったが，TMB の高い患者では無再発生存期間が長い可能性が示唆された．さらに，PD-1 阻害薬治療後の腫瘍組織にはエフェクターT 細胞やマクロファージが著明に浸潤していたことが報告されるなど，TMB の評価をバイオマーカーとして用いるなどの改善点も本研究内で示された．

8) Graillon T, Sanson M, Campello C et al：Everolimus and octreotide for patients with recurrent meningioma：results from the phase Ⅱ CEVOREM trial. Clin Cancer Res 26：552-557, 2020

9) Mirian C, Duun-Henriksen AK, Juratli T et al：Poor prognosis associated with TERT gene alterations in meningioma is independent of the WHO classification：an individual patient data meta-analysis. J Neurology Neurosurg Psychiatry 91：378-387, 2019

10) Spiegl-Kreinecker S, Lötsch D, Neumayer K et al：TERT promoter mutations are associated with poor prognosis and cell immortalization in meningioma. Neuro Oncol 20：1584-1593, 2018

11) Yeung J, Yaghoobi V, Aung TN et al：Spatially resolved and quantitative analysis of the immunological landscape in human meningiomas. J Neuropathol Exp Neurol 80：150-159, 2021

12) Giles AJ, Hao S, Padget M et al：Efficient ADCC killing of meningioma by avelumab and a high-affinity natural killer cell line, haNK. JCI Insight 4：e130688, 2019

13) Bi WL, Nayak L, Meredith DM et al：Activity of PD-1 blockade with nivolumab among patients with recurrent atypical/anaplastic meningioma：phase Ⅱ trial results. Neuro Oncol 24：101-113, 2022

頭蓋咽頭腫

頭蓋咽頭腫のうち成人に多い乳頭状頭蓋咽頭腫（papillary craniopharyngioma：pCP）では，*BRAF* V600E変異が高率にみられることが知られている．この変異によって活性化されるmitogen-activated protein kinase（MAPK）経路が活性化されることにより，異常な細胞増殖が生じる．**MAPK経路を阻害するBRAF阻害薬（ベムラフィニブなど）とその下流に存在するMEK阻害薬との併用療法**により，著明な腫瘍縮小が得られる複数の症例報告があり[14]，現在米国においてpCPに対する薬物治療効果に関する第Ⅱ相試験（NCT03224767）が進行中で，2026年に追跡が終了する予定となっており，良好な結果が期待されている．頭蓋咽頭腫は視神経，下垂体柄，視床下部といった重要な構造物に取り囲まれ，摘出によって視力障害・下垂体機能喪失・高次脳機能障害などの重篤な合併症が生じうるうえ，再発も多い難治性腫瘍である．もし術前から画像診断に基づいて*BRAF* V600E変異を有すると診断できれば，手術前に腫瘍の縮小を図り摘出リスクを下げることも可能となる．Yueらは，摘出された52頭蓋咽頭腫の8例で*BRAF*変異が陽性であり，変異陽性の腫瘍と変異のない腫瘍のMRI上の特徴を比較し，鞍上部発生が有意に多く（$p < 0.001$），球形で（$p = 0.005$），嚢胞ではなく実質性腫瘍で（$p = 0.003$），均一に増強され（$p > 0.001$），また下垂体柄が肥厚しており（$p = 0.014$），これらの3〜5項目が合致すれば，感度100%，特異度91%で*BRAF*変異陽性と予測できる，とした[15]．またFujioらは，頭蓋咽頭腫患者64人を発見コホート42人と検証コホート22人に分け，ターゲットシークエンスにて*BRAF*変異を検出し，臨床的因子との関連を検討した[16]．発見コホートでは12例の*BRAF*変異症例が存在したが，全例18歳以上で，石灰化は稀で（$p < 0.001$），92%が鞍上部に位置していた．この3つの基準（18歳以上，石灰化なし，鞍上部）という3つのシンプルな条件を満たす場合，発見コホートにおける*BRAF*変異の有無に対する感度と特異度はそれぞれ83%と93%であり，これを検証コホートに適用すると感度100%，特異度89%であった．もう一方の組織学的サブタイプであるエナメル上皮腫型頭蓋咽頭腫adamantinomatous craniopharyngioma（aCP）には，β-cateninをコードする*CTNNB1*の変異が高頻度に認められる．より高感度の次世代シークエンサー技術（TAm-Seq）を用いると，ほぼ100%で同変異が検出されたという[17]．近年では他の癌腫において，CTNNB1蛋白が関与するWNT/β-cateninシグナリングを遮断するタンキラーゼ阻害薬などの治療効果に関する報告も行われているが，aCPに対する薬物治療に関する報告はまだない．

14）Juratli TA, Jones PS, Wang N et al：Targeted treatment of papillary craniopharyngiomas harboring BRAF V600E mutations. Cancer 125：2910-2914, 2019

15）Yue Q, Yu Y, Shi Z et al：Prediction of BRAF mutation status of craniopharyngioma using magnetic resonance imaging features. J Neurosurg 129：27-34, 2018

16）Fujio S, Juratli TA, Arita K et al：A clinical rule for preoperative prediction of BRAF mutation status in craniopharyngiomas. Neurosurgery 85：204-210, 2019

17）Apps JR, Stache C, Gonzalez-Meljem JM et al：CTNNB1 mutations are clonal in adamantinomatous craniopharyngioma. Neuropath Appl Neuro 46：510-514, 2020

神経鞘腫

神経鞘腫では，vascular endothelial growth factor（VEGF）による腫瘍内血管新生作用の亢進が認められる．VEGF 受容体の発現は同じ良性腫瘍の中でも髄膜腫や血管周皮腫などより神経鞘腫で高く[18]，臨床応用を目指した研究が進んでいる．**抗 VEGF-A に対するヒト化モノクローナル抗体薬であるベバシズマブ**では，NF2 関連前庭神経鞘腫の約 40％の患者で腫瘍縮小効果や聴力改善効果がみられた[19, 20]．さらに Tamura らは，NF2 関連前庭神経鞘腫に対して VEGF 受容体に対するペプチドワクチンを投与し，5 人中 2 人に聴力改善を認め，またベバシズマブが無効であった患者を含む 2 名の患者で 20％以上の体積が減少したことを報告し，本治療の将来性を示した[21]．弧発前庭神経鞘腫に対しても，症例報告レベルではあるがベバシズマブ投与後に著明に縮小した例も報告されており[22]，頭蓋内良性腫瘍の中でも神経鞘腫は分子標的薬治療の対象として有望であるといえる．

おわりに

髄膜腫を中心とした良性脳腫瘍における近年の遺伝子解析と治療の進歩について，臨床的視点を重視したレビューを行った．最後に強調すべきは，良性腫瘍はやはり腫瘍と正常組織の境界が本来は明瞭なのであり，外科的な完全摘出によって治癒せしめることが可能である，ということである．その前提を放棄してしまえば治療成績は低下することが予想される．その前提を尽くしたうえでも再発してくる手術抵抗性のサブセットに対して，近年の分子・ゲノム解析の発展をいかに統合していくかが問われているといえるだろう．

18) Tamura R, Sato M, Morimoto Y et al：Quantitative assessment and clinical relevance of VEGFRs-positive tumor cells in refractory brain tumors. Exp Mol Pathol 114：104408, 2020
19) Fujii M, Ichikawa M, Iwatate K et al：Bevacizumab therapy of neurofibromatosis type 2 associated vestibular schwannoma in Japanese patients. Neurol Med Chir（Tokyo）60：75-82, 2020
20) Plotkin SR, Duda DG, Muzikansky A et al：Multicenter, prospective, phase Ⅱ and biomarker study of high-dose bevacizumab as induction therapy in patients with neurofibromatosis type 2 and progressive vestibular schwannoma. J Clin Oncol 37：3446-3454, 2019
21) Tamura R, Fujioka M, Morimoto Y et al：A VEGF receptor vaccine demonstrates preliminary efficacy in neurofibromatosis type 2. Nat Commun 10：5758, 2019
22) Karajannis MA, Hagiwara M, Schreyer M et al：Sustained imaging response and hearing preservation with low-dose bevacizumab in sporadic vestibular schwannoma. Neuro Oncol 21：822-824, 2019

7. 下垂体腫瘍のWHO2022新分類

西岡 宏（にし おか ひろし）
虎の門病院 間脳下垂体外科

最近の動向

- 下垂体腫瘍を含む内分泌腫瘍のWHO組織分類は2017年に13年ぶりに改定（第4版）されたが，早くも2022年末には第5版が発刊される[1]．
- WHO2017（第4版）では転写因子の免疫組織化学の導入と「異型性腺腫」の削除が大きな変更点であった．
- WHO2022（第5版）でも「pituitary adenoma」から「PitNET（pituitary neuroendocrine tumor）」への名称変更，それに伴うICD-O code /0（良性腫瘍）から /3（悪性腫瘍）への変更，転写因子（pit-1, SF-1, Tpit, GATA3, ERα）を中心とした組織型診断と新規組織型の導入など，大きな変更がみられる．
- 「PitNET」とICD-O codeの変更は，臨床へのインパクトが大きい．Pituitary societyなど，主に臨床側からの反発も強く，本邦でもこれらの変更にどう対応するか議論の最中にある．

WHO2017の検証

欧州の下垂体病理グループ（EPPG）は下垂体腫瘍の組織診断を標準化するためのアルゴリズムを提唱した[2]．臨床内分泌所見に基づいた前葉ホルモンとサイトケラチンの免疫組織化学を中心としており，複数の前葉ホルモン産生・陽性の腫瘍や臨床的に非機能性腫瘍に対しては，転写因子の免疫組織化学を行うことを推奨している．もっとも標準的（現実的）な診断アルゴリズムといえる．

これに対してMeteら[3]は，前葉ホルモンの不確実な染色性や正常前葉細胞の混入（contamination）などによる誤診を防ぐため，転写因子（pit-1, SF-1, Tpit, GATA3, ERα）の免疫組織化学をルーチンに行うことの重要性を強調している．度々指摘される検査コストの問題に対しては，正確な組織診断は結果的に医療費削減につながるとしている．WHO2022ではこれら5つの転写因子を中心とした組織診断を導入している．

Drummondら[4]はWHO2017に基づき，サイレント腫瘍各組織型の臨床病理像をシステマティックレビューしている．転写因子もすべて陰性のナルセル

1) Asa SL, Mete O, Perry A et al：Overview of the 2022 WHO classification of pituitary tumors. Endocr Pathol 33：6-26, 2022

2) Villa C, Vasiljevic A, Jaffrain-Rea ML et al：A standardised diagnostic approach to pituitary neuroendocrine tumours（PitNETs）：a European Pituitary Pathology Group（EPPG）proposal. Virchows Arch 475：687-692, 2019

3) Mete O, Asa SL：Structure, function, and morphology in the classification of pituitary neuroendocrine tumors：the importance of routine analysis of pituitary transcription factors. Endocr Pathol 31：330-336, 2020

4) Drummond J, Roncaroli F, Grossman AB et al：Clinical and pathological aspects of silent pituitary adenomas. J Clin Endocrinol Metab 104：2473-2489, 2019

2434-9992/22/¥100/頁/JCOPY

腫瘍はきわめて稀であり，サイレント腫瘍の多くは機能性の counterpart よりも aggressive で再発しやすいとし，臨床的非機能性腫瘍に対する転写因子を用いた組織型診断の重要性を強調している．

一方，Neou ら[5] は 134 例の下垂体腫瘍に網羅的な pangenomic 解析を行い，転写因子を用いた WHO2017 との不一致，すなわち GH 腫瘍（*GNAS* wild type），サイレント ACTH 腫瘍や（すべての転写因子が陰性の）ナルセル腫瘍の一部でゴナドトロピンマーカーの発現を指摘している．

これに対しても Mete ら[6] は，genomic 解析の問題点として非腫瘍性正常前葉細胞の contamination の可能性などを指摘している．この問題に関しては今後詳細な追加研究が必要である．

新たな転写因子と WHO2022

GATA2 は，ゴナドトロピン系細胞と TSH 系細胞の分化誘導に関与する転写因子である．Mete ら[7] は，一般の病理部で頻用されている GATA3 の免疫組織化学も，ゴナドトロピン系腫瘍と TSH 系腫瘍の同定に有効だったと報告している．

WHO2022 では，これまでの pit-1（GH- プロラクチン -TSH 系），SF-1（ゴナドトロピン系），Tpit（ACTH 系）に加えて，GATA3 と ERαの 5 つを主要な転写因子マーカーと位置付けている．GATA3 はゴナドトロピン腫瘍と TSH 腫瘍だけでなく mature plurihormonal pit1-lineage tumor など TSH 系への分化を示す腫瘍マーカーとして，同様に ERαはゴナドトロピン腫瘍とプロラクチン腫瘍だけでなく mammosomatotroph tumor, mature plurihormonal pit1-lineage tumor や acidophil stem cell tumor などプロラクチン系への分化を示す腫瘍のマーカーとして各々推奨されている[1,8]．

McDonald ら[9] も，転写因子を用いた組織診断アルゴリズムを提唱した．その中で，ACTH 系へ分化した腫瘍の同定では Tpit の免疫組織化学が ACTH よりも感度，特異度などすべてにおいて優っていたと報告している．

WHO2022 と臨床像

Asa ら[8] は，先端巨大症（および巨人症）を呈する下垂体腫瘍の組織型を WHO2022 に沿ってレビューしている．基本的にすべて pit-1 陽性であり，GH のみを産生する densely- と sparsely-granulated somatotroph tumor，プロラクチンも産生する mammosomatotroph tumor（ERα陽性），さらに TSH も産生する mature plurihormonal pit1-lineage tumor（GATA3・ERα陽性）が主要な組織型である．この他に immature pit1-lineage tumor（内分泌所見は多彩，若年者，aggressive な臨床経過，かつての silent subtype 3 tumor に該当），acidophil stem cell tumor（多くはプロラクチン産生，やや大型浸潤性腫

5）Neou M, Villa C, Armignacco R et al：Pangenomic classification of pituitary neuroendocrine tumors. Cancer Cell 37：123-134.e5, 2020

6）Mete O, Ezzat S, Perry A et al：The pangenomic classification of pituitary neuroendocrine tumors：quality histopathology is required for accurate translational research. Endocr Pathol 32：415-417, 2021

7）Mete O, Kefeli M, Çalışkan S et al：GATA3 immunoreactivity expands the transcription factor profile of pituitary neuroendocrine tumors. Mod Pathol 32：484-489, 2019

8）Asa SL, Ezzat S：An update on pituitary neuroendocrine tumors leading to acromegaly and gigantism. J Clin Med 10：2254, 2021

9）McDonald WC, McDonald KN, Helmer JA et al：The role of T-box transcription factor in a pituitary adenoma diagnostic algorithm. Arch Pathol Lab Med 145：592-598, 2021

瘍), mixed tumor などの組織型からなる．これらの確実な組織型診断には転写因子の検索が不可欠であるだけでなく，一部には電顕所見も必要となる可能性がある．WHO2017 以降，原則として電顕検索は不要な組織分類を謳ってきたため，多少の矛盾を感じる．

Andrews ら[10] は，subtype 3 adenoma を含む plurihormonal pit1-positive tumor 報告例をシステマティックレビューしている．手術成績，治療経過，Ki67 指数などに他の腫瘍との差は確認できず，この腫瘍型が aggressive とする結果は得られなかったと結論している．残念ながら本研究では，WHO2022 の mature と immature pit1-lineage tumor が混在して扱われている可能性が高い．

Luo ら[11] は，TSH 産生腫瘍の臨床病理像をレビューしている．組織型は少なくとも 3 型よりなる（TSH 腫瘍，mature plurihormonal pit1-positive tumor と immature pit1-lineage tumor）．WHO2022 では，TSH 腫瘍は TSH のみ陽性の腫瘍，後二者の pit1-positive tumor は GH やプロラクチンにも陽性の腫瘍と定義された．前二者はソマトスタチン受容体（特に SSTR2 と 5）を発現しているため，90％以上の症例でソマトスタチンアナログが甲状腺ホルモン低下に有効としている．本邦でもランレオチドが TSH 産生腫瘍の治療薬（術前使用も含めて）として保険収載された[12]．

「pituitary adenoma」から「PitNET」へ名称の変更

「pituitary adenoma」の名称は WHO2022 では「pituitary neuroendocrine tumor (NET)/adenoma」に変更され，今後はさらに「/adenoma」が削除される予定である．最初に「PitNET」が提唱されたのは 2017 年であり[13]，周囲組織への浸潤・破壊などから良性とは言い切れない腫瘍を指す名称として，他臓器の NET と同様 benign から potentially malignant を含む概念として登場した．その後，他の臓器の NET とは大きく異なることや grading system がないことなどから，論文上での激しい debate が続いている[14〜20]．

WHO2022 における PitNET への主な変更理由は，①下垂体前葉細胞は分泌顆粒を有し，そこから発生する腫瘍は神経内分泌腫瘍（NET）であり，病理学的に純粋な上皮細胞由来の腫瘍を意味する「腺腫（adenoma）」は誤った定義に基づいた名称になる，②転移（下垂体癌への悪性転化）しなくても一部は aggressive, invasive で良性腫瘍を指す「腺腫」の枠を明らかに超えている，③発生する各臓器での特異性は大きいが，NET を common あるいは universal な分類とする WHO 分類全体の大きな流れ[21]，が挙げられる．PitNET への変更に伴い，他臓器の NET と同様に ICD-O code も /0（良性腫瘍）から /3（悪性腫瘍）へ変更となった．

Rindi ら[21] の定義では，良性の下垂体腫瘍（NET grade 1）が悪性転化した

10) Andrews JP, Joshi RS, Pereira MP et al：Plurihormonal PIT-1-positive pituitary adenomas：a systematic review and single-center series. World Neurosurg 151：e185-e191, 2021
11) Luo P, Zhang L, Yang L et al：Progress in the pathogenesis, diagnosis, and treatment of TSH-secreting pituitary neuroendocrine tumor. Front Endocrinol (Lausanne) 11：580264, 2020
12) Shimatsu A, Nakamura A, Takahashi Y et al：Preoperative and long-term efficacy and safety of lanreotide autogel in patients with thyrotropin-secreting pituitary adenoma：a multicenter, single-arm, phase 3 study in Japan. Endocr J 68：791-805, 2021
13) Asa SL, Casar-Borota O, Chanson P et al；Attendees of 14th meeting of the International Pituitary Pathology Club, Annecy, France, November 2016：Pituitary adenoma to pituitary neuroendocrine tumor (PitNET)：an International Pituitary Pathology Club proposal. Endocr Relat Cancer 24：C5-C8, 2017
14) Asa SL, Asioli S, Bozkurt S et al：Pituitary neuroendocrine tumors (PitNETs)：nomenclature evolution, not clinical revolution. Pituitary 23：322-325, 2020
15) Asa SL, Mete O, Cusimano MD et al；Attendees of the 15th meeting of the International Pituitary Pathology Club, Istanbul October 2019：Pituitary neuroendocrine tumors：a model for neuroendocrine tumor classification. Mod Pathol 34：1634-1650, 2021
16) Ho KKY, Fleseriu M, Wass J et al：A tale of pituitary adenomas：to NET or not to NET：Pituitary Society position statement. Pituitary 22：569-573, 2019
17) Ho KKY, Fleseriu M, Wass J et al：The tale in evolution：clarity, consistency and consultation, not contradiction and confusion. Pituitary 23：476-477, 2020
18) Ho K, Fleseriu M, Kaiser U et al：Pituitary neoplasm nomenclature workshop：does adenoma stand the test of time? J Endocr Soc 5：bvaa205, 2021
19) Ho KKY, Gadelha M, Kaiser UB et al：The NETting of pituitary adenoma：a gland illusion. Pituitary 25：349-351, 2022
20) Liu X, Wang R, Li M et al：Pituitary adenoma or pituitary neuroendocrine tumor：a narrative review of controversy and perspective. Transl Cancer Res 10：1916-1920, 2021

下垂体癌（carcinoma）はNET grade 3に該当し，NEC（neuroendocrine carcinoma）ではない．NETとNECは分化度の違いだけでなく関与する遺伝子群も異なり，基本的にNET grade 3からNECへの移行はない．これに対して，Saegerら[22]は著しくKi67指数が高く，多数のmitosisを認め，p53変異が著明な下垂体腫瘍2例を報告し，1例はPitNET grade 3，1例はPitNECに該当する可能性があるとしている．PitNECに関してもその定義を含めて，遺伝子解析など今後の検討が必要である．

Asa[23]やLaws Jrら[24]は他臓器のNETと同様に明確なgrading・staging systemが今後必要であるとし，これには腫瘍の増殖能だけでなく腫瘍組織型（immature pit1-lineage tumor, acidophil stem cell tumor, crooke cell tumorやナルセル腫瘍などはaggressive subtype）が大きく関与するため，確実な組織型診断が必要としている．

Aggressive pituitary tumor（APT）と下垂体癌

WHO2017以降，「異型性腺腫」が削除され，APTの定義が問題となっている．「下垂体癌」は定義は変わっていないが，前述の通りNECではなく，WHO2022ではmetastatic PitNETと命名された[1]．

Daiら[25]は，「aggressive」は主に組織所見よりも臨床所見に基づき用いられているが，「invasive」などと曖昧な点が多いことから，「refractory tumor」を提唱している．その基準は，明らかな浸潤性腫瘍，高い増殖能（Ki67指数＞3％），（ホルモン過剰含めて）通常の治療に抵抗性，術後6ヵ月以内の再発，としている．

Trouillasら[26]は，APTと下垂体癌に組織学的違いを認めなかったことから「両者は同じコインの両面」と表現したが，臨床的にaggressive，浸潤性，増殖能が高い（Ki67指数＞10％）腫瘍はpotentially malignantとみなす必要があるとした．APTの頻度は不明だが「adenoma」の名称は不適切であること，欧州ガイドライン（2018年）に従いすべての腫瘍にKi67指数とmitosisを評価し，Ki67指数＞3％の腫瘍にはp53を評価することを強く推奨している．

同じグループのRaverotら[27]は，APTと下垂体癌のレビューを行っている．標準的治療に抵抗性で局所再発を繰り返す浸潤性腫瘍をAPTと定義している．転移（癌化）の予測因子はいまだ明らかでなく，臨床所見（浸潤性・増大）と上記組織所見（Ki67指数，mitosis，p53）を慎重にモニターしていく必要があると結論している．また，テモゾロミドが唯一推奨される治療だが，最終的な有効例は約3分の1に限られるとしている．

Tatsiら[28]は，小児と高齢者のAPTに対して，主に治療経過をまとめている．小児ではプロラクチノーマが多く，*AIP*変異，稀だがX-linked acrogigantism

21）Rindi G, Inzani F：Neuroendocrine neoplasm update：toward universal nomenclature. Endocr Relat Cancer 27：R211-R218, 2020
22）Saeger W, Mawrin C, Meinhardt M et al：Two pituitary neuroendocrine tumors（PitNETs）with very high proliferation and TP53 mutation - high-grade PitNET or PitNEC? Endocr Pathol 33：257-262, 2022
23）Asa SL：Challenges in the diagnosis of pituitary neuroendocrine tumors. Endocr Pathol 32：222-227, 2021
24）Laws Jr ER, Penn DL, Repetti CS：Advances and controversies in the classification and grading of pituitary tumors. J Endocrinol Invest 42：129-135, 2019
25）Dai C, Kang J, Liu X et al：How to classify and define pituitary tumors：recent advances and current controversies. Front Endocrinol（Lausanne）12：604644, 2021
26）Trouillas J, Jaffrain-Rea ML, Vasiljevic A et al：Are aggressive pituitary tumours and carcinomas two sides of the same coin? Pathologists reply to clinician's questions. Rev Endocr Metab Disord 21：243-251, 2020
27）Raverot G, Ilie MD, Lasolle H et al：Aggressive pituitary tumours and pituitary carcinomas. Nat Rev Endocrinol 17：671-684, 2021
28）Tatsi C, Stratakis CA：Aggressive pituitary tumors in the young and elderly. Rev Endocr Metab Disord 21：213-223, 2020

(X-LAG), *DICER1* 変異（pituitary blastoma）例などもみられる. テモゾロミド治療報告例は少なく, 結果は一定していないとしている. 高齢者の報告例も多くはないが, テモゾロミド有効例が多く, 欧州ガイドライン（2018 年）に準拠した使用を推奨している.

Casar-Borota ら[29]は, ATRX 免疫組織化学陰性（*ATRX* 変異）例が下垂体癌や APT, 特に ACTH 系腫瘍に有意に多く認められることを報告し, aggressive 化や悪性転化の予測に ATRX 免疫組織化学が有用な可能性を指摘している.

下垂体後葉系腫瘍

下垂体細胞腫, 顆粒細胞腫, 紡錘形細胞オンコサイトーマ（紡錘形膨大細胞腫：SCO）などは TTF1 陽性の pituicyte 由来グリア系腫瘍（pituicyte tumor family）として 1 つにまとめられている. WHO2017 から一括りとなった後葉系腫瘍だが, 異論も少なくない.

Schmid ら[30]は後葉系腫瘍 48 例に genetic, epigenetic 解析を行い, これらに共通した genetic driver や pathway は見出せず, わずかな DNA メチル化の違いを認めたのみであったと報告した. その結果から, ①顆粒細胞腫：変異は乏しく良性の経過が多い, と下垂体細胞腫または SCO：*MAPK/P13K* 遺伝子変化を認め, copy number 変異（CNV）の有無により②予後良好群と③不良群, の大きく 3 型に分けられると結論している.

一方, Barresi ら[31]は後葉系腫瘍 9 例を詳細に解析し, SCO がもっとも浸潤性で摘出が困難であること, 後葉系腫瘍に共通の遺伝子変化（*SMARCB1* のホモ欠失）が強く疑われることを報告した.

29) Casar-Borota O, Boldt HB, Engström BE et al：Corticotroph aggressive pituitary tumors and carcinomas frequently harbor ATRX mutations. J Clin Endocrinol Metab 106：1183-1194, 2021

30) Schmid S, Solomon DA, Perez E et al：Genetic and epigenetic characterization of posterior pituitary tumors. Acta Neuropathol 142：1025-1043, 2021

31) Barresi V, Simbolo M, Gessi M et al：Clinical-pathological, immunohistochemical, and genetic characterization of a series of posterior pituitary tumors. J Neuropathol Exp Neurol 80：45-51, 2021

II章　脳血管障害

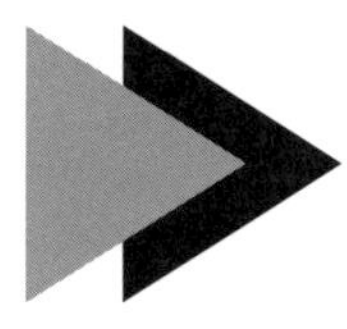

8. 脳血管障害と遺伝子

宮脇　哲（みやわき　さとる）
東京大学医学部 脳神経外科

最近の動向

- 脳血管障害の領域でも遺伝子解析研究がますます発展してきている．
- もやもや病関連遺伝子 *RNF213* の解析が進み，*RNF213* p.Arg4810Lys variant の臨床的意義が明瞭になりつつある．
- *RNF213* p.Arg4810Lys variant は全身の血管疾患と関連があることが報告されてきている．
- 脳動静脈奇形（arteriovenous malformation：AVM）が *KRAS/BRAF* の somatic variant を有することが報告され，今後これらの遺伝子パスウェイを target とした薬物療法の確立が期待される．
- 脳海綿状血管奇形が *PIK3CA/MAP3K3* の somatic variant を有することが報告された．AVM 同様，薬物療法の実現が期待される．

脳血管障害の分野の遺伝子解析研究において特に発展の目覚ましい，もやもや病，AVM，脳海綿状血管奇形にターゲットを絞り，過去3年間の論文レビューを行い，最新の知見を総括する．

もやもや病

2011年にもやもや病疾患感受性遺伝子として *ring finger protein 213*（*RNF213*）が同定された．*RNF213* の variant の中でも，ただ1つの variant が本邦を始めとした東アジア系集団のもやもや病に強い関連があることが明らかとなった．その variant は，c. 14429G>A（p.Arg4810Lys, rs112735431, reference sequence：NM_001256071 NP_00124300 とする）である．この variant により *RNF213* の 4,810 番目のアミノ酸であるアルギニンがリシンに変わる missense variant である．日本人のもやもや病発症者の約 80％がこの variant を germline に有していることが報告されている．

RNF213 p.Arg4810Lys variant が東アジア系集団において，一般コントロール群でも 1〜2％程度認められる一方で，欧州系集団など他の集団においてはこの variant はほとんど認められないことが明らかとなっている[1]．この variant の集団差が，もやもや病の東アジア系集団で発症が多いという疫学差

1) Grami N, Chong M, Lali R et al：Global assessment of mendelian stroke genetic prevalence in 101 635 individuals from 7 ethnic groups. Stroke 51：1290-1293, 2020

2434-9992/22/¥100/頁/JCOPY

の原因と考えられている．

p.Arg4810Lys 以外の *RNF213* 変異

また *RNF213* は 69 exon からなり，5,207 のアミノ酸をコードする遺伝子である．もやもや病患者のうち p.Arg4810Lys variant を有しない症例において *RNF213* 全体解析を解析して，*RNF213* の rare な variant を同定する試みが世界中で行われている．それを総合すると，特徴として *RNF* 上の ring finger domain の存在する C 末端付近に variant が集中していることが明らかとなっている[2]．ある欧州系集団からの報告では，もやもや病の *RNF213* の rare variant は C 末端側に集中していることを示し，この領域の機能異常がもやもや病の発症と関連していると推測している．今後はこのような rare な variant が実際に疾患発症をきたすかなど，機能解析を含めて検証を行っていく必要がある．

RNF213 の rare variant に関して興味深い報告がある[3]．129 例の小児発症のもやもや病の遺伝子解析を行い，*RNF213* p.Arg4810Lys variant を有しない症例は p.Arg4810Lys variant を有する症例より若年発症で脳梗塞発症が多いという結果であった．*RNF213* p.Arg4810Lys variant を有しない 25 例中 8 例が rare variant を有していた．さらに乳児期の発症の 4 例中 3 例が rare variant を有していた．すなわち，*RNF213* rare variant の一部はこのように重症型をきたす可能性がある．症例を蓄積して検証していく必要がある．

2) Hongo H, Miyawaki S, Imai H et al：Comprehensive investigation of RNF213 nonsynonymous variants associated with intracranial artery stenosis. Sci Rep 10：11942, 2020

3) Hara S, Mukawa M, Akagawa H et al：Absence of the RNF213 p.R4810K variant may indicate a severe form of pediatric moyamoya disease in Japanese patients. J Neurosurg Pediatr 29：48-56, 2022

もやもや病における *RNF213* p.Arg4810Lys variant の臨床的意義

近年，*RNF213* p.Arg4810Lys variant ともやもや病の臨床的特徴，表現型との関連を解析する報告が増えてきている．

もやもや病患者における *RNF213* p.Arg4810Lys variant はほとんどの場合，片側のアレルにだけ variant を有する heterozygote であるが，低い頻度で両側のアレルに variant をもつ homozygote の場合がある．Homozygote の場合は発症年齢が低く，重篤な表現型であることが以前から報告されており，重症型もやもや病のバイオマーカーとなりうる可能性が示唆されてきた．また，*RNF213* p.Arg4810Lys variant の heterozygous variant であっても wild type と比較してより若年発症で，両側で症候化となる割合が大きいということが報告された[4]．さらには *RNF213* p.Arg4810Lys variant が片側もやもや病の対側の狭窄進行の risk factor であることを述べた論文もある[5]．

もやもや病の解剖学的特徴と *RNF213* p.Arg4810Lys variant の関連の解析もいくつか報告されている．複数の研究グループが発表した *RNF213* p.Arg4810Lys variant と PCA involvement との関連についての論文がある[6]．また中国のグループより，近年臨床的に注目を集めている periventricular anastomosis の発達の程度が *RNF213* p.Arg4810Lys variant においてより大き

4) Ishigami D, Miyawaki S, Imai H et al：RNF213 p.Arg4810Lys heterozygosity in Moyamoya disease indicates early onset and bilateral cerebrovascular events. Transl Stroke Res 13：410-419, 2022
5) Mineharu Y, Takagi Y, Koizumi A et al：Genetic and nongenetic factors for contralateral progression of unilateral moyamoya disease：the first report from the SUPRA Japan Study Group. J Neurosurg 136：1005-1014, 2021
6) Kim WH, Kim SD, Nam MH et al：Posterior circulation involvement and collateral flow pattern in moyamoya disease with the RNF213 polymorphism. Childs Nerv Syst 35：309-314, 2019

いという報告がなされており[7]，今後検証の必要があると考える．

手術に関連した報告もいくつかなされている．*RNF213* p.Arg4810Lys variantが遷延する直接血行再建術後の過灌流と関連していることを示唆した論文がある[8]．また，直接間接の複合バイパス術において，*RNF213* p.Arg4810Lys variantを有する群は間接血行再建からの側副血行の発達がより良好であるということが報告されている[9]．

このように*RNF213* p.Arg4810Lys variantはもやもや病の自然歴のみならず，解剖学的特徴や術後経過とも関連していることがわかりつつあり，*RNF213* p.Arg4810Lys variantの臨床的意義を明らかにするために，さらに症例・検討を重ねていく必要があると考えられる．

RNF213 p.Arg4810Lysと全身の血管疾患

RNF213 p.Arg4810Lys variantはさまざまな全身の血管疾患と関連があることが報告されてきている．

RNF213 p.Arg4810Lys variantは一般の虚血性脳卒中（特にlarge artery stroke）と関連があることが報告された[10]．希少疾患のもやもや病で見つかった*RNF213* p.Arg4810Lys variantが一般の虚血性脳卒中のリスク因子であるということが明らかにされ，非常にインパクトの大きい報告と考える．

全身血管疾患に関しては，冠動脈狭窄[11]，肺動脈狭窄[12]，そして腎動脈狭窄[13]と*RNF213* p.Arg4810Lys variantとのかかわりが示唆されている．また，高血圧や心血管イベントとの関連も報告された[14]．さらには，肺高血圧症と関係していることを示した論文もある．また*RNF213* p.Arg4810Lys variantを有する肺高血圧症は内科的治療に抵抗性で予後が悪いことが明らかとなっており，早期の肺移植を検討すべきとされ，*RNF213* p.Arg4810Lys variantの評価が肺高血圧症治療における個別化治療につながる可能性が示唆されている[15]．

*RNF213*の分子生物学的機能解析

*RNF213*の上流，下流の分子や関連する既知のpathwayが判明しつつある．最近マウスの*RNF213*のクライオ電子顕微鏡の解析で*RNF213*の三次元構造が示され，*RNF213* p.Arg4810Lys variantはC末側にあるユビキチンリガーゼとしての機能を障害することが明らかになり，もやもや病の発症と関連が示唆されている[16]．

もやもや病の動物モデルはいまだ確立はされていない．ゼブラフィッシュにおいては*RNF213*の発現低下によって，頭頸部の血管の発生異常をきたすことが明らかとなっている．マウスでは*RNF213*のknock outやp.Arg4810Lys variantのknock inでは脳血管の異常をきたさないことが報告されている．p.Arg4810Lys variantのknock inマウスにおいて虚血負荷時の脳における血

7) Xue Y, Zeng C, Ge P et al：Association of *RNF213* variants with periventricular anastomosis in moyamoya disease. Stroke 53：2906-2916, 2022

8) Tashiro R, Fujimura M, Katsuki M et al：Prolonged/delayed cerebral hyperperfusion in adult patients with moyamoya disease with RNF213 gene polymorphism c.14576G>A（rs112735431）after superficial temporal artery-middle cerebral artery anastomosis. J Neurosurg doi：10.3171/2020.6.JNS201037, 2020［online ahead of print］

9) Ito M, Kawabori M, Sugiyama T et al：Impact of RNF213 founder polymorphism（p.R4810K）on the postoperative development of indirect pial synangiosis after direct/indirect combined revascularization surgery for adult Moyamoya disease. Neurosurg Rev 45：2305-2313, 2022

10) Okazaki S, Morimoto T, Kamatani Y et al：Moyamoya disease susceptibility variant RNF213 p.R4810K increases the risk of ischemic stroke attributable to large-artery atherosclerosis. Circulation 139：295-298, 2019

11) Koyama S, Ito K, Terao C et al：Population-specific and trans-ancestry genome-wide analyses identify distinct and shared genetic risk loci for coronary artery disease. Nat Genet 52：1169-1177, 2020

12) Ozaki D, Endo H, Tashiro R et al：Association between RNF213 c.14576G>A variant（rs112735431）and peripheral pulmonary artery stenosis in moyamoya disease. Cerebrovasc Dis 51：282-287, 2022

13) Hara S, Shimizu K, Nariai T et al：De novo renal artery stenosis developed in initially normal renal arteries during the long-term follow-up of patients with moyamoya disease. J Stroke Cerebrovasc Dis 29：104786, 2020

14) Tabara Y, Yamada H, Setoh K et al：The association between the Moyamoya disease susceptible gene RNF213 variant and incident cardiovascular disease in a general population：the Nagahama study. J Hypertens 39：2521-2526, 2021

15) Hiraide T, Kataoka M, Suzuki H et al：Poor outcomes in carriers of the RNF213 variant（p.Arg4810Lys）with pulmonary arterial hypertension. J Heart Lung Transplant 39：103-112, 2020

管新生の障害がみられ，*RNF213* p.Arg4810Lys variant 以外に疾患発症には別の因子が必要であることが示唆される結果と考える．

最近，*RNF213* と免疫機能と関連が報告されている． *RNF213* は細菌など微生物の感染に対して抵抗性に働くことを示した論文がある[17,18]．また，東北大学のグループから，T 細胞の抗原提示能に *RNF213* がかかわっていることが報告されている[19]．これらの結果より，もやもや病の発症に何かしらの感染や炎症など免疫反応が関連していることが示唆され，さらなる解析が望まれる．

RNF213 以外のもやもや病関連遺伝子同定の試み

RNF213 以外のもやもや病関連遺伝子の同定の試みもなされてきている．

中国からの報告で，1,492 の症例と 5,084 のコントロール群で全ゲノム領域関連解析を行い，*RNF213* 以外に，*MTHR* や *TCN2*，*HDAC* などの疾患関連遺伝子 variant が同定された[20]．また米国からの報告で，非アジアの集団において，whole exome sequence と case control の burden test で，関連する遺伝子として *DIAPH1* という遺伝子が同定されている[21]．ただ，いずれの variant も *RNF213* p.Arg4810Lys variant ほどもやもや病において頻度が多いわけではなく，臨床的な意義は今後検証していく必要がある．

今後の課題

先に述べたように *RNF213* p.Arg4810Lys variant は一般の日本人の 1～2% 程度に認められることから，これでもやもや病の発症がすべて説明できるわけではなく，発症の決定因子の同定が切望される．そのためには *RNF213* の機能解析が不可欠で，特に動物モデルの確立が望まれる．また一方で，*RNF213* とは別の関連遺伝子の探索は継続して行っていく必要がある．

AVM

AVM などの脳血管疾患の病変組織が，癌などの悪性腫瘍と同様に somatic な genetic variant を有することが報告されてきている． 脳血管疾患は血管内皮細胞，血管平滑筋細胞など，さまざまな種類の細胞タイプで構成されており，特定の細胞種のみが somatic variant を有していると考えられている．次世代 sequencing 技術の進歩により，特に deep sequence を用いることで，組織中に特定の細胞種のみが有し組織全体の中では低頻度の somatic variant を検出できるようになった．

AVM が低頻度の somatic variant を有することは 2018 年に最初に報告された[22]．この研究では，72 人の AVM 患者のうち 45 人の組織サンプルに *KRAS* 遺伝子の somatic variant を認めた．変異の種類は c.35G>A（p.Gly12Asp），c.35G>T（p.Gly12Val），および c.183A>T（p.Gln61His）と 4 種類を認めた．

16）Ahel J, Lehner A, Vogel A et al：Moyamoya disease factor RNF213 is a giant E3 ligase with a dynein-like core and a distinct ubiquitin-transfer mechanism. Elife 9：e56185, 2020
17）Otten EG, Werner E, Crespillo-Casado A et al：Ubiquitylation of lipopolysaccharide by RNF213 during bacterial infection. Nature 594：111-116, 2021
18）Thery F, Martina L, Asselman C et al：Ring finger protein 213 assembles into a sensor for ISGylated proteins with antimicrobial activity. Nat Commun 12：5772, 2021
19）Tashiro R, Niizuma K, Kasamatsu J et al：Dysregulation of Rnf 213 gene contributes to T cell response via antigen uptake, processing, and presentation. J Cell Physiol 236：7554-7564, 2021
20）Duan L, Wei L, Tian Y et al：Novel susceptibility loci for moyamoya disease revealed by a genome-wide association study. Stroke 49：11-18, 2018
21）Kundishora AJ, Peters ST, Pinard A et al：DIAPH1 variants in non-East Asian patients with sporadic moyamoya disease. JAMA Neurol 78：993-1003, 2021
22）Nikolaev SI, Vetiska S, Bonilla X et al：Somatic activating KRAS mutations in arteriovenous malformations of the brain. N Engl J Med 378：250-261, 2018

遺伝子変異の頻度（アレル頻度）は0.5～4％と低かった．この報告以降，さまざまな研究グループが追試験を行ってきた，AVMに認められる*KRAS*変異は上記4種類以外に，c.35G>C（p.Gly12Ala）およびc.34G>T（p.Gly12Cys）が認められた[23~26]．さらに，*KRAS*遺伝子変異以外に*BRAF*遺伝子の変異（c.1799T>A, p.Val600Glu）が脳や脊髄のAVMにも認められることが報告された．また最近，メタ解析の報告がなされ，脳動静脈奇形中の*KRAS*遺伝子変異を有する頻度は55％で，*BRAF*遺伝子変異は7.5％という結果だった[27]．体幹などの血管奇形においては，病変組織中にsomaticなgenetic variantをもつことは以前より知られており，そのほとんどが*KRAS*を含むMAPKのpathwayやmTORのpathway上の遺伝子のvariantであることが明らかとなっていた．AVMが同様のvariantを有することは興味深い結果である．

AVMにおける*KRAS/BRAF* variantの臨床的意義

AVMにおける*KRAS/BRAF* variantの臨床的意義を解析する報告もいくつかなされてきている． *KRAS* variantは，最初の症状として出血と関連していることが報告されている[28]．また，遺伝子変異のアレル頻度は，nidusのvolumeおよび最大直径と負の相関があるとの報告もある[23]．*KRAS*または*BRAF* variantのある患者とない患者の間で，診断時の年齢，頭蓋内出血時の年齢，性別，AVMの位置に差がないことが報告されている[25, 29]．*KRAS* variantのある患者と*BRAF* variantのある患者の比較では，AVMサイズ，年齢，性別，症状の提示，AVMの位置などの臨床的特徴に差がないことが報告されている[25]．AVMにおける，*KRAS/BRAF* variantの臨床的意義を明らかにするためには，さらなる症例の蓄積が必要と考える．

AVMにおける遺伝子変異の機能と薬物治療の可能性

RAS蛋白質の一つであるKRASは，受容体型チロシンキナーゼの下流にあるエフェクター分子である．この蛋白質は，RAF/MEK/ERK（MAPK/ERK）シグナル伝達経路やPI3K/AKT/mTOR経路などの多様な細胞シグナル伝達ネットワークを活性する．また，RAF蛋白質の一つであるBRAFは，RAF/MEK/ERK（MAPK/ERK）シグナル伝達経路を活性化する．そしてこれらの経路は，増殖，成長，生存，老化など，さまざまな重要な細胞機能を調節する．これらの経路の変化は腫瘍形成を引き起こすことが知られている．RASシグナル伝達は，血管内皮細胞における血管内皮増殖因子（vascular endothelial growth factor：VEGF）を介したシグナル伝達を介した血管新生にも関与している．すなわち，RAS/MAPKとPI3K/AKT/mTORシグナル伝達のバランスは，動脈と静脈の分化に関連しているとされており，それらのシグナル伝達の変化が血管奇形の発生にかかわっていると考えられている．細胞やマウスを

23) Hong T, Yan Y, Li J et al：High prevalence of KRAS/BRAF somatic mutations in brain and spinal cord arteriovenous malformations. Brain 142：23-34, 2019
24) Priemer DS, Vortmeyer AO, Zhang S et al：Activating KRAS mutations in arteriovenous malformations of the brain：frequency and clinicopathologic correlation. Hum Pathol 89：33-39, 2019
25) Goss JA, Huang AY, Smith E et al：Somatic mutations in intracranial arteriovenous malformations. PLoS One 14：e0226852, 2019
26) Oka M, Kushamae M, Aoki T et al：KRAS G12D or G12V mutation in human brain arteriovenous malformations. World Neurosurg 126：e1365-e1373, 2019
27) Bameri O, Salarzaei M, Parooie F：KRAS/BRAF mutations in brain arteriovenous malformations：a systematic review and meta-analysis. Interv Neuroradiol 27：539-546, 2021
28) Li H, Nam Y, Huo R et al：De novo germline and somatic variants convergently promote endothelial-to-mesenchymal transition in simplex brain arteriovenous malformation. Circ Res 129：825-839, 2021
29) Gao S, Nelson J, Weinsheimer S et al：Somatic mosaicism in the MAPK pathway in sporadic brain arteriovenous malformation and association with phenotype. J Neurosurg 136：148-155, 2022

用いた実験では，*KRAS* を有する AVM に対してトラメニチブなどの MEK 阻害薬による治療効果があることが示唆されている[22, 30]．さらなる研究の発展が期待される．

脳海綿状血管奇形

脳海綿状血管奇形の疾患関連遺伝子として，*CCM1/CCM2/CCM3* が知られている．家族性の脳海綿状血管奇形の場合は，これらの遺伝子の germline variant が認められ，孤発性症例においては，組織中に somatic variant が認められることが報告されている．**最近，脳海綿状血管奇形の組織に，*PIK3CA* および *MAP3K3* の somatic variant を有することを示す論文がいくつか発表された**[31〜34]．AVM と同じように，脳海綿状血管奇形においても RAS/MAPK や PI3K/AKT/mTOR シグナル上の遺伝子の somatic variant が認められることが明らかとなり興味深い．

脳海綿状血管奇形のうち *PIK3CA* および *MAP3K3* の遺伝子変異を有する頻度はそれぞれ 29〜71%，37〜58%となっていた．*PIK3CA* 変異の種類は 3 種類で，c.1624G>A（p.Glu542Lys），c.1633G>A（p.Glu545Lys），および c.3140A>G（p.His1047Arg）であった．*PIK3CA* 変異が認められた脳海綿状血管奇形は孤発性，家族性の両方の場合があった[33]．*MAP3K3* 変異は，c.1323C > G（p.Ile441Met）のみ報告されている[31, 34]．*MAP3K3* 変異は主に孤発性の症例で認められた．また *MAP3K3* 変異は，*CCM* の somatic variant を有する症例には認められなかった．すなわち，*MAP3K3* と *CCM* の体細胞変異は相互に排他的であることが示唆されている[34]．一方で，*MAP3K3* 変異は，*PIK3CA* 変異と同時に有する症例があることが報告されている[31, 33, 34]．*MAP3K3* および *PIK3CA* の体細胞変異は，血管内皮細胞に認められた[31, 34]．*CCM*，*PIK3CA*，および *MAP3K3* 変異の組織中の somatic variant の頻度（アレル頻度）は低く，約 5%以下であった[31〜34]．

脳海綿状血管奇形における *PIK3CA/MAP3K3* variant の臨床的意義

脳海綿状血管奇形における *PIK3CA/MAP3K3* variant の臨床的意義を解析した報告もされている．*MAP3K3* variant と比較して，*PIK3CA* variant を有する症例は，より病変サイズが大きいこと，脊髄と比較して脳病変が多いこと，出血イベントの頻度が高いことが示された[31]．*MAP3K3* 変異は主に，急性または亜急性の出血ではなく，慢性出血を示すポップコーンのような画像所見を呈する病変で多く認められた[34]．

脳海綿状血管奇形の発症にかかわる，*PIK3CA/MAP3K3* variant の機能解析も進められており，これらの遺伝子をターゲットとした薬物療法の確立が期待される．

30) Fish JE, Flores Suarez CP, Boudreau E et al：Somatic gain of KRAS function in the endothelium is sufficient to cause vascular malformations that require MEK but not PI3K signaling. Circ Res 127：727-743, 2020

31) Hong T, Xiao X, Ren J et al：Somatic MAP3K3 and PIK3CA mutations in sporadic cerebral and spinal cord cavernous malformations. Brain 144：2648-2658, 2021

32) Peyre M, Miyagishima D, Bielle F et al：Somatic *PIK3CA* mutations in sporadic cerebral cavernous malformations. N Engl J Med 385：996-1004, 2021

33) Ren AA, Snellings DA, Su YS et al：PIK3CA and CCM mutations fuel cavernomas through a cancer-like mechanism. Nature 594：271-276, 2021

34) Weng J, Yang Y, Song D et al：Somatic MAP3K3 mutation defines a subclass of cerebral cavernous malformation. Am J Hum Genet 108：942-950, 2021

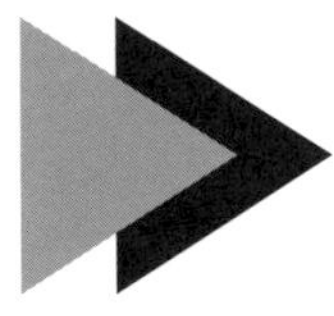

9. 未破裂脳動脈瘤の自然歴と治療

もりた あきお
森田 明夫
日本医科大学 脳神経外科

最近の動向

- 脳動脈瘤の一般住民対象の疫学研究は少なくなってきているが，さまざまな臨床・日常生活・遺伝子データを含めて解析することによって，脳動脈瘤の成因や破裂の原因などについて重要な知見をもたらす可能性がある．
- 世界および本邦におけるくも膜下出血の頻度の傾向から，生活習慣と脳動脈瘤の発症や破裂との関連が示され始めている．
- 自然歴予測に関してはすでにPHASES[1)]やUCAS[2)]，ELAPSS[3)]などの報告によって，動脈瘤の破裂や拡大リスクのおおよその予測ができるようになってきており，より個別の瘤についてのリスクを示す試みがされている．
- 個別瘤に対してより精度の高い破裂予測のための手法の検討や，破裂の危険が少ないとされる小型の脳動脈瘤をどう扱うべきか，どのような小型瘤は危険な部類に入り，治療を検討すべきかを検証する研究がなされている．
- 造影剤を用いて不安定な脳動脈瘤を検出する試みと関連して，脳動脈瘤と炎症の相関の検証，また細菌叢と脳動脈瘤の相関を検討した研究も始まっている．
- AIを用いた研究としては，自動診断を検証した研究が発表され，臨床応用も開始されている．
- 治療についての研究は，開頭手術や血管内治療のシステマティックレビューにより合併症発生率，合併症にかかわる因子の検討や，さらに新しい血管内デバイスの開発と検証に関係する論文が多い．
- 本邦におけるガイドラインとして「脳卒中治療ガイドライン2021」に無症候性血管障害の中に未破裂脳動脈瘤の対応の項目があるが，治療を検討すべき対象など，例年と大きな変更はない．

疫学研究について

Crasらは Rotterdamにおいて2005～2015年の間に住民5,841人にMRI検査を実施し，脳動脈瘤の保有，サイズとリスク因子について検討した[4)]．134人（2.3％）の住民に1つ以上の未破裂脳動脈瘤が発見された（総計149個）．多変量解析で動脈瘤保有に有意に関与する因子は，女性（オッズ比（OR）1.92），高血圧（OR 1.73），現在喫煙中（OR 3.75）であった．飲酒，運動習

1）Greving JP, Wermer MJ, Brown RD Jr et al：Development of the PHASES score for prediction of risk of rupture of intracranial aneurysms：a pooled analysis of six prospective cohort studies. Lancet Neurol 13：59-66, 2014
2）Tominari S, Morita A, Ishibashi T et al：Prediction model for 3-year rupture risk of unruptured cerebral aneurysms in Japanese patients. Ann Neurol 77：1050-1059, 2015

2434-9992/22/¥100/頁/JCOPY

慣，食事の内容は動脈瘤保有には関与していなかった．また，白血球数の多い対象の動脈瘤は有意にサイズが大きいものが多かった．生活習慣と動脈瘤の関連ではVlakらの検討[5]があるが，そちらでは高血圧，喫煙，運動不足，脳卒中の家族歴，脂質異常症ではないことが動脈瘤保有に関与していた．併せて脳動脈瘤保有のリスク因子として注意することが可能である．またCRPには有意差はなかったが，白血球数と瘤の大きさとの関連は，炎症が動脈瘤の成長に関与していることを示す傍証となる可能性もある．

生活習慣と脳動脈瘤

近年，生活習慣の改善がくも膜下出血の減少をもたらしているという報告が相次いでいる．Etminanらは，1960～2017年の間に発表されたくも膜下出血の発生頻度に関する論文のシステマティックレビューを実施し，32ヵ国からの75研究を解析して，67,746,051人・年に発症した8,176人のくも膜出血の頻度について検討した[6]．くも膜下出血の頻度は全体では10万人対7.9人の発症であるが，1980年の10.2人に対して2010年には6.1人に減少していた．特に欧米の各国で減少していた．これは高血圧の加療の普及による平均血圧の低下と喫煙率の低下に比例しており，血圧1 mmHgの低下で7.9%，喫煙率1%の低下につき2.3%，それぞれ発症率が低下することを示している．本邦のデータはこの中では増加と報告されているが，Ikawaらは日本脳神経外科学会の治療データおよび厚生労働省によるくも膜下出血による死亡のデータから，本邦でもくも膜下出血の発症頻度は2003年のデータと2015年のデータでは10万人対31.34人から27.63人と，11.8%の低下がみられることを示した[7]．また，この低下は日本人における高血圧患者の低下，喫煙率の低下，高脂血症薬投与率の上昇と関連するのではないかと推測している．以上の2つの研究は，直接未破裂脳動脈瘤と生活習慣の関連を示すものではないが，未破裂脳動脈瘤患者の経過観察においても生活習慣の管理が重要であることを示している．

さらにOtaらは，UCAS Japanにおける経過観察中に破裂した症例と，それまで脳動脈瘤の指摘がなく突然発症で来院したくも膜下出血例を比較し，破裂脳動脈瘤のうち急激に形成され破裂に至る症例の特徴を抽出することを試みた[8]．111例のUCAS破裂例と256例の突然発症例を比較すると，突然発症例は女性（OR 2.65），喫煙（OR 16.75），小型の瘤（OR 0.89），多発の瘤（OR 3.42），高脂血症例（OR 13.3）が多いことが示された．このデータからも，喫煙（特に女性）はくも膜下出血の突然発症因子としてきわめて重要であることがわかる．

未破裂脳動脈瘤のAI診断

現在，AIの普及によりさまざまな画像の自動診断が可能になりつつある．

3) Backes D, Rinkel GJE, Greving JP et al：ELAPSS score for prediction of risk of growth of unruptured intracranial aneurysms. Neurology 88：1600-1606, 2017
4) Cras TY, Bos D, Ikram MA et al：Determinants of the presence and size of intracranial aneurysms in the general population：the Rotterdam Study. Stroke 51：2103-2110, 2020
5) Vlak MH, Rinkel GJ, Greebe P et al：Independent risk factors for intracranial aneurysms and their joint effect：a case-control study. Stroke 44：984-987, 2013
6) Etminan N, Chang HS, Hackenberg K et al：Worldwide incidence of aneurysmal subarachnoid hemorrhage according to region, time period, blood pressure, and smoking prevalence in the population：a systematic review and meta-analysis. JAMA Neurol 76：588-597, 2019
7) Ikawa F, Morita A, Nakayama T et al：A register-based SAH study in Japan：high incidence rate and recent decline trend based on lifestyle. J Neurosurg 134：983-991, 2020
8) **Ota N, Morita A, Tominari S et al：Differences between subarachnoid hemorrhage seen in daily practice and aneurysms that rupture during follow-up. Stroke 52：e491-e493, 2021**

未破裂脳動脈瘤においても同様に，AI による見逃し防止のためのアルゴリズムが組まれている．Ueda らは独自のアルゴリズムを深層学習を用いて作成し，4 施設の異なる MRI システムを用いて検証を行った[9]．教師データは 683 検査で発見された 748 個の脳動脈瘤であり，internal data，external data での検出感度は 91～93％であった．機器の種類や 1.5 T，3.0 T での有意差は認められなかった．3 mm 未満の小型の脳動脈瘤でも検出感度は良好で（89％），もっとも感度がよいサイズは 3～4.9 mm であり 97％に検出されている．一方，10 mm 以上の動脈瘤の検出感度は最低であった．部位ではもっとも感度がよいのが内頚動脈瘤であり，感度が低いのが椎骨動脈瘤であった．また，放射線科医により見逃されていた新規動脈瘤も 4.8～13％の症例に検出された．本来このような機器は，見逃される脳動脈瘤を減らすことを目的としているので，特異度は低く設定されている．本機器は本邦では医療機器承認を受け，EIRL という会社から販売され，臨床応用されている．AI の医療応用は今後ますます発展してくると思われるが，本開発者らは，この機器単独で脳動脈瘤診断をするのではなく，見逃しを減らし放射線科医のサポートをするという目的を掲げており，正しい方向性で機器を構築していると考える．このような医療機器は，今後さらに多くの症例検討をする過程で感度が一層向上してゆき，臨床に役立つ機器になってくると考えられる．

9) Ueda D, Yamamoto A, Nishimori M et al：Deep learning for MR angiography：automated detection of cerebral aneurysms. Radiology 290：187-194, 2019

小型未破裂脳動脈瘤の自然歴

Ikawa らは UCAS Japan に登録された 5,720 例 6,697 瘤のうち，3～4 mm の症例（2,839 例，3,132 瘤）の自然歴にかかわる因子を検討した[10]．治療は 1,132 例に施され，破裂は 23 例に認められた．年間破裂リスクは，3 mm の瘤では 0.30％，4 mm の瘤では 0.45％であった．多変量解析では，脳ドックで発見されたもの，くも膜下出血のある症例，制御の悪い高血圧のある症例，および前交通動脈瘤が有意に破裂しやすい因子であることを認めた．

また Suzuki らは，東京慈恵会医科大学における日本人の 3～10 mm 未満の未破裂脳動脈瘤観察症例 338 瘤（35 瘤が破裂）を，computer flow dynamics 手法（CFD）も用いて解析し，より若年であること，多発瘤であること，分岐部の動脈瘤であること，長さが長い瘤であること，CFD にて lower pressure loss coefficient（瘤内での圧力低下）が少ないほど破裂リスクが高いことを示した[11]．これらの研究はいずれも日本人を対象にしたものであり，SUAVe 研究[12]とも併せて，対応決定が難しい小型瘤の対応に一定の指針を与えうるデータとなる．すなわち，一般には脳動脈瘤は高齢者ほど破裂しやすいが，小型瘤では若年であるほど破裂しやすく，多発例やくも膜下出血に合併したもの，サイズがより大きい（長い）もの，高血圧を有する症例，前交通動脈瘤は注意を要する．また現在はまだ一般化は困難であるが，CFD も一つの

10) Ikawa F, Morita A, Tominari S et al：Rupture risk of small unruptured cerebral aneurysms. J Neurosurg doi：10.3171/2018.9.JNS181736, 2019［online ahead of print］

11) Suzuki T, Takao H, Rapaka S et al：Rupture risk of small unruptured intracranial aneurysms in Japanese adults. Stroke 51：641-643, 2020

12) Sonobe M, Yamazaki T, Yonekura M et al：Small unruptured intracranial aneurysm verification study：SUAVe study, Japan. Stroke 41：1969-1977, 2010

破裂予測の指標になりうることを示している．

拡大傾向にある脳動脈瘤の破裂リスク

以前より，拡大傾向にある脳動脈瘤は破裂リスクが高いことが示されているが[13]，van der Kamp らは15の国際コホートから拡大傾向のある脳動脈瘤で1日以上の経過観察がされている症例を検討した[14]．5,166例コホートの対象のうち，拡大傾向を示した312例（329瘤）が対象となった．拡大後の破裂リスクは，6ヵ月2.9%，1年4.3%，2年6.0%であった．多変量解析でより破裂しやすいのは，7 mm以上のサイズ（ハザード比（HR）3.1），形状が不整なもの（HR 2.9），部位（中大脳動脈瘤：HR 3.6，前大脳動脈または後方循環の瘤：HR 2.8）であった．この解析は，拡大傾向にある瘤の具体的な破裂リスクを示したものとして有用な研究であると考える．

13) Inoue T, Shimizu H, Fujimura M et al：Annual rupture risk of growing unruptured cerebral aneurysms detected by magnetic resonance angiography. J Neurosurg 117：20-25, 2012
14) **van der Kamp LT, Rinkel GJE et al：Risk of rupture after intracranial aneurysm growth. JAMA Neurol 78：1228-1235, 2021**

家族歴と性別による未破裂脳動脈瘤自然歴への影響

Zuurbier らは個別データを集積できた8つのコホートから，家族性の脳動脈瘤はPHASESの点数および喫煙などのリスク補正をすると，家族例ではsporadicな瘤に比較して2.56倍破裂しやすいことを示した[15]．また，兄弟を除いた群では，親では1.02倍，子では1.4倍破裂しやすいことも報告されている．やはり兄弟例で破裂リスクが高いことが示された．また同じグループからは，9つのコホートから女性の破裂リスクの検証もされた．女性は男性よりも高齢で，喫煙者が少なく，瘤が大きく，内頚動脈瘤が多い特徴があった[16]．破裂のリスクは補正すると1.39倍であった．

15) Zuurbier CCM, Mensing LA, Wermer MJH et al：Difference in rupture risk between familial and sporadic intracranial aneurysms：an individual patient data meta-analysis. Neurology 97：e2195-e2203, 2021
16) Zuurbier CCM, Molenberg R, Mensing LA et al：Sex difference and rupture rate of intracranial aneurysms：an individual patient data meta-analysis. Stroke 53：362-369, 2022

不安定な脳動脈瘤の検出と病理学的所見

PHASESやUCAS score，その他の動脈瘤における危険リスクの把握に加えて，画像上の特徴で危険な瘤を検出しようという試みが多くされてきた．特に，造影剤を用いて脳動脈瘤壁の炎症や異常な血管網（vasa vasorum）を検出しようとする試みは，まずferumoxytolという鉄剤を用いて検証がなされた[17]．しかし本薬剤による腎毒性の警鐘が発表されたため，現在はGad DTPAを用いた造影MRIの有用性が検証されている．東北大学のOmodakaらは，それまで破裂脳動脈瘤で示されていた動脈瘤の周囲造影効果が，不安定な未破裂脳動脈瘤でも検出されないかを定量的に検証した[18]．26例の拡大傾向にある脳動脈瘤症例においてT1 fast spin echo法によるMRI撮影を造影前後で行い，動脈瘤周囲と下垂体茎の造影コントラストの比をとり，安定した脳動脈瘤69例，破裂脳動脈瘤67例とを比較した．結果として，拡大傾向にある脳動脈瘤では，安定して脳動脈瘤に比較してコントラスト比が有意に高く（0.54と0.34），一方で破裂脳動脈瘤よりは低い（0.83と0.54）ことが示された．

17) Hasan DM, Chalouhi N, Jabbour P et al：Evidence that acetylsalicylic acid attenuates inflammation in the walls of human cerebral aneurysms：preliminary results. J Am Heart Assoc 2：e000019, 2013
18) Omodaka S, Endo H, Niizuma K et al：Circumferential wall enhancement in evolving intracranial aneurysms on magnetic resonance vessel wall imaging. J Neurosurg　doi：10.3171/2018.5.JNS18322, 2018［online ahead of print］

またShimonagaらは，vessel wall imagingの病理学的所見について報告している[19]．6例（うち5例で造影所見あり）で病理学的検証を行い，造影所見は，アテローム性変化や血管新生，マクロファージの浸潤の所見と一致することを示した．以上の論文から，Gad DTPAを用いた造影によって，炎症や脆弱な壁を有する未破裂脳動脈瘤を検出できる可能性があることがわかってきた．

われわれもいまだすべての症例にこのような手法を適用することはできていないが，治療の判断に迷う脳動脈瘤では実施し，治療適応の判断の補助としている．今後このような適応がされていくと考える．

脳動脈瘤と腸内細菌

脳動脈瘤と炎症の検証と同時にさまざまな細菌叢との関連も検証されている．大阪大学のNakanoらは，う蝕原性口腔内細菌である*Streptococcus Mutans*のcnm陽性株がくも膜下出血の患者に多く発見されること，およびこの菌が動脈壁を直線損傷する可能性を示した[20]が，口腔内細菌よりもさらに大きな影響を及ぼす可能性のある細菌叢として，腸内細菌叢も近年注目されるようになってきている．大阪大学のKawabataら[21]は，くも膜下出血患者28例と未破裂脳動脈瘤患者33例の腸内細菌を比較し，くも膜下出血患者と未破裂脳動脈瘤患者では患者背景に大きな差は認められず，また細菌叢のα diversityには差がないが，β diversityには大きな差が認められた．腸内細菌についてはくも膜下出血患者で*Campyrobacter*および*Campylobacter ureolytics*が有意に多いことが示された．これらの菌は潰瘍性大腸炎等の感染性疾患でも知られており，cytokineを介した炎症などにより動脈瘤に影響しているのではないかと推測している．一方でShikataらは，実験的脳動脈瘤において抗生物質を用いて腸内細菌を死滅させた実験系では，脳動脈瘤の形成が有意に少なくなることを示した[22]．併せてcytokineレベルやmacrophageの浸潤が，腸内細菌を減らすことで少なくなることも示している．以上の実験的および臨床的研究からは，腸内細菌は脳動脈瘤の形成や破裂に関与しうることが示されている．また腸内細菌は食事の種類との関連で，血管系の有害な代謝産物を形成することも知られており，今後このような包括的な検証が進められると考えられる．

未破裂脳動脈瘤の治療成績と予後に関与する因子

Algraらは，未破裂脳動脈瘤の治療30日目のアウトカムについて114研究をシステマティックレビューして，血管内治療と開頭手術による合併症発生リスクおよび発生にかかわる因子を解析した[23]．106,433患者108,263瘤の治療について解析を行っている．血管内治療は74研究から合併症発生率は4.96%，

19) Shimonaga K, Matsushige T, Ishii D et al：Clinicopathological insights from vessel wall imaging of unruptured intracranial aneurysms. Stroke 49：2516-2519, 2018

20) Nakano K, Hokamura K, Taniguchi N et al：The collagen-binding protein of Streptococcus mutans is involved in haemorrhagic stroke. Nat Commun 2：485, 2011

21) Kawabata S, Takagaki M, Nakamura H et al：Dysbiosis of gut microbiome is associated with rupture of cerebral aneurysms. Stroke 53：895-903, 2022

22) Shikata F, Shimada K, Sato H et al：Potential influences of gut microbiota on the formation of intracranial aneurysm. Hypertension 73：491-496, 2019

23) Algra AM, Lindgren A, Vergouwen MDI et al：Procedural clinical complications, case-fatality risks, and risk factors in endovascular and neurosurgical treatment of unruptured intracranial aneurysms：a systematic review and meta-analysis. JAMA Neurol 76：282-293, 2019

死亡リスクは0.30%で，開頭手術では54研究からそれぞれ8.34%，0.10%であったと報告している．それぞれの治療の合併症にかかわる有意な因子として，血管内治療では女性，糖尿病，高脂血症，心臓合併症，wide neck動脈瘤，後方循環の動脈瘤，Stent補助でのコイル治療およびステントの使用が挙げられ，開頭手術では年齢，女性，凝固疾患，抗凝固薬使用，喫煙，高血圧，糖尿病，うっ血性心疾患，後方循環の瘤および瘤の石灰化が有意な因子であった．本研究からは，明らかに脳動脈瘤の治療法によりリスク因子は異なり，特に瘤の形状は血管内治療に影響し，患者の年齢は開頭手術に影響することがわかる．

巨大脳動脈瘤の治療と予後

2つの大型脳動脈瘤に関する研究が注目に値する．Nakatomiらは，日米で経験された36例の椎骨脳底動脈系の紡錘状巨大脳動脈瘤の成績を検討した[24]．11例は保存的加療を受け，10例が動脈瘤による圧迫，出血，梗塞により死亡している．一方バイパス併用有無による近位側血管の近接，または遠方遮断やクリップによる閉鎖を受けた症例では，56.6ヵ月の最終フォローで57.1%が死亡していた．治療例でも決して死亡率は低くないものの，観察症例よりは予後はよいことが示された．特に45歳未満の症例では，45歳以上の症例よりも予後が良好であった．またDenglerらは，欧州における未破裂および破裂巨大動脈瘤研究グループを組織し，後ろ向き219例（破裂21.9%，未破裂78.1%），前向き症例362例（破裂17.1%，未破裂82.9%）を集積し，死亡率，治療成績，破裂リスクを検討した[25]．前向き症例でも後ろ向き症例でも，保存的治療群の死亡率は開頭手術群，血管内治療群より高かった．前向き症例における死亡率は，くも膜下出血群，未破裂群で，それぞれ保存的治療：100%，22.0%，開頭手術：36.0%，3%，血管内治療：39.0%，12.0%であった．また，未破裂瘤保存的治療群での1年間破裂リスクは25%であった．さらに，後方循環の動脈瘤はsupraclinoid内頚動脈瘤よりも6.7倍死亡率が高かった．以上2つの研究からわかるように，巨大脳動脈瘤の予後は不良である．今後新しい血管内治療デバイスの開発や，病態生理の理解をもとに，治療成績が向上することが期待される．

24) Nakatomi H, Kiyofuji S, Ono H et al：Giant fusiform and dolichoectatic aneurysms of the basilar trunk and vertebrobasilar junction-clinicopathological and surgical outcome. Neurosurgery 88：82-95, 2020

25) Dengler J, Rufenacht D, Meyer B et al：Giant intracranial aneurysms：natural history and 1-year case fatality after endovascular or surgical treatment. J Neurosurg 134：49-57, 2019

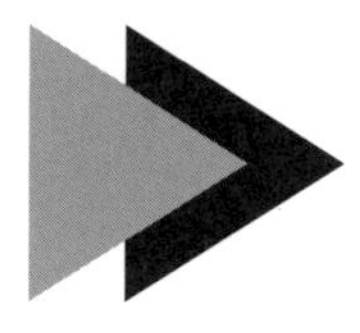

10. 脳血管奇形の治療

髙木康志（たかぎ やすし）
徳島大学大学院医歯薬学研究部 脳神経外科

最近の動向

- 2014年のARUBA trialとScottish Auditの発表からは，未破裂脳動静脈奇形（arteriovenous malformation：AVM）の治療において内科的治療が侵襲的治療に優ることが示された．これらの結果を踏まえ，2017年にはAHA/ASAのscientific statementが発表され，総論として，未破裂AVMに関しては，治療リスクと治療法，と余命を慎重に考慮したうえで治療方針を決定するべきであるとされている．
- ARUBA trialは2020年に最終報告が行われた．その後，この研究において疑問点として指摘された，年少者の治療成績について，いくつかの大規模な解析が報告されている．
- また，定位放射線治療と術前塞栓術の組み合わせについても大規模な報告がある．研究面では，AVM形成における血管内皮細胞での*KRAS*遺伝子変異やその制御による安定化が報告され，治療応用が期待される状況となっている．
- 海綿状血管腫については2017年にAngioma Alliance Scientific Advisory Boardより診療ガイドラインが発表されている．これ以後ガイドラインは発表されていない．
- 2021年に本邦の「脳卒中治療ガイドライン2021」が出版された．

ARUBA trialとScottish Audit

ARUBA trial（A Randomized Trial of Unruptured Brain Arteriovenous Malformations）では，18歳以上の未破裂AVMの患者がランダム化され，内科的治療または何らかの侵襲的治療（外科的摘出術，放射線治療，血管内治療）を行う群に割り当てられた．主要評価項目はすべての死亡または症候性脳卒中である．2013年4月の中間解析において，計223症例，平均33.3ヵ月の追跡が行われた．結果的に223症例のうち，侵襲的治療が行われた群は114症例，内科的治療が行われた群が109例であった．主要評価項目である死亡または脳卒中はas-randomized analysisで内科的治療群11例（10.1%），侵襲的治療群では35例（30.7%）であった．このように中間解析では未破裂AVMの治療において内科的治療が侵襲的治療に優ることが示された[1]．

1）Mohr JP, Parides MK, Stapf C et al；international ARUBA investigators：Medical management with or without interventional therapy for unruptured brain arteriovenous malformations（ARUBA）：a multicentre, non-blinded, randomised trial. Lancet 383：614-621, 2014

2434-9992/22/¥100/頁/JCOPY

Scottish Audit of Intracranial Vascular Malformationsは，英国のスコットランドで行われた16歳以上の血管奇形に対するコホート研究である[1]．保存的治療群101例と侵襲的治療103例において，主要評価項目を死亡，二次評価項目を臨床的悪化とし，12年までの経過観察期間でハザード比（HR）が0.59（95% CI 0.35-0.99）で保存的治療群でよりリスクが少なかったと報告している[2]．

ARUBA trialは2020年に最終フォローアップの結果が報告された[3]．中央値50.4ヵ月の追跡期間中，死亡または症候性脳卒中の発生率をみると，保存的治療群5例（3.39人年）は，侵襲的治療41例（12.32人年）と比べて，有意に低値（HR 0.31，95% CI 0.17-0.56）であった．追跡期間中のmorbidityは，保存的治療群のほうが侵襲的治療と比べて低値（283 vs 369，58.97 vs 78.73 per 100 patient-years，risk difference −19.76，95% CI −30.33-9.19）となっていた．「ARUBA」追加の追跡においても，保存的治療群は侵襲的治療と比べて，未破裂AVMの死亡，症候性脳卒中の予防に関して優位性を認めた[3]．

AHA/ASAのscientific statement

2017年にAmerican Heart Association（AHA）/American Heart Association（ASA）のscientific statementが発表された[4]．この中で，未破裂AVMの治療としては以下のように述べられている．①2つの臨床研究（ARUBA Studyと Scottish Audit）がより非侵襲的なアプローチを支持している．しかし2つの大きなlimitationが結論を弱めている．②これらの2つの臨床研究はフォローアップ期間が短く，小児例を含まず一般化することが困難である．③合併症率が予想されたより高い．また，破裂AVMについては，①大きさが小さく，表在性AVMは緊急手術で摘出可能である．より大きく，深在性のAVMは2〜6週間摘出術を保留したほうがよいとし，②破裂AVMの緊急手術はmorbidityやmortalityの増加に関与する可能性がある．③high Spetzler-Martin gradeのAVMはすでに神経学的障害がある場合でも，症状の悪化の可能性を考慮に入れて治療する必要がある．と述べている．以上のことから総論として，未破裂AVMに関しては，治療リスクと治療法，と余命を慎重に考慮したうえで治療方針を決定するべきであるとし，破裂AVMでは治療リスクと利点を慎重に考慮しながら治療方針と治療の組み合わせを検討すべきであるとしている[4]．

ARUBA trialとScottish Auditの問題点および新たな臨床研究

ARUBA trialとScottish Auditの結果について，さまざまな問題点が指摘されてきた．それらの一部として，登録外症例の多さ，Spetzler-Martin grade

2) Al-Shahi Salman R, White PM, Counsell CE et al；Scottish Audit of Intracranial Vascular Malformations Collaborators：Outcome after conservative management or intervention for unruptured brain arteriovenous malformations. JAMA 311：1661-1669, 2014
3) Mohr JP, Overbey JR, Hartmann A et al；ARUBA co-investigators：Medical management with interventional therapy versus medical management alone for unruptured brain arteriovenous malformations（ARUBA）：final follow-up of a multicentre, non-blinded, randomised controlled trial. Lancet Neurol 19：573-581, 2020
4) Derdeyn CP, Zipfel GJ, Albuquerque FC et al；American Heart Association Stroke Council：Management of brain arteriovenous malformations：a scientific statement for healthcare professionals from the American Heart Association/American Stroke Association. Stroke 48：e200-e224, 2017

Ⅰ～Ⅱの直達手術症例の少なさと，high grade 症例に対する血管内治療または放射線治療のみの症例の多さが批判を受けている．さらにサブグループ解析の不在，フォローアップ期間の短さ，侵襲的治療群における morbidity の高さなどである．これらの疑問点に答えるため，近年，データベースを基にした大規模な解析がいくつか報告されている．これらはメタアナリシスと記載されているものもあるが，治療成績報告を集めたもので，エビデンスレベルはそれほど高くはない．しかし，AVM 治療のリアルワールドを知るうえで重要な報告である．

Pezeshkpour らは，34 論文から 2,158 ケースの小児症例を解析した．64.3%は出血症例で，平均追跡期間は 50.6 ± 32.3ヵ月であった．完全閉塞率は 69.8%，再発率は 2.2%，mortality は 2.4%，morbidity rate は 22.5%であった．経過観察のみの症例では，complication rate は 35.9%，mortality は 23.5%であり，外科的治療は正当化されるとした[5]．

小児症例については，長期成績についてのメタアナリシスも報告されている．14 研究 699 症例（出血症例 75%）の検討で，modified Rankin Scale（mRS）0～2 を予後良好とした場合，4.1 年間のフォローアップで 87%が予後良好であった．出血症例では 78%，非出血症例で 91%が予後良好となっていた．この研究は初回治療から長期間保持されるとした[6]．

小児症例に対する定位放射線治療に対するメタアナリシスでは，20 研究 1,212 症例での検討で，単回治療で完全閉塞率は 65.9%であった．全体の合併症率は 8.0%，新たな神経症状は 3.1%，出血は 4.2%であった．小児症例に対する定位放射線治療は高い閉塞率と合併症率も低いとした[7]．

完全閉塞を目指した血管内治療に関しては，15 論文 598 症例の解析で完全閉塞は 58.3%で得られ，コホート全体で 45.8%で完全閉塞が得られた[8]．

術前の血管内塞栓術と定位放射線治療の組み合わせについては，Jiang らは 19 論文 3,454 症例を解析し，術前塞栓術が閉塞率の低下と関連しているものの，再出血や永続的な後遺症とは有意に関連していなかったと報告している．ただし，感度解析の結果では術前塞栓術が永続的な後遺症を低下させることが示唆された[9]．

術前の塞栓術に関しては，もう 1 つメタアナリシスが報告された．11 研究の 2,591 症例の検討では，この研究では定位放射線治療術前塞栓術の有無は，術後出血や永続的な後遺症に関連がなかったとしている[10]．

また，未破裂および破裂 AVM においては，台湾における大規模なコホート研究の報告がされた．Taiwan National Health Insurance Research Database（NHIRD）を用いて 1997～2013 年の 1,515 症例が解析された．15 年のフォローアップで破裂 AVM ではガンマナイフ治療群が非治療群と比べ有意に出血率が低く，逆に未破裂群では 40 歳以上では出血率がガンマナイフ治

5) Pezeshkpour P, Dmytriw AA, Phan K et al：Treatment strategies and related outcomes for brain arteriovenous malformations in children：a systematic review and meta-analysis. AJR Am J Roentgenol 215：472-487, 2020

6) Lu VM, Wahood W, Rinaldo L et al：Long-term functional outcome after intervention for pediatric intracranial arteriovenous malformations：a systematic review and meta-analysis. Clin Neurol Neurosurg 191：105707, 2020

7) Börcek AÖ, Çeltikçi E, Aksoğan Y et al：Clinical outcomes of stereotactic radiosurgery for cerebral arteriovenous malformations in pediatric patients：systematic review and meta-analysis. Neurosurgery 85：E629-E640, 2019

8) Wu EM, El Ahmadieh TY, McDougall CM et al：Embolization of brain arteriovenous malformations with intent to cure：a systematic review. J Neurosurg 132：388-399, 2019

9) Jiang Z, Zhang X, Wan X et al：Efficacy and safety of combined endovascular embolization and stereotactic radiosurgery for patients with intracranial arteriovenous malformations：a systematic review and meta-analysis. Biomed Res Int 2021：6686167, 2021

10) Jiang X, Zhao Z, Zhang Y et al：Preradiosurgery embolization in reducing the postoperative hemorrhage rate for patients with cerebral arteriovenous malformations：a systematic review and meta-analysis. Neurosurg Rev 44：3197-3207, 2021

療群で有意に高いと報告された[11].

妊娠期間のAVMの出血例についてもシステマティックレビューが発表されている．47症例の妊娠期間の出血が報告されていた．4つのコホートのうち1つのコホートのみが非妊娠期間と比べ有意に出血率が増加していた[12].

これらのメタアナリシスは，後ろ向き研究の組み合わせが多く，エビデンスレベルは高いといえないことに留意しておく必要がある．

AVMの最新研究

最近のAVM研究のトピックとしては，**ナイダス血管壁内皮細胞における遺伝子変異がある**．Nikolaevらは家族性でなく弧発例のAVMサンプルにおいて全エクソームシークエンスを行い，62.5%に***KRAS*遺伝子の変異**を認めた．さらにその下流であるMAPK pathwayやPI3K pathwayの活性化を認めている[13].

*KRAS*変異細胞は血管新生能をもつことも報告している．この報告については，同様の報告がいくつかなされている．*KRAS*やその下流の*MEK1*の変異が28〜87%のサンプルで認められたとされている[14〜17]．また，日本人の標本を用いて*KRAS*遺伝子の変異を見出した報告もあった[18].

いくつかの研究で，頭蓋外のAVMにおいても*KRAS, HRAS, NRAS, BRAF, MAPK*の変異が報告されている[19, 20]．High-flowの病変でRAS-MAPK pathwayの関与がより強く示された[14].

*RAS-MAPK*変異が，弧発AVM発生に十分かどうかについては完全には明らかとなっていない．しかし，マウスやゼブラフィッシュのモデルにおいてはこの変異がAVMを誘導できることが報告されている[14, 21].

内皮細胞特異的なgain-of-function KRASG12D/G12Vで，VEGF依存性の血管新生能を刺激することでAVMを誘導できることも報告された[21].

RAS-MAPK signaling cascadeの活性化は30%以上の癌で認め，この経路を制御する薬剤でいくつかの領域で治療応用が行われている[22].

一方，AVMではいまだそのような臨床応用は行われていない．しかし，新たなAVM動物モデルを用いて現在，研究が行われている．*RAS-MAPK-*mutantAVMでBRAFやMEK阻害薬が動物モデルで効果があることが報告されている[12]．また，症例報告レベルでrapamycin，trametinibの効果や動物モデルでのbevacizumabの効果の報告が報告されている[23, 24].

このようにVEGFとその下流のRASMAPK　signalingのコントロールが病変の安定化のkeyであると考えられる．病変安定化にvemurafenib, sirolimus，trametinibやbevacizumabなど，いくつかの薬物の可能性が考えられる．

11) Chye CL, Wang KW, Chen HJ et al：Haemorrhage rates of ruptured and unruptured brain arteriovenous malformation after radiosurgery：a nationwide population-based cohort study. BMJ Open 10：e036606, 2020
12) Davidoff CL, Lo Presti A, Rogers JM et al：Risk of first hemorrhage of brain arteriovenous malformations during pregnancy：a systematic review of the literature. Neurosurgery 85：E806-E814, 2019
13) Nikolaev SI, Vetiska S, Bonilla X et al：Somatic activating KRAS mutations in arteriovenous malformations of the brain. N Engl J Med 378：250-261, 2018
14) Al-Olabi L, Polubothu S, Dowsett K et al：Mosaic RAS/MAPK variants cause sporadic vascular malformations which respond to targeted therapy. J Clin Invest 128：5185, 2018
15) Hong T, Yan Y, Li J et al：High prevalence of KRAS/BRAF somatic mutations in brain and spinal cord arteriovenous malformations. Brain 142：23-34, 2019
16) Goss JA, Huang AY, Smith E et al：Somatic mutations in intracranial arteriovenous malformations. PLoS One 14：e0226852, 2019
17) Priemer DS, Vortmeyer AO, Zhang S et al：Activating KRAS mutations in arteriovenous malformations of the brain：frequency and clinicopathologic correlation. Hum Pathol 89：33-39, 2019
18) Oka M, Kushamae M, Aoki T et al：KRAS G12D or G12V mutation in human brain arteriovenous malformations. World Neurosurg 126：e1365-e1373, 2019
19) Couto JA, Huang AY, Konczyk DJ et al：Somatic MAP2K1 mutations are associated with extracranial arteriovenous malformation. Am J Hum Genet 100：546-554, 2017
20) Goss JA, Konczyk DJ, Smits PJ et al：Intramuscular fast-flow vascular anomaly contains somatic MAP2K1 and KRAS mutations. Angiogenesis 22：547-552, 2019
21) Fish JE, Flores Suarez CP, Boudreau E et al：Somatic gain of KRAS function in the endothelium is sufficient to cause vascular malformations that require MEK but not PI3K signaling. Circ Res 127：727-743, 2020
22) Patel BG, Ahmed KA, Johnstone PA et al：Initial experience with combined BRAF and MEK inhibition with stereotactic radiosurgery for BRAF mutant melanoma brain metastases. Melanoma Res 26：382-386, 2016

海綿状血管腫

海綿状血管腫については2017年にAngioma Alliance Scientific Advisory Boardより診療ガイドラインが発表された[25]．

論文レビューにおいて海綿状血管腫の年間出血率は全体で0.7～6.5%，初回の出血率は年間0.4～2.4%，再出血率は3.8～29.5%であった．出血リスクは出血症例（HR 5.6，95% CI 3.2-9.7）とbrain stem（HR 4.4，95% CI 2.3-8.6）であった．外科治療としては，てんかんの原因となっている海綿状血管腫，特に薬剤抵抗性のてんかん症例については早めの摘出術を勧めている．Gaoらが報告した45論文のメタアナリシスにおいて，外科的摘出術が定位放射線治療より痙攣コントロールにおいて優れていることが報告されている（79% vs 49%）[26]．

症候性または簡単にアプローチすることができる部位にある海綿状血管腫，深部に存在する症候性または出血発症症例は手術を考えてもよいとしている．また，2回目の出血をきたした脳幹部の症例は，手術リスクを考慮したうえで手術を考えてもよいとしている．また，radiosurgeryはeloquent areaにある出血発症で手術リスクが高い症例では考慮されるとしている．

「脳卒中治療ガイドライン2021」について

2021年に発表された**「脳卒中治療ガイドライン2021」**においては，AVMに関してはARUBA trialの結果を受け，未破裂AVMに対する内科的治療が推奨度：CながらエビデンスレベJル：中とされた．介入的治療についてはエビデンスレベル：低のままである．一方，出血AVMについては外科的治療のみが記載され，推奨度：C，エビデンスレベル：低とされている．小病変（10 mL以下または最大径3 cm以下）に対する定位放射線治療，Spetzler-Martin grade 1および2の症例に対する外科的切除，3の症例に対する複合的治療，痙攣を伴った症例に対する外科的治療はいずれも推奨度：C，エビデンスレベル：低と記載されている[27]．海綿状血管腫に関しては，無症候性であってもアプローチが容易かつnon-eloquent areaに存在する病変に対しては将来の出血予防目的での外科的切除が推奨度：C，エビデンスレベル：低と記載された．また，症候性のうち，病変が脳幹部を含む脳表付近に存在する症例で外科的切除が推奨度：C，エビデンスレベル：低とされた．定位放射線治療についても，深部病変で照射線量を低く設定したものが推奨度：C，エビデンスレベル：低と記載された[27]．

23) Lekwuttikarn R, Lim YH, Admani S et al：Genotype-guided medical treatment of an arteriovenous malformation in a child. JAMA Dermatol 155：256-257, 2019

24) Maynard K, LoPresti M, Iacobas I et al：Antiangiogenic agent as a novel treatment for pediatric intracranial arteriovenous malformations：case report. J Neurosurg Pediatr doi：10.3171/2019.7.PEDS1976, 2019［online ahead of print］

25) Akers A, Al-Shahi Salman R, A Awad I et al：Synopsis of guidelines for the clinical management of cerebral cavernous malformations：consensus recommendations based on systematic literature review by the angioma alliance scientific advisory board clinical experts panel. Neurosurgery 80：665-680, 2017

26) Gao X, Yue K, Sun J et al：Treatment of cerebral cavernous malformations presenting with seizures：a systematic review and meta-analysis. Front Neurol 11：590589, 2020

27) 日本脳卒中学会脳卒中ガイドライン委員会 編：脳卒中治療ガイドライン2021．協和企画，2021

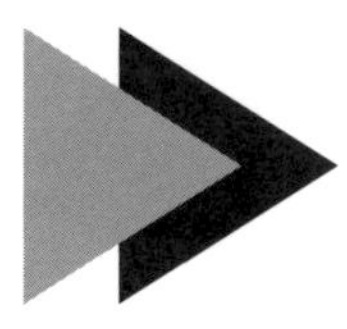

11. もやもや病の治療

髙橋　淳（たかはし じゅん）
近畿大学医学部 脳神経外科

最近の動向

- 抗血小板剤の有効性に関する新知見が得られ，特にシロスタゾールの有用性が示されている．今後ガイドラインに，より踏み込んだ記載が加えられる可能性がある．
- 出血型もやもや病に対する無作為割付け試験（Japan Adult Moyamoya（JAM）Trial）の副次研究が出そろった．後方出血例の再出血率がきわめて高く，直接バイパス術がこれを強力に抑えること，脈絡叢型側副路の発達が再出血発作に関与するとともに，非出血側半球の初回出血のリスクにもなること，脳循環不全の存在も出血危険因子であることが示された．「脳卒中治療ガイドライン 2021」では後方出血例に対するバイパス術が推奨され，脈絡叢型側副路と脳循環不全が手術適応判断の重要因子とされた．
- バイパス手術の普及から約 40 年が経過し，小児期治療例の長期予後が明らかになってきた．
- 直接バイパス術後の過灌流症候群と術後出血は大きな課題である．病態は未解明の部分も多いが，遠隔期への影響も含め，新たな知見が得られた．

内科治療の新たなエビデンス

抗血小板療法の意義

虚血型もやもや病に対して，しばしば抗血小板剤が使用される．厚生労働省研究班の全国調査では，虚血型もやもや病に対して 67％の施設が抗血小板剤を使用しており，頻度はアスピリン，シロスタゾール，クロピドグレルの順であった[1]．ただし同班の全国観察研究では内服群と非内服群で脳梗塞発症率に差がなく[2]，また無作為割付け試験は皆無であり，有用性と安全性に関するエビデンスは乏しい．「もやもや病（ウイリス動脈輪閉塞症）診断・治療ガイドライン（改訂版）」には，「虚血発症もやもや病の内科的治療として抗血小板剤の服用を考慮してもよいが，十分な科学的根拠はない」と記載され[3]，「脳卒中治療ガイドライン 2021」でも同様の推奨にとどまる[4]．

Seo らは韓国のほぼ全人口をカバーする健康保険データベースを用い，もや

1）Oki K, Katsumata M, Izawa Y et al：Trends of antiplatelet therapy for the management of moyamoya disease in Japan：results of a nationwide survey. J Stroke Cerebrovasc Dis　27：3605-3612, 2018
2）Yamada S, Oki K, Itoh Y et al：Effects of surgery and antiplatelet therapy in ten-year follow-up from the registry study of Research Committee on Moyamoya Disease in Japan. J Stroke Cerebrovasc Dis 25：340-349, 2016
3）冨永悌二，鈴木則宏，宮本享 他：もやもや病（ウイリス動脈輪閉塞症）診断・治療ガイドライン（改訂版）．脳卒中の外科 46：1-24, 2018
4）日本脳卒中学会脳卒中ガイドライン委員会 編：もやもや病（Willis 動脈輪閉塞症）：内科治療．脳卒中治療ガイドライン 2021．協和企画，215-216，2021

2434-9992/22/¥100/頁/JCOPY

もや病（出血型を含む）に対する抗血小板剤の効果を検討した[5]．2002～2016年に新規診断された25,978人中9,154人（35%）が抗血小板剤を内服し，2002年時点の薬剤別頻度はアスピリン（55%），クロピドグレル（38%），シロスタゾール（5.5%）の順であったが，その後逆転し2016年にはシロスタゾール（56%），クロピドグレル（43%），アスピリン（8%）となった．発症病型，手術の有無，全身合併症等の因子を含む多変量解析において，抗血小板剤使用は患者の死亡を有意に抑制した（ハザード比（HR）0.77，95% CI 0.70-0.84，$p < 0.01$，平均観察期間6.3年）．薬剤別ではシロスタゾールの死亡抑制効果がもっとも高く（HR 0.57，95% CI 0.49-0.68，$p < 0.01$），クロピドグレルがこれに続いたが（HR 0.78，95% CI 0.69-0.87，$p < 0.01$），アスピリンは有意ではなかった（HR 0.87，95% CI 0.69-1.10，$p = 0.23$）．虚血型ではシロスタゾールのみが有意に死亡を抑え，出血型ではいずれの薬剤も死亡を抑制しシロスタゾールの効果がもっとも高かった．生存のみを主要アウトカムとする後方視的研究ではあるものの，大規模観察研究で病型を問わないシロスタゾールの有用性が示された．その機序として，抗血小板作用のみならず血管拡張作用を有すること，他剤より出血性合併症を生じにくいことが挙げられた．事実，Chibaらも^{15}O-PETを用い，成人虚血型もやもや病において2年間のシロスタゾール内服が有意に脳血流量を増加させること，クロピドグレルでは変化がみられないことを報告している[6]．ただ，シロスタゾールは頻脈や頭痛などの副作用により認容性が低いことが知られ，Chibaらの報告でも31%がクロピドグレルへの変更を要していた．

成人虚血型の治療方針

抗血小板療法の意義が明らかになる中で，成人虚血型に対する手術適応を再考する意見がある．ガイドライン上は小児，成人ともに虚血症状を呈するものに手術が推奨されるが[3,4]，脳循環検査上の重症度（貧困灌流すなわちPowers分類stage2か，stage1またはそれ以下か）は考慮されていない．Kitakamiらは^{15}O-PETで「貧困灌流を呈しない」成人もやもや病患者を抗血小板剤のみで5年間前向きに観察した[7]．最初の2年間の虚血発作は3%，5年間では6%と低くかつ軽症（TIAまたはminor stroke）で，出血転化はなかった．虚血発作を生じた例はすべて^{15}O-PETで貧困灌流への悪化が確認され，手術が行われた．またシロスタゾール内服例では5年後の脳血流が登録時より有意に上昇していた．以上より，貧困灌流を呈しない成人虚血型もやもや病にはシロスタゾールによる内科治療を開始し，虚血症状が再発した場合に手術を行う方針が提唱された．従来方針の再考を促す提言であり，確かに脳梗塞予防という観点からは手術適応を限定できる可能性がある．しかし長期的には側副血行路破綻による重篤出血の問題があり（後述），さらに長期にわたる検

5）Seo WK, Kim JY, Choi EH et al：Association of antiplatelet therapy, including cilostazol, with improved survival in patients with moyamoya disease in a nationwide study. J Am Heart Assoc 10：e017701, 2021

6）Chiba T, Setta K, Shimada Y et al：Comparison of effects between clopidogrel and cilostazol on cerebral perfusion in nonsurgical adult patients with symptomatically ischemic moyamoya disease：subanalysis of a prospective cohort. J Stroke Cerebrovasc Dis 27：3373-3379, 2018

7）Kitakami K, Kubo Y, Yabuki M et al：Five-year outcomes of medical management alone for adult patients with ischemic moyamoya disease without cerebral misery perfusion. Cerebrovasc Dis 51：158-164, 2022

討が必要であろう.

成人出血型の新たなエビデンス

出血型の自然予後

出血型もやもや病は，経過観察中に高率に再出血発作を生じる．2000 年に Kobayashi らは，平均 6.7 年の観察期間中に 69％の患者に再出血を確認，年間再出血率を 7.09％/年と報告し，この数字が現在も広く引用されている[8]．再出血時の致死率は 28.6％に達した．Morioka らの報告でも，平均 12.7 年の観察期間中に 61％が再出血発作を生じた[9]．年齢により再出血までの期間に差があり，36 歳以上では同未満よりも有意に短かった（8.3 年 vs 20.3 年，$p = 0.046$）．いずれにせよ，再出血はきわめて高率かつ最大の予後不良因子である．

2019 年，Kang らは中国における最新の再出血率を報告した[10]．平均観察期間 10.1 年で 36.7％が再出血を生じ，年間再出血率は 4.5％/年，さらに 5 年，10 年，15 年の累積出血率は 7.8％，22.6％，35.9％と算出された．多変量解析では喫煙のみが再出血の独立危険因子であり（オッズ比（OR）4.85，95％ CI 1.02-23.00，$p = 0.04$），飲酒が境界域であった（OR 6.02，95％ CI 0.95-37.80，$p = 0.05$）．単変量では高血圧と CT 灌流画像上の脳血流低下も有意な因子であったが，多変量では非有意とされた．患者死亡に関しては，高血圧が有意な独立危険因子であった．本研究は手術を選択しない患者を母集団とし，同数以上の患者が別途手術を受けているため selection bias が存在する．側副路形態や microbleeds 多発などで出血ハイリスクと判断された例が除外されているかもしれず，再出血率が過小評価である可能性がある．ただし高血圧，喫煙，飲酒など，介入可能な因子を示唆したことには大きな意義がある．

手術による再出血予防：JAM Trial 副次研究の発展

直接バイパスの再出血抑制効果を検証する無作為割付け試験である JAM Trial は，大脳半球後方出血例（視床，傍脳室後方，頭頂葉，後頭葉，側頭葉後方，脳梁後方）における非手術群（≒自然経過）の再出血率がきわめて高く（17.1％/年），手術がこれを著明に低減することを示した（0％/年，$p < 0.001$，観察期間 5 年）[11]．さらに JAM 副次研究では，脈絡叢型側副路（choroidal anastomosis，脈絡叢動脈と髄質動脈の深部異常吻合）の発達が，ハイリスクの後方出血となる独立危険因子であった（OR 2.66，95％ CI 1.00-7.07，$p = 0.049$）[12]．他のタイプの側副血行路（レンズ核線条体型側副路および視床型側副路）は後方出血と関連しなかった．さらに脈絡叢型側副路に絞った副次研究では，非手術群を脈絡叢型側副路陽性（57％）と陰性に分けた場合，5 年間の再出血は陽性例で有意に多く（13.1％/年 vs 1.3％/年，$p = 0.008$），HR は 11.1

8) Kobayashi E, Saeki N, Oishi H et al：Long-term natural history of hemorrhagic moyamoya disease in 42 patients. J Neurosurg 93：976-980, 2000
9) Morioka M, Hamada J, Todaka T et al：High-risk age for rebleeding in patients with hemorrhagic moyamoya disease：long-term follow-up study. Neurosurgery 52：1049-1055, 2003
10) Kang S, Liu X, Zhang D et al：Natural course of moyamoya disease in patients with prior hemorrhagic stroke. Stroke 50：1060-1066, 2019
11) Takahashi JC, Funaki T, Houkin K et al；JAM Trial Investigators：Significance of the hemorrhagic site for recurrent bleeding: prespecified analysis in the Japan Adult Moyamoya Trial. Stroke 47：37-43, 2016
12) Funaki T, Takahashi JC, Houkin K et al：Angiographic features of hemorrhagic moyamoya disease with high recurrence risk：a supplementary analysis of the Japan Adult Moyamoya Trial. J Neurosurg 128：777-784, 2018

であった（95% CI 1.37-89.91）[13]．脈絡叢型側副路陽性例で非手術群と手術群を比較すると，後者で有意に再出血が少なかった（HR 0.33，95% CI 0.11-0.99）．JAM Trial group はさらに，出血と対側の未出血半球の脈絡叢型側副路を検討した．非手術群の対側半球のうち 42%が陽性で，その後の新規出血率は陰性例より有意に高く（5.8%/年 vs 0%/年），新規出血は全例脈絡叢型側副路に一致した領域に生じていた[14]．これら一連の研究により，これまで漠然と「脳底部もやもや血管」などと呼称されてきた側副血行路を，髄質動脈との吻合形態を基準に正確に解析することの重要さが示された．

最終副次研究として，血行力学的障害の有無と再出血の関係が検討された[15]．登録時脳血流 SPECT から全半球を，①安静時・アセタゾラミド負荷時ともに正常（37%），②安静時正常かつ負荷時低下（55%），③安静時，負荷時ともに低下（8%）に分けたところ，血行力学的障害群（②＋③）は正常群と比べ有意に再出血発作が多かった（log rank test，HR 5.37，95% CI 1.07-27.02，$p = 0.019$）．またバイパス手術の再出血抑制効果は，血行力学的障害群のみで確認された（95% CI 0.04-0.57，$p = 0.001$）．

以上を踏まえ，「脳卒中治療ガイドライン 2021」では後方出血例に対するバイパス術の推奨（中等度）が明記され，さらに手術適応を判断するうえでの重要因子として脈絡叢型側副路の発達と脳循環不全を考慮すべきことが記載された．

小児もやもや病の治療と長期予後

バイパス手術の時期

小児もやもや病ではこれまでも，低年齢児は梗塞発症が多く，病期進行が速いと報告されてきた．バイパス手術を計画するにあたり，合併症，特に周術期脳梗塞回避のためには病態が安定した時期が望ましいが，待機期間を延ばすとその間の脳梗塞リスクがある．Hayashi らは，単施設で手術（直接＋間接バイパス術）を行った小児 71 例 120 半球を年齢階層別に検討した[16]．診断児年齢 4 歳未満の患児は診断時すでに高率（81%）に脳梗塞を有し（4〜6 歳：43%，7〜17 歳：20%），早期手術を計画したにもかかわらず 42%で待機中の新たな脳梗塞を生じた（4〜6 歳：5%，7〜17 歳：3.7%）．術後梗塞は 11.5%にみられたが，年長児との有意差はなかった．待機中梗塞発生の危険因子は低年齢（$p < 0.0001$），高い magnetic resonance angiography（MRA）スコア（$p < 0.0003$），梗塞発症型（$p < 0.0001$）であった．また 6 歳未満児において，診断後 2ヵ月以降の手術は待機中梗塞の危険因子であった．これらのデータから著者らは，「4 歳未満で MRA スコア＞5 の患児」の手術は診断後 2ヵ月以内に実施することを推奨している．

13）Funaki T, Takahashi JC, Houkin K et al：High rebleeding risk associated with choroidal collateral vessels in hemorrhagic moyamoya disease：analysis of a nonsurgical cohort in the Japan Adult Moyamoya Trial. J Neurosurg 130：525-530, 2019

14）Funaki T, Takahashi JC, Houkin K et al：Effect of choroidal collateral vessels on de novo hemorrhage in moyamoya disease：analysis of nonhemorrhagic hemispheres in the Japan Adult Moyamoya Trial. J Neurosurg 132：408-414, 2019

15）Takahashi JC, Funaki T, Houkin K et al：Impact of cortical hemodynamic failure on both subsequent hemorrhagic stroke and effect of bypass surgery in hemorrhagic moyamoya disease：a supplementary analysis of the Japan Adult Moyamoya Trial. J Neurosurg 134：940-945, 2020

16）Hayashi T, Kimiwada T, Karibe H et al：Preoperative risks of cerebral infarction in pediatric moyamoya disease. Stroke 52：2302-2310, 2021

バイパス手術後の長期予後

もやもや病に対するバイパス手術の普及開始は1970年代後半～1980年代であり，小児期に手術を受けた患者の長期予後が明らかになってきた．直接バイパスについては，Funakiらが小児例（発症時平均6.4歳，出血型なし）の長期予後を報告し，平均18年間（9～33.7年）の脳梗塞は0.1%/年，頭蓋内出血は0.30%/年と算出した[17]．累積脳血管イベント発生率は術後10年1.8%，20年7.8%，30年13.1%と無視できず，特に出血発生は術後平均16.8年（13.9～20.9年）で，超長期にわたる警戒の必要性が強調された．

2019年，韓国における間接バイパス術の長期予後報告がなされた[18]．主にencephalo-duro-arterio sunangiosis（EDAS）による間接バイパスを行った小児629名（治療時平均7.7歳，虚血型98%，出血型2%）を平均12年（5～29年）観察したところ，治療半球の症候性脳梗塞は0.08%/年，頭蓋内出血は0.04%/年ときわめて低値にとどまり，10年間event freeはそれぞれ99.2%，99.8%であった．Karnofsky Performance Scale（KPS）またはLansky Play Performance Scale（LPS，10歳未満の場合）は有意に上昇し（治療前85.4→最終93.6），術前不良群でも有意な改善がみられた（63.9→92.3）．機能予後不良（最終KPSまたはLPS＜80）の最大の予測因子は，初診時症候性脳梗塞（OR 4.9，95% CI 2.2-10.8，$p < 0.001$）であり，周術期合併症（OR 3.1，95% CI 1.5-6.4，$p = 0.002$，主に術後梗脳塞），術前KPSまたはLPS＜80（OR 2.5，95% CI：1.1-5.5）が続いた．小児に対する間接バイパスの高い虚血，出血予防効果が示唆されたが，前述のFunakiらの報告に従えば出血の好発時期がさらに遠隔期に存在する可能性があり，この点を考慮した解釈とフォローアップ継続（血圧管理，microbleedsの監視）が必要と思われる．

術後過灌流の問題

過灌流が認知機能に与えるインパクト

直接バイパス術は直後から確実な側副血行が得られ，特に成人もやもや病では第一選択の術式であるが[3]，しばしば術後急性期に代謝の要求度を超えた局所脳血流上昇を生じる（過灌流現象）．失語症，麻痺，けいれんなど症候化するものは特に過灌流症候群と呼ばれ，最悪の転帰である脳出血を回避するため厳格な降圧と鎮静処置を要するが，過灌流自体は経時的に改善するため，出血しなければ問題は残らないと考えられてきた．しかし近年，過灌流が慢性期の認知機能に影響を与えることが報告されている．Yanagiharaらは^{15}O-PETで貧困灌流を呈した成人虚血型もやもや病に対して直接バイパス術を行い，2ヵ月後の認知機能と術後急性期過灌流との関係を検討した[19]．認知機能は術前

17) Funaki T, Takahashi JC, Takagi Y et al：Incidence of late cerebrovascular events after direct bypass among children with moyamoya disease: a descriptive longitudinal study at a single center. Acta Neurochir（Wien）156：551-559, 2014
18) Ha EJ, Kim KH, Wang KC et al：Long-term outcomes of indirect bypass for 629 children with moyamoya disease：longitudinal and cross-sectional analysis. Stroke 50：3177-3183, 2019
19) Yanagihara W, Chida K, Kobayashi M et al：Impact of cerebral blood flow changes due to arterial bypass surgery on cognitive function in adult patients with symptomatic ischemic moyamoya disease. J Neurosurg 131：1716-1724, 2018

と比較して31％の例で改善，25％で不変，44％で悪化した．過灌流症候群は31％にみられたが，全例で認知機能が悪化していた．術翌日SPECTにおける吻合領域の相対脳血流量（対同側小脳カウント比）は認知機能悪化群で167％であり，改善群の105％（$p < 0.0001$）および不変群の131％（$p = 0.0029$）よりも有意に高く，急性期の過灌流現象（症候性，無症候性いずれも）が慢性期認知機能悪化に関連する可能性が示された．2ヵ月後SPECTでは3群ともに術前より脳血流が上昇していたが，認知機能改善群の上昇度は不変群（$p = 0.0003$），悪化群（$p = 0.0009$）よりも有意に高く，慢性期の脳血流上昇は認知機能改善と関連していた．貧困灌流例では脳梗塞リスクが高いため手術が考慮されるが，認知機能障害リスクとtrade-offであるとすれば重大事であり，より長期の認知機能評価や追試が望まれる．

術後脳出血の問題

直接バイパス術後急性期の脳出血は低頻度ながら，重篤な後遺症につながる．過去報告での発生率は0～5.2％でほとんどが成人例であり，過灌流現象と関連づけるものが多い．Tokairinらの単施設研究では，間接法を併用した直接バイパスを行った201例中，6例（2.99％）に術後出血を生じ，すべて成人例であった[20]．出血時期は術後0～3日で，5例は術後24時間以内に生じた．術後SPECTは4例で実施され，2例で脳血流が上昇していた．出血部位は尾状核1例を除き，すべて吻合部皮質下であった．出血した例は有意に手術時年齢が高く（$p = 0.046$），成人例では出血発症型（OR 16.0，95％ CI 2.46-312.8，$p = 0.0027$），術後の収縮期血圧上昇（10 mmHg上昇あたりOR 1.69，95％ CI 1.17-2.58，$p = 0.0058$），拡張期血圧上昇（同，OR 2.02：95％ CI 1.08-4.03，$p = 0.0274$）が術後出血の危険因子であった．過灌流との関連が疑われるが，出血のタイミングが過灌流症候群の好発時期よりもかなり早いこと，脳血流上昇を欠く例があることから，脳血流画像で捉えられない脆弱血管の内圧上昇も関与している可能性が推測された．

Chenらによる中国での直接バイパス術（または直接＋間接併用）518例の検討では，術後出血は11例（2.1％，すべて成人例）にみられ，8例が術後24時間以内の早期発症であった[21]．9例は純粋な脳出血で多くは吻合部皮質下であったが，2例は側副血行路からの出血を疑う脳室内出血がみられた．成人における脳出血の独立予測因子は，術前高血圧（OR 9.25，95％ CI 1.80-47.48，$p < 0.008$），術前CT perfusionでの強い灌流障害（OR 6.24，95％ CI 1.46-26.57，$p = 0.013$），後大脳動脈病変の存在（OR 2.27，95％ CI 1.13-4.58，$p = 0.022$）であった．

20）Tokairin K, Kazumata K, Uchino H et al：Postoperative intracerebral hemorrhage after combined revascularization surgery in moyamoya disease：profiles and clinical associations. World Neurosurg 120：e593-e600, 2018

21）Chen Y, Ma L, Lu J et al：Postoperative hemorrhage during the acute phase after direct or combined revascularization for moyamoya disease：risk factors, prognosis, and literature review. J Neurosurg 133：1450-1459, 2020

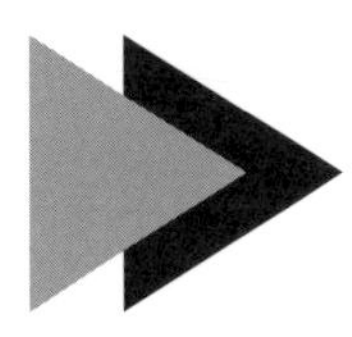

12. 硬膜動静脈瘻

立林洸太朗（たてばやしこうたろう）
兵庫医科大学 脳神経外科

最近の動向

- 硬膜動静脈瘻（DAVF）の成因において，静脈洞血栓症の役割についてはいまだ明確ではない．
- MRA での DAVF の検出には外頚動脈（上行咽頭動脈，中硬膜動脈，副硬膜動脈，artery of foramen rotundum）の拡張所見が有用な可能性がある．
- 低グレード DAVF に対する治療方針の再検討がなされたが，外科的介入は一般的に推奨されないと結論づけられた．
- 無症候性脊髄硬膜動静脈瘻（aSDAVF）に対する自然歴の検討がなされ，aSDAVF はすべての症例で症候性になるとは限らないとの結果であった．
- 出血発症の DAVF に対する治療は，出血後 5 日以内の介入が推奨された．
- ① pial arterial supply，② TOF-MRA における流出静脈の相対信号強度（rSI）程度，③ pseudophlebic pattern，はいずれも aggressive DAVF との関連が示唆された．
- シャント血の流出静脈還流障害は出血と，正常静脈還流障害は非出血性神経学的障害と関連する可能性が報告された．
- 血管内治療を受けた Borden type Ⅲの DAVF，テント部症例，皮質静脈逆流症例，深部静脈流出症例では，治療後の再発評価として長期的な血管造影フォローが必要と考えられた．
- SDAVF/ 脊髄硬膜外静脈瘻（SEDAVF）では直達手術を選択することが推奨された．

本邦における頭蓋内・脊椎動静脈シャントの最近の発生率[1)]

岡山県内の 8 つの中核病院において，2009 年 4 月 1 日から 2019 年 3 月 31 日の間に研究が実施された．脳動静脈奇形（arteriovenous malformation：AVM），硬膜動静脈瘻（dural arteriovenous fistula：DAVF），脊椎動静脈シャント（spinal anteriovenous shunt：SAVS）と診断された岡山県内居住の患者が登録され，各疾患の発生率および経時的推移が算出された．393 例の頭蓋内・脊椎動静脈シャントのうち，DAVF は 201 例（51.1％），AVM は 155 例（39.4％），SAVS は 34 例（8.7％）確認された．粗罹患率は，全動静脈シャ

1）Murai S, Hiramatsu M, Suzuki E et al：Trends in incidence of intracranial and spinal arteriovenous shunts：hospital-based surveillance in Okayama, Japan. Stroke 52：1455-1459, 2021

2434-9992/22/¥100/頁/JCOPY

ントが10万人年あたり2.040，AVMが0.805，DAVFが1.044，SAVSが0.177であった．頭蓋・脊椎動静脈シャントの発生率は10年間で増加する傾向で，人口の高齢化を調整しても，2010年から2018年にかけて，non-aggressive DAVFの発生率は6.0倍，SAVSの発生率は4.4倍増加していた．**先行研究と異なり，DAVF発生率はAVM発生率よりも高いことがわかった．**人口の高齢化で調整しても，すべての病型で発症率が増加する傾向にあり，特にSAVSとnonaggressive DAVFの増加は顕著であった．本報告は，診断技術の向上した現在のシャント疾患の発生率を明らかにした重要な論文である．

静脈洞血栓症（CVT）に関連したDAVF

静脈洞血栓症（cerebral venous thrombosis：CVT）に関連するDAVFの存在はよく知られているが，その発生率については報告に大きな差があり，病態の特徴に関する報告も十分ではない．CVTに対するダビガトランとワルファリンの再発予防効果を比較したRE-SPECT CVT研究のデータを用いて，CVT後のDAVFの発生頻度を検証した研究が報告された[2)]．120例中112例において解析が行われ，急性CVT後6ヵ月で新規DAVFは認めなかった．本研究では，CVT続発DAVFの発生率は非常に低いと結論づけた．

一方，International CVT Consortiumの登録患者を対象とし，CVT患者集団におけるDAVFの有病率，危険因子，時間相関，特徴および臨床転帰を検討した研究[3)]では，連続したCVT患者1,218例中29例（2.4%）でDAVFが確認された（追跡期間中央値8（IQR：5～23）ヵ月）．DAVF患者は高齢（53（44～61）vs 41（29～53）歳，$p < 0.001$），男性（69% vs 33%，$p < 0.001$）に多く，CVT発症形式が慢性（＞30日：39% vs 7%，$p < 0.001$）であることが多く，ベースライン画像における実質病変（31% vs 55%，$p = 0.013$）の頻度が低いという特徴があった．最終フォローアップ時における神経学的予後は，DAVFの有無によって差を認めなかった．著者らは，DAVFの発生はCVT患者の少なくとも2%に存在し，CVT発症形式が慢性，高齢，男性，ベースライン画像における実質病変が少ないことに関連すると結論づけている．2つの研究結果は完全に対立するものである点が興味深い．しかしいずれも観察期間が短く，CVT関連DAVFについて明確な解答が出たとはいいがたいが，DAVFの成因の謎に迫る重要な報告といえる．

低グレードDAVFに対する治療方針

Borden type I DAVFでは，その出血率や悪性転化率が低いことから経過観察となることが多い．しかし，実臨床では耳鳴りなど，軽症患者の希望で外科的介入を行うこともあり，その自然歴や介入による影響を知ることは重要である．

2) Ferro JM, Coutinho JM, Jansen O et al：Dural arteriovenous fistulae after cerebral venous thrombosis. Stroke 51：3344-3347, 2020

3) Lindgren E, Rentzos A, Hiltunen S et al：Dural arteriovenous fistulas in cerebral venous thrombosis：data from the International Cerebral Venous Thrombosis Consortium：data from the International Cerebral Venous Thrombosis Consortium. Eur J Neurol 29：761-770, 2022

本邦より，頭蓋内Borden type Ⅰ DAVFに対して3年間の前向き観察研究が報告されている[4]．研究期間中に頭蓋内DAVF患者110例をスクリーニングし，**Borden type Ⅰ DAVF患者28名を前向きに追跡調査した．追跡期間中に上位分類への移行や頭蓋内出血を起こした症例はなかった．**神経症状の自然改善・消失を認めた患者は5例（5/28，17.9%），画像上のシャント減少・消失を認めた患者は5例（5/28，17.9%）であった．初回の血管造影における流出静脈洞の狭窄または閉塞は，追跡調査中のシャントの減少と有意に関連していた（80.0% vs 21.7%，$p = 0.02$）．

海外からは，Borden type Ⅰ DAVFに対する経過観察と介入の結果を比較した試験結果が報告されている[5]．CONDOR試験の登録患者から**Borden type Ⅰ DAVF患者を対象とし，介入コホートと観察コホートを，傾向スコアを用いて1：1の割合でマッチングさせ，それぞれマッチング後78人の患者を比較した．マッチさせたコホート間で，閉塞率が介入コホートでより高かった（$p < 0.001$）が，神経学的および機能的転帰の改善には寄与しなかった．**

これらの結果は，Borden type Ⅰ DAVFに対する外科的介入が推奨されるものではないという既存の研究結果を支持する．高グレード群ではしばしば流出静脈洞の狭窄・閉塞はaggressive featureのリスク因子とされるが，低グレード群ではシャント減少のバイオマーカーとなる点が興味深い．

4）Nishi H, Ikeda H, Ishii A et al：A multicenter prospective registry of Borden type Ⅰ dural arteriovenous fistula：results of a 3-year follow-up study. Neuroradiology 64：795-805, 2022

5）Chen CJ, Buell TJ, Ding D et al：Observation versus intervention for low-grade intracranial dural arteriovenous fistulas. Neurosurgery 88：1111-1120, 2021

無症候性脊髄硬膜動静脈瘻（aSDAVF）

脊髄硬膜動静脈瘻（spinal dural arteriovenous fistula：SDAVF）は，脊髄の静脈うっ血による脊髄症の症状を呈することが多く，無症候性SDAVF（aSDAVF）に遭遇することは稀であり，その臨床的特徴は十分に明らかではない．著者自験例5例と関連文献の系統的レビューからの15例の計20例の無症候性SDAVFについて検討されている[6]．**無症候性SDAVFは頚部病変に多く（35.0%），頚部病変は有症候性SDAVF全体のわずか2%であった．**罹患したperimedullary veinは，尾側（10.0%）よりも頭側（50.0%）に流出する傾向があった．aSDAVFは4例が有症状となり，1例は自然消退，残りの15例は不変か外科的治療が行われていた．著者らは，静脈うっ血が症候性SDAVFの病態とすると，頚椎における豊富な側副静脈経路と髄液の独特な流動力学が，aSDAVFの症候化を防いでいる可能性があるとし，静脈うっ血が回避できる場合，aSDAVFがすべて症候性になるとは限らないと結論している．本論文は，稀な病態であるaSDAVFに検討を加えた重要な論文である．

6）Shimizu K, Takeda M, Mitsuhara T et al：Asymptomatic spinal dural arteriovenous fistula：case series and systematic review. J Neurosurg Spine doi：10.3171/2019.5.SPINE181513, 2019［online ahead of print］

高グレード硬膜動静脈瘻（DAVF）に対する治療方針

出血を伴わないBorden type Ⅱ/Ⅲ DAVFでは，年間の死亡率や出血リスクが高く，治療適応とされることが多いが，治療におけるリスク・ベネフィットの詳細な検討は限定的である．著者らはCONDOR試験に登録された未破裂のBorden type Ⅱ/Ⅲ DAVF患者を対象とし，初期管理に基づいて4群（観察，塞栓術，手術，定位放射線手術（SRS））に分類した[7]．415例のDAVFを対象とし，観察群29例，塞栓術群324例，手術群43例，SRS群19例であった．機能的転帰は，塞栓術，手術，SRSのいずれにおいても，観察群と同等であった．観察群を基準にすると，塞栓術後の閉塞率は高く（adjusted OR（aOR）7.147，$p = 0.010$），手術後閉塞率は高く（aOR 33.803，$p < 0.001$），全死亡率は塞栓術後が低かった（aOR 0.171，$p = 0.040$）．**1,000患者年あたりのBorden type Ⅱ/Ⅲ DAVF患者出血率は，観察群では101であったのに対し，塞栓術では9（$p = 0.022$），手術群では22（$p = 0.245$），SRS群では0（$p = 0.077$）であった．**非出血性の神経学的欠損の発生率は，観察群に対して各介入群で同等であった．未破裂のBorden type Ⅱ/Ⅲ DAVF患者に対する塞栓術および手術は，観察よりも高い確率で瘻孔を消失させていた．塞栓術は保存療法に比べ，死亡やDAVFに関連した出血のリスクを減少した．著者らはBorden type Ⅱ/Ⅲ DAVFに対する第一選択として，塞栓術が支持されるものであると締めている．これらの結果は，Borden type Ⅱ/Ⅲ DAVFに対する介入が推奨されるという既存の研究結果を支持すると考える．

7）Chen CJ, Buell TJ, Ding D et al：Intervention for unruptured high-grade intracranial dural arteriovenous fistulas：a multicenter study. J Neurosurg 136：962-970, 2021

出血を伴うDAVFの再出血率[8]

既報告では皮質静脈逆流（cortical venous reflux：CVR）を呈し出血をきたしたDAVFの再出血率は，出血後早期で高いとされているが，既存の長期的な再出血率の報告でははるかに低い再出血率が示されており，出血を伴う硬膜動静脈瘻（DAVF）の再出血リスクが経時的にどのように変化するかを検討した研究は今までにない．

CONDOR試験の1,077例中，250例が組み込まれた．全体の年率換算再出血率は7.3%（95% CI 3.2-14.5）であった．**最初の2週間における再出血の発生率は1人日あたり0.0011であり，最初の14日間の早期再出血率は1.6%（95% CI 0.3-5.1）であった．最初の1年間の残りの期間では，発生率は1人日あたり0.00015であり，1年間の再出血率は5.3%（CI 1.7-12.4）であった．**2週間前後の再出血の発生率比は7.3（95% CI，1.4-37.7，$p = 0.026$）であった．CVRを呈し出血をきたしたDAVFの再出血率は最初の2週間で高く，早期の治療が正当化されるが，既報告と比較するとかなり少なく，出血後5日以内での治療は再出血の発生率が低く，適切な介入期間であると結論している．出血後の初期と後期におけるDAVF再出血の相対的な発生率を定量化した報告はこれまでになく，重要な論文といえる．

8）Durnford AJ, Akarca D, Cullitord D et al：Risk of early versus later rebleeding from dural arteriovenous fistulas with cortical venous drainage. Stroke 53：2340-2345, 2022

脊髄硬膜動静脈瘻（SDAVF）患者における ステロイド治療の注意喚起

SDAVFは誤診されることが多く，ステロイド治療が先行されることがある．ステロイド投与のあった患者18名（18.2%）とステロイド投与のなかった患者81名（81.8%）が本研究[9]に組み込まれ，ステロイド投与前後，手術前，1年後にModified Aminoff & Logue scale（mALS）を用いて機能評価がなされた．ベースライン時，年齢，性別，期間，瘻孔の位置，治療法，術前mALSに関して，両群間に差はなかった．しかし，**ステロイドを投与していないSDAVF患者は，1年後の追跡調査において，mALSにおいて統計的に有意に良好な転帰を示した（$p < 0.05$）**．著者らはステロイド投与がSDAVF患者に急性期の臨床的悪化を引き起こし，瘻孔の閉塞が成功したとしても，症状悪化が持続する可能性があるため，避けるべきと結論している．

SDAVF患者におけるステロイド治療の注意を喚起する論文で，実臨床において有益な論文である．

9) Ma Y, Hong T, Chen S et al：Steroid-associated acute clinical worsening and poor outcome in patients with spinal dural arteriovenous fistulas：a prospective cohort study. Spine（Phila Pa 1976）45：E656-E662, 2020

頭蓋内DAVF患者におけるpial arterial supplyの 意義と影響

2つの研究の報告が最近なされている．

1つはMayo Clinicからの報告で，201例の頭蓋内DAVFのうち27例（13.4%）でpial arterial supplyが確認された[10]．**瘻孔の破裂率はpial arterial supply群で高く（30.8% vs 9.8%，$p = 0.003$），Borden type Ⅱ/Ⅲの割合が高かった（88.9% vs 38.4%，$p < 0.0001$）**．Pial arterial supply群は，血管内治療とガンマナイフが同率であったが，non-pial arterial supply群よりも手術を受ける割合が高かった（25.9% vs 10.4%，$p = 0.03$）．合併症の発生率は両群で同程度であった（0% vs 1.1%，$p = 0.55$）．Pial arterial supplyは破裂率と高グレードに関連し，テント部DAVFでもっとも一般的であったと結論している．

10) Brinjikji W, Cloft HJ, Lanzino G：Clinical, angiographic, and treatment characteristics of cranial dural arteriovenous fistulas with pial arterial supply. J Neurointerv Surg 13：331-335, 2021

もう1つはToronto大学からの報告で[11]，204例中23例（11.3%）にpial arterial supplyが認められた．**Pial arterial supplyの独立した予測因子として若年（$p < 0.0005$），テント部DAVF（$p = 0.0162$），および静脈の拡張の存在（$p = 0.0001$）が挙げられた**．17例で血管内治療が施行され，術後の頭蓋内出血や梗塞は，pial arterial supply患者で発生しなかった．これらの研究より，DAVFにおけるpial arterial supplyはaggressive DAVFと関連し，治療における合併症率の増加には寄与しないと考えられる．また**テント部DAVFにおけるpial arterial supplyの血管として，後大脳動脈の硬膜枝（artery of Davidoff and Schechter）と上小脳動脈の硬膜枝（artery of Wollschlaeger**

11) Osada T, Krings T：Intracranial dural arteriovenous fistulas with pial arterial supply. Neurosurgery 84：104-115, 2019

and Wollschlaeger）の存在を理解しておく必要がある．

Venous reflux と頭蓋内 DAVF の鑑別

Arterial spin labeling（ASL）や susceptibility-weighted imaging（SWI）といった MRI シークエンスの追加が頭蓋内 DAVF の検出に有効であることが報告されてきたが，それらのシークエンスで venous reflux と頭蓋内 DAVF の鑑別が可能かを報告した論文は少ない．13 例の Borden type Ⅰ DAVF 症例と 11 例の典型的 Jugular venous reflux 所見を呈した症例の ASL 画像を検討した報告によると**ASL 単独では Borden type 1 DAVF と Jugular venous reflux の鑑別は困難**で，鑑別のためには TOF-MRA や 4D CE MRA などの追加の MR シーケンスが必要であったとしている[12]．**ASL は venous reflux と CS DAVF を鑑別するために簡便で有用なシーケンスであるが，横静脈洞・S 状静脈洞部 DAVF では venous reflux との鑑別が困難**とする報告もある[13]．さらに，**MRA 上の中硬膜動脈の拡張は頭蓋内 DAVF の存在を感度 79.49％（95％ CI 66.81–92.16），特異度 100％（95％ CI 100.00–100.00），陰性的中率 94.56％（95％信頼区間：90.89–98.02）で示唆する**ものであるとの報告[14]や，**外頚動脈（上行咽頭動脈，中硬膜動脈，副硬膜動脈，artery of foramen rotundum）の非対称性拡張が DAVF 検出に有効**であったとの報告[15]がある．

低侵襲検査で DAVF の検出率を高める試みが実施されている．実臨床では MRA 施行時に静脈描出を認めたことを契機に DAVF を疑うことが多く，簡便さと診断の正確性を両立するプロトコルの樹立が待たれる．

各種画像所見と病態・経過との関連

画像所見（T2/FLAIR，TOF-MRA，血管造影での pseudophlebitic pattern，静脈解剖学的構造の特徴）と，侵襲的病態との関連を検討した論文が報告されている[16]．

脳内 T2/FLAIR 高輝度についての検討では，**T2/FLAIR 高輝度は CVR を有する DAVF 患者においてのみ同定され，CVR を有する DAVF 患者において T2/FLAIR 高輝度を有する患者は，高輝度ではない患者（6/21，28.5％）よりも aggressive feature を呈する傾向があった（20/23（87.0％），$p < 0.001$）．**症状が消失し，治癒した DAVF は，すべて T2/FLAIR 高輝度が消失した．T2/FLAIR 高輝度は，DAVF 患者における aggressive feature と CVR に強い相関があった．

TOF-MRA における流出静脈の相対信号強度（rSI）が臨床経過と関連するかどうかを検討した報告[17]では，36 例の頭蓋内 DAVF を aggressive feature（n = 16）と non-aggressive feature（n = 20）に分類し検討している．シャントポイント罹患静脈洞と CVR をきたした静脈の rSI を両群間で比較した．

12）Toledano-Massiah S, Badat N, Ghorra C et al：Jugular venous reflux may mimic type Ⅰ dural arterio-venous fistula on arterial spin labeling magnetic resonance images. Neuroradiology. 62：447–454, 2020

13）Iwamura M, Midorikawa H, Shibutani K et al：High-signal venous sinuses on MR angiography：discrimination between reversal of venous flow and arteriovenous shunting using arterial spin labeling. Neuroradiology. 63：889–896, 2020

14）Foo SY, Swaminathan SK, Krings T：Dilated MMA sign in cDAVF and other arterial feeders on 3D TOF MRA. Neuroradiol J 35：290–299, 2022

15）Lee J, Lee JY, Lee YJ et al：Differentiation of dural arteriovenous fistula from reflux venous flow on 3D TOF-MR angiography：identifying asymmetric enlargement of external carotid artery branches. Clin Radiol. 75：714.e15–714.e20, 2020

16）Patel B, Chatterjee A, Petr O et al：T2-weighted-fluid-attenuated inversion recovery hyperintensity on magnetic resonance imaging is associated with aggressive symptoms in patients with dural arteriovenous fistulas. Stroke 50：2565–2567, 2019

17）Ryu B, Sato S, Mochizuki T et al：Relative signal intensity on time-of-flight magnetic resonance angiography as a novel indicator of aggressive presentation of intracranial dural arteriovenous fistulas. J Cereb Blood Flow Metab 41：1428–1436, 2021

シャントポイント罹患静脈洞の rSI は，両群間に有意な差はなかった（それぞれ $p = 0.37$ と 0.41）が，**CVR を有する静脈の rSI では，aggressive feature と non-aggressive feature 患者の間に有意な正の相関が認められた（$p < 0.0001$）．** 頭蓋内 DAVF の aggressive feature の指標として，CVR を伴う静脈の rSI は信頼性が高く，その最適カットオフ値は 1.63 で，aggressive feature の予測に高い感度と特異度が認められた（ROC 曲線下面積：0.909）．

血管造影での pseudophlebitic pattern は，慢性的静脈うっ血を示す血管造影所見として知られている．**Pseudophlebitic pattern を有する DAVF 患者は出血（22.8% vs 8.4%，$p = 0.005$），歩行変化と運動失調（6.0% vs 0.0%，$p = 0.002$），認知機能の変化（6.9% vs 1.4%，$p = 0.04$），発作（8.6% vs 2.1%，$p = 0.03$）と関連する**[18]．Borden type Ⅱ/Ⅲ DAVF に限定した解析では，pseudophlebitic pattern の有無で出血に差はなかった（22.6% vs 22.8%，$p = 0.99$）が，非出血性の神経学的欠損の割合が高かった（24.1% vs 9.4%，$p = 0.03$）．MRI 画像所見では，pseudophlebitic pattern は脳浮腫（70.9% vs 2.9%，$p < 0.0001$），慢性ヘモシデリン沈着および微小出血（17.3% vs 2.2%，$p = 0.0002$），transmedullary vein の拡張（47.1% vs 0.0%，$p < 0.0001$）が多くみられた．

シャント血の流出静脈還流障害を主とする場合と，正常静脈還流障害を主とする場合で，発現型がそれぞれ出血，非出血性神経学的障害が多かったとする報告がある[19]．著者らは，患者の静脈解剖学的構造が症状の発現を決定するという仮説のもと，DAVF 患者の主要な症状の発現において，どの静脈解剖学的要素が重要であるかを明らかにすることを目的とし，研究を行った．患者を軽症例，重症例（出血性重症例，非出血性重症例）に分類し，その静脈解剖学的特徴を検討した．**静脈流出路の狭窄や静脈間の微小吻合は重症例に多く認め，静脈流出路狭窄は重症例のうち出血性重症例で多く認めた．非出血性重症例はシャント血流出路と正常静脈還流路が競合する場合，正常還流が代替還流路をもたない場合，造影剤が鬱滞する場合に多く認めた．**

DAVF の現状（CONDOR 試験より）[20]

Consortium for Dural Arteriovenous Fistula Outcomes Research（CONDOR）は，米国，英国，オランダ，日本の 14 施設からなり，1990 年から 2017 年の間に受診した 1,077 例の DAVF 患者のデータをプールしている．このコホートには，Borden type Ⅰ DAVF 359 例（33%），Borden type Ⅱ 型 DAVF 175 例（16%），Borden type Ⅲ DAVF 529 例（49%）が含まれた．全体として，852 例（79%）が瘻孔に関連した症状を呈し，427 例（40%）が耳鳴りや眼症状などの non-aggressive feature を呈し，258 例（24%）が頭蓋内出血を，167 人（16%）が非出血性神経学的障害を呈した．DAVF が偶然発見された

18) Brinjikji W, Cloft HJ, Lanzino G：Clinical presentation and imaging findings of patients with dural arteriovenous fistulas with an angiographic pseudophlebitic pattern. AJNR Am J Neuroradiol 41：2285-2891, 2020

19) Melo Neto JF, Pelinca da Costa EE, Pinheiro Junior N et al：Cerebral venous drainage in patients with dural arteriovenous fistulas：correlation with clinical presentation. J Neurosurg　doi：10.3171/2020.6.JNS20922, 2020［online ahead of print］

20) Guniganti R, Giordan E, Chen CJ et al：Consortium for Dural Arteriovenous Fistula Outcomes Research（CONDOR）：rationale, design, and initial characterization of patient cohort. J Neurosurg 136：951-961, 2021

患者（224人（21％））のうち，無症状であったものは少なかった．多くの患者（85％，911/1,077）が，血管内塞栓術（55％（587/1,077）），手術（10％（103/1,077）），放射線手術（3％（36/1,077）），または複合療法（17％（184/1,077））による治療を受けた．血管造影による全体の治癒率は83％（758/911例），治療に関連した永久神経学的合併症は2％（27/1,467例）であった．診断からフォローアップまでの期間の中央値は380日（IQR：120〜1,038.5日）であった．

Onyxを用いた塞栓術の治療成績

Onyxが本邦で承認後4年が経過した．**CONDOR試験から146例のOnyx塞栓術の成績が報告された**[21]**．平均追跡期間は29ヵ月（範囲0–129ヵ月）で，初回塞栓後，80例（55％）で完全閉塞を達成した．重大な脳合併症は6例（4.1％）に発生した．**最終フォローアップでは，84％の患者が機能的に自立していた．症状の有無，65歳以上，後頭動脈供給枝の有無，術前の在宅抗凝固療法使用は非閉塞の予測因子であった．横S状静脈洞部のDAVFは合併症の少なさと関連し，テント部は機能的予後不良の予測因子であった．本報告は，Onyxを用いた塞栓術の治療成績としては世界最大級の報告である．

21) Li Y, Chen SH, Guniganti R et al：Onyx embolization for dural arteriovenous fistulas：a multi-institutional study. J Neurointerv Surg 14：neurintsurg-2020-017109, 2022

頭蓋内DAVFにおける治療後再発[22]

CONDORの主要データセットに含まれる1,077例の患者のうち，457例が組み入れ基準を満たした．**合計32例（7％）が平均368.7日（中央値192日）に34件の再発をきたした．再発率は全体で4.5％であった．**Kaplan-Meier解析では，3年後の長期再発率は約11％と予測された．血管内治療を受けたBorden type ⅢのDAVFは，外科的治療を受けたものに比べて統計的に有意に再発しやすかった（13.3％ vs 0％，p = 0.0001）．テント部，CVR，深部静脈流出はすべて再発の危険因子であった．血管内治療と放射線治療は再発と関連していた．再発は6例で，出血2例，非出血性神経障害3例，進行性血流関連症状（視力低下）1例であった．再発危険因子のある症例では長期的な血管造影評価が必要と考えられる．

22) Abecassis IJ, Meyer RM, Levitt MR et al：Recurrence after cure in cranial dural arteriovenous fistulas：a collaborative effort by the Consortium for Dural Arteriovenous Fistula Outcomes Research（CONDOR）. J Neurosurg 136：981–989, 2021

SDAVF/脊髄硬膜外静脈瘻（SEDAVF）の治療選択と成績

本邦よりSDAVF/脊髄硬膜外静脈瘻（SEDAVF）に対する，血管内治療と直立手術成績を比較した研究がそれぞれ報告されている[23, 24]．

胸腰仙椎SDAVFおよび硬膜内静脈流出を伴うSEDAVF症例計280例を収集した．最終診断では，SDAVF 199例，SEDAVF 81例であった．**罹患レベルが単一であったSDAVFの直達手術（n = 145），血管内治療群（n = 50）の**

23) Takai K, Endo T, Yasuhara T et al：Neurosurgical versus endovascular treatment of spinal dural arteriovenous fistulas：a multicenter study of 195 patients. J Neurosurg Spine　doi：10.3171/2020.6.SPINE20309, 2020［online ahead of print］
24) Takai K, Endo T, Yasuhara T et al：Microsurgical versus endovascular treatment of spinal epidural arteriovenous fistulas with intradural venous drainage：a multicenter study of 81 patients. J Neurosurg Spine doi：10.3171/2020.2.SPINE191432, 2020［online ahead of print］

うち，初期治療失敗 / 再発の割合は血管内治療群で有意に高かった（0.68%および 36%）．多変量解析で，血管内治療は初回治療失敗 / 再発の独立した危険因子であった（OR 69，95% CI 8.7-546）．合併症の発生率に差はなかった（直立手術 4.1 % vs 血管内治療 4.0 %）．追跡期間中央値 26ヵ月で，modified Rankin Scale（mRS）スコア，Aminoff-Logue 歩行 / 排尿グレードの 1 ポイント以上の改善は，それぞれ 111 例（56%），121 例（61%）/ 79 例（40%）で観察された．Aminoff-Logue 歩行グレードが未改善の独立した危険因子は，複数回治療（OR 3.1）と症状期間（OR 1.02）であった．一方，SEDAVF の 29 例（36%）は SDAVF と誤診されていた．SEDAVF は，複数栄養動脈（54%）から，硬膜外静脈叢を経由して単一 / 複数の硬膜内静脈（91% /9%）へ流出していた．**SEDAVF の直立手術（n = 42），血管内治療（n = 36），複合治療（n = 3）群のうち，治療失敗は血管内治療群で有意に多かった（それぞれ，7.5%，31%，0%）**．血管内治療では，初回治療失敗が多かった（OR 5.72，95% CI 1.45-22.6）．直立手術後の独立した治療失敗危険因子は硬膜内流出静脈の数（OR 17.9，95% CI 1.56-207）であり，血管内治療後の治療失敗危険因子は栄養動脈の数（OR 4.11，95% CI 1.23-13.8）であった．術後 mRS スコアと Aminoff-Logue 歩行 / 排尿グレードは有意に改善し，追跡期間中央値は 31ヵ月であった．

SDAVF において直立手術と血管内治療の成績を比較する系統的レビューとメタアナリシスが行われている[25]．**1,341 人の SDAVF 患者を対象とした 32 件の研究で，直立手術（n = 590）と塞栓術（n = 751）が比較された．直立手術は，初期治療失敗（OR 0.15，95% CI 0.09-0.24，$I^2 = 0\%$，$p < 0.001$）および晩期再発（OR 0.18，95% CI 0.09-0.39，$I^2 = 0\%$，$p < 0.001$）の確率を低下させた**．また，術後の神経学的改善のオッズは，塞栓術のみと比較して有意に高かった（OR 2.73，95% CI 1.67-4.48，$I^2 = 49.5\%$，$p < 0.001$）．合併症発生率は 2 群間に差は認められなかった（OR 1.78，95% CI 0.97-3.26，$I^2 = 0\%$，$p = 0.063$）．Onyx は，2- シアノアクリル酸ブチルと比較して，初期不良 / 晩期再発のオッズが有意に高かった（OR 3.87，95% CI 1.73-8.68，$I^2 = 0\%$，$p < 0.001$）．

これらの報告から，SDAVF/SEDAVF で直立手術を選択することに異論はないように思われる．

25) Goyal A, Cesare J, Lu VM et al：Outcomes following surgical versus endovascular treatment of spinal dural arteriovenous fistula：a systematic review and meta-analysis. J Neurol Neurosurg Psychiatry 90：1139-1146, 2019

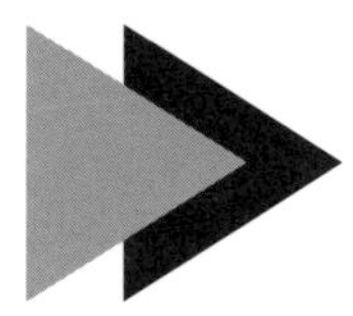

13. 脳梗塞急性期と慢性期の抗血小板療法

中村晋之（なかむら くにゆき）
九州大学大学院 医学研究院 病態機能内科学

最近の動向

- 軽症非心原性脳梗塞/TIA 急性期において，アスピリン＋クロピドグレルによる抗血小板薬2剤併用療法（DAPT）の有効性を検討したCHANCE試験やPOINT試験などのメタ解析では，1ヵ月以内のDAPTが急性期の脳梗塞再発リスクを抑制するが，1ヵ月を超えると出血リスクが増大することが示された．
- CSPS.com試験によって，慢性期非心原性脳梗塞に対するシロスタゾール併用DAPTの有効性および安全性が明らかとなり，脳梗塞再発のリスクが高い患者に対する長期的なDAPTの新たな可能性が示唆された．
- THALES試験は，軽症非心原性脳梗塞/TIA 急性期におけるチカグレロル併用DAPTの有効性を示したが，出血性合併症の増加も懸念された．また，PRASTRO-Ⅲ試験では，血栓性脳梗塞に対するプラスグレルの有効性と安全性が示された．これら新規の抗血小板薬は，薬物不応性を有する場合や再発リスクが高い場合において，有効な治療手段となる可能性が期待される．
- 脳出血後の抗血小板薬再開の是非を検討したRESTART試験では，抗血小板薬を再開することが脳出血再発のリスクを上げるわけではないことが示された．

脳梗塞/一過性脳虚血発作に対する急性期DAPTの有効性と至適期間

アスピリンとクロピドグレルによる急性期DAPT

非心原性脳梗塞または一過性脳虚血発作（transient ischemic attack：TIA）に対する急性期治療には抗血小板療法が有効である．これまでに，軽症例を対象としたCHANCE試験やPOINT試験によって，抗血小板薬2剤併用療法（dual antiplatelet therapy：DAPT）の有効性が示されてきた[1)]．POINT試験における経時的なベネフィット/リスクの検討では，アスピリン単剤と比較したクロピドグレル併用による虚血イベントの抑制効果（ベネフィット）は，最初の21日間において有意に出血リスクを上回った（ハザード比（HR）0.65,

1）Pan Y, Elm JJ, Li H et al：Outcomes associated with clopidogrel-aspirin use in minor stroke or transient ischemic attack：a pooled analysis of clopidogrel in high-risk patients with acute non-disabling cerebrovascular events（CHANCE）and platelet-oriented inhibition in new TIA and minor ischemic stroke（POINT）trials. JAMA Neurol 76：1466-1473, 2019

2434-9992/22/¥100/頁/JCOPY

95%信頼区間（95% CI）0.50-0.85，p = 0.0015）[2]．また，POINT 試験の事後解析として，発症時の画像所見における脳梗塞病変の有無で対象を2群に分け，アスピリンとクロピドグレルによるDAPTの効果を検討したところ，脳梗塞病変を有する場合にはDAPTによる虚血性脳卒中の抑制効果がみられたが，脳梗塞病変を有さない場合にはその効果は明らかでなかった[3]．

CHANCE試験およびPOINT試験を含み，アスピリンとクロピドグレルによるDAPTの至適投与期間を検討した10の無作為化比較試験（RCT）のメタ解析[4]によると，**1ヵ月以内の短期間でのクロピドグレル併用は，アスピリン単剤と比べ大出血を有意に増加させず，虚血性脳卒中の再発を抑制することが示された．しかし，1ヵ月を超えた長期併用によって出血合併症のリスクが上回る可能性が示唆された．**

以上の結果から，軽症の非心原性脳梗塞に対する急性期の抗血小板療法としてアスピリン＋クロピドグレルによる短期間のDAPTが有効であることが確立したと考えられ，「脳卒中治療ガイドライン2021」[5]では，発症早期の軽症非心原性脳梗塞に対して発症から1ヵ月以内を目安としたDAPT（アスピリン＋クロピドグレル）が勧められている（「AHA/ASAガイドライン2021」[6]では90日以内）．しかし，重症例に対する同2剤によるDAPTの至適期間を示す明確なエビデンスは乏しく，実臨床においては主幹動脈病変の有無や出血リスクなど個別の病態を踏まえたうえで投与期間を検討する必要があると考えられる．

アスピリンとシロスタゾールによる急性期DAPT

非心原性脳梗塞発症48時間以内の患者を対象とし，アスピリンとシロスタゾール併用による急性期14日間の神経症状増悪や症候性虚血性脳卒中・TIAの再発に対する効果を検証したADS試験[7]では，主要有効性評価項目（神経症状の増悪，症候性脳卒中再発またはTIA）はアスピリン単剤群11%とシロスタゾール併用群11%の間に有意差はなかった（p = 0.85）．安全性評価項目である頭蓋内出血は単剤群0.2%，シロスタゾール併用群0.3%と，両群に有意な差はみられなかった（p = 0.62）．本試験ではDAPT期間および観察期間が14日間と短かったことなどから，有効性の違いを見出しにくかった可能性も考えられ，今後のさらなる検討結果が待たれる．

慢性期脳梗塞に対するシロスタゾール併用DAPTの有効性

CSPS.com

CSPS.com（Cilostazol Stroke Prevention Study for Antiplatelet Combination）

2) Johnston SC, Elm JJ, Easton JD et al：Time course for benefit and risk of clopidogrel and aspirin after acute transient ischemic attack and minor ischemic stroke. Circulation 140：658-664, 2019

3) Rostanski SK, Kvernland A, Liberman AL et al：Infarct on Brain Imaging, Subsequent Ischemic Stroke, and Clopidogrel-Aspirin Efficacy：a post hoc analysis of a randomized clinical trial. JAMA Neurol 79：244-250, 2022

4) **Rahman H, Khan SU, Nasir F et al：Optimal duration of aspirin plus clopidogrel after ischemic stroke or transient ischemic attack. Stroke 50：947-953, 2019**

5) 日本脳卒中学会脳卒中ガイドライン委員会 編：脳卒中治療ガイドライン2021．協和企画，2021

6) Kleindorfer DO, Towfighi A, Chaturvedi S et al：2021 guideline for the prevention of stroke in patients with stroke and transient ischemic attack：a guideline from the American Heart Association/American Stroke Association. Stroke 52：e364-e467, 2021

7) Aoki J, Iguchi Y, Urabe T et al：Acute aspirin plus cilostazol dual therapy for noncardioembolic stroke patients within 48 hours of symptom onset. J Am Heart Assoc 8：e012652, 2019

試験[8]は，慢性期非心原性脳梗塞患者へのシロスタゾールを含めたDAPTの脳梗塞再発予防効果を検討したRCTである．本研究では**頚動脈狭窄を有するなど脳梗塞再発リスクが高い発症後8〜180日の非心原性脳梗塞患者**を対象とし，観察期間1.4年（中央値）における脳梗塞再発の有無が検討された．その結果，**アスピリンまたはクロピドグレルに加えてシロスタゾールを長期併用した群（29/932例（3%））では，単剤群（64/947例（7%））と比較し脳梗塞再発を有意に抑制した**（HR 0.49，95% CI 0.31-0.76，p＝0.0010）．**さらに，重篤な出血合併症の発生には，両群間で有意な差はなかった（単剤群13/921例，併用群群8/910例，HR 0.66，95% CI 0.27-1.60，p＝0.35）**．本試験結果を受けて，非心原性脳梗塞の慢性期再発予防において，頚部・頭蓋内動脈狭窄・閉塞や血管危険因子を複数有するなど再発リスクが高い場合には，シロスタゾールを含む2剤併用が推奨される[5]．

CSPS.comにおける投薬開始時期

CSPS.com試験の事後解析として，投薬開始時期によって登録患者を分類し，単剤群とシロスタゾール併用群との比較を行ったところ，**15〜28日群と29〜180日群ではシロスタゾール併用群が有意に脳梗塞再発を抑制したのに対し，8〜14日群では併用群と単剤群とで有意差がみられなかった**[9]．大出血発現率は，発症日ごとの3群のいずれも併用群と単剤群との間に有意差はみられなかった．なお，CSPS.com試験ではアスピリンまたはクロピドグレルが併用薬として用いられたが，併用薬によって分類したサブ解析の結果，クロピドグレル・シロスタゾール投与群はクロピドグレル単剤群と比べ出血リスクを上げることなく，虚血性脳卒中の再発を有意に抑制したが，アスピリン投与群ではシロスタゾール併用群・アスピリン単剤群に有意な差はなかった[10]．

CSPS.com試験およびそのサブ解析の結果から，脳梗塞発症後3週目以降にシロスタゾールを含めたDAPTを始めることによる治療効果が示された．アスピリン＋クロピドグレルによる急性期DAPTを3週間行った後，脳梗塞再発のリスクが高いと考えられる患者に対しては，有効かつ安全な抗血小板療法としてシロスタゾール併用DAPTへ切り替えていくことも，選択肢の一つとして考えられる．

シロスタゾールが有効と考えられる症例

CSPS.com試験のサブ解析では，頭蓋内主幹動脈病変を有する患者群において，シロスタゾールの併用はアスピリンまたはクロピドグレル単剤と比較し出血リスクを上げることなく，脳卒中や心血管イベントを有意に抑制した[11]．

PICASSO試験は，脳出血高リスクである慢性期の脳梗塞患者（脳出血の既往あるいは2つ以上の脳微小出血（cerebral microbleeds：CMBs）を有する

8）Toyoda K, Uchiyama S, Yamaguchi T et al：Dual antiplatelet therapy using cilostazol for secondary prevention in patients with high-risk ischaemic stroke in Japan：a multicentre, open-label, randomised controlled trial. Lancet Neurol 18：539-548, 2019

9）Toyoda K, Omae K, Hoshino H et al：Association of timing for starting dual antiplatelet treatment with cilostazol and recurrent stroke. Neurology 98：e983-e992, 2022

10）Hoshino H, Toyoda K, Omae K et al：Dual antiplatelet therapy using cilostazol with aspirin or clopidogrel：subanalysis of the CSPS.com trial. Stroke 52：3430-3439, 2021

11）Uchiyama S, Toyoda K, Omae K et al：Dual antiplatelet therapy using cilostazol in patients with stroke and intracranial arterial stenosis. J Am Heart Assoc 10：e022575, 2021

など）を対象として心血管イベントを評価した研究で，シロスタゾールはアスピリンに対し非劣性を示したが，出血性脳卒中リスクは抑制しなかった．PICASSO 試験のサブ解析として，年齢，性別，脳出血リスク（既往，CMBs など），高血圧，糖尿病の有無などで分類し，交互作用を検討した結果，**複数の CMBs を有する場合や白質病変がまだ重度に至っていない場合**には，シロスタゾールの有益性が特に上回る可能性が示唆された[12]．

12) Kim BJ, Kwon SU, Park JH et al：Cilostazol versus aspirin in ischemic stroke patients with high-risk cerebral hemorrhage：subgroup analysis of the PICASSO trial. Stroke 51：931-937, 2020

新規抗血小板薬

チカグレロル

新規抗血小板薬チカグレロルは P2Y12 受容体を直接かつ可逆的に阻害し，抗血小板作用が迅速に発現するとともに，薬剤中止後は速やかに作用が切れること，さらには *CYP2C19* 遺伝子多型に伴う代謝・薬効の個人差が少ないことを特徴とする．本邦では虚血性心疾患に対してアスピリンとの併用が行われているが，現時点で脳梗塞患者に対する使用認可はない．

SOCRATES 試験[13]は発症 24 時間以内の非心原性の軽症脳梗塞または高リスク TIA を対象とした，急性期のチカグレロルとアスピリンの無作為化比較試験である．90 日後の脳卒中，心筋梗塞，死亡を含む複合イベントは，チカグレロル群 6.7%，アスピリン群 7.5%（HR 0.89，95% CI 0.78-1.01，p = 0.07）と，優越性は示されなかったが，このうち虚血性脳卒中の再発はチカグレロル群 5.8%，アスピリン群 6.7%（HR 0.87，95% CI 0.76-1.00，p = 0.046）と有意な抑制効果がみられた．

13) Johnston SC, Amarenco P, Albers GW et al：Ticagrelor versus aspirin in acute stroke or transient ischemic attack. N Engl J Med 375：35-43, 2016

チカグレロルを併用した DAPT の効果を検証した RCT が **THALES 試験**[14]である．本研究では，SOCRATES 試験に準じて発症 24 時間以内の非心原性軽症脳梗塞または高リスク TIA 患者を対象とし，アスピリン単剤と比較したチカグレロル併用の効果を検証している．主要評価項目である **30 日以内の脳卒中の発症または死亡は，アスピリン単剤群 362/5,493 例（6.6%），チカグレロル併用群 303/5,523 例（5.5%）と，併用群で有意に抑制された（HR 0.83，95% CI 0.71-0.96，p = 0.02）．一方で，重大な出血は，アスピリン単剤群 0.1%，チカグレロル併用群 0.5%と併用群で有意に多かった（HR 3.99，95% CI 1.34-8.28，p = 0.01）．**

14) Johnston SC, Amarenco P, Denison H et al：Ticagrelor and aspirin or aspirin alone in acute ischemic stroke or TIA. N Engl J Med 383：207-217, 2020

同試験において，30 日目における機能障害ををアウトカムとした検討[15]では，modified Rankin Scale（mRS）2 以上の脳卒中または死亡はアスピリン単剤群 4.7%，チカグレロル併用群 4.0%と，併用群で有意に抑制された（HR 0.83，95% CI 0.69-0.99，p = 0.04）．脳卒中が再発した患者の mRS の分布を評価すると，チカグレロル併用群のほうが有意に改善していることが示された（オッズ比（OR）0.77，95% CI 0.65-0.91，p = 0.002）．

15) Amarenco P, Denison H, Evans SR et al：Ticagrelor added to aspirin in acute ischemic stroke or transient ischemic attack in prevention of disabling stroke：a randomized clinical trial. JAMA Neurol 78：177-185, 2021

THALES 試験のサブ解析として虚血イベント（虚血性脳卒中または非出血性死亡）および出血性イベントを経時的に評価した結果，**チカグレロル併用による虚血イベントの抑制効果および出血イベントの増加は最初の 1 週間にみられた**．Net clinical benefit（リスクと比較したうえでのベネフィット）は 30 日間の観察期間中，チカグレロル併用によるベネフィットがリスクを上回っていた（絶対リスク比（RR）0.97%，95% CI 0.17-1.77%）[16]．

CHANCE-2 試験ではクロピドグレル不応性が想定される脳梗塞患者を対象に，二次予防におけるチカグレロルとクロピドグレルの比較が行われた[17]．軽症脳梗塞または TIA を発症し，*CYP2C19* 機能喪失型遺伝子多型を保有する患者を対象に，クロピドグレルまたはチカグレロルを投与した結果（21 日間はアスピリン併用），90 日以内の脳梗塞発症はチカグレロル群 191 例（6.0%），クロピドグレル群 243 例（7.6%）と，チカグレロル群で有意に抑制された（HR 0.77，95% CI 0.64-0.94，$p = 0.008$）．重度または中等度出血はチカグレロル群 9 例（0.3%），クロピドグレル群 11 例（0.3%）と有意差はなかったが（$p = 0.66$），すべての出血はチカグレロル群 170 例（5.3%），クロピドグレル群 80 例（2.5%）とチカグレロル群に多かった．CHANCE-2 試験の虚血イベントおよび出血イベントを経時的に評価した結果，THALES 試験と同様，特に最初の 1 週間においてチカグレロルの虚血イベント抑制効果が出血イベントのリスクを上回り（絶対 RR 1.34%，95% CI 0.29-2.39%），続く 2 週間はベネフィット / リスク比は減少したものの，チカグレロルのベネフィットが上回っていた[18]．

急性期軽症脳梗塞または TIA に対し，チカグレロル＋アスピリンまたはクロピドグレル＋アスピリンによる DAPT を行った 5 つの RCT（CHANCE，POINT，THALES など）のメタ解析の結果，両併用群ともアスピリン単剤群と比べ，90 日後の脳卒中再発や死亡を抑制したが，チカグレロル＋アスピリン群とクロピドグレル＋アスピリン群の間に有意な差はなかった[19]．同様に軽症～中等症脳梗塞または高リスク TIA に対する急性期の DAPT（アスピリン＋ P2Y12 阻害薬）の効果を検証した 4 つの RCT のメタ解析では，アスピリン単剤と比較し，虚血性脳卒中の発症を有意に抑制したが（RR 0.76，95% CI 0.68-0.83，$p < 0.001$），重大な出血イベントは増加した（RR 2.22，95% CI 1.14-4.34，$p = 0.02$）[20]．

以上から，チカグレロルを併用した DAPT は，クロピドグレルと同様に，急性期の軽症非心原性脳梗塞または高リスク TIA に対して，特に最初の 1 週間は有用であることが示されたが，出血リスクが増大することには注意を要すると考えられる．

16) Wang Y, Pan Y, Li H et al：Time course for benefit and risk of ticagrelor and aspirin in acute ischemic stroke or transient ischemic attack. Neurology 99：e46-e54, 2022
17) Wang Y, Meng X, Wang A et al：Ticagrelor versus clopidogrel in CYP2C19 loss-of-function carriers with stroke or TIA. N Engl J Med 385：2520-2530, 2021
18) Pan Y, Meng X, Jin A et al：Time course for benefit and risk with ticagrelor and aspirin in individuals with acute ischemic stroke or transient ischemic attack who carry CYP2C19 loss-of-function alleles：a secondary analysis of the CHANCE-2 randomized clinical trial. JAMA Neurol doi：10.1001/jamaneurol.2022.1457, 2022 [online ahead of print]
19) Lun R, Dhaliwal S, Zitikyte G et al：Comparison of ticagrelor vs clopidogrel in addition to aspirin in patients with minor ischemic stroke and transient ischemic attack：a network meta-analysis. JAMA Neurol 79：141-148, 2022
20) Bhatia K, Jain V, Aggarwal D et al：Dual antiplatelet therapy versus aspirin in patients with stroke or transient ischemic attack：meta-analysis of randomized controlled trials. Stroke 52：e217-e223, 2021

プラスグレル

新規P2Y12受容体拮抗薬プラスグレルはクロピドグレルと比べ効果発現が早く，日本人に多い*CYP2C19*機能喪失型遺伝子多型の影響が少ない特徴を有し，先行して虚血性心疾患に対して用いられてきた．本邦で非心原性脳梗塞患者に対して行われたPRASTRO-Ⅰ試験[21]は，プラスグレルの心血管イベント発症抑制効果をクロピドグレルと比較した国内第Ⅲ相臨床試験であるが，プラスグレルの非劣性は証明されなかった．その原因として，同試験における脳梗塞再発率が低かったことや，病因不明の脳梗塞を含んでいたことなどが指摘された．PRASTRO-Ⅱ試験では，高齢または低体重の非心原性虚血性脳血管障害患者において，出血イベントを指標とした安全性がクロピドグレル50 mgと同等であることが示された．**PRASTRO-Ⅲ試験**[22]では，**脳梗塞再発リスク因子を有する血栓性脳梗塞患者（大血管アテローム硬化または小血管閉塞）を対象にプラスグレルまたはクロピドグレルが投与された．複合虚血性脳心血管イベントはプラスグレル群で8/118例（6.8%），クロピドグレル群で8/112例（7.1%）と，同等の抑制効果が示された（RR 0.949，95% CI 0.369–2.443）．重大出血イベントの発生は，プラスグレル群5.0%，クロピドグレル群3.5%と同等であった**．以上から，血栓性脳梗塞に対するプラスグレルのクロピドグレルに対する同等の有効性と安全性が示された．

PRASTRO-Ⅲ試験の結果を受け，プラスグレルは本邦内において血栓性脳梗塞に対する適応の拡大が承認された．脳梗塞に対するチカグレロルの使用は本邦未承認であるが，海外におけるエビデンスが蓄積してきている．これら新規の抗血小板薬は，再発リスクが高いと考えられる血栓性脳梗塞やクロピドグレル不応性など従来の薬剤の使用が懸念される場合において，今後有効な再発予防治療の選択肢となることが期待される．

脳出血患者に対する抗血小板療法

脳出血の既往を有する患者は脳出血再発のリスクだけでなく，虚血イベントの発症リスクも高いと考えられるが，抗血小板療法を安全に施行しうるかどうかは定かではない．**RESTART試験**[23]は，抗血栓薬（抗血小板薬または抗凝固薬）投与中に発症した脳出血患者を対象に，抗血小板薬の再開の是非を検討したRCTである．**脳出血再発率は抗血小板薬再開群12/268（4%），非投与群23/268（9%）と，両群間に有意な差はみられなかった（調整HR（aHR）0.51，95% CI 0.25–1.03，p＝0.060）．さらに，重大出血イベントおよび重大虚血イベントとも，抗血小板薬再開群，非投与群に有意な違いはみられなかった**．

RESTART試験のサブグループ解析では，対象をCMBsの有無（2以上ま

21）Ogawa A, Toyoda K, Kitagawa K et al：Comparison of prasugrel and clopidogrel in patients with non-cardioembolic ischaemic stroke：a phase 3, randomised, non-inferiority trial（PRASTRO-Ⅰ）. Lancet Neurol 18：238–247, 2019

22）Kitazono T, Kamouchi M, Matsumaru Y et al：Efficacy and safety of prasugrel vs clopidogrel in thrombotic stroke patients with risk factors for ischemic stroke recurrence：a double-blind, phase Ⅲ study（PRASTRO-Ⅲ）. J Atheroscler Thromb doi：10.5551/jat.63473, 2022 [online ahead of print]

23）RESTART Collaboration：Effects of antiplatelet therapy after stroke due to intracerebral haemorrhage（RESTART）：a randomised, open-label trial. Lancet 393：2613–2623, 2019

たは0〜1），数（0〜1，2〜4，5以上），場所（脳葉型またはそれ以外）などで分類し，脳出血再発および虚血性脳卒中の発症をアウトカムとする検討がなされたが，各サブグループにおいて有意な交互作用はみられなかった[24]．

興味深いことに，RESTART試験では脳出血の再発は抗血小板薬を再開した群でむしろ少ない傾向にあったが，経過観察期間を中央値3.0年間延長した追加解析においては，脳出血再発および重大出血イベントについて，抗血小板薬再開群，非投与群に有意な違いはみられなかった[25]．追加解析では否定的と考えられたものの，抗血栓薬非投与群における脳出血再発の発症機序として，動脈血栓が出血をもたらす可能性，脳出血の原因に出血性梗塞を含んでいる可能性，炎症が脳出血（微小動脈瘤）をもたらす可能性などが考察されている．いずれにしても，脳出血後の抗血小板薬再開が脳出血再発のリスクを上げるわけではないことが示唆され，今後，脳出血後に抗血栓薬をいつ再開すべきであるのか，その時期に関するさらなる検討が必要である．

24）Al-Shahi Salman R, Minks DP, Mitra D et al：Effects of antiplatelet therapy on stroke risk by brain imaging features of intracerebral haemorrhage and cerebral small vessel diseases：subgroup analyses of the RESTART randomised, open-label trial. Lancet Neurol 18：643-652, 2019
25）Al-Shahi Salman R, Dennis MS, Sandercock PAG et al：Effects of antiplatelet therapy after stroke caused by intracerebral hemorrhage：extended follow-up of the RESTART randomized clinical trial. JAMA Neurol 78：1179-1186, 2021

14. 脳卒中の再発予防のための抗凝固療法

宇野昌明（うの まさあき）
川崎医科大学 脳神経外科

最近の動向

- 欧米のガイドラインでは CHA_2DS_2-VASc で2点以上の男性と3点以上の女性には抗凝固薬投与が推奨されているが，本邦のガイドラインでは投与基準は明記されていない．
- 近年アブレーションや左心耳閉鎖術などのインターベンションが行われているが，周術期には抗凝固薬の併用投与が必要となる．
- 近年，DOAC服用患者の割合が増加し，VKA服用患者の割合は25%前後に減少している．
- 最近のメタ解析ではDOAC服用群で2.3%，VKA服用群で2.5%に新規の脳卒中をきたす．
- 欧州のガイドラインでは，脳梗塞の神経学的重症度によりDOACの開始時期を決めた1-3-6-12 dayルール提唱されているが，最近本邦から発症時の神経学的重症度により開始時期を1-2-3-4 dayにすべきとの報告がされた．
- 抗凝固薬開始時や手術時に行われていたヘパリンブリッジの有効性は否定され，特にDOAC服用者の手術時は術前1～2日の中止，術後1～2日での再開で出血や血栓症が低く抑えられると報告された．
- 抗凝固薬服用中に発症した新規脳虚血に対して，静脈内血栓溶解療法や血管内血栓回収療法も安全に施行できたとの報告がされた．
- Xa阻害薬の中和薬が本邦でも使用できるようになり，すべての抗凝固薬に対する中和薬が揃った．今後は適切な使用方法が重要となる．
- 高齢者や癌患者に対しても，抗凝固薬を服用することが多くなった．まずはDOAC投与を第一選択し，基準に見合った適切な量を処方することが望まれる．

はじめに

心房細動（atrial fibrillation（以下Af））を合併する患者は世界で少なくとも3,300万～4,400万人存在すると推測され，成人人口の2～4%，80歳以上の全高齢者では9%でみられるといわれている[1~3]．これらの患者が脳卒中を発症するリスクを評価する方法として $CHADS_2$ や CHA_2DS_2-VAScなどが使用されている[1]．Afを合併する患者の脳卒中発症予防として抗凝固薬は非服用患者より有意に脳梗塞発症を予防する[4]．欧米のガイドラインでは CHA_2DS_2-

1）Jame S, Barnes G：Stroke and thromboembolism prevention in atrial fibrillation. Heart 106：10-17, 2020
2）Stretz C, Wu TY, Wilson D et al：Ischaemic stroke in anticoagulated patients with atrial fibrillation. J Neurol Neurosurg Psychiatry 92：1164-1172, 2021
3）Botto GL, Ameri P, De Caterina R：Many good reasons to switch from vitamin K antagonists to non-vitamin K antagonists in patients with non-valvular atrial fibrillation. J Clin Med 10：2866, 2021

2434-9992/22/¥100/頁/JCOPY

VAScで2点以上の男性と3点以上の女性には抗凝固薬投与が推奨されている[1]．また近年，アブレーションや左心耳閉鎖術などのインターベンションが行われているが，この際にも抗凝固薬の併用投与が必要となっている．

本稿では，抗凝固薬による脳卒中再発に関しての最近の文献を紹介する．

抗凝固薬の種類による再発時の重症度 ～なぜ服用中でも再発するのか～

近年，direct oral anticoagulant（DOAC）服用患者の割合が増加し，vitamin K antagonist（VKA）服用患者の割合は25％前後に減少している．しかし，最近のメタ解析ではDOAC服用群で2.3％，VKA服用群で2.5％に新規脳卒中が発症し[5]，最終的には最大22～36％で脳卒中をきたすと報告されている[2]．後方視的検討では全急性期脳梗塞患者の10％～22.5％が抗凝固薬服用中での発症であり，その中でDOAC服用群の割合が近年上昇している[6~8]．

Seiffgeらはコホート研究のデータ5,314症例を対象とし，脳卒中発症時に抗凝固薬を服用していた1,195症例と非服用症例4,119症例を分析したところ，follow-up中に4.7％で新規脳梗塞が発症した[7]．2群を比較すると抗凝固薬服用群のほうが非服用群より再発率が有意に高く，死亡率は有意ではないものの高かった（$p = 0.066$）[8]．またTokunagaらの報告では，VKA服用時に脳卒中を発症した患者でINR ≧ 2.0の群のほうがより再発率が高かったとした[8]．

以前からDOAC服用群はVKA服用群より脳卒中が再発しても軽症で，かつ脳梗塞巣も小さいと報告されている[9]．Meinelらは抗凝固薬服用中の脳梗塞発症例について，12,247症例のメタ解析を行い，以下の結果を得た[9]．①抗凝固薬服用開始から3ヵ月以内に脳梗塞を発症しやすい，②新規発症のrisk factorsとして脳梗塞の既往，CHA_2DS_2-VASc score，eGFR < 60 mL，BMIが有意であった，③DOAC服用群はVKA群より発症時のNational Institutes of Health Stroke Scale（NIHSS）が低く，予後良好群が多い，と報告した[6, 7, 10, 11]．しかしVKA群でもinternational normalized ratio（INR）をよくコントロールできていればDOAC群と予後に有意差はなかった[6]．また，④発症時のMRIではDOAC群のほうがVKA群より梗塞巣が小さかった，⑤抗凝固薬服用中の新規脳梗塞の原因として，抗凝固薬の不適切な量や服用によるもの，心臓内の血栓，心不全や傍腫瘍症候群，動脈硬化性病変の存在が挙げられた[2, 9]．

Ohnoらは DIRECT registryの結果から，近年は78.5％の症例で投与基準に沿った適量のDOACが処方されており，適切な投与症例の割合が増加していると報告している[12]．また，減量基準に沿った低用量のDOAC投与群は，全身状態が悪いために予後不良例が多くなっていたが，多変量解析すると予後に差はなくなり，大出血も有意に減少していた[12]．さらにYaghiらの研究や

4) Bir S, Kelley RE：Antithrombotic therapy in the prevention of stroke. Biomedicines 9：1906, 2021

5) Yaghi S, Henninger N, Giles JA et al：Ischaemic stroke on anticoagulation therapy and early recurrence in acute cardioembolic stroke：the IAC study. J Neurol Neurosurg Psychiatry 92：1062-1067, 2021

6) Auer E, Frey S, Kaesmacher J et al：Stroke severity in patients with preceding direct oral anticoagulant therapy as compared to vitamin K antagonists. J Neurol 266：2263-2272, 2019

7) Seiffge DJ, De Marchis GM, Koga M et al；RAF, RAF-DOAC, CROMIS-2, SAMURAI, NOACISP, Erlangen, and Verona registry collaborators：Ischemic stroke despite oral anticoagulant therapy in patients with atrial fibrillation. Ann Neurol 87：677-687, 2020

8) Tokunaga K, Koga M, Itabashi R et al；SAMURAI Study Investigators：Prior anticoagulation and short- or long-term clinical outcomes in ischemic stroke or transient ischemic attack patients with nonvalvular atrial fibrillation. J Am Heart Assoc 8：e010593, 2019

9) Meinel TR, Frey S, Arnold M et al：Clinical presentation, diagnostic findings and management of cerebral ischemic events in patients on treatment with non-vitamin K antagonist oral anticoagulants - a systematic review. PLoS One 14：e0213379, 2019

10) L'Allinec V, Sibon I, Mazighi M et al；Endovascular Treatment in Ischemic Stroke Investigators：MT in anticoagulated patients：direct oral anticoagulants versus vitamin K antagonists. Neurology 94：e842-e850, 2020

11) Meinel TR, Branca M, De Marchis GM et al；Investigators of the Swiss Stroke Registry：Prior anticoagulation in patients with ischemic stroke and atrial fibrillation. Ann Neurol 89：42-53, 2021

12) Ohno J, Sotomi Y, Hirata A et al：Dose of direct oral anticoagulants and adverse outcomes in Asia. Am J Cardiol 139：50-56, 2021

Seffgeらのメタ解析の結果では，脳卒中再発症例の抗凝固薬の量や種類を変更しても脳卒中を減少させなかった[5,8]．ゆえに抗凝固薬服用中の再発では抗凝固薬の種類を変更するより，脳梗塞の他の原因を検索し，かつCTA/MRAで頭頸部血管の情報を得ることが重要であり，それに対する適切な治療が必要である[2]．

再発後いつから抗凝固薬を再開するか

Afを有する患者が急性脳梗塞を発症した際，再発作は多くの場合14日以内に出現し，そのリスクは0.5～1.3%/日と報告されている[13,14]．しかし発作後，いつ抗凝固薬を投与開始するかは再発防止のベネフィットと出血性合併症のデメリットを考えなければならず，議論のあるところである[15]．ヘパリン投与は脳卒中発症後48時間以内の再発作を有意には減少できず，逆に有意に頭蓋内出血を増加させると報告されている[13]．現在のガイドラインでは，Af患者で出血性変化を伴う脳梗塞や大梗塞においては抗凝固薬の投与開始は4～14日経過して行うように記載されている[4,13]．これまでは欧州から提唱されていた脳梗塞発症時の神経学的重症度によりDOACの開始を決める**1-3-6-12 dayルール**があったが[13,15]，実臨床ではもっと早くDOACを開始していることが多かった．Kimuraらは2つの登録研究のデータ（n = 1,797）を後方視的に解析し，症例を発症時のNIHSSで4つのグループに分類した[16]．DOACが各4つのグループで開始された中間値（day：日）から前に投与された群をEarly群，後に投与された群をLate群として，各4つのグループで両群を比較した．各群の中間値はそれぞれ，2 day，3 day，4 day，5 dayであった．その結果，脳卒中/全身塞栓症，脳梗塞，死亡の発生率，それぞれEarly群で1.9%，1.7%，1.9%，Late群で3.9%，3.2%，1.5%であった．また大出血発症率はEarly群で0.3%，Late群で0.4%であり，有意差はなかった．この結果，中間値より前にDOACを開始するほうが再発率は減少し，安全性は同等であったことより，DOACの開始はその神経重症度によって**1-2-3-4 day**に開始すべきとした[16]．その他にも，DOAC開始をより早期にしても安全性に差はなかったとする報告がされ[14]，これらの結果から従来示されていた基準より，より早期にDOACを開始すべきであると思われる．早期に再開する際，**microbleeds**が5個以上あると頭蓋内出血の発症率が5.5倍になるので，血圧の管理を行いながら長期のfollowが必要であろう[15]．

抗凝固療法中の手術　～ヘパリンブリッジは必要か～

以前から，抗凝固薬の初期導入時や何らかの理由で中止する際にヘパリンを投与する，いわゆる「**ヘパリンブリッジ**」が施行されていた．Altavillaらは急性脳梗塞が起きた際に，DOACやVKAを投与する前，あるいは同時にfull

13）Seiffge DJ, Werring DJ, Paciaroni M et al：Timing of anticoagulation after recent ischaemic stroke in patients with atrial fibrillation. Lancet Neurol 18：117-126, 2019
14）Alrohimi A, Buck B, Jickling G et al：Early apixaban therapy after ischemic stroke in patients with atrial fibrillation. J Neurol 268：1837-1846, 2021
15）Boursier-Bossy V, Zuber M, Emmerich J：Ischemic stroke and non-valvular atrial fibrillation：when to introduce anticoagulant therapy? J Med Vasc 45：72-80, 2020
16）Kimura S, Toyoda K, Yoshimura S et al；SAMURAI, RELAXED, RAF, RAF-NOAC, CROMIS-2, NOACISP LONGTERM, Erlangen Registry and Verona Registry Investigators：Practical "1-2-3-4-day" rule for starting direct oral anticoagulants after ischemic stroke with atrial fibrillation：combined hospital-based cohort study. Stroke 53：1540-1549, 2022

doseのヘパリンを併用した群（n = 371）とヘパリンを併用しなかった群（n = 1,430）について，脳虚血再発と大出血発症の割合を比較検討した[17]．その結果ヘパリンブリッジ群は虚血再発（7.8% vs 3.1%，p = 0.0001）および大出血（5.1% vs 2.3%，p = 0.008）についても非ヘパリンブリッジ群より有意に多かった[17]．

PAUSE研究はDOAC（アピキサバン，リバーロキサバン，ダビガトランの3種類）服用群3,007症例を登録し，ヘパリンブリッジを施行せず，予定手術を低出血リスク群と高出血リスク群（開頭手術や血管手術などは高リスク群）に分け，低リスク手術ではDOACは手術1日前に中止し，術後24時間で再開，高リスク群では手術2日前に中止し，術後48〜72時間で再開するレジメンで手術を施行した[18]．その結果，術後30日以内の大出血率は0.9〜1.85%であり，動脈血栓症発症率は0.16〜0.60%であった．大出血と動脈血栓症は術後平均2日目に発症した[18]．同研究のサブ解析で，3種類のDOACによる大出血や血栓症発症率および予後は，年齢や腎機能によって設定された標準量や低用量でも有意差はなかった[19]．また高血圧，出血の既往がある症例は周術期の出血率が高いことも報告された[20]．以上より，最近の報告からはヘパリンブリッジの有効性は認められず，**特に予定手術では，その手術の出血リスクを評価して，発症前・手術後にレジメンどおりの処置（DOACの中止・再開）を行えば，術後出血も血栓症も低率で手術が行えることが示された**．ヘパリンブリッジは基本的に施行すべきではなかろう．

他の血管に動脈硬化性病変を有する患者に対する抗凝固薬投与

Af患者がacute coronary syndromeを呈したり冠動脈のインターベンション（PCI）を受けた際に，どのように抗血栓薬を投与するかは不明な点が多い．現在まで抗凝固薬1剤＋抗血小板薬1剤投与か，抗凝固薬1剤＋抗血小板薬2剤の投与がよいのかについて検討した6つのRCTがある[21]．その結論として，できるだけ早期に抗凝固薬1剤と抗血小板薬1剤にして管理することが推奨された[21]．しかし問題点として，①どの抗血小板薬を残すのか，②いつ減量するのか，③年齢による減量時期の違いがあるのか，などが挙げられており，ガイドラインでも米国と欧州で相違している．また，実臨床では長期の抗凝固薬1剤＋抗血小板薬2剤の投与例がみられているのが現状である．

PCI後の大出血は，PCI施行後1ヵ月以内に出現することが多い．またthe Atrial Fibrillation and Ischaemic Events with Rivaroxaban in Patients with Stable Coronary Artery Disease trialでは，Af患者で1年以上冠動脈虚血症状がないPCI症例に対してリバーロキサバン単独投与群とリバーロキサバン＋抗血小板薬併用群での成績を比較した．リバーロキサバン単独投与群（n =

17) Altavilla R, Caso V, Bandini F et al : Anticoagulation after stroke in patients with atrial fibrillation. Stroke 50 : 2093-2100, 2019

18) Douketis JD, Spyropoulos AC, Duncan J et al : Perioperative management of patients with atrial fibrillation receiving a direct oral anticoagulant. JAMA Intern Med 179 : 1469-1478, 2019

19) MacDougall K, Douketis JD, Li N et al : Effect of direct oral anticoagulant, patient, and surgery characteristics on clinical outcomes in the perioperative anticoagulation use for surgery evaluation study. TH Open 4 : e255-e262, 2020

20) Tafur AJ, Clark NP, Spyropoulos AC et al : Predictors of bleeding in the perioperative anticoagulant use for surgery evaluation study. J Am Heart Assoc 9 : e017316, 2020

21) Botto G, Ameri P, Cappellari M et al : Unmet clinical needs in elderly patients receiving direct oral anticoagulants for stroke prevention in non-valvular atrial fibrillation. Adv Ther 38 : 2891-2907, 2021

1,107）とリバーロキサバン＋抗血小板薬併用群（n = 1,108）で脳虚血，全身塞栓症，冠動脈虚血や死亡を含んだ endpoint では，単独投与群は 4.14%，併用群は 5.75％であり，単独投与群の noninferiority が示された（$p < 0.001$）．また，単独投与群のほうが有意に大出血率が低かった[22]．**以上から，Af を伴う患者で，PCI を施行後 1 年以上が経過し，冠動脈撮影上新たなインターベンションが必要のない症例には，DOAC 単独投与のほうが DOAC ＋抗血小板薬併用群より効果も高く，安全性も高いと考えられる．**

Noubiap らは，Af 患者での頚動脈狭窄症（50％以上狭窄）合併についてのメタ解析を報告している[23]．Af 症例の頚動脈狭窄症合併は平均 12.4％（4.4〜24.3％）であった[23]．これらの患者群は，頚動脈狭窄症がない群に比較して 2 倍の脳卒中発症リスクがあった（8.1％ vs 3.6％，p = 0.005）[23]．しかし，頚動脈狭窄合併群に対して抗血小板薬を服用すべきかどうかの研究はなく，今後の課題である．また，Af 症例に対する頚動脈内膜剥離術（carotid endarterectomy：CEA）や頚動脈ステント留置術（carotid artery stenting：CAS）の成績が悪いことも示されており，注意が必要である[24]．

抗凝固薬服用中に発症した脳塞栓症に対する t-pA 療法および mechanical thrombectomy

抗凝固薬服用中の患者が血管内血栓回収術を受ける割合は 4.7％とあまり多くなかったが，最近のオランダやドイツからの観察研究では 16％，21.2％に上昇している[2, 24, 25]．Meinel らの MRI の検討では主要血管閉塞の頻度は DOAC 服用群では 29.3％，VKA 服用群では 37.7％で有意差はなかった（p = 0.36）[26]．また，閉塞部位や血管内治療が適応となる大血管病変の割合も差はなかった（26.7％ vs 27.9％：p = 1.00）[26]．しかし，DOAC 服用者のほうが VKA 群より t-PA 治療や血管内治療を受ける率が低かったとの報告もある[10]．

Goldhoorn らは MR CLEAN Registry のサブ解析から，抗凝固薬服用群と非服用群での血管内血栓回収術の成績を比較した[25]．両群の再開通率に差はなく（61％ vs 64％），術後の症候性頭蓋内出血にも差はなかった（5％ vs 6％）[25]．術後の mRS は抗凝固薬服用群で単変量解析では有意に悪かったが，多変量解析ではその有意差は消失した[25]．この解析では DOAC 服用群の症例数が少なかったが，DOAC 群と VKA 群では予後に差はなかった[25]．この結果は Küpper らのドイツでの観察研究と同じであった[24]．

Stretz らは VKA 服用症例での血栓回収術の成績を解析し，その再開通率や頭蓋内出血率は非 VKA 服用群と同率であったとしている[2]．

本邦からの報告で，71 症例の DOAC 服用群で静脈内線溶療法（intravenous thrombolysis：IVT）を行った症例を検証し，このうち 15 例（21％）で血管内治療が追加施行され，症候性の頭蓋内出血はなかったと報告している[2]．最

22）Yasuda S, Kaikita K, Akao M et al；AFIRE Investigators：Antithrombotic therapy for atrial fibrillation with stable coronary disease. N Engl J Med 381：1103-1113, 2019

23）Noubiap JJ, Agbaedeng TA, Tochie JN et al：Meta-analysis comparing the frequency of carotid artery stenosis in patients with atrial fibrillation and vice versa. Am J Cardiol 138：72-79, 2021

24）Küpper C, Feil K, Wollenweber FA et al；GSR investigators：Endovascular stroke treatment in orally anticoagulated patients：an analysis from the German Stroke Registry-Endovascular Treatment. J Neurol 268：1762-1769, 2021

25）Goldhoorn RB, van de Graaf RA, van Rees JM et al；MR CLEAN Registry Investigators—Group Authors：Endovascular treatment for acute ischemic stroke in patients on oral anticoagulants：results from the MR CLEAN Registry. Stroke 51：1781-1789, 2020

26）Meinel TR, Kaesmacher J, Gralla J et al：MRI characteristics in acute ischemic stroke patients with preceding direct oral anticoagulant therapy as compared to vitamin K antagonists. BMC Neurol 20：86, 2020

近のスイスからの報告でも，69症例のDOAC服用群でDOACの血中濃度を基にIVTを施行したところ，3.1%のみに症候性頭蓋内出血が発生したとしている[2)]．ただ欧米のガイドラインでは，DOAC服用症例に中和薬を投与してのIVTは推奨していない[2)]．

またBirらは，endovascular therapy（EVT）治療後もCTで出血性変化がない症例には引き続き抗凝固薬を再開するべきとしている[4)]．

抗凝固薬の中和薬に関する検討

2022年5月までは，ワルファリンの中和薬として4F-PCC，ダビガトランに対する中和薬としてイダルシズマブのみが保険で認められていた．しかし**2022年5月から，Xa阻害薬の中和薬としてアンデキサネット アルファが本邦でも使用できるようになった**．本邦に先行して使用していた欧米で安全性についての報告がなされた[27)]．この中和剤を投与された352症例のうち，中和薬が必要となった原因は頭蓋内出血が227例（64%），消化管出血が90例（26%）であった．中和薬投与後12時間以内にDOACの血中濃度は90%以上減少し，82%で効果的な止血（頭蓋内出血の止血効果は80%）が得られた．また，投与後30日以内に10%の症例で血栓性イベントが出現した．これらは，VKAに対する中和薬の4F-PCCの止血効果（72%）とほぼ同様の効果であった[27)]．

今後は本邦でもすべての中和薬が使用できることになり，投与方法や投与量を遵守し適切かつ迅速に行うべきであろう．

27) Connolly SJ, Crowther M, Eikelboom JW et al：ANNEXA-4 Investigators：Full study report of andexanet alfa for bleeding associated with factor Xa inhibitors. N Engl J Med 380：1326-1335, 2019

抗凝固薬服用者に対する脳卒中発症防止のためのインターベンション

アブレーション

Af患者に対して，アブレーションを施行される症例も増加している．脳卒中発症患者でアブレーションをすでに施行されているにもかかわらず，抗凝固薬を服用している症例もある．アブレーション後も0.2～1.4%で脳卒中やTIAが発生する[1)]．また，アブレーション後もAfが持続している症例は，抗凝固薬を継続したほうが脳卒中や全身塞栓症発生を低下させることが報告されている．アブレーションを施行する際には周術期にDOACやワルファリンの継続が推奨され，特にDOACを早期に導入することが推奨されている[1, 21)]．

左心耳閉塞術（mechanical left atrial appendage closure：LAAC）

抗凝固薬服用中での脳卒中再発例や，アミロイドアンギオパチー患者でAfを合併している症例に対して，本邦でもLAACが施行されるようになった[15)]．

Osmancikらは，Af患者で中～高リスク患者（平均CHA_2DS_2-VASc：4.7，心原性塞栓症の既往あり，出血の既往ありなど）に対するLAACとDOACの成績を比較したRCTの結果を報告した[28]．すべてのイベント発生率（脳卒中，全身塞栓症，心血管死亡，大出血，手技の合併症）はLAACとDOAC服用群で有意差はなかった（11% vs 13.4%/100 patient-year：p = 0.44）[28]．

今後，本邦でも抗凝固薬不応例にLAACが多く施行されるようになると思われる．

DOACとワルファリンの効果と安全性の検討

現在のガイドラインでは，DOACのほうがワルファリンより有効でありかつ出血性の合併症が少ないとされ，第一選択として推奨されている[3,10]．

Tavaresらは，自施設に急性期脳梗塞で入院した73症例のDOAC服用群と83症例のVKA服用群を比較検討した[29]．対象例のうち，DOAC群では49.3%で低用量のDOAC服用があり，VKA群では49.4%の症例がINR ≦ 1.7であったが[7]，両群の90日後の予後はDOAC服用群はVKA群に比し有意に死亡率が低かった．また，治療領域を下回った服用症例，抗凝固薬の種類，NIHSS（> 10）の重症度と予後との相関がなかった[7]．リアルワールドでの検討ではRCTの結果と異なり，DOAC服用群とVKA服用群での新規脳梗塞の重症度には差はないようである[6,7]．Tokunagaらは，SAMURAI-NVAF studyの登録症例を2年間follow upしたところ，ワルファリン服用群は非服用群と比較して3ヵ月後の時点では死亡率とdisability率が低下したが，2年後ではその低下率に差はなくなり，逆に2年後のイベント発症率は高くなったとしている[9]．すなわち，ワルファリンを服用しなければならない症例は長期の観察中に再発例が多いことを示し，注意が必要である[9]．

Bottoらは，75歳以上のAf合併患者は，①多くの併存症を有し，併存疾患が多いほど脳梗塞や全身塞栓症，大出血，死亡率が上昇する，②DOAC群はVKA群より総死亡率を減少させた，③65歳以上で腎機能のクレアチンクリアランスが30～50 mL/minの症例でも，DOAC群はVKA群に比較して有効でかつ安全であった，と報告している[21]．しかし，重度の腎機能障害を併存する高齢者に対してのDOACの効果は示されていない[21]．

高齢者および癌患者に対する抗凝固薬の効果

高齢者に対する抗凝固薬の効果

多くのRCTは対象患者の条件を絞り，特に高齢者を除外していることが多い．しかし，抗凝固薬を服用している患者は高齢者が多く，現在までのRCTの結果が実際の臨床現場にそぐわないことが指摘されていた．特に高齢者は併

28）Osmancik P, Herman D, Neuzil P et al；PRAGUE-17 Trial Investigators：Left atrial appendage closure versus direct oral anticoagulants in high-risk patients with atrial fibrillation. J Am Coll Cardiol 75：3122-3135, 2020

29）Tavares SF, Ferreira I, Chaves V et al：Acute ischemic stroke outcome and preceding anticoagulation：direct oral anticoagulants versus vitamin K antagonists. J Stroke Cerebrovasc Dis 29：104691, 2020

存疾患を多く合併し，フレイルであることが多い．腎機能障害やフレイルの患者はイベント発生率が高いことが示されている[21)]．本邦から高齢者に対するDOACの効果の検討が多く報告されている．Okadaらのアピキサバンの検討では75歳以上での年齢による脳卒中，全身塞栓症や出血の発生率に差はなく，死亡率のみ85歳以上で有意に高率であったが，脳卒中以外の死亡原因であったと報告した[30)]．Yamashitaらは，75歳以上の高齢者のAf患者（92.4%で抗凝固薬服用中）を2年間追跡した[31)]．その結果，DOAC服用群はワルファリン服用群より有意に脳卒中/塞栓症，大出血の発症が低率であったと報告している[31)]．年齢はこれらの発症のリスクファクターではなく，1年以内の転倒歴がリスクとなること，逆にアブレーションの既往はリスクの軽減のファクターになることを示した[31)]．

30）Okada M, Inoue K, Tanaka N et al：J-ELD AF investigators：Clinical outcomes of very elderly patients with atrial fibrillation receiving on-label doses of apixaban：J-ELD AF Registry subanalysis. J Am Heart Assoc 10：e021224, 2021
31）Yamashita T, Suzuki S, Inoue H et al：Two-year outcomes of more than 30 000 elderly patients with atrial fibrillation：results from the All Nippon AF In the Elderly（ANAFIE）Registry. Eur Heart J Qual Care Clin Outcomes 8：202-213, 2022

癌患者に対する抗凝固薬の効果

癌患者は癌のない患者と比べて，Af発症率が20%高い[21)]．またAf患者が癌になると過凝固状態となり，脳卒中発症率が5倍となることも報告されている[21)]．癌患者に対してDOACがよいのかワルファリンがよいのかの結論は出ていない．ENGAGE-AF trialのサブ解析で癌患者に対する抗凝固薬の効果を検討した[21)]．その結果，エドキサバン服用群のほうがワルファリン服用群より脳卒中/全身塞栓症を減少させた．また，アピキサバンとワルファリンとの比較でも同様の結果が示されている[21)]．**いずれにしても癌治療前に抗凝固薬を服用している患者には，薬剤の干渉がない限り抗凝固薬を継続すべきである．特にワルファリン投与症例では，DOACに変更するかINRを厳重に管理すべきである**[21)]．今までに癌が指摘されていない脳卒中患者でも，Dダイマーが正常値より20倍以上の高値を示す症例や脳梗塞巣が小さくかつ多発巣を示す症例では，癌が存在していることを疑って検査すべきである[2)]．

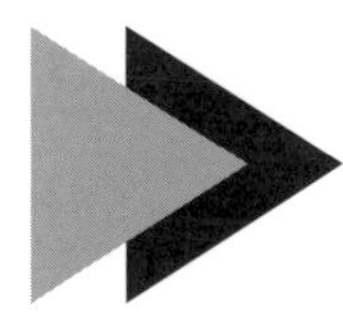

15. 脳卒中の医療提供体制と地域，施設間連携

飯原弘二（いいはらこうじ）
国立循環器病研究センター

最近の動向

- 世界的に脳卒中の医療体制の変革は，脳卒中センターの整備とエビデンス・プラクティス・ギャップの解消である．急性期医療の整備，進歩により，米国では包括的脳卒中センター（CSC）のパラダイムシフトが提言され，本邦でも循環器病対策推進基本計画でも，急性期病院とかかりつけ医との連携が重要な施策となっている．
- 急性期脳梗塞に対する血管内血栓回収術の医療提供体制は，世界的に重要な課題であり，CSC に直接搬送する mothership，rt-PA 静注療法を行ってから，CSC に転送する drip-ship 等のモデルが提唱されている．地理的要因等に応じたモデルに関する多くの論文が報告されている．
- 脳卒中の医療の質は，ガイドラインの遵守率を継続的に収集することによって，向上させることが可能である．米国の Get With The Guideline-Stroke から CSC における血栓回収療法のワークフローに関する報告がされている．また本邦においても，Close The Gap-Stroke から，本邦の脳卒中センターにおけるガイドラインの遵守率に関する報告がされており，今後国際的な共同研究の発展が望まれる．

脳卒中医療提供体制，脳卒中センター

包括的脳卒中ケアのパラダイムシフト[1)]

脳卒中急性期後のケアの重要性は世界的に認識されているが，脳卒中医療システムの進歩は急性期後のケアや転帰のフォローアップにまで十分に広がっていない．そこで，米国脳卒中協会は，特別レポートとして，包括的脳卒中ケアのパラダイムシフトと題する総説を発表した．脳卒中急性期後のケアと最適でない脳卒中患者の転帰とのギャップと課題を説明し，包括的脳卒中ケアの定義と包括的脳卒中センター（comprehensive stroke center：CSC）の指定にパラダイムの変化が必要だと指摘している．そのパラダイムシフトを実現するために，次の 3 つのポイントが提言された．① CSC のリハビリテーション早期実施の認証基準を設けること，②米国心臓協会 / 米国脳卒中協会が Get With The Guidelines-Stroke プログラムを拡大し，早期リハビリと 90 日後の予後を

1）Duncan PW, Bushnell C, Sissine M et al：Comprehensive stroke care and outcomes：time for a paradigm shift. Stroke 52：385-393, 2021

2434-9992/22/¥100/頁/JCOPY

包括的に測定するCSCの基準を実施すること，③二次予防と機能・健康回復に向けて公衆衛生キャンペーンを実施すること，といった内容である．現在，本邦でも急性期以後の回復期，生活期，かかりつけ医との連携が重視されており，循環器病対策推進基本計画でも大きな柱となっている．

脳卒中センター整備とアウトカム[2]

イングランドのグレーターマンチェスターとロンドンにおける，急性期脳卒中サービスの施策としての集中化（Hub and Spoke System，2015年と2010年にそれぞれ導入）が，アウトカムに与える影響を解析した研究である．結果として，グレーターマンチェスターでは，90日後のリスク調整死亡率が全体的に低下していた．**死亡率の有意な低下は，超急性期脳卒中ユニットで治療を受けた患者でみられ**（差分－1.8％（95％信頼区間（CI）－3.4-－0.2）リスク調整後の急性期入院期間全体では有意な減少がみられた（－1.5（－2.5～－0.4）日）．超急性期脳卒中ユニットで治療を受けている患者数は，2010～2012年の39％から2015～2016年には86％に増加した．ロンドンでは，90日死亡率は維持され，在院日数は減少し，90％以上の患者が超急性期脳卒中ユニットで治療された．エビデンスに基づく臨床的介入の達成度は，両領域とも概ね一定または改善された．以上のことから，**脳卒中急性期医療の集中治療モデルは，すべての脳卒中患者が超急性期医療を受けることにより，死亡率と急性期入院期間を減少させ，エビデンスに基づく臨床的介入の提供を向上させることが可能**である．その効果は長期にわたって持続する可能性がある．国レベルのデータを活用し，2つのモデル地域での脳卒中医療の集約化の効果を実証した貴重な論文である．

2）Morris S, Ramsay AIG, Boaden RJ et al：Impact and sustainability of centralising acute stroke services in English metropolitan areas：retrospective analysis of hospital episode statistics and stroke national audit data. BMJ 364：l1, 2019

急性期脳梗塞（acute ischemic stroke：AIS）に対する血管内血栓回収術（endovascular thrombectomy：EVT）[3]

これまで多くの外科治療，血管内治療で，施設あたりの症例数とアウトカムとの関係が報告されている．AISに対するEVTに関しての報告をまとめる．

米国合同委員会は，EVTを施設および手技者1人あたり年間15例以上行うことを認定要件としている．2016年1月1日～2017年12月31日までの米国入院メディケアデータセット（641病院，2,754人の実施医が13,335人のAIS患者をEVTで治療）を用いた研究では，実施医が10人増えるごとに，AIS患者の入院死亡率は4％低下し，良好な転帰は3％増加した．AIS入院症例が10件増えるごとに，患者は入院死亡のオッズが2％低くなり，転帰良好のオッズが2％高くなった．これらのデータは，EVTのトレーニングおよび認定に関するガイドラインにおける症例数の要件を支持するものである．

本邦では，2017年および2018年に日本脳神経血管内治療学会（JSNET）会

3）Stein LK, Mocco J, Fifi J et al：Correlations between physician and hospital stroke thrombectomy volumes and outcomes：a nationwide analysis. Stroke 52：2858-2865, 2021

員を対象に，AISに対するEVTの実施体制に関する全国調査が実施された[4]．本邦のEVTの総症例数は2016年（7,702件）から2017年（10,360件）へ34.5％増加した．またEVT対応病院数は2016年の597施設から2017年の693施設に増加し，2017年の年間EVT平均症例数は14.9件であった．病院あたりのJSNET専門医数は，EVT対応病院の増加により，2016年の1.81人から2017年は1.76人に減少した．年間EVT件数40件以上の病院は7.2％となっていた．本邦の人口の97.7％は，EVT可能な病院から車で60分以内の場所に住んでいる．しかし，年間40例以上の症例がある病院から車で60分以内の場所に住んでいるのは70.4％に過ぎない．以上より，ガイドライン改訂後に，急速に本邦においてもEVTの普及が進んでいることが明らかとなったが，施設単位の専門医数，症例数が少ない現状が明らかとなった．

AISに対するEVTの均てん化は世界的に重要な課題である．全国の救急搬送（EMS）記録とリンクしたJ-ASPECTデータを使用し，2013～2016年に搬送された急性虚血性脳卒中患者を対象に，EVT使用，CSCスコア，EMS対応時間の合計が退院時のmodified Rankin Scale（mRS）スコアに及ぼす影響を，第Ⅰ相（2013～2014年，1,461例）および第Ⅱ相（2015～2016年，3,259例）で比較した[5]．第Ⅰ相から第Ⅱ相にかけて，EVTは2.7から5.5％に増加し，病院あたりの常勤血管内治療医が減少した．CSCスコアとEMS応答時間は変化しなかった．第Ⅰ相では，CSCスコアが高いほど転帰がよく（1点上昇，オッズ比（OR）0.951），EMS応答時間が長いほど転帰が不良（1分上昇，1.007）であった．第Ⅱ相では，どちらも転帰に影響を与えなかった．EVT対応病院が不足する過渡期には，CSCスコアが中程度の病院を増やすことで，全国的にEVTへのアクセスが向上し，転帰が改善する可能性があることを示した．全国レベルで，**病院前救護情報と病院の診療能力がEVT後の患者の予後に与える影響を検討した重要な報告**である．

AISで大血管閉塞（large vessel occlusion：LVO）を有する患者は，EVTが可能なCSCへ直接搬送することが有効である．LVOの可能性が高い患者のうち，CSCへの搬送による静脈内血栓溶解療法（intravenous thrombolysis：IVT）の追加遅延がある閾値以下であれば，搬送を変更することが提案されているが，どの閾値が最も臨床的有用性をもたらすかは不明である．本研究[6]では，抽象化した2つの脳卒中センターおよび複数の脳卒中センターのシナリオを想定し，障害調整生命年の最大減少に関連するIVT追加遅延の閾値を数理モデルで算出した．理想的な治療時間指標を仮定すると，一次脳卒中センターとCSC間の転送時間が40分未満であれば，IVTの追加遅延に関係なくもっとも近いCSCへの搬送が望ましい戦略であり，それ以外の場合は，最適のIVT追加遅延が28～139分の範囲であった．複数の脳卒中センターのシナリオでは，最適なIVT追加遅延の閾値は，都市部では30～54分，農村部では

4) Takagi T, Yoshimura S, Sakai N et al：Distribution and current problems of acute endovascular therapy for large artery occlusion from a two-year national survey in Japan. Int J Stroke 15：289-298, 2020

5) Kurogi A, Onozuka D, Hagihara A et al：Influence of hospital capabilities and prehospital time on outcomes of thrombectomy for stroke in Japan from 2013 to 2016. Sci Rep 12：3252, 2022

6) Schlemm L, Endres M, Nolte CH：Bypassing the closest stroke center for thrombectomy candidates：what additional delay to thrombolysis is acceptable? Stroke 51：867-875, 2020

49〜141分であった．したがって**大血管閉塞が疑われる急性期虚血性脳卒中患者において，IVTまでの追加遅延が都市部で30分未満，地方で50分未満の場合，CSCにリダイレクトすることが望ましいことが示唆**された．本邦では一次脳卒中センターの認証に際しても，EVTが可能であるとされ，都市圏においては，本研究の追加遅延の閾値をどのように考えるか，今後の検討が必要であろう．

病院前救護[7)]

EVTの適応となりうるLVOによるAIS患者のトリアージは，適切な医療体制の構築に重要である．本邦からのLVOを特定する病院前スケールの開発に関する報告では，まず派生コホート（単一施設に搬送された患者1,157人）を後向きに検討し，関連因子をEMS評価に基づいて特定して，LVO病院前スケールを開発した．この尺度の精度を，4つの脳卒中センターに搬送された患者で検証した．LVOによるAISは，派生コホート患者の13％で診断された．顔面麻痺，腕の脱力，意識障害，心房細動，拡張期血圧（85 mmHg以下）をそれぞれ1点とし，共同偏視を2点として評価した（$FACE_2AD$スケール）．派生コホートでは，$FACE_2AD \geqq 3$によるLVO予測の感度，特異度，陽性的中率，陰性的中率は，それぞれ0.85, 0.80, 0.39, 0.97であった．検証コホートでは，$FACE_2AD$スケールはLVOを予測するAUC値が0.84と高い精度を示した．**$FACE_2AD$スケールは，EMSによるLVOによるAISを同定するための簡便で信頼性の高いツールであり，今後，より広い社会実装が望まれる．**

7) Okuno Y, Yamagami H, Kataoka H et al：Field assessment of critical stroke by emergency services for acute delivery to a comprehensive stroke center：$FACE_2AD$. Transl Stroke Res 11：664-670, 2020

さて，人工知能の医療への活用が急速に進歩している．Emergent LVO（ELVO）自動検出のための人工知能（AI）の経験と，脳卒中ワークフローへの影響について検討した論文が報告された[8)]．Viz.aiによってELVOが検出された患者と通常ケアによってELVOが検出された患者に分け，治療の詳細，盲検化された神経放射線科医によるCT血管造影（CT angiography：CTA）解釈，および脳卒中のワークフローメトリクスを収集，脳卒中メトリクスによる時間短縮を定量化した．結果として，180件の連続したコード脳卒中がAIによって評価され，研究期間中に104名の患者がELVOと診断された．ELVO患者45名がAIにより，59名が通常のケアにより確認された．CTAからチームへの通知までの時間の中央値は，AIのELVOのほうが短かった（7分vs 26分）．ELVOが発見された転院患者は，通常の転院患者と比較して，動脈穿刺までの時間が早かった（141分vs 185分，p = 0.027）．AIにより，転院患者に対するチームへの通知時間が22分短縮され，動脈穿刺までの時間が23分短縮された．結論として，**AIによる自動警告は，CSCのHub and Spoke Systemに取り入れることができ，臨床的に意味のある脳卒中ワー**

8) Elijovich L, Dornbos Iii D, Nickele C et al：Automated emergent large vessel occlusion detection by artificial intelligence improves stroke workflow in a hub and spoke stroke system of care. J Neurointerv Surg 14：704-708, 2022

クフローの指標を改善し，機械的血栓除去術の治療時間の短縮につながるという，近未来の脳卒中医療体制の構築に参考になる論文である．

脳卒中専門医数と患者予後との関係[9)]

専門医の適正な配置は，医療提供体制の中で重要な論点である．しかし，脳卒中で入院した患者の死亡率と医師数との関連は不明である．2010年から2016年にJ-ASPECT Studyに登録した虚血性脳卒中295,150例，脳内出血（ICH）98,657例，くも膜下出血（SAH）36,174例で入院した患者の30日院内死亡率と医師数との関係を解析した．30日院内死亡率はそれぞれ，4.4%，16.0%，26.6%であった．**脳卒中診療医の数が多いほど，すべての脳卒中タイプにおいて，脳卒中症例数および併存疾患を調整した後の30日死亡率の低下と関連**した．この結果は，脳卒中センターの適正な医師数を検討する際に，重要な情報を与える．

9) Nishimura K, Ogasawara K, Kitazono T et al：Impact of physician volume and specialty on in-hospital mortality of ischemic and hemorrhagic stroke. Circ J 85：1876-1884, 2021

エビデンス・プラクティス・ギャップの解消

臨床試験で達成された時間目標が臨床の場で達成されるかどうかは不明である．米国のGet With The Guidelines-Stroke病院内で，2014年10月～2016年9月にEVTを受けた患者の救急部到着からファーストパスまでの間隔に関連する患者および病院レベルの変数を分析した[10)]．195病院のEVT患者2,929人，ベースラインのNational Institute of Health Stroke Scale（NIHSS）スコア中央値17，年間のEVT実施回数中央値16，ドア－ファーストパス時間中央値は130分，ドア－撮影時間12分，撮影－動脈穿刺時間93分，動脈穿刺－ファーストパス時間は18分となっている．全体として3%の患者がドアからファーストパスまでの時間<60分を達成した．ドアからファーストパスまでの時間には，統計的に有意な線形時間傾向が認められた．多変量解析では，高齢，非定時の到着，糖尿病の既往がdoor to first pass timeの延長と関連していた．EVTの症例数が5例/年増加するごとに，年間40例までドア－ファーストパス時間が3%短くなった．以上のことから，**EVTの治療時間は緩やかに改善しているが，この治療の真の可能性を実現するために，ワークフローを合理化するためのさらなる努力が必要**である．これらのデータは，米国のみならず，EVTのワークフロー時間のベンチマーク目標に役立つと思われる．本邦のClose The Gap-Strokeにおける結果の報告が待たれる．

10) Menon BK, Xu H, Cox M et al：Components and trends in door to treatment times for endovascular therapy in get with the guidelines-stroke hospitals. Circulation 139：169-179, 2019

本邦ではAISのquality indicator（QI）を効率的に測定する方法について，コンセンサスが得られていない．そこで，J-ASPECT研究で，健康保険請求データベースと電子カルテの情報を用いて，遺伝子組換え型組織プラスミノーゲン活性化因子（recombinant tissue plasminogen activator：rt-PA）静注療法またはEVTを受けたAIS患者のQI測定の実行可能性と妥当性を評価した[11]．まず2013～2015年にrt-PAまたはEVTを受けたAIS患者を特定し，一次脳卒中センター（primary stroke center：PSC）について17のQIを，CSCについて8つのQIを選択した．定義されたQIは各病院で計算され，その後平均化された．172病院から合計8,206例（rt-PA：83.7％，EVT：34.9％）のデータを得た．入院時のNIHSSスコア中央値は14で，退院時の機能的自立度は37.7％であった．**対象QIはすべて測定に成功し，欠損値も少なく，プリセットデータの精度は約90％であった．PSCではdoor-to-needle time≦1hなど5つのQIで，CSCではdoor-to-brainとvascular imaging time≦30 minなど1つのQIで遵守率が50％以下**であった．以上，この新しいアプローチによるAISのQI測定は，国家的なベンチマークを提供するうえで実行可能かつ信頼性の高いものであった．

11）Ren N, Nishimura A, Kurogi A et al：Measuring quality of care for ischemic stroke treated with acute reperfusion therapy in Japan － the close the gap-stroke. Circ J 85：201-209, 2021

Mobile stroke units（MSU）[12]

MSUは，スタッフとCTを備えた救急車で，EMSによる標準的な管理よりも組織プラスミノーゲン活性化因子（t-PA）による治療を迅速に行うことができる可能性が指摘されてきたが，その効果は明らかでなかった．米国で前向き，多施設共同，週代わり試験が行われ，急性期脳卒中発症後4.5時間以内のMSUまたはEMSによる管理による転帰を評価した．1,515人の患者が登録され，脳卒中発症からt-PA投与までの時間（中央値）はMSU群72分，EMS群108分であった．t-PA投与が可能な患者のうち，MSU群では97.1％がt-PAを投与されたのに対し，EMS群では79.5％が投与された．t-PAの適応となった患者の90日目のutility-weighted mRS（uw-mRS）の平均スコアは，MSU群で0.72，EMS群で0.66であった（スコア≧0.91の調整OR 2.43）．t-PAの適応となった患者のうち，90日の時点でmRSのスコアが0または1であったのは，MSU群の55.0％およびEMS群の44.4％であった．**急性期脳梗塞でt-PA投与が可能な患者において，90日後の障害に対する有用性加重アウトカムはMSUのほうがEMSより優れており，初めてMSUの効果が証明**された．従来よりt-PA投与の利益は，最初の1時間（goldenhour）でもっとも高いとされており，より早期の投与を実現する方法の有効性が科学的に証明された点で画期的である．

12）Grotta JC, Yamal JM, Parker SA et al：Prospective, multicenter, controlled trial of mobile stroke units. N Engl J Med 385：971-981, 2021

地域，施設間連携[13]

時間依存性の高いAISに対するEVTの提供体制について，世界中の異なる地域に一般化できる唯一の最適なモデルは存在しない．現在，EVTの組織モデルとして，drip-and-ship-modelとmothership-modelがある．ガイドラインでは，脳卒中の疑いのある患者をもっとも近いEVTが可能な施設に搬送することを推奨しているが，地域の脳卒中サービス組織と個々の患者の特性に依存

13）Maas WJ, Lahr MMH, Buskens E et al：Pathway design for acute stroke care in the era of endovascular thrombectomy：a critical overview of optimization efforts. Stroke 51：3452-3460, 2020

すべきである．**一般に，脳卒中診療を組織化するためのデザインアプローチが必要**であり，その中で2つの重要な戦略が検討されている．第一は，既存の組織モデルの中で，静脈内血栓溶解療法および/またはEVTの適時投与を最適化するための介入を特定することである．これには，特に病院前のトリアージツールに焦点を当てたCSCへの最適な患者ルーティング，IVTまたはEVTを患者のいる場所に届けること，脳卒中経路に沿ってサービスやプロセスを迅速化することが含まれる．第二の戦略は，分析またはシミュレーションモデルベースのアプローチを開発し，導入前の組織モデルの設計と評価を可能にすることである．本邦でもEVTの実施体制が急速に整備されているが，本研究のようなデザインアプローチが必要であろう．

EVTの病院間搬送とアウトカム[14]

EVTへのアクセス改善における病院間搬送の貢献度に関する研究である．2012年1月〜2017年12月の間にGet With The Guidelines-Stroke参加病院2,143施設に入院した虚血性脳卒中患者から，転院EVTの傾向を分析した．期間中に639病院でEVTを受けた患者37,260人のうち，42.9%が病院間搬送後にEVT提供病院に到着していた．転院EVT症例は2012年から2017年まで増加し，2014年第4四半期以降は急激に増加が加速した．転入患者は，若年で白人の割合が高く，時間外に到着し，CSCで治療を受けていた．転院患者は，last-known-wellからEVT開始までの時間が有意に長かったが，door-to-EVT開始時間が≦90分であることが多かった（65.6% vs 23.6%）．EVTを受けた転院患者の院内転帰は，未調整モデルでもリスク調整モデルでも悪化していた．院内死亡率の差は，EVT開始の遅れを調整すると消失したが（14.7% vs 13.4%，調整OR 1.01），転院患者は依然として症候性頭蓋内出血を発症しやすかった（7.0% vs 5.7%），退院時の自立歩行（33.1% vs 37.1%，調整OR 0.87）または自宅退院（24.3% vs 29.1%，調整OR 0.82）が少なくなる傾向にあった．以上より，EVTのための病院間搬送はますます一般的になっており，EVT開始の大幅な遅れと関連しているため，より効率的な脳卒中診療システムを開発する必要性が強調された．本邦での報告が待たれる．

くも膜下出血の医療提供体制

動脈瘤性くも膜下出血（aneurysmal subarachnoid hemorrhage：aSAH）に対する医療の均てん化に関しての研究は少ない．Subarachnoid Hemorrhage International Trialists（SAHIT）リポジトリから，179施設，20ヵ国からの3つの臨床試験に登録された5,972例のaSAH患者のデータを分析した[15]．患者特性および動脈瘤治療の時期を調整したランダム効果ロジスティック回帰を用いて，3ヵ月後の予後不良の施設間および国別の差を推定した．施設間および

14) Shah S, Xian Y, Sheng S et al：Use, temporal trends, and outcomes of endovascular therapy after interhospital transfer in the United States. Circulation 139：1568-1577, 2019

15) Dijkland SA, Jaja BNR, van der Jagt M et al：Between-center and between-country differences in outcome after aneurysmal subarachnoid hemorrhage in the Subarachnoid Hemorrhage International Trialists (SAHIT) repository. J Neurosurg doi：10.3171/2019.5.JNS19483, 2019 [online ahead of print]

国別の差は，典型的な高リスク施設と典型的な低リスク施設または国別の予後不良の結果が表れたORと解釈できるオッズ比（MOR）の中央値で定量化された．**予後不良となった患者の割合は27%であった．患者特性や動脈瘤治療のタイミングでは説明できない，かなりの施設間差（MOR 1.26，95% CI 1.16-1.52）を認めた**（調整後MOR 1.21，95% CI 1.11-1.44）．しかし国による違いは観察しなかった（調整後MOR 1.13，95% CI 1.00-1.40）．以上より，**aSAH後の臨床転帰は施設間で異なる．これらの違いは，患者の特徴や動脈瘤の治療時期では説明できない**．今後，より最近のデータでaSAH後の転帰に病院間の差があることを確認し，潜在的な原因を調査するためにさらなる研究が必要である．

施設のCSCの能力は脳卒中の入院死亡率を低下させることが知られているが，病院の症例数とCSCの能力が，くも膜下出血（SAH）に対するクリッピングまたはコイリングを行った患者の転帰に影響するかを検討した論文がある[16]．2010～2015年の間に621施設から登録されたJ-ASPECT DPCデータベースから，SAH患者27,490例を対象に研究を実施した．CSC能力は，既報のスコアリングシステムを用いて評価した（CSCスコア1～25点）．全体として，症例数が多い場合と少ない場合，CSCスコアが高い場合と低い場合の絶対的なリスク低減は比較的小さかった．しかし，**クリッピング術，コイリング術ともに，症例数が多いこと（クリップ>14例/年，コイル>9症例/年）は院内死亡率の低下には有意な関連がみられたものの，CSCスコアが高い（>19点）ことは，クリッピング治療（OR 0.68）の院内死亡率の低下と有意に関連していたが，コイリング治療ではそうではなかった．以上より，現代の血管内治療時代には，CSC能力の高い施設でクリッピング術のよりよい転帰が達成されるかもしれない．**

16) Kurogi R, Kada A, Ogasawara K et al：Effects of case volume and comprehensive stroke center capabilities on patient outcomes of clipping and coiling for subarachnoid hemorrhage. J Neurosurg 134：929-939, 2020

米国における新型コロナウイルス感染症（COVID-19）と脳卒中[17]

COVID-19と脳卒中に関する論文は注目を集めている．米国からの報告では，2020年3月13日にCOVID-19パンデミックが国家緊急事態として宣言された後，脳卒中による救急外来受診と入院は大幅に減少した．2019年に報告された脳卒中による入院の週数と比較して，2020年の脳卒中による入院は第10～15週（3月1日～4月11日）に急激に減少し，第16～23週に増加し始め，第24～44週（6月7日～10月31日）は2019年の同じ週より低い水準にとどまった．第10～23週までの間，2020年の脳卒中入院は2019年の同時期と比較して22.3%減少し，第24～44週までは12.1%減少した．減少の大きさは年齢とともに増加したが，男女間および異なる人種・民族グループ間で同様であった．10～23週目までの脳卒中入院の減少は，ニューハンプシャー州の0.0%（95% CI －16.0% -1.7%）からモンタナ州の36.2%（95% CI 24.8%-

17) Yang Q, Tong X, Coleman King S et al：Stroke hospitalizations before and during COVID-19 pandemic among medicare beneficiaries in the United States. Stroke 52：3586-3601, 2021

46.7%）まで州によって差があった．以上より，メディケア有料サービス受給者の脳卒中入院は，**COVID-19 パンデミックの初期週（3 月 1 日〜6 月 6 日）において 22.3%少なく，2020 年の 6 月 7 日〜10 月 31 日までの週単位の脳卒中入院は 2019 年と比較して予想より低いレベルで推移していた**．

世界における COVID-19 と脳卒中[18)]

COVID-19 のパンデミックが世界各地の脳卒中診療に与えた影響を系統的に評価した論文である．COVID-19 パンデミック期に入院した脳卒中患者とパンデミック前に入院した脳卒中患者の特徴，急性期治療の提供，入院転帰を比較した観察研究を文献データベース検索により渉猟し，129,491 人の患者を含む 46 件の研究を同定した．COVID-19 パンデミック期に入院した脳卒中患者は，プレパンデミック期に入院した脳卒中患者と比較して，若年，男性（OR 1.11（95% CI 1.01–1.22），I^2 = 54%）が多いことが明らかにされた．COVID-19 パンデミック期に入院した脳卒中患者も，ベースラインの NIHSS スコアが高いうえに，大血管閉塞の存在確率も高値を示し（OR 1.63（95% CI 1.07–2.48），I^2 = 49%），院内死亡のリスクが大きかった（OR 1.26（95% CI 1.05–1.52），I^2 = 55%）．COVID-19 パンデミック期に入院した急性虚血性脳卒中患者は，血管内血栓除去術治療を受ける確率が高かった（OR 1.24（95% CI 1.05–1.47），I^2 = 40%）．IVT の実施率に差はなく，IVT の開始〜治療時間，血管内血栓除去術の開始〜鼠径部穿刺時間に関する時間指標の差も検出されなかった．**今回のシステマティックレビューとメタアナリシスでは，COVID-19 の大流行時に，若年患者の割合が増加し，大血管閉塞に起因する脳卒中が重症化し，血管内治療率が高くなることが示された．COVID-19 の流行期間中に脳卒中で入院した患者は，院内死亡率が高かった**．

中低所得国（ブラジル）の公的医療制度における血栓除去術の安全性と有効性の検討が報告された[19)]．12 のブラジルの公立病院において，脳卒中症状発現後 8 時間以内に治療可能な前方循環の近位頭蓋内動脈閉塞患者を，標準治療 + EVT（血栓除去術群）または標準治療単独（対照群）に無作為割付した．主要転帰は 90 日後の mRS スコアとした．期間中に血栓除去術を受けた 79 例を含む，合計 300 例が登録され，両群の約 70%がアルテプラーゼの静脈内投与を受けた．予定されていた 690 例のうち 221 例が無作為化を受けた時点で，有効性が認められたため，試験は早期に中止された．90 日目における mRS のスコアの分布が良好であることの共通 OR は 2.28 で，血栓除去術に有利であった．以上より，**脳卒中症状発現後 8 時間以内の EVT の有効性と安全性を中低所得国で証明した貴重な研究**である．

EVT の時間的な遅れが患者，医療システム，社会に及ぼす公衆衛生および費用の影響に関する研究が行われている[20)]．マルコフモデル解析は，米国の

18）Katsanos AH, Palaiodimou L, Zand R et al：Changes in stroke hospital care during the COVID-19 pandemic：a systematic review and meta-analysis. Stroke 52：3651-3660, 2021

19）Martins SO, Mont'Alverne F, Rebello LC et al：Thrombectomy for stroke in the public health care system of Brazil. N Engl J Med 382：2316-2326, 2020

20）Kunz WG, Hunink MG, Almekhlafi MA et al：Public health and cost consequences of time delays to thrombectomy for acute ischemic stroke. Neurology 95：e2465-e2475, 2020

医療と社会の視点から，生涯を視野に入れ実施した．**HERMES 共同研究の 7 つの試験から得られた最新のデータをデータソースとして使用**した．生涯累積費用とは別に，治療の経済的価値を決定するために純金銭的利益（net monetary benefit：NMB）を算出した．NMB の計算には，**現代の支払い意思額である 1QALY あたり 10 万ドルの閾値を使用した．早期治療により，10 分ごとに平均 39 日（95%予測区間（PI）23～53 日）の無障害寿命の延長**がもたらされた．全体として，早期治療を受けた患者と後期治療を受けた患者の累積生涯費用は同程度であった．後期治療を受けた患者は，病的関連コストは高かったが，平均余命が短いため，より短いスパンでみると，早期治療を受けた患者と同様の生涯コストとなった．また，医療の経済的価値について，早期治療がもたらす 10 分ごとの NMB 増加量は，医療の観点からは 10,593 ドル（95% PI 5,549～14,847 ドル），社会の観点からは 10,915 ドル（95% PI 5,928～15,356 ドル）と示された．以上より，**EVT までの時間的な遅れは QALYs を減少させ，この介入によって提供されるケアの経済的価値を減少させる**．国際共同研究データを活用した貴重な報告である．

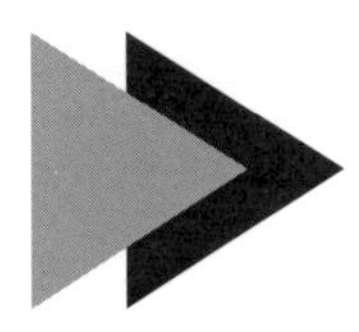

16. 血管内再開通療法

早川幹人（はやかわ みきと）
筑波大学医学医療系 脳卒中予防・治療学講座

最近の動向

- 血栓回収療法は，発症（最終健常）から24時間以内で，梗塞巣が広範でない等の特定の条件を満たした前方循環主幹動脈閉塞例に対し，確たる転帰改善効果を有した治療法であるが，治療手技（ステントリトリーバーと血栓吸引カテーテルの併用），脳底動脈閉塞や広範梗塞における転帰改善効果，direct thrombectomy の有効性，脳保護薬の併用やアルテプラーゼ動注療法の併用，周術期管理（血圧管理，抗血栓薬併用等），院内診療体制（直接アンギオ室に患者を搬入）等に関して，数多くのランダム化比較試験の結果が報告された．
- 新型コロナウイルス感染症（coronavirus disease 2019：COVID-19）の世界的流行を受け，感染防護と診療体制維持の両立を図る目的で，脳卒中診療の指針・提言が多数公表された．また，COVID-19と脳卒中（脳梗塞），とりわけ脳主幹動脈閉塞の発症との関連を示唆する報告も多くみられた．COVID-19 合併脳主幹動脈閉塞は COVID-19 非合併例に比し，血栓回収療法の治療成績・転帰が不良なことが示唆されている．

Late presenting stroke に対する血栓回収療法（mechanical thrombectomy：MT）

発症（最終健常）から6時間以降で，全自動灌流画像解析ソフトウェア RAPID™（iSchemaView）の解析でミスマッチを有する症例を対象とした DAWN，DEFUSE3（DAWN（～24時間）は重症度と虚血コア体積のミスマッチ（clinical imaging mismatch），DEFUSE3（～16時間）は灌流遅延領域と虚血コアのミスマッチ（target mismatch）で症例を選択）により，いわゆる late presenting stroke に対する MT の有効性が確立されたが，AURORA collaboration による両試験を含む6試験の発症6時間以降の症例の統合解析が報告されている．90日後 modified Rankin Scale（mRS）は MT 群で有意に良好（調整共通オッズ比（OR）2.54）で，90日後 mRS 0～2到達率も高率であった（45.9％ vs 19.3％）．12～24時間の症例における mRS 改善の調整共通 OR は5.86と，6～12時間の症例（調整共通 OR 1.76）より治療効果が高いこ

2434-9992/22/¥100/頁/JCOPY

とが見出された（交互作用の p＝0.0087）[1]．また，clinical imaging mismatch/target mismatch 陽性例ともに MT の有効性（90 日後 mRS スコア改善の調整共通 OR は各 3.57，3.13）を認めた一方で，mismatch が明らかでない症例では MT の有効性は示されなかった[2]．客観的・定量的なミスマッチ検出を可能とする，RAPID™ に代表される画像解析ソフトウェアに関しては，本邦の「経皮経管的脳血栓回収用機器 適正使用指針 第 4 版 2020 年 3 月」[3] にて，「灌流画像の撮影に時間を要さない場合には，虚血コア体積および低灌流領域を迅速に計測可能な自動画像解析ソフトウェアを用いてもよい【グレード C1】」と記載されたが，類するソフトウェアが未普及の実臨床において，より簡略な画像診断による症例選択の確立が求められている．

大径吸引カテーテルとステントリトリーバーの併用手技

大径吸引カテーテルとステントリトリーバーの併用とステントリトリーバー単独手技を比較した ASTER2[4] では，併用群において主要転帰項目である治療終了時 expanded treatment in cerebral ischemia（eTICI）2c/3 再開通（ほぼ完全〜完全再開通）率の有意な上昇は認めなかった（64.5％ vs 57.9％）ものの，割り付け手技（病変通過 3 回まで）による eTICI 2b50/2c/3（modified TICI（mTICI）≧ 2b と同義）および eTICI 2c/3 到達率は有意に高率で（各調整 OR 2.54，1.52），併用手技の優越性が示唆されている．

脳底動脈（basilar artery：BA）閉塞に対する MT

発症 8 時間以内の BA 閉塞を対象に MT と内科治療を比較した BEST[5] では，治療のクロスオーバーが多く（内科治療群の 22％に MT が施行された），90 日後 mRS 0〜3 到達率の増加は intention-to-treat 解析では非有意（42％ vs 32％，調整 OR 1.74）であったが，per-protocol 解析（調整 OR 2.90），as-treated 解析（調整 OR 3.02）では有意となった．発症 6 時間以内の症例を対象とした BASICS[6] では，90 日後 mRS 0〜3 到達率に有意差はなかった（44.2％ vs 37.7％）ものの，サブグループ解析では National Institutes of Health Stroke Scale（NIHSS）10〜19 の症例で MT 群の 90 日後 mRS 0〜3 到達が有意に高率（リスク比（RR）1.55）であった．今後の統合解析や進行中のランダム化比較試験（RCT）等で MT が有効な症例群が明らかになることが望まれる．

広範梗塞に対する MT

RESCUE-Japan LIMIT[7] は，NIHSS ≧ 6 の内頚動脈（internal carotid artery：ICA）または中大脳動脈（middle cerebral artery：MCA）M1 部閉塞による Alberta Stroke Program Early CT Score（ASPECTS）3〜5 の広範梗塞例で，発症 6 時間以内，あるいは 24 時間以内で MRI FLAIR 画像で拡散

1）Jovin TG, Nogueira RG, Lansberg MG et al：Thrombectomy for anterior circulation stroke beyond 6 h from time last known well（AURORA）：a systematic review and individual patient data meta-analysis. Lancet 399：249-258, 2022
2）Albers GW, Lansberg MG, Brown S et al：Assessment of optimal patient selection for endovascular thrombectomy beyond 6 hours after symptom onset：a pooled analysis of the AURORA database. JAMA Neurol 78：1064-1071, 2021
3）日本脳卒中学会，日本脳神経外科学会，日本脳神経血管内治療学会：経皮経管的脳血栓回収用機器 適正使用指針 第 4 版 2020 年 3 月．脳卒中 42：281-313，2020
4）Lapergue B, Blanc R, Costalat V et al：Effect of thrombectomy with combined contact aspiration and stent retriever vs stent retriever alone on revascularization in patients with acute ischemic stroke and large vessel occlusion：the ASTER2 randomized clinical trial. JAMA 326：1158-1169, 2021
5）Liu X, Dai Q, Ye R et al：Endovascular treatment versus standard medical treatment for vertebrobasilar artery occlusion（BEST）：an open-label, randomised controlled trial. Lancet Neurol 19：115-122, 2020
6）Langezaal LCM, van der Hoeven EJRJ, Mont'Alverne FJA et al：Endovascular therapy for stroke due to basilar-artery occlusion. N Engl J Med 384：1910-1920, 2021
7）Yoshimura S, Sakai N, Yamagami H et al：Endovascular therapy for acute stroke with a large ischemic region. N Engl J Med 386：1303-1313, 2022

強調画像高信号域の信号変化を認めない症例を対象として，MT と内科治療を比較した RCT である．90 日後 mRS 0〜3 到達率は各 31.0%，12.7% と前者で有意に高率（相対 RR 2.43）で，90 日後 mRS も良好（共通 OR 2.42）であり，症候性頭蓋内出血の有意な増加は認めず（相対 RR 1.84），広範梗塞に対する MT の有効性を初めて示した RCT となった．

Direct thrombectomy

アルテプラーゼ静注療法（intravenous recombinant tissue-plasminogen activator：IV rt-PA）（の適応を有するものの）非先行の MT は direct thrombectomy（IV rt-PA に引き続く MT は bridging therapy）と呼称されるが，IV rt-PA 適応の前方循環主幹動脈閉塞（large vessel occlusion：LVO）例において bridging therapy と比較した RCT が相次いで報告された．中国で行われた DIRECT-MT[8] では，direct thrombectomy の 90 日後 mRS スコアにおける非劣性が示され（調整共通 OR 1.07，非劣性 p＝0.04），DEVT[9] においても 90 日後 mRS 0〜2 到達率が direct thrombectomy 群 54.3%，IV rt-PA 併用群 46.6%（非劣性 p＝0.003）と非劣性が示された．本邦で行われた SKIP[10] では，90 日後 mRS 0〜2 到達率が direct thrombectomy 群 59.4%，bridging therapy 群 57.3%（非劣性 p ＝ 0.18）と非劣性は示されなかったが，全頭蓋内出血は有意に低率（33.7% vs 50.5%）であった．一方で，欧州で行われた MR CLEAN-NO IV[11] では，direct thrombectomy 群の非劣性・優越性ともに示されなかった（90 日後 mRS スコアの調整共通 OR 0.84）．SKIP までの結果を受けて「脳卒中治療ガイドライン 2021」[12] では，「内頚動脈，中大脳動脈 M1 部または M2 近位部の急性閉塞による脳梗塞では，発症から 4.5 時間以内にアルテプラーゼ静注療法を行わずに，機械的血栓回収療法を開始することを考慮しても良い（推奨度 C，エビデンスレベル低）」と言及されるに至っている．同様のデザインである SWIFT-DIRECT，DIRECT-SAFE も含む統合解析により，direct thrombectomy が適する症例群が明らかになると期待される．

脳保護薬の併用

ESCAPE-NA1[13] は，発症 12 時間以内の頭蓋内 ICA または MCA M1 部閉塞に対する MT における脳保護薬 nerinetide（グルタミン酸の興奮性毒性の抑制作用を有する）の併用効果をみた RCT である．Nerinetide 群の 90 日後 mRS 0〜2 到達率は増加しなかった（61.4% vs 59.2%）が，IV rt-PA 有無と nerinetide の有効性に有意な交互作用があり，IV rt-PA 非投与例では nerinetide 群で転帰は有意に良好であった（90 日後 mRS 0〜2：59.3% vs 49.8%）．Nerinetide にはプラスミンで分解されるアミノ酸配列があるため，アルテプラーゼで活性化されたプラスミンにより失効した可能性が考えられて

8) Yang P, Zhang Y, Zhang L et al：Endovascular thrombectomy with or without intravenous alteplase in acute stroke. N Engl J Med 382：1981-1993, 2020

9) Zi W, Qiu Z, Li F et al：Effect of endovascular treatment alone vs intravenous Alteplase plus endovascular treatment on functional independence in patients with acute ischemic stroke：The DEVT Randomized Clinical Trial. JAMA 325：234-243, 2021

10) Suzuki K, Matsumaru Y, Takeuchi M et al：Effect of mechanical thrombectomy without vs with intravenous thrombolysis on functional outcome among patients with acute ischemic stroke：the SKIP randomized clinical trial. JAMA 325：244-253, 2021

11) LeCouffe NE, Kappelhof M, Treurniet KM et al：A randomized trial of intravenous alteplase before endovascular treatment for stroke. N Engl J Med 385：1833-1844, 2021

12) 一般社団法人日本脳卒中学会 脳卒中ガイドライン委員会 編：脳卒中治療ガイドライン 2021．協和企画，2021

13) Hill MD, Goyal M, Menon BK et al：Efficacy and safety of nerinetide for the treatment of acute ischaemic stroke（ESCAPE-NA1）：a multicentre, double-blind, randomised controlled trial. Lancet 395：878-887, 2020

いる.

アルテプラーゼ動注療法の併用

MT による再開通後の転帰改善を阻害する要因の一つとして，微小循環障害（末梢血管の小血栓による閉塞等による）が想定されている．CHOICE[14] は，発症 24 時間以内，NIHSS ≦ 25 で，前 / 中 / 後大脳動脈閉塞を有し MT で有効再開通（eTICI ≧ 2b50）に至った症例を対象に，アルテプラーゼ動注（0.225 mg/kg，最大 22.5 mg を 15～30 分で動注）とプラセボを比較した RCT である．90 日後 mRS 0～1 到達率は実薬群で有意に高率（59% vs 40.4%）で，頭蓋内出血や死亡率の増加は認めなかった．コロナ禍による登録鈍化・プラセボ調達不能により早期終了した試験であり，さらなる RCT の追認が待たれる．

MT の周術期管理

全身麻酔と鎮静を比較し，いずれも全身麻酔群の転帰が良好，あるいは差を認めない結果となった単施設 RCT3 試験の統合解析（SAGA）[15] では，NIHSS ≧ 10 の前方循環 LVO において，全身麻酔群は mTICI ≧ 2b 再開通率が高く（72.7% vs 63.2%），90 日後 mRS は有意に良好（調整共通 OR 1.58）であった．来院 - 穿刺時間は全身麻酔群で遅延（75 分 vs 69 分）したが，穿刺 - 再開通時間（51.5 分 vs 70.5 分），来院 - 再開通時間（150 分 vs 165 分）に遅延はなく，高い再開通率と相まって転帰改善に寄与したと捉えられている．「経皮経管的脳血栓回収用機器 適正使用指針 第 4 版 2020 年 3 月」では，「全身麻酔は，医学的に適応を有する場合，あるいは，治療開始を遅延させずに施行可能な診療体制が整備されている場合に，施行を考慮しても良い【グレード C1】」との記載に至っている．

MT 後の血圧高値は頭蓋内出血と関連するが，BP-TARGET[16] では，頭蓋内 ICA または MCA M1 部閉塞に対する MT 後 mTICI ≧ 2b 再開通を得た症例が，収縮期血圧 100～129 mmHg（積極管理群）と同 130～185 mmHg（標準管理群）に割り付けられた（目標血圧は 24 時間維持）．平均収縮期血圧は積極管理群 128 ± 11 mmHg，標準管理群 138 ± 17 mmHg となり，積極管理による 24～36 時間後の脳実質内出血の減少は認めず（42% vs 43%），転帰に差はなかった．今後の検討による至適血圧の解明・降圧治療の意義の確立が求められている．

MR CLEAN-MED[17] は，発症 6 時間以内に MT が施行された前方循環 LVO 例において，アスピリン（300 mg 静注），低用量または中用量ヘパリン（5,000 単位ボーラス投与 + 500 単位 / 時持続静注または 1,250 単位 / 時持続静注を 6 時間継続）の効果を検討した 2 × 3 デザインの RCT である．抗血栓療法は穿

14）Renú A, Millán M, Román LS et al：Effect of intra-arterial alteplase vs placebo following successful thrombectomy on functional outcomes in patients with large vessel occlusion acute ischemic stroke. the CHOICE randomized clinical trial. JAMA 327：826-835, 2022

15）Schönenberger S, Hendén PL, Simonsen CZ et al：Association of general anesthesia vs procedural sedation with functional outcome among patients with acute ischemic stroke undergoing thrombectomy：a systematic review and meta-analysis. JAMA 322：1283-1293, 2019

16）Mazighi M, Richard S, Lapergue B et al：Safety and efficacy of intensive blood pressure lowering after successful endovascular therapy in acute ischaemic stroke (BP-TARGET)：a multicentre, open-label, randomised controlled trial. Lancet Neurol 20：265-274, 2021

17）van der Steen W, van de Graaf RA, Chalos V et al：Safety and efficacy of aspirin, unfractionated heparin, both, or neither during endovascular stroke treatment (MR CLEAN-MED)：an open-label, multicentre, randomised controlled trial. Lancet 399：1059-1069, 2022

刺直後（IV rt-PA 施行例は同投与終了後）より開始された．抗血栓療法群で症候性頭蓋内出血は有意に高率（アスピリン：調整 OR 1.95，ヘパリン：調整 OR 1.98）で，90 日後 mRS は悪化傾向となり（アスピリン：調整共通 OR 0.91，ヘパリン：調整共通 OR 0.81），その有効性は示されなかったが，用量設定等含め研究デザインに議論の余地があり，MT 時の抗血栓療法の意義に関してさらなる検討が必要である．

MT の院内ワークフロー

ANGIOCAT[18] は，発症 6 時間以内，病院前 LVO 判別スケールである RACE スケール≧ 5，NIHSS ≧ 11 の LVO 疑い例を，CT 室で画像診断・適応判定を行い血管造影室に移送する群と，直接血管造影室に搬入し血管造影装置を用いた C-arm cone beam CT を施行後，脳血管造影で閉塞血管を確認し治療する群に割り付けた RCT である．血管造影室へ直接搬入した場合，MT 施行率は高率で（100％ vs 87.7％），来院 - 穿刺時間（中央値 18 分 vs 42 分），来院 - 再開通時間（57 分 vs 84 分）は短く，LVO 例の転帰は有意に良好であった（90 日後 mRS 改善の調整共通 OR 2.2）．高度な診療体制が構築された単施設の RCT であることから，多施設 RCT の追認によるエビデンス構築が望まれる．

COVID-19 流行下の脳卒中診療指針

2019 年 12 月の中国・武漢市の流行から瞬く間に世界中に拡大した新型コロナウイルス（severe acute respiratory syndrome coronavirus 2：SARS-CoV-2）感染症（coronavirus disease 2019：COVID-19）は，急性期脳卒中診療に多大な影響を与え[19]，COVID-19 流行下の脳卒中診療の指針・提言が，2020 年 4 月 1 日の“Temporary Emergency Guidance to US Stroke Centers During Coronavirus Disease 2019 (COVID-19) Pandemic”[20] と“Protected Code Stroke”[21] の Stroke 誌へのオンライン掲載を皮切りに相次いで公表され，本邦でも日本脳卒中学会より「COVID-19 対応 脳卒中プロトコル（日本脳卒中学会版 Protected Code Stroke：JSS-PCS）」[22] が公表された．JSS-PCS では 16 のクリニカルクエスチョンに対する推奨と解説が述べられ，MT に関しては「通常の患者同様の適応判断」，「個人感染防護具装着と最小限の医療スタッフの従事」，「手技中の気管内挿管は高リスクなため避けるよう（酸素マスク 5 L/分以上，高度意識障害など，比較的低閾値な気管挿管・人工呼吸管理の適応が述べられている）」，「可能ならアンギオ室 1 室を COVID-19 確定 / 未判定例専用としゾーニングを行う」，「アンギオ室の換気状態を事前に確認し，MT 後は想定される換気時間に応じて換気を行う」等の推奨がなされ，実臨床における感染防護に有用な内容となっている．

18) Requena M, Olivé-Gadea M, Muchada M et al：Direct to angiography suite without stopping for computed tomography imaging for patients with acute stroke：a randomized clinical trial. JAMA Neurol 78：1099–1107, 2021

19) 早川幹人：Clinical Topics 感染症・炎症疾患 新型コロナウイルスと脳卒中．Annual Review 神経 2021，中外医学社，158–165, 2021

20) AHA/ASA Stroke Council Leadership：Temporary emergency guidance to US Stroke Centers during the coronavirus disease 2019 (COVID-19) pandemic：on behalf of the American Heart Association/American Stroke Association Stroke Council Leadership. Stroke 51：1910–1912, 2020

21) Khosravani H, Rajendram P, Notario L et al：Protected code stroke：hyperacute stroke management during the coronavirus disease 2019 (COVID-19) pandemic. Stroke 51：1891–1895, 2020

22) 日本脳卒中学会，COVID-19 対策プロジェクトチーム，JSS-PCS 作成ワーキンググループ：COVID-19 対応 脳卒中プロトコル（日本脳卒中学会版 Protected Code Stroke：JSS-PCS）．脳卒中 42：315–343, 2020

COVID-19合併LVOに対するMT

2020年4月28日にNew England Journal of Medicine誌にオンライン掲載された，Oxleyら[23]の複数例の若年急性期LVOの報告により，COVID-19と脳卒中の関連が注目されるようになった．COVID-19合併脳梗塞は，Yaghiら[24]のニューヨーク3施設の検討では，年齢中央値63歳と同時期のCOVID-19非合併例（70歳）あるいは前年同時期（68.5歳）に比し若く，男性が71.9％（各52.2％，45.0％）と多数を占め，NIHSS中央値19（各8，3）と重症で，LVOが45.5％と多く（各27.9％，20.3％），潜因性脳卒中が65.6％を占め，死亡率は64.6％と高率であった．米国のGet With The Guidelines-Stroke参加458施設の検討[25]においても，COVID-19合併例（1,143例）は非合併例（40,828例）に比し若く（中央値68歳vs 71歳，$p < 0.001$），重症（NIHSS中央値8 vs 4，$p < 0.001$）で，LVOが多かった（30.4% vs 23.6%，$p < 0.001$）．COVID-19は特有の血管内皮障害・凝固異常等を介し，脳卒中（脳梗塞）発症に関与し，危険因子となることを示唆する報告が多数なされているが[19]，とりわけLVOの危険因子と捉えられる．

Jabbourら[26]は，COVID-19合併LVO（194例）に対するMTを非合併例（381例）と比較した観察研究にて，COVID-19合併例は若年で男性が多く重症（NIHSS中央値17.5 vs 14）で，多血管閉塞が多く（32.7％ vs 20.8％），mTICI ≧ 2b再開通率は同等（83.6％ vs 86.9％）だが完全再開通率は低く（39.2% vs 67.2%），COVID-19が完全再開通に負に（OR 0.4），退院時mRS ≧ 3に正に（OR 2.6）関連したことを見出しており，COVID-19合併LVOはMTにやや抵抗性で，転帰不良という特徴が浮かび上がる．COVID-19合併LVOに対する多数例を集積した他の観察研究では，早期（30日以内）再閉塞が2.2～4.5%でみられ，退院時死亡率が約30%に上るなど，やはり臨床転帰は不良であった[27,28]．回収血栓の病理組織所見は，フィブリン主体で活性化リンパ球・アポトーシス細胞の混入や内皮細胞の付着を認めるとの報告があり[29,30]，早期再閉塞や内皮細胞の付着からは内皮障害による血管自体の脆弱性が示唆される．COVID-19合併LVOでは，高い再開通性能のみならず，より血管侵襲性の低い再開通手技（デバイス）の適用が求められるのかもしれない[30]．

23) Oxley TJ, Mocco J, Majidi S et al：Large-vessel stroke as a presenting feature of Covid-19 in the young. N Engl J Med 382：e60, 2020

24) Yaghi S, Ishida K, Torres J et al：SARS-CoV-2 and stroke in a New York healthcare system. Stroke 51：2002–2011, 2020

25) Srivastava PK, Zhang S, Xian Y et al：Acute ischemic stroke in patients with COVID-19：an analysis from Get With The Guidelines-Stroke. Stroke 52：1826–1829, 2021

26) Jabbour P, Dmytriw AA, Sweid A et al：Characteristics of a COVID-19 cohort with large vessel occlusion：a multicenter international study. Neurosurgery 90：725–733, 2022

27) Cagnazzo F, Piotin M, Escalard S et al：European multicenter study of ET-COVID-19. Stroke 52：31–39, 2021

28) Styczen H, Maus V, Goertz L et al：Mechanical thrombectomy for acute ischemic stroke in COVID-19 patients：multicenter experience in 111 cases. J Neurointerv Surg 14：858–862, 2022

29) Hernández-Fernández F, Valencia HS, Barbella-Aponte RA et al：Cerebrovascular disease in patients with COVID-19：neuroimaging, histological and clinical description. Brain 143：3089–3103, 2020

30) Janardhan V, Janardhan V, Kalousek V：COVID-19 as a blood clotting disorder masquerading as a respiratory illness：a cerebrovascular perspective and therapeutic implications for stroke thrombectomy. J Neuroimaging 30：555–561, 2020

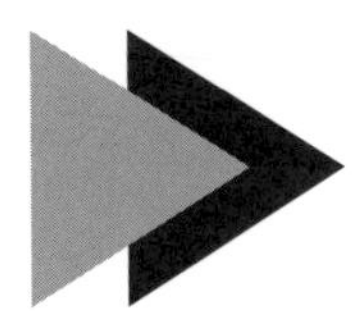

17. 脳動脈瘤塞栓術（Coil，WEB 他）

石橋敏寛（いしばしとしひろ）
東京慈恵会医科大学 脳神経外科学講座

最近の動向

- 近年，脳動脈瘤に対する脳血管内治療は大きな変革期にある．1991 年に開発された Guglielmi detachable coil（GDC）[1, 2] により，動脈瘤内にコイルを充填する治療を軸として発展してきた．そして現在はフローダイバーターにより，動脈瘤内に物を充填せずに治療するコンセプトに変わってきた．
- 今後は，このような治療が主流になると思われるが，すべての動脈瘤に対応しうるかどうかは不明であり，中長期的な問題点と治療成績が明らかになるのはこれからである．
- また，フローダイバーターではない治療器材として WEB などの瘤内留置型器材，Pulserider®のようなコイル塞栓術を支援するための器材などの登場により，治療の選択肢がますます増えてきている．治療者は，これらの器材の特性をよく理解し取捨選択する必要がある．
- 本稿では，脳動脈瘤に対する脳血管内手術におけるフローダイバーター以外の topic について渉猟供覧する．

従来の脳動脈瘤塞栓術の成績

新たな治療器材の登場により，長年にわたり行われている動脈瘤内にコイルを留置し動脈瘤の血栓化を促す手段は，いかに有効であるのかが問われている．興味深いのは従来のステントを併用したコイル塞栓術後，フローダイバーターステントを用いた治療の優劣である．

フローダイバーターステントとコイル塞栓術の比較

両者の治療成績を，前交通動脈瘤，大型脳動脈瘤，紡錘状動脈瘤，破裂瘤，後方循環動脈瘤を除いた後方視野的解析の報告が行われた．165 患者 202 動脈瘤の解析である[3]．これによると，パイプライン留置術とステント併用コイル塞栓術において，閉塞率，modified Rankin Scale，合併症，再治療率に有意差は認めなかった．結論としては平均サイズ 5 mm 程度の前方循環の動脈瘤に対しては再治療率 4%であり，両群で差は認めない．この報告は，新しい治療手技の有効性を唱える一方で，従来の治療も遜色なく十分な効果を発揮してい

1）Guglielmi G, Viñuela F, Sepetka I et al：Electrothrothrombosis of saccular aneurysms viaendovascular approach. Part 1：electrochemical basis, technique, and experimental results. J Neurosurg 75：1-7, 1991
2）Guglielmi G, Vinuela F, Dion J et al：Electrothrombosis of saccular aneurysms via endovascular approach. Part2：preliminary clinical experience. J Neurosurg 75：8-14, 1991
3）Salem MM, Ravindran K, Enriquez-Marulanda A et al：Pipeline embolization device versus stent-assisted coiling for intracranial aneurysm treatment：a retrospective propensity score-matched study. Neurosurgery 87：516-522, 2020

2434-9992/22/¥100/頁/JCOPY

ることを裏付ける報告といえる．

ハイドロゲルコイルの効果

塞栓術後の再開通率の減少を期待するためのハイドロゲルコイルの無作為試験の結果が報告された[4]．合計600例が通常のコイルとハイドロゲルコイルに無作為割付された．再発はハイドロゲルコイル群で11例4.4%，通常コイル群で44例15.4%であった．塞栓率と再発率はハイドゲルコイル群で優れており，有害事象再治療出血死亡臨床経過などは両群で差はなかった．この結果は，ハイドロゲルコイルが中型脳動脈瘤においては再発を低減しうる可能性を示唆している．

Neuroform Atlas®/LVIS™/LVIS™ Jr

フローダイバーター以外の脳動脈瘤治療において，コイル塞栓術にはステント支援は欠かせない選択肢の一つになっている．これらは術後の抗血小板剤のマネージメントが容易であることが最大のメリットであることに加え，動脈瘤内にコイルを誘導するため，即時的な脳動脈瘤破裂予防効果を得られることが，フローダイバーターステントに比べ有利な点である．

臨床使用経験も増えるにつれ，多くの治療成績が公表されてきた．ATLAS trialとして，米国25施設でワイドネック未破裂脳動脈瘤に対するAtlas® stentの有効性が検証された[5]．その結果，親動脈狭窄または動脈瘤再治療を伴わない完全動脈瘤閉塞（Raymond-Roy class 1）の複合一次有効性エンドポイントは，患者84.7%で達成され，主要な同側性脳卒中または神経学的死は4.4%であった．また，本研究から後方循環の脳動脈瘤に対する結果の解析も報告されている[6]．技術的成功は100%で，85.3%に完全塞栓を得て，合併症として同側脳卒中が4.3%，神経脱落症状は1.7%であり，Atlas® stentの有効性を強調している．

以上のように，Atlas® stentは有効性の高い器材へと成長した．

コイル塞栓術支援のステントとしてAtlas® stentと双肩を担うのがLVIS™ stent/LVIS™ Jr stentである．LVIS™ Jrに関しては，Atlas® stentとの比較を単施設後方指摘研究として報告されており，両ステントともに閉塞率に有意差はなく，どちらのステントも重篤な虚血性合併症はなかったと報告された．しかしながら，ステントの特性上，LVIS™ Jr stentのほうが，angioplastyの必要性や展開不良などの技術的な問題がやや多かったと報告している[7]．

最近では，従来のLVIS™をより視認性を高めたLVIS™ EVOが登場し，臨床使用成績が発表されている[8,9]．

4) Bendok BR, Abi-Aad KR, Ward JD et al：The hydrogel endovascular aneurysm treatment trial (HEAT)：a randomized controlled trial of the second-generation hydrogel coil. Neurosurgery 86：615-624, 2020

5) Zaidat OO, Hanel RA, Sauvageau EA et al：Pivotal trial of the neuroform atlas stent for treatment of anterior circulation aneurysms：one-year outcomes. Stroke 51：2087-2094, 2020

6) Jankowitz BT, Jadhav AP, Gross B et al：Pivotal trial of the Neuroform Atlas stent for treatment of posterior circulation aneurysms：one-year outcomes. J Neurointerv Surg. 14：143-148, 2022

7) Monteiro A, Cortez GM, Aghaebrahim A et al：Low-profile Visualized Intraluminal Support Jr Braided Stent versus Atlas Self-expandable Stent for treatment of intracranial aneurysms：a single center experience. Neurosurgery 88：E170-E178, 2021

8) Vollherbst DF, Berlis A, Maurer C et al：Periprocedural safety and feasibility of the new LVIS EVO device for stent-assisted coiling of intracranial aneurysms：an observational multicenter study. AJNR Am J Neuroradiol 42：319-326, 2021

9) Foo M, Maingard J, Hall J et al：Endovascular treatment of intracranial aneurysms using the novel Low Profile Visualized Intraluminal Support EVO stent：multicenter early feasibility experience. Neurointervention 16：122-131, 2021

塞栓術後の出血・再出血・血栓塞栓症

一方で，脳動脈瘤塞栓術後のさまざまな事象は，ARETA study[10] と称する脳動脈瘤コイル塞栓術後 1 年後の出血・再出血に関する多施設前向きコホート研究の報告が興味深い．2013 年 12 月から 2015 年 5 月の間に 16 施設で登録された破裂・未破裂脳動脈瘤の前向き登録の結果から，塞栓術後の出血および再出血関連因子が解析されている．

その結果，動脈瘤塞栓術後の出血は未破裂脳動脈瘤で 0%，破裂脳動脈瘤で 1%であった．出血にかかわる因子として，初期治療での不完全閉塞，ドームネック比が再出血との関連がみられた．このように脳動脈瘤塞栓術後の治療成績は良好であるものの，ごくわずかな例で治療後出血が存在し，特に治療後 1ヵ月以内であることが多いことを念頭に置くことが大切である．

同様に ARETA study から血栓塞栓症の報告もされている[11]．その結果によると，遅発性の血栓塞栓症は 2.4%でいずれも 1 週間以内に多く，多発性囊胞腎の保有と動脈瘤の残存が関連する．この頻度は，術中の血栓塞栓症の頻度（10.4%）に比べると圧倒的に低いため，本結果の過大な解釈は必要ないとしている．

10) Pierot L, Barbe C, Herbreteau D et al：Rebleeding and bleeding in the year following intracranial aneurysm coiling：analysis of a large prospective multicenter cohort of 1140 patients-Analysis of Recanalization after Endovascular Treatment of Intracranial Aneurysm（ARETA）Study. J Neurointerv Surg 12：1219–1225, 2020

11) Pierot L, Barbe C, Herbreteau D et al：Delayed thromboembolic events after coiling of unruptured intracranial aneurysms in a prospective cohort of 335 patients. J Neurointerv Surg 13：534–540, 2021

新規デバイスの治療成績

Pulserider®の中長期成績

脳動脈瘤内にコイルを安定的に留置するための支援的機材として，ステントに加えて，Pulserider®が登場した．本邦でもすでに多くの施設で臨床使用されており，有効な成績が報告されている．米国における本器材の臨床使用結果が ANSWER trial として報告されている[12]．米国の 10 施設が参加した，前向き多施設共同単群試験である．Raymond-Roy スコア評価を Core lab が判定した．内頚動脈終末部（n = 7）あるいは脳底動脈先端部（n = 27）にワイドネック型動脈瘤を有する 34 例が登録された．全例で留置成功を得て，術後の虚血性イベントは 8.9%と報告されており，Y stent を施行した際の虚血性イベントに比べて低い可能性が示唆された．また塞栓の状態は，Raymond-Roy class 1 または 2 の良好な閉塞を得た割合は，術直後 79%であったものが，1 年後には 90%に増加している結果が報告されている．これらから，中期的にも効果が期待しうる器材であるといえる．本器材の最大の特徴は，正常血管に残存する金属量が，通常のコイル支援ステントに比べて圧倒的に少ないことである．そのため，術後の抗血小板薬の使用が短縮できる可能性があり，本報告でも，術後半年を経て抗血小板薬 2 剤を内服している患者は，およそ 50%であり，早期に抗血小板薬の減量が行われていた．今後のさらなる長期成績の報

12) Spiotta AM, Chaudry MI, Turner RD 4th et al：An update on the Adjunctive Neurovascular Support of wide-neck aneurysm embolization and reconstruction trial：1-year safety and angiographic results. AJNR Am J Neuroradiol 39：848–851, 2018

告が期待される．

Woven EndoBridge（W-EB）の中長期成績

フローダイバーターステントとは相違するコンセプトとして，動脈瘤内に留置して血流を制御し，動脈瘤の血栓化を促す器材として位置している．正常血管には異物が残存しないため，術後の抗血小板薬のマネージメントが容易であることが特徴の一つである．欧米での上市から数年経て，中長期的な成績が公表されている．治療後3年間の追跡調査によると[13]，W-EB CAST，W-EB CAST2を基に3年間の治療成績を評価している．その結果，79例のうち，61例が有効な閉塞を経ていた．その内訳は完全閉塞50.8%，動脈瘤基部残存32.8%，不完全閉塞が16.4%であった．1年後と3年後において，87%の動脈瘤が閉塞状況の改善を認めていた．再治療は11.4%に認め，3年間のフォローアップでW-EBは安全で，閉塞状況も安定していると結論づけている．その他，破裂脳動脈瘤に対するW-EBの治療効果に関する報告もみられる．後方視的な研究ではあるが，多施設での48例の集積データである[14]．これによると，98.5%で手技成功を認め，周術期合併症は12.5%であり，有効な動脈瘤閉塞は92.3%と報告され，破裂脳動脈瘤に対するW-EBの有効性が示唆される．やはり抗血小板薬の使用が不要である点などは，破裂脳動脈瘤急性期治療には有利な点であると考察されている．一方で破裂部位の閉塞を重点的に行うことは不得手であると述べられている．さまざまな有効な発表が行われている一方で，W-EB治療後の再発，再開通などに関する問題点に言及した報告もみられる．PubMed, Embase, Scopusなどのデータベースからの渉猟し得た検索結果からの解析である[15]．これによると901動脈瘤で18.7%が再発し，10.7%が再治療を要している．再治療の方法としてコイル追加（20%），ステント併用コイル塞栓術（39%），追加のW-EB（13.3%），フローダイバーターステント留置（16%）であった．結論として，W-EB後の再治療は可能であると述べている．構造として二層構造が第一世代であるが，第二世代である単層構造のW-EBの治療成績も報告されている．この報告では，最終フォローアップ時の動脈瘤の閉塞は83%であることから，通常のステント併用のコイル塞栓術と比べ良好であると述べられ，low profileのため治療対象が拡大し，手技が容易になったとされている．これらの報告をみると，W-EBは今後の脳動脈瘤治療の新たな選択肢としての効果は十分であると考えられ，有効な選択肢の一つとなりうることが示唆された．

13）Pierot L, Szikora I, Barreau X et al：Aneurysm treatment with WEB in the cumulative population of two prospective, multicenter series：3-year follow-up. J Neurointerv Surg 13：363-368, 2021

14）Youssef PP, Dornbos Iii D, Peterson J et al：Woven EndoBridge（WEB）device in the treatment of ruptured aneurysms. J Neurointerv Surg 13：443-446, 2021

15）Peterson C, Cord BJ：recurrent and residual aneurysms after Woven EndoBridge（WEB）therapy：What's next? Cureus 13：e14404, 2021

18. 脳動脈瘤に対する フローダイバーター治療

石井（いしい）　暁（あきら）
京都大学大学院医学研究科 脳神経外科

最近の動向

- Pipeline™ embolization device（PED）を用いた臨床試験として，PREMIERE 試験の最終結果が公表された．主に小型脳動脈瘤を対象とした試験であり，この結果を基に PED の適応が大幅に拡大された．
- FRED® (Microvention Terumo) や Surpass™ (Stryker) などのフローダイバーター（FD）の臨床試験結果も公表された．そのほか，いわゆる第二世代 FD である表面修飾型 FD を用いた臨床試験も発表されている．従来の金属素線をさまざまな親水性ポリマーで被覆したもので，各社が抗血栓性を競っている．まだ臨床試験で抗血栓性が証明された機器はないが，将来的には抗血小板療法の緩和の可能性を秘めている．
- 血豆状動脈瘤や解離性動脈瘤などの破裂動脈瘤などに対する急性期 FD 治療のケースシリーズが多数報告されている．第二世代 FD が登場したこともあり，ますますこの領域への適応拡大が期待されている．

PREMIERE 試験後の Pipeline™ embolization device 適応拡大

本邦で初めてフローダイバーター（flow diverter：FD）として承認された Pipeline™ embolization device（PED, Medtronic 社）の上市時の治療適応は「最大径 10 mm 以上の傍鞍部および海綿静脈洞部内頚動脈未破裂脳動脈瘤」であったが，これは PUFS 試験[1]の結果に基づくものであった．主に北米で行われた PREMIERE 試験は小型動脈瘤への PED 適応拡大を目的とし，最大径 12 mm 以下，ネック径 4 mm 以上またはドーム／ネック比 1.5 以下の内頚動脈および椎骨動脈未破裂脳動脈瘤を対象とした[2]．141 患者が登録され，平均動脈瘤サイズは 4.6 mm（5.0＋/－1.9），84.4％は 7 mm 以下の小型動脈瘤であった．後交通動脈分岐部は 14.2％，椎骨動脈は 5.0％含まれている．術前に VerifyNow™（Acumetrics）を用いた抗血小板凝集能テストが必須であり，PRU 値が 60～200 であることが必須条件である．使用機器は Pipeline™

1) Becske T, Kallmes DF, Saatci I et al：Pipeline for uncoilable or failed aneurysms：results from a multicenter clinical trial. Radiology 267：858-868, 2013
2) Hanel RA, Kallmes DF, Lopes DK et al：Prospective study on embolization of intracranial aneurysms with the pipeline device：the PREMIER study 1 year results. J Neurointerv Surg 12：62-66, 2020

2434-9992/22/¥100/頁/JCOPY

Classics と Pipeline™ Flex である．1年時の主要有効性エンドポイントは標的動脈瘤の完全閉塞かつ＞50％の母血管狭窄がないことであり，76.8％で達成された．主要安全性エンドポイントは1年時の同側重症脳卒中および神経関連死で，3例（2.1％）で発生した．内訳は，脳出血2例（治療日および術後15日目），脳梗塞1例（術後165日目）であり，いずれも手技に直接関連したものではなかった．米国食品医薬品局（Food and Drug Administration：FDA）は，この結果を根拠としてPED適応を大幅拡大し，本邦でも2020年に適応拡大された．現在，本邦では床上部を含む内頚動脈および椎骨動脈の最大径5ミリ以上の動脈瘤（ネック径4 mm以上またはドーム/ネック比1.5以下）が治療適応となっている．大幅に保険適応が拡大されたが，分枝を有する動脈瘤，特に胎児型後交通動脈を有する動脈瘤ではFDの有効性が下がる[3]ことが示されており，保険適応＝optimal treatmentではないことに注意する必要がある．

さらに，PREMIERE試験の3年次報告も公開され，有効性エンドポイント83.3％，安全性エンドポイント2.8％と報告された[4]．経年的に閉塞率が上がること，1年以降の遠隔期合併症が少ないことはPUFS試験[1]とほぼ同様であり，FD治療に共通する特徴といってよい．

PEDの長期成績については，PUFS試験の5年次経過報告が2017年に報告されている[5]が，対象は現在の治療適応と比べるとごく一部である．Lylykらは PEDで治療した835患者1,000動脈瘤の長期成績（PEDESTRIAN）を報告した[6]．単施設からのPEDケースシリーズとしては最大の報告である．平均年齢は55.9歳，動脈瘤最大径は≦10 mm（64.6％），11～24 mm（25.6％），＞25 mm（9.8％）であった．部位別では，内頚動脈86.7％（うち後交通動脈分岐部20％），中大脳動脈4.1％，椎骨動脈2.9％，脳底動脈3.7％などである．85.1％の患者でフォローアップの血管撮影が行われた（平均24.6＋/－25.0ヵ月）．完全閉塞率は12ヵ月時で75.8％，2～4年時で92.9％，5年以上で96.4％となっていた．周術期および遠隔期全体の永続的合併症および死亡率は5.8％であった．PUFS試験と同様，長期の根治性を強調している．

PED以外のFDの主な臨床試験

本邦でも承認されているFRED®（Microvention Terumo）およびSurpass™（Stryker）の主な臨床試験結果がそれぞれ公開された．

SAFE試験はFRED®を用いた多施設単群前方視的研究で，主にフランスで施行された[7]．103患者103動脈瘤が登録されている．小型（＜10 mm）動脈瘤が68.9％であり，部位別では前交通動脈瘤（8.7％），中大脳動脈瘤（7.8％）が含まれる．コイル併用は22.4％で行われた．標的動脈瘤の完全閉塞率は1年時において73.3％で達成された．1年時の重症合併症は1.9％，死亡率は2.9％

3) Rinaldo L, Brinjikji W, Cloft H et al：Effect of fetal posterior circulation on efficacy of flow diversion for treatment of posterior communicating artery aneurysms：a multi-institutional study. World Neurosurg 127：e1232-e1236, 2019

4) Hanel RA, Cortez GM, Lopes DK et al：Prospective study on embolization of intracranial aneurysms with the pipeline device (PREMIER study)：3-year results with the application of a flow diverter specific occlusion classification. J Neurointerv Surg doi：10.1136/neurintsurg-2021-018501, 2022 [online ahead of print]

5) Becske T, Brinjikji W, Potts MB et al：Long-term clinical and angiographic outcomes following pipeline embolization device treatment of complex internal carotid artery aneurysms：five-year results of the pipeline for uncoilable or failed aneurysms trial. Neurosurgery 80：40-48, 2017

6) Lylyk I, Scrivano E, Lundquist J et al：Pipeline Embolization Devices for the treatment of intracranial aneurysms, single-center registry：long-term angiographic and clinical outcomes from 1000 aneurysms. Neurosurgery 89：443-449, 2021

7) Pierot L, Spelle L, Berge J et al：SAFE study (Safety and efficacy Analysis of FRED Embolic device in aneurysm treatment)：1-year clinical and anatomical results. J Neurointerv Surg 11：184-189, 2019

であった．

SCENT trial はSurpass™を用いた多施設単群前方視的研究で，主に北米で施行された[8)]．26施設で180患者180動脈瘤が登録されている．動脈瘤最大径は平均12.0 mmで，7.4%は巨大（≧25 mm）であった．部位は内頚動脈のみで，海綿静脈洞部28.9%，眼動脈部33.3%，後交通動脈分岐部21.1%などとなっている．コイル併用はプロトコールで禁止された．1年時の主要有効性エンドポイント（標的動脈瘤の完全閉塞，＜50%母血管狭窄，1年以内の再治療なし）は62.8%で達成された．1年時の同側重症脳卒中および神経関連死は8.3%で発生している．遅発性動脈瘤破裂は2.2%，虚血性脳卒中は6.1%で起きた．

治療対象が異なるため直接的な比較はできないが，SAFE試験の結果は小型瘤中心という点でPREMIERE試験とほぼ同等の結果といってよい．一方，SCENT試験がSAFEやPREMIEREよりもやや成績不良であるのは，大型動脈瘤のみを対象としており，コイル併用がプロトコール上できないという制約によるものと推測される．

破裂脳動脈瘤への適応拡大の可能性

現在，本邦ではいずれのFDも治療適応とならないが，血豆状内頚動脈前壁動脈瘤や解離性動脈瘤など，母血管温存治療が困難な破裂脳動脈瘤などでニーズは高い．欧米では多数のケースシリーズが報告されている．破裂脳動脈瘤に対するPED治療のシステマティックレビュー[9)]によると，2020年3月までに12文献145例の報告がある．51.0%は血豆状動脈瘤，26.9%が解離性動脈瘤であった．標的動脈瘤の完全閉塞率は87.5%で，完全閉塞に至るまでの再破裂率は2.1%であった．単変量ロジスティック回帰分析では，再破裂の有意な正の予測因子は動脈瘤サイズであった．血栓塞栓症などによる重症脳卒中は16.5%で発生している．

Mokinらは，全米21施設でFD治療された破裂血豆状動脈瘤の治療成績を報告している[10)]．43例45病変が破裂急性期にPED留置を施行された．平均年齢は52.8歳，動脈瘤平均サイズは2.4 mmであった．Hunt&Hess分類の内訳は，Ⅰ(20.9%)，Ⅱ(37.2%)，Ⅲ(9.3%)，Ⅳ(20.9%)，Ⅴ(11.6%)となっていた．くも膜下出血発症からFD治療までの日数は，当日または翌日が69%ともっとも多く，2～7日が26%，7日以降はわずかに5%であり，中央値は翌日であった．治療直後に脳出血が認められた1例を除いて，全例が術後に抗血小板薬二剤投与を受けた．急性期のステント内血栓症は4例で認めた．臨床転帰が追跡可能であった38例中26例（68%）でmodified Rankin Scale（mRS）0～2が得られた．7例（18%）で周術期合併症，2例（5%）で遅発性合併症を認め，1例は致死性の遅発性動脈瘤再破裂であった．脳血管撮影の追跡調査

8) Meyers PM, Coon AL, Kan PT et al : SCENT trial. Stroke 50 : 1473-1479, 2019

9) Foreman PM, Ilyas A, Cress MC et al : Ruptured intracranial aneurysms treated with the Pipeline Embolization Device : a systematic review and pooled analysis of individual patient data. AJNR Am J Neuroradiol 42 : 720-725, 2021

10) Mokin M, Chinea A, Primiani CT et al : Treatment of blood blister aneurysms of the internal carotid artery with flow diversion. J Neurointerv Surg 10 : 1074-1078, 2018

が得られたのは30例32病変（平均4ヵ月）で，88％で完全閉塞，9％で血栓化進行，3％が不変だった．動脈瘤の完全閉塞と動脈瘤サイズ（≧2 mm），コイル併用有無は関連が認められなかった．

FRED®（Mictovention Terumo）による破裂血豆状動脈瘤に対する治療では，多施設後方視的研究で30例のケースシリーズが報告されている[11)]．6ヵ月時の標的動脈瘤の閉塞率は80.8％，最終追跡調査（中央値22ヵ月）では92％であった．6ヵ月時のmRS 0〜2は77％であり，同側脳卒中および死亡は17％であった．再破裂はなく，遅発性無症候性ステント閉塞が1例で発生した．

いずれの報告においても，再破裂率は十分に低く抑えられており，周術期の血栓塞栓合併症を防ぐための抗血小板療法が最大のキーポイントである．さらに，これらの報告はすべて第一世代FDで治療施行されており，抗血栓性に優れるとされる第二世代FDに期待するところは非常に大きい．

第二世代FD（表面修飾型）への期待

Pipeline™ Flex with Shield Technology（PED Shield）は金属素線に抗血栓性ポリマーコーティングが施された表面修飾型FDである．現在，本邦で上市されているFDでは唯一の表面修飾型FDである．使用されているポリマーは2-メタクリロイルオキシエチルホスホリルコリン（MPC）ポリマーであり，きわめて高い親水性と抗血栓性が特徴である．

PED Shieldを用いた多施設前方視的市販後調査であるSHIELD trialの1年時調査が報告されている[12)]．21施設で204患者204動脈瘤が登録された．主要有効性エンドポイント（標的動脈瘤の完全閉塞かつ母血管狭窄≦50％）は71.7％で達成され，安全性エンドポイント（重症脳卒中および神経関連死）は2.9％で発生した．本研究で注目すべきは，破裂脳動脈瘤が全体の18.1％で登録されていることである．約5分の1が破裂脳動脈瘤であるにもかかわらず，軽症脳卒中を含むすべての虚血性脳卒中は4.9％，出血性脳卒中は1.0％にとどめられており，第二世代FDの優れた抗血栓性を強く示唆する臨床結果である．

PED Shieldの抗血栓性については，動物実験や体外回路実験での報告はあるが，臨床試験で直接的に抗血栓性を示した報告はない．Pikisらは33患者におけるPED Shield留置術後のMRI拡散強調画像を解析した[13)]．PED Shield群ではわずかに18.18％のみで高信号陽性であり，第一世代FDに比べて拡散強調画像での陽性率が低いと報告した．

このほか，本邦では未承認であるが，Derivo® Embolization Device（DED, Acandis）やp64/p48 MW hydrophilic polymer coating（HPC）Flow Modulation Device（Phenox）などが欧州などでは承認されており，Liらはこれらの臨床

11）Möhlenbruch MA, Seker F, Özlük E et al：Treatment of ruptured blister-like aneurysms with the FRED flow diverter：a multicenter experience. AJNR Am J Neuroradiol 41：2280-2284, 2020

12）Rice H, Martínez Galdámez M, Holtmannspötter M et al：Periprocedural to 1-year safety and efficacy outcomes with the Pipeline Embolization Device with Shield technology for intracranial aneurysms：a prospective, post-market, multicenter study. J NeuroInterv Surg 12：1107-1112, 2020

13）Pikis S, Mantziaris G, Mamalis V et al：Diffusion weighted image documented cerebral ischemia in the postprocedural period following pipeline embolization device with shield technology treatment of unruptured intracranial aneurysms：a prospective, single center study. J Neurointerv Surg 12：407-411, 2020

試験のメタ解析を報告している[14]．8報告の911患者1,060動脈瘤の治療のメタ解析によると，観察期間中央値は8.24ヵ月，技術的成功率は99.6%で得られた．6ヵ月後，12ヵ月後の標的動脈瘤の完全閉塞率はそれぞれ80.5%，85.6%であった．すべての虚血性脳卒中，重症虚血性脳卒中はそれぞれ6.7%，1.8%であった．少なくとも第二世代FDの有効性は第一世代FDと遜色はなく，有効性については大規模試験での検証が待たれる．抗血小板薬単剤での第二世代FDを用いたケースシリーズは散見される[15]が，まだ十分に安全性を示した報告はない．将来的に臨床試験における優れた抗血栓性および抗血小板薬単剤での安全性が証明されれば，きわめてインパクトは大きいと予想される．

その他

部分血栓化動脈瘤のFD治療の有効性

部分血栓化動脈瘤に対するFD治療の有効性について興味深い報告がある[16]．6施設の後方視的研究で51患者51部分血栓化動脈瘤がFD治療を受けた．34動脈瘤が嚢状で，16動脈瘤は紡錘状であった．部位別では，内頚動脈：54.9%，椎骨動脈：17.7%，脳底動脈：17.7%であった．動脈瘤の完全閉塞は77.1%（平均25.1ヵ月後）で確認された．術前の部分血栓化部分が50%以上群と50%以下群で，完全閉塞率はそれぞれ58.8%と87.1%と有意差が認められ（$p = 0.026$），予後良好（mRS ≦ 2）率はそれぞれ82.4%と96.8%であった（$p = 0.08$）．一部の部分血栓化動脈瘤では，瘤内血流の制御のみでは治癒には不十分であることを示唆する報告であり興味深い．

人工知能を用いたFD治療の結果予測

FD治療の欠点として，一定頻度で動脈瘤が完全閉塞に至らず不完全閉塞にとどまる症例が散見されることが挙げられる．前述したPREMIERE試験では25例が不完全閉塞と同定されている[17]．不完全閉塞の予測因子として，非喫煙者（オッズ比（OR）4.49），分枝の存在（OR 11.68）が挙げられている．

Guédonらは，機械学習を用いた完全閉塞予測スコアDIANES scoreを報告した[18]．154動脈瘤の治療結果を基に統計学的解析を行ったもので，正の閉塞予測因子（男性），負の閉塞予測因子（側枝の存在，ネック比が大きい，ドーム／ネック比が小さい，など）から，性別・母血管径・適応・母血管動脈比，ネック比分枝有無などをスコア化して治療予後を予測する．訓練サンプルでは，感度82%，特異度82%，正答率86%であった．テストサンプルでは，感度89%，特異度60%，正答率81%となっていた．複数の因子をスコア化して総合的に治療予後を予測する新しい試みで興味深い．さらに，治療前後の脳血管撮影のみで治療結果を予測する試みも報告されている[19]．FD治療は治療手

14) Li YL, Roalfe A, Chu EY et al：Outcome of flow diverters with surface modifications in treatment of cerebral aneurysms：systematic review and meta-analysis. AJNR Am J Neuroradiol 42：327-333, 2021

15) de Castro-Afonso LH, Nakiri GS, Abud TG et al：Aspirin monotherapy in the treatment of distal intracranial aneurysms with a surface modified flow diverter：a pilot study. J Neurointerv Surg 13：336-341, 2021

16) Foreman PM, Salem MM, Griessenauer CJ et al：Flow diversion for treatment of partially thrombosed aneurysms：a multicenter cohort. World Neurosurg 135：e164-e173, 2020

17) Hanel RA, Monteiro A, Nelson PK et al：Predictors of incomplete aneurysm occlusion after treatment with the Pipeline Embolization Device：PREMIER trial 1 year analysis. J Neurointerv Surg doi：10.1136/neurintsurg-2021-018054, 2021 [online ahead of print]

18) Guédon A, Thépenier C, Shotar E et al：Predictive score for complete occlusion of intracranial aneurysms treated by flow-diverter stents using machine learning. J Neurointerv Surg 13：341-346, 2021

19) Shiraz Bhurwani MM, Waqas M, Podgorsak AR et al：Feasibility study for use of angiographic parametric imaging and deep neural networks for intracranial aneurysm occlusion prediction. J Neurointerv Surg 12：714-719, 2020

技が比較的均一であり，人工知能による予後予測に適したテーマと考えられる．

本邦におけるFD治療とコイル塞栓術の再治療率およびコスト比較

Fukudaらは厚生労働省「レセプト情報・特定健診等情報データベース」よりFD治療群（512例），コイル塞栓術群（1,499例），ステントコイル塞栓術群（711例）を抽出し，再治療率と1年間の総医療費を比較した[20]．10以上および9以上使用したコイル塞栓術群ではFD群よりも有意に高い再治療率（それぞれOR 2.75および2.52）であった．10以上使用したコイル塞栓群およびステントコイル群では，FD群よりも有意に高い総医療費であった．一定以上の動脈瘤サイズでは，再治療および医療経済の観点からもFD治療が優れることを示している．米国ではこのような医療経済の視点から治療方法の比較を検討した論文がしばしばみられるが，医療システムが大きく異なる本邦からの報告として意義深い．

20）Fukuda H, Sato D, Kato Y et al：Comparing retreatments and expenditures in flow diversion versus coiling for unruptured intracranial aneurysm treatment：a retrospective cohort study using a real-world national database. Neurosurgery 87：63-70, 2020

19. 頚動脈狭窄に対する CEA と CAS

徳永浩司（とくながこうじ）
岡山市立市民病院 脳神経外科

最近の動向

- 頚動脈内膜剥離術（carotid endarterectomy：CEA）と頚動脈ステント留置術（carotid artery stenting：CAS）の成績の比較については，最近 ACST-2 の結果が報告されるなど RCT やメタ解析が進み，現在も内科的治療との比較を含む RCT が進行中である．
- 頚動脈再建の手技に関して，海外では transcarotid artery revascularization や patch angioplasty，慢性閉塞例に対する intervention の有用性に関する知見が増えている．
- 救急の現場で遭遇する機会の多い頚動脈狭窄症の急性増悪に伴う塞栓性頭蓋内主幹動脈閉塞（tandem occlusion）に対しては，再開通の手順やステント留置の是非についての議論が多い．超急性期の dual-layer stent 留置例ではステント内閉塞が多いことも報告されている．
- CAS 後の合併症である過灌流症候群を防止するための手段として staged angioplasty の有用性を確認する報告が積まれている．
- 脳梗塞の発生リスクを予測するために，これまでに報告された頚動脈のプラーク診断についての知見を統合したスコアによる層別化が試みられている．

CEA と CAS の RCT とメタ解析

1990 年代以降の RCT により，症候性および無症候性の高度頚動脈狭窄症に対する CEA の有用性は確立しており，また CAS についても CEA に対する非劣性が証明された．CEA と CAS の比較に関して，Batchelder らは 1998 年から 2019 年までの 20 の代表的な RCT（126 文献）について分析した[1]．術後 30 日までの stroke/death は，無症候性 3,467 例・症候性 5,797 例のいずれにおいても CAS で有意に多かったが，よりよい症例選択，すなわち**70 歳以上の症候性例や発症後 14 日以内の例，あるいはプラーク性状や白質病変の多さなどから，CAS の高リスクと考えられる例では，CEA を選択することで周術期合併症を減らせる可能性があるとした**．30 日を超える長期の同側脳卒中発生率は CAS，CEA ともに 9 年間で約 4％と同等で，CAS では再狭窄がより多いものの同側脳卒中を増加させなかったが，CEA では 70％以上の再狭窄がみら

1) Batchelder AJ, Saratzis A, Ross Naylor A：Editor's choice - overview of primary and secondary analyses from 20 randomised controlled trials comparing carotid artery stenting with carotid endarterectomy. Eur J Vasc Endovasc Surg 58：479-493, 2019

2434-9992/22/¥100/頁/JCOPY

れると有意に同側脳卒中が増加した．認知機能障害へのCEA/CASの効果などの検証については今後の課題とした．

最近，**無症候性高度狭窄例を対象にCEAとCASを比較したACST-2の結果が報告された**[2]．2008年から2020年の間に3,625例がCASあるいはCEAに割り付けられた．術者には，無症候性例では3%以下の周術期合併症率が求められた．術後30日以内のdisabling stroke/deathはCEA，CASそれぞれ0.9%，1.0%であったが，non-disabling strokeはCAS群で多く，心筋梗塞はCEA群で多い傾向があった．周術期を除く5年間のfatal or disabling strokeも2.5%と，両群で同じであった．本研究により，無症候性例に対してCASとCEAが同等の有効性・安全性を示す証拠が厚く上積みされた．

CREST-2は無症候性高度狭窄例に対するCEA+intensive medical management（IMM）vs IMM aloneとCAS+IMM vs IMM aloneの並行した2つのRCTからなる試験であり，IMMには具体的な目標が設定されている．これまでCASとIMMを直接比較した報告はなく，その結果が待たれるところであるが，COVID-19パンデミックの中，一時的な新規組み入れ停止や調査のリモート化などを余儀なくされ，現在も試験完遂に向けて懸命な努力が続けられている[3]．またSPACE-2は，当初無症候性例を対象としてbest medical treatment（BMT）vs CEA+BMT vs CAS+BMTの3群を比較するため3,550例を目標としたが，組み入れの遅さから試験デザインが修正され，遂には513例が参加した時点で中止に至った．Reiffらは1年後の成績を報告し，30日以内のany stroke/deathと一年以内の同側虚血性脳卒中を合わせたmajor secondary endpointは，CEA 2.5%，CAS 3.0%，BMT 0.9%（$p=0.530$）と有意差はなかった[4]．今後もSPACE-2のフォローは5年目まで行われ，データは他の試験を含めたメタ解析のためにプールされる．

症候性頚動脈狭窄に対する早期治療はCEAがCASよりも安全とされ，本邦の「脳卒中治療ガイドライン2021」では，発症後早期にCEAを行うことは妥当とされている．Savardekarらは，CEAの手術タイミングに関する53編の論文を渉猟し，特に過去10年間の症候性例に対する発症後48時間以内のurgent CEAの周術期リスクに注目した[5]．Urgent CEAを是とする15論文，非とする9論文の結果から，超急性期の抗血小板薬2剤投与も行う内科的治療の現状や，神経症状の重いグループにおけるurgent CEAの合併症率の高さなども踏まえ，**発症時のイベントがTIAであれば48時間以内の，strokeであれば1週間以内のCEA施行が妥当と提案した**．またCuiらは，2016年から2019年の間に米国で登録されたCEA，transfemoral CAS（TFCAS）あるいはtranscarotid artery revascularization（TCAR）を施行した18,643例について，発症から治療までのタイミングをurgent（0〜2日），early（3〜14日），late（15〜180日）の3群に分け，一次評価項目をin-hospital stroke/deathとして分析したところ，urgentの期間では治療手段

2) Halliday A, Bulbulia R, Bonati LH et al：Second asymptomatic carotid surgery trial (ACST-2)：a randomized comparison of carotid artery stenting versus carotid endarterectomy. Lancet 398：1065-1073, 2021

3) Meschia JF, Barrett KM, Brown RD Jr et al：The CREST-2 experience with the evolving challenges of COVID-19：a clinical trial in a pandemic. Neurology 95：29-36, 2020

4) Reiff T, Eckstein HH, Mansmann U et al：Angioplasty in asymptomatic carotid artery stenosis vs. endarterectomy compared to best medical management：one-year interim results of SPACE-2. Int J Stroke 15：1747493019833017, 2019

5) Savardekar AR, Narayan V, Patra DP et al：Timing of carotid endarterectomy for symptomatic carotid stenosis：a snapshot of current trends and systemic review of literature on changing paradigm towards early surgery. Neurosurgery 85：E214-E225, 2019

にかかわらずリスクが増加したが，その中ではCEAの安全性がもっとも高かった[6]．Urgentを超えた時期ではCEAとTCARの成績は同等で，またTFCASのCEAに対する死亡のオッズはurgent期で4.3倍，early期で2.4倍高かった．

女性に対するCEAは，古典的なRCTの分析から症候性例・無症候性例ともに手術の有効性が男性よりも低く，また周術期の合併症リスクが高いことが報告されている．CASでの性差に関するエビデンスは少なく，Howardらは症候性例に対するCASとCEAを比較した4つのRCTからなるCatorid Stenosis Trialists' Collaborationのデータをもとに，治療効果の性差について分析した[7]．CEAに対するCASの術後120日以内のany stroke/deathおよびその後の同側脳卒中の相対的リスクの男性に対する女性の値は，EVA-3Sで0.24（p＝0.027）と女性でリスクが有意に低かったが，International Carotid Stenting Study（ICSS）では0.62（p＝0.16）と有意差はなく，逆にStent-Protected Angioplasty Versus Carotid Endarterectomy in Symptomatic Patients（SPACE）で1.43（p＝0.41），Carotid Revascularization Endarterectomy Versus Stenting Trial（CREST）で1.30（p＝0.53）と女性でリスクが高い傾向を示し，性差がCEAに対するCASの治療効果の優劣に及ぼす影響については不明とした．Gasbarrinoらは虚血性脳卒中，特に頸動脈硬化症について，生物学的なsexおよび社会的・文化的なgenderの差の重要性について考察した[8]．病理学的には女性の頸動脈プラークは男性に比べfibrous capの破綻や炎症，血栓，lipid coreなどの高リスクとする特徴が少ない点，また女性は動脈硬化性疾患の一次・二次予防のための内科的治療を受ける機会が男性に比べ少ない点などを指摘した．

昨今の頭頸部担癌患者の生存期間延長に伴い，放射線治療後の頸動脈狭窄症に遭遇する機会も増加している．Tzoumasらは，放射線誘発頸動脈狭窄症に対するCEAとCASの成績を比較した2020年までの7報告201例についてレビューした[9]．周術期の脳卒中や死亡・心筋梗塞についてはCEAとCASの成績に差はなかったが，CASではみられなかった脳神経麻痺がCEAでは17.1％と有意に多かった．長期的な死亡率や再狭窄率には有意差はなかった．

CEAとCASの新たな手術手技

前項でも触れたように，CEA/TFCASに代わる新たな頸動脈再建のアプローチ法としてTCARが開発された．TCARは頸部に小切開を加え，総頸動脈にシースを挿入し，穿刺部より近位の総頸動脈をクランプしてシースから逆流させた血液を静脈側に還流することで，塞栓防止を図る方法である．CEA高リスク例に対してENROUTE®（Silk Road Medical社）を用いて行った**TCARの登録研究であるROADSTER 2 studyでは，632例のper-protocol分析で，30日以内の脳卒中，心筋梗塞および死亡のみられない技術的成功は97.9％で得られ，TCARは多くの術者にとって慣れない手技であったにもかかわら**

6) Cui CL, Dakour-Aridi H, Lu JJ et al：In-hospital outcomes of urgent, early, or late revascularization for symptomatic carotid artery stenosis. Stroke 53：100-107, 2022

7) Howard VJ, Algra A, Howard G et al：Absence of consistent sex differences in outcomes from symptomatic carotid endarterectomy and stenting randomized trials. Stroke 52：416-423, 2021

8) Gasbarrino K, Di Iorio D, Daskalopoulou SS：Importance of sex and gender in ischemic stroke and carotid atherosclerotic disease. Eur Heart J 43：460-473, 2022

9) Tzoumas A, Xenos D, Giannopoulos S et al：Revascularization approaches in patients with radiation-induced carotid stenosis：an updated systematic review and meta-analysis. Kardiol Pol 79：645-653, 2021

ず優れた治療成績が得られた[10]．Galyfosらは，18論文4,852例のTCAR症例についてレビューし，早期成績は技術的成功が97.6%，30日以内のstroke/TIA 2.0%，死亡0.7%，脳神経麻痺1.2%，創部血腫（3分の1の例でドレナージを要した）3.4%であり，無症候性例に比べ症候性例で早期のstroke/TIAが有意に多かった[11]．3〜40ヵ月のフォローでは，再狭窄は4%，death/strokeは4.5%であり，TCARは有望な治療手段であるとした．

CEAの手技に関しては，過去のメタ解析などからpatch angioplastyが術後strokeや再狭窄を有意に低減することから，筆者自身はこれを積極的に行っている．Chengらは，**症候性例に対するICSS studyのCEA症例から再狭窄を評価できた790例について手技の違いによる再狭窄への影響を分析したところ，1年後および5年後の50%以上の再狭窄はpatch angioplastyとeversion CEAでは差はなく，primary closureで有意に多かった**[12]．術中シャントの使用は再狭窄に影響はなく，長期的な同側脳卒中の発生も手技による差はなかったが，再狭窄を避けるためにはpatch angioplastyを選択すべきと結論した．CEA術中のモニタリングとしてnear infrared spectroscopy（NIRS）があり，KhanらはNIRSによる術中虚血検出の正確性に関して，76論文をシステマティックレビューし，7論文からメタ解析を行った[13]．局所麻酔下のCEAで神経症状の出現を虚血の参照基準としたところ，INVOS™モニターで20%の信号低下を閾値とすると虚血検出の感度は70.5%にとどまったが，特異度は92.4%を示した．また術中に外頚動脈をクランプした際の信号値の変化は3%から50%と，報告によって一定しなかったものの，信号の無視できない部分は外頚動脈系のcontaminationが関与していることが示された．

Chronically occluded internal carotid artery（COICA）に対するCASの知見も増えている．Hasanらは，100例のCOICAを放射線学的画像から4つのtypeに分類した[14]．Type A（n = 29）は頚部ICAの閉塞がtaper状，type B（n = 28）は閉塞がstump状，type C（n = 33）は頚部ICA起始部が完全に断たれたもので，type A〜Cはいずれも頭蓋内ICAが側副血行により描出されるが，type D（n = 10）は頚部ICA起始部および頭蓋内ICAが描出されないものとした．内科的治療に抵抗性の症候性COICA 31例に対し血管内治療を行ったところ，再開通は68.75%で得られたが，type Cおよびtype Dではそれぞれ4/8，2/8と低く，周術期合併症は高めであった．再開通例の80.95%では収縮期血圧の有意な低下が得られた．彼らのグループが**COICAに対する治療を施行した389例についてレビューしたところ，type Aとtype Bには血管内治療が，またtype CにはまずCEAを行ってICA起始部にstumpを作ってその後に血管内治療を行うハイブリッド手術が有用であったが，再開通率が低く合併症の多いtype Dではバイパス手術を検討すべきとした**[15]．

CAS後のプラーク突出低減のためのdual-layer stentの使用も一般的となって

10）Kashyap VS, Schneider PA, Foteh M et al：Early outcomes in the ROADSTER 2 study of transcarotid artery revascularization in patients with significant carotid artery disease. Stroke 51：2620–2629, 2020

11）Galyfos GC, Tsoutsas I, Konstantopoulos T et al：Editor's choice - early and late outcomes after transcarotid revascularization for internal carotid artery stenosis：a systematic review and meta-analysis. Eur J Vasc Endovasc Surg 61：725–738, 2021

12）Cheng SF, Richards T, Gregson J et al：Long term restenosis rate after carotid endarterectomy：comparison of three surgical technique and intra-operative shunt use. Eur J Vasc Endovasc Surg 62：513–521, 2021

13）Khan JM, McInnis CL, Ross-White A et al：Overview and diagnostic accuracy of near infrared spectroscopy in carotid endarterectomy：a systemic review and meta-analysis. Eur J Vasc Endovasc Surg 62：695–704, 2021

14）Hasan D, Zanaty M, Starke RM et al：Feasibility, safety, and changes in systolic blood pressure associated with endovascular revascularization of symptomatic and chronically occluded cervical internal carotid artery using a newly suggested radiographic classification of chronically occluded cervical internal carotid artery：pilot study. J Neurosurg doi：10.3171/2018.1.JNS172858, 2018［online ahead of print］

15）Zanaty M, Roa JA, Jabbour PM et al：Recanalization of the chronically occluded internal carotid artery：review of the literature. World Neurosurg X 5：100067, 2019

きた．Karpenkoらは100例のfilter-protected CASをsingle layerのAcculink stent使用群とMicroNet-coveredのCGuard stent使用群に振り分け，CASの48時間後，30日後のMRIを評価した[16]．術直後のDWI病変の体積，30日後のFLAIRで永久病変となった数はともにCGuard使用群で有意に小さく，CGuardは術中および術後の塞栓症も抑制した．Carvalhoらは20論文1,193のdual-layer stent留置例についてレビューした[17]．方法論的に優れた論文は少なかったが，ステント閉塞の96.3％は発症後24時間以内の緊急留置例で生じていたことを明らかにした．

16) Karpenko A, Bugurov S, Ignatenko P et al：Randomized controlled trial of conventional versus MicroNet-covered stent in carotid artery revascularization. JACC Cardiovasc Interv 14：2377-2387, 2021
17) Carvalho P, Coelho A, Mansilha A：Effectiveness and safety of dual-layer stents in carotid artery disease：a systematic review. Int Angiol 40：97-104, 2021

超急性期のtandem occlusionに対するCAS

頚動脈狭窄症の急性増悪に伴う塞栓性頭蓋内主幹動脈閉塞，いわゆるtandem occlusionに対しては，われわれはまず頭蓋内動脈を再開通させ，その後に頚部の血管拡張の要否を判断するretrograde approachの方針としているが，現実的には遠位に到達するためには最初に頚部の拡張を要する症例も少なくない．ドイツで機械的血栓回収療法を施行した6,635例中，tandem lesionは874例（13.2％）でみられ，超急性期に頭蓋外の治療も行ったほうが，行わないよりも3ヵ月後の転帰は良好で，またretrograde approachのほうが再開通までの時間は有意に短く，転帰が良好な傾向があった[18]．Anadaniらは，フランスのETIS registryと国際的なTITAN registryから，tandem occlusionの603例（解離の164例を含む）について，頚部ステント留置群と非留置群（PTAのみの例を含む）に分けて分析した[19]．留置群のほうがmTICI 2b〜3の再開通が多く，90日後の転帰は良好で，頭蓋内出血は多かったが，症候性出血は差がなかった．このステント留置の効果は，解離性を除いた動脈硬化性症例のみで確認された．Zevallosらはtandem occlusionの頚部病変へのステント留置例とPTAのみの例との比較，アプローチ法や血栓溶解と転帰との関係を明らかにするために，34研究のシステマティックレビューと9研究のメタ解析を行った[20]．**急性期のステント留置群のほうが有効再開通や3ヵ月後の転帰良好のオッズが高く，死亡率や症候性頭蓋内出血には差はなかった．Retrograde approach群が有意に転帰良好で，血栓溶解剤の使用状況による差はなかった．**

18) Feil K, Herzberg M, Dorn F et al：Tandem lesions in anterior circulation stroke：analysis of the German Stroke Registry-Endovascular Treatment. Stroke 52：1265-1275, 2021
19) Anadani M, Marnat G, Consoli A et al：Endovascular therapy of anterior circulation tandem occlusions：pooled analysis from the TITAN and ETIS registries. Stroke 52：3097-3105, 2021
20) Zevallos CB, Farooqui M, Quispe-Orozco D et al：Acute carotid artery stenting versus balloon angioplasty for tandem occlusions：a systematic review and meta-analysis. J Am Heart Assoc 11：e022335, 2022

前項で触れたdual-layer stentは，その構造から急性期のプラークや血栓のステント内突出を抑える効果が期待されたが，逆に急性期での使用はステント閉塞の危険性が高いとする報告が増えている．de Vriesらの施設で，**dual-layer stentを用いてCASを行った54例中，急性期のtandem occlusionに対する治療は27例，待機的治療は27例あり，血栓性ステント閉塞の5例はすべて急性期に留置した症例であり，うち3例では症状が悪化した**[21]．高リスク症例におけるdual-layer stentの役割や適切な抗血栓療法については，今後明らかにする必要があると結論した．

21) de Vries EE, Vonken EJ, Kappelle LJ et al：Short-term double layer mesh stent patency for emergent or elective carotid artery stenting：a single center experience. Stroke 50：1898-1901, 2019

治療後の過灌流

CEA，CAS 後の過灌流症候群（cerebral hyperperfusion syndrome：CHS）は，重篤な合併症となり得る．Igarashi らは，CEA 後に虚血病変を生じなかった 75 例について術直後に SPECT を行ったところ，脳血流が 2 倍以上に増加した過灌流は 12 例（16％）でみられた[22]．術後の MRI SWI で同側の microbleeds の増加は 7 例でみられ，術後の過灌流が有意に関連していた．さらに，術後の認知機能低下は 10 例（13％）にあり，過灌流と術後の microbleeds の増加が有意に関連していた．

CAS 後の CHS 回避のための手段として staged angioplasty（SAP）が提唱され，Hayakawa らは，本邦の 44 施設において各施設が画像所見から CHS 高リスクと判断した 532 病変の治療結果について後方視的に分析した[23]．SAP 群では初回治療のバルーン径の中央値は 3.0mm，CAS までの期間は 23 日であった．**CHS は SAP 群の 4.4％（5/113），regular CAS 群の 10.5％（44/419）で生じ，SAP 群で有意に少なかった．虚血性合併症は同等で，SAP は CHS 回避のために有用かつ安全な手段と結論した．**Zhao らは 10 研究 1,030 例のメタ解析から，SAP の CHS 回避効果について同様の結果を示したが，研究手法の限界や不明確な定義などを理由に，SAP を一般的に勧めるにはより信頼性の高い根拠が必要であるとした[24]．

頚動脈プラーク画像

頚動脈プラークの画像所見についての理解も進み，脳卒中発生のリスクを狭窄率だけでなく，プラーク画像をもとに層別化する報告もみられるようになってきた．Kamtchum-Tatuene らは 64 研究 20,751 例のメタ解析から，無症候性例における高リスクプラークの有無による同側虚血性イベントの発生率の違いを検討した[25]．**新生血管，低エコー輝度，lipid-rich necrotic core などの所見を示す高リスクプラークは 26.5％でみられ，これを有する群での同側虚血性イベントの年間発生率は 4.3％であり，有しない群に対するオッズ比（OR）は 3.0 であった．**特に 70％以上の高度狭窄例では，有する群の同イベント率は 7.3％と高く，有しない群に対するオッズ比は 3.2 であり，これらの情報はリスクの層別化や治療の改善に有益であるとした．Kelly らは症候性例について，狭窄率およびプラークの炎症の指標となる ^{18}F-fluorodeoxyglucose の取り込みとの 2 項目のポイントを合計 0～5 の範囲でスコア化したところ，同スコアは脳梗塞の再発予測に関して狭窄率単独によるよりも優れ，70％未満の軽・中等度狭窄に限った分析でも同様の結果であった[26]．症候性軽度狭窄例に関しては，CEA による摘出プラークの病理学的検討を行った Nardi らの報告があり[27]，症候性例では狭窄率が低いほどプラークに占める出血部分の比率が高いことを示した．

22) Igarashi S, Ando T, Takahashi T et al：Development of cerebral microbleeds in patients with hyperperfusion following carotid endarterectomy and its relation to postoperative cognitive decline. J Neurosurg doi：10.3171/2020.7.JNS202353, 2021［online ahead of print］

23) Hayakawa M, Sugiu K, Yoshimura S et al：Effectiveness of staged angioplasty for avoidance of cerebral hyperperfusion syndrome after carotid revascularization. J Neurosurg doi：10.3171/2018.8.JNS18887, 2019［online ahead of print］

24) Zhao B, Jiang X, Wang P et al：Staged angioplasty：a sensible approach to prevent hyperperfusion syndrome after carotid artery stenting? A meta-analysis. Interv Neuroradiol 28：115-123, 2022

25) Kamtchum-Tatuene J, Noubiap JJ, Wilman AH et al：Prevalence of high-risk plaques and risk of stroke in patients with asymptomatic carotid stenosis：a meta-analysis. JAMA Neurol 77：1524-1535, 2020

26) Kelly PJ, Camps-Renom P, Giannotti N et al：A risk score including carotid plaque inflammation and stenosis severity improves identification of recurrent stroke. Stroke 51：838-845, 2020

27) Nardi V, Benson J, Bois MC et al：Carotid plaques from symptomatic patients with mild stenosis is associated with intraplaque hemorrhage. Hypertension 79：271-282, 2022

20. 脳卒中の予防（高血圧，高脂血症 他）

平野照之（ひらの てるゆき）
杏林大学医学部 脳卒中医学

最近の動向

- 脳卒中発症予防のための高血圧の管理目標は130/80 mmHg未満に設定された．脳卒中再発予防においても厳格血圧管理の重要性がRESPECT試験によって再確認された．脳梗塞急性期治療において，機械的血栓回収療法で平均血圧70～90 mmHgを維持すること，静注血栓溶解療法では血圧管理が頭蓋内出血を減少させた．血行不全による進行性脳梗塞には昇圧治療が検討されている．脳出血急性期は，2.5時間以内に140 mmHg未満に降圧することが転帰改善につながるが，過度の降圧は腎障害をきたすため控える．
- 脂質管理では，従来からアテローム血栓性脳梗塞とLDL-コレステロールとの関係が重視されてきた．ガイドラインでも，スタチン，エゼチミブ，proprotein convertase subtilisin-kexin type 9阻害薬の投与が推奨される．Treat Stroke to Target試験の結果を踏まえLDL-コレステロール管理目標は＜70 mg/dLが妥当と考えられる．心血管残余リスクとしてトリグリセリド（triglyceride：TG）高値が注目され，フィブラート，オメガ3脂肪酸による治療介入が検討されている．
- 電子タバコの脳卒中に及ぼす影響については，明らかにされていない．

高血圧

脳卒中発症予防のための血圧管理

高血圧は脳卒中および脳卒中を含む心血管イベントのもっとも大きな危険因子である[1)]．収縮期高血圧と拡張期高血圧の両者が関係する[2)]．血圧と脳卒中および心血管イベントの発症率の間には直線的な正の相関関係がある．

高血圧治療は脳卒中の予防にきわめて有効である．Cochraneのメタ解析で，降圧薬投与をプラセボ投与と比較した16のランダム化比較試験（RCT）から26,795症例（73.4歳）を渉猟したところ，降圧による脳血管障害の発症率低下（相対リスク（RR）0.66）は冠動脈疾患の低下（RR 0.78）よりも大きかった[3)]．年齢別では60～79歳での降圧による脳卒中抑制効果は80歳以上よりも大きかった[3)]．

1）Yusuf S, Joseph P, Rangarajan S et al：Modifiable risk factors, cardiovascular disease, and mortality in 155 722 individuals from 21 high-income, middle-income, amd low-income countries（PURE）：a prospective cohort study. Lancet 395：765–808, 2020
2）Flint AC, Conell C, Ren X et al：Effect of systolic and diastolic blood pressure on cardiovascular outcomes. N Engl J Med 381：243–251, 2019
3）Musini VM, Tejani AM, Bassett K et al：Pharmacotherapy for hypertension in adults 60 years or older. Cochrane Database Syst Rev 6：CD000028, 2019

2434-9992/22/¥100/頁/JCOPY

1999年から2005年に集積されたJapan Arteriosclerosis Longitudinal Study（JALS）から，降圧薬を服用している20,769例の血圧管理状況を調べたところ，高血圧治療ガイドライン2019の降圧目標（< 130/80 mmHg）を達成していたのは，50歳未満で16.9％，50～59歳で19.1％，60～69歳で22.0％，70歳以上は21.8％であった[4]．若年者ほど降圧目標値が達成できていない現状がある．

血圧以外にも心疾患，腎疾患，糖尿病などの心血管リスク因子の合併が増えるほど心血管病を発症するリスクが高くなるため，積極的な降圧が求められる[5]．

脳卒中慢性期の血圧管理

2015年のSystolic Blood Pressure Intervention Trial（SPRINT）試験は，収縮期血圧の目標値を120 mmHg未満とすることが，140 mmHg未満とすることに比べて血管系イベント予防に有効であることを示した．しかしSPRINT試験は脳卒中既往のある患者を除外していたため，脳卒中二次予防のための理想的な血圧目標値はまだ不明であった．

全国140施設が参加したRecurrent Stroke Prevention Clinical Outcome（RESPECT）studyは，国内の脳卒中既往患者を対象に，通常血圧管理群（140/90 mmHg未満）と厳格血圧管理群（120/80 mmHg未満）に割り付け，脳卒中再発予防への厳格血圧管理の有効性，安全性を検証した臨床試験である[6]．1,263例（年齢67.2 ± 8.8歳，男性69.4％）が解析対象となり，平均3.9年の追跡期間で91件の再発脳卒中が観察された．その結果，登録1年後の両群の血圧は通常管理群132.0/77.5 mmHg，厳格管理群123.7/72.8 mmHgであり，有意な群間差が認められた．脳卒中再発率は，通常管理群0.46％，厳格管理群0.04％となった（ハザード比（HR）0.73，95％信頼区間（CI）0.49-1.11，p = 0.15）．脳卒中の累積再発率は，群間で経時的に分離しており，統計学的な有意差はないものの，厳格血圧管理で低下する傾向が示された．さらに，脳卒中既往患者対象に厳格血圧管理と通常血圧管理を比較したSecondary Prevention of Small Subcortical Strokes（SPS3），Prevention After Stroke-Blood Pressure（PAST-BP），Prevention of Decline in Cognition After Stroke Trial（PODCAST）という3つのRCTとRESPECTの統合解析を行った結果，厳格な血圧管理は通常血圧管理に比し，脳卒中再発を22％有意に抑制することが明らかになった（RR 0.80，95％ CI 0.63-1.00，p = 0.05）．

虚血性脳卒中に絞って高血圧の影響を検討するため，Boncoraglioらは2020年1月31日までのMEDLINE，Embase，Cochrane Central Register of Controlled Trialsから虚血性脳卒中または一過性脳虚血発作（TIA）患者33,774人を登録した8件の試験を渉猟し，統合解析を行った[7]．25ヵ月（範

4) Asayama K, Kinoshita Y, Watanabe S et al：Impact of diastolic blood pressure threshold for the young population：the Japan Arteriosclerosis Longitudinal Study (JALS). J Hypertens 37：652-653, 2019

5) Harada A, Ueshima H, Kinoshita Y et al：Absolute risk score for stroke, myocardial infarction, and all cardiovascular disease：Japan Arteriosclerosis Longitudinal Study. Hypertens Res 42：567-579, 2019

6) Kitagawa K, Yamamoto Y, Arima H et al：Effect of standard vs intensive blood pressure control on the risk of recurrent stroke. A randomized clinical trial and meta-analysis. JAMA Neurol 76：1309-1318, 2019

7) Boncoraglio GB, Del Giovane C, Tramacere I：Antihypertensive drugs for secondary prevention after ischemic stroke or transient ischemic attack. A systematic review and meta-analysis. Stroke 52：1974-1982, 2021

囲：3〜48）の脳卒中発症は降圧薬投与群で7.9％（虚血性7.4％または出血性0.6％），プラセボ投与群は9.7％であり，降圧薬治療によって虚血性脳卒中やTIAは有意に減少していた（オッズ比（OR）0.79（95％ CI 0.66-0.94），絶対リスク差－1.9％（95％ CI －3.1％－－0.5％））．一方，死亡率については降圧薬投与群，プラセボ投与群でそれぞれ7.3％，7.9％（OR 1.01（95％ CI 0.92-1.10），絶対リスク差0.1％（95％ CI －0.6％－0.7％））であり，有意な差はなかった．

脳梗塞急性期の血圧管理

2018年11月にEuropean Stroke Organization-Karolinska Stroke Update Conferenceが開催された[8]．急性期脳梗塞における血圧管理目標が再確認され，脳梗塞急性期は220/120 mmHgを超えない限り降圧しないと明記された[8]．静注血栓溶解療法実施前は185/110 mmHg未満，実施中・後は180/105 mmHg未満とする[8]．機械的血栓回収療法においては実施前・中・後を通じて185/110 mmHg未満を推奨している[8]．

Rasmussenらは，機械的血栓回収療法を行った365例において適正な血圧管理目標を検討し，術中平均血圧70 mmHg未満が10分以上（修正OR 1.51，95％ CI 1.02-2.22），あるいは90 mmHg以上が45分以上（OR 1.49，95％ CI 1.11-2.02）続くことは，いずれもmodified Rankin Scale（mRS）悪化と関連すると報告した[9]．

AndersonらはEnhanced Control of Hypertension and Thrombolysis Stroke Study（ENCHANTED）において静注血栓溶解療法後の血圧管理について検討した[10]．2,196例を積極的降圧群（1時間以内に収縮期血圧を130〜140 mmHgにコントロール）と標準治療群（収縮期血圧＜180 mmHg）に振り分けた結果，頭蓋内出血は積極的治療群で有意に減少した（14.8％ vs 18.7％，OR 0.75，95％ CI 0.60-0.94，$p = 0.0137$）．90日mRSに差はみられなかった（OR 1.01，95％ CI 0.87-1.17，$p = 0.8702$）．

非心原性脳梗塞の中には再灌流療法が適応とならず進行性の経過をとる症例がある．昇圧によって血行動態を改善することが転帰改善につながるかをBangらが検討している[11]．Phenylephrineを用いて収縮期血圧を最大200 mmHgまで上昇させた介入群76例は対照群77例に比して，National Institutes of Health Stroke Scale（NIHSS）スコア2点以上の早期神経学的改善が有意に多く（OR 2.49，95％ CI 1.25-4.96，$p = 0.010$），90日後mRS 0〜2の割合も増加した（OR 2.97，95％ CI 1.32-6.6，$p = 0.009$）．症候性頭蓋内出血，浮腫などの安全性については群間で有意差はなかった．

8）Armed N, Audebert H, Turc G et al：Consensus statements and recommendations from the ESO-Karolinska Stroke Update Conference, Stockholm 11-13 November 2018. Eur Stroke J 4：307-317, 2019

9）Rasmussen M, Schönenberger S, Hendén PL et al：Blood pressure thresholds and neurologic outcomes after endovascular therapy for acute ischemic stroke：an analysis of individual patient data from 3 randomized clinical trials. JAMA Neurol 77：622-631, 2020

10）Anderson CS, Huang Y, Lindley RI et al：Intensive blood pressure reduction with intravenous thrombolysis therapy for acute ischaemic stroke（ENCHANTED）：an international, randomised, open-label, blinded-endpoint, phase 3 trial. Lancet 393：877-888, 2019

11）Bang OY, Chung JW, Kim SK et al：Therapeutic-induced hypertension in patient with noncardioembolic acute stroke. Neurology 93：e1955-e1963, 2019

脳出血急性期の血圧管理

ESO-Karolinska Stroke Update Conference では，収縮期血圧を 140 mmHg 以下に下げ，110 mmHg 以上を維持することが推奨されている[8]．降圧幅は 90 mmHg を超えないようにすることで急性腎障害を予防する．できるだけ早く血圧を下げる必要があり，2.5 時間以内の目標血圧達成が転帰を左右する．2.5 時間を過ぎても血腫拡大の危険性は残るため，140 mmHg 未満の維持が重要である．

Toyoda らは Antihypertensive Treatment in Intracerebral Hemorrhage 2（ATACH-2）登録患者を，登録後 2〜24 時間の最低収縮期血圧によって 5 群（<120，120〜130，130〜140，140〜150，≧150 mmHg）に分け，90 日 mRS 4〜6 の割合，≧6 mL の血腫拡大，心腎副作用の違いを検討している[12]．収縮期血圧 140〜150 群は，120〜130 群に比して mRS 4〜5 の頻度が高く（OR 1.62，95% CI 1.02-2.58），140〜150 群（OR 1.80，95% CI 1.05-3.09）と≧150 群（OR 1.98，95% CI 1.12-3.51）は 120〜130 群に比べて血腫増大が多かった．しかし 120〜130 群では心腎副作用が多く発現しており（vs 140〜150 群：OR 2.32，95% CI 1.13-5.26，vs ≧150 群：OR 2.27，95% CI 1.04-5.56），血腫拡大抑制によるメリットを打ち消していた．

12）Toyoda K, Koga M, Yamamoto H et al：Clinical outcomes depending on acute blood pressure after cerebral hemorrhage. Ann Neurol 85：105-113, 2019

高脂血症

脳卒中予防のための LDL- コレステロール管理

動脈硬化との関連が強いアテローム血栓性脳梗塞において，LDL コレステロール値とイベントリスクの相関が示されている．

スタチンを用いた LDL- コレステロール低下療法による脳卒中発症リスク低下については，すでに複数のメタ解析が行われており，出血性脳卒中を増加させることなく脳梗塞および脳卒中全体の抑制効果が示されている．その効果は 75 歳より上の高齢者においてもそれ以下の年齢と変わらない[13]．

スタチン以外の薬剤では，エゼチミブや proprotein convertase subtilisin-kexin type 9（PCSK9）阻害薬による有意な脳卒中抑制効果が報告されている．

残余リスクとしての TG

心血管イベント抑制のため血圧，血糖，LDL- コレステロールを十分にコントロールしたうえでも，残存する心血管イベントリスクがある．これを残存リスクあるいは残余リスク（residual risk）と呼び，一般的に TG 高値のことを指す[14, 15]．

13）Cholesterol Treatment Trialists' Collaboration：Efficacy and safety of statin therapy in older people：a meta-analysis of individual participant data from 28 randomised controlled trials. Lancet 393：407-415, 2019
14）Toth PP, Fazio S, Wong ND et al：Risk of cardiovascular events in patients with hypertriglyceridaemia：a review of real-world evidence. Diabetes Obes Metab 22：279-289, 2020
15）Lawler PR, Kotrri G, Koh M et al：Real-world risk of cardiovascular outcomes associated with hypertriglyceridaemia among individuals with atherosclerotic cardiovascular disease and potential eligibility for emerging therapies. Eur Heart J 41：86-94, 2020

TGと心血管リスクの相関について，Marstonらはスタチンによる25試験と非スタチンによる24試験に登録された19,270例を用いたメタ解析を行い，TGの1 mmol/L低下が16%のリスク低下に相当することを示した（RR 0.84, 95% CI 0.75–0.94, $p = 0.0026$）[16]．また，Hoshinoらも脳梗塞およびTIA患者792例において，高TG血症（≧150 mg/dL）と低high-density lipoprotein（HDL）血症（男性＜40 mg/dL，女性＜50 mg/dL）が脳卒中の再発リスクであることを示している[17]．TGは動脈硬化を促進するvery-low-density lipoprotein（VLDL）を増加させる．TG低下を主作用とするフィブラート，ナイアシン，オメガ3脂肪酸の効果は，脂質プロファイルの改善やLDL-コレステロール低下作用も含まれる[16]と考えられている．

高純度イコサペント酸エチル（EPA製剤）を用いたReduction of Cardiovascular Events with Icosapent Ethyl-Intervention Trial（REDUCE-IT）試験は，スタチン治療中にもかかわらずTG高値の心血管リスクが高い患者8,179例を対象に実施された[18]．その結果，高用量EPA投与は主要虚血イベントのリスクをプラセボに比べ有意に低下させた（HR 0.75, 95% CI 0.68–0.83, $p < 0.001$）．

脳梗塞急性期のスタチン投与

脳梗塞急性期にスタチンを投与しても，症候性頭蓋内出血の発症頻度に差はみられない[19]．スタチン投与の有効性を検討した試験の多くは，ラクナ梗塞やアテローム血栓性脳梗塞などの動脈硬化に起因した脳梗塞が対象とされているが，心房細動合併の脳梗塞でも有効性は示され[20]，病型ごとに影響が異なるかは定かでない．スタチンの薬効は脂質異常を改善させるだけでなく，血小板凝集能や血管内皮機能の改善，血管新生の促進やシナプスに対する作用，遺伝子発現の誘導など多面的な作用が考えられている．

脳梗塞慢性期の脂質管理

脳梗塞発症後3ヵ月以内，TIA発症後15日以内の患者を，厳格脂質コントロール群（LDL-コレステロール＜70 mg/dL）と標準治療群（90～110 mg/dL）に無作為に振り分け，心血管イベントの再発予防効果をみたものがTreat Stroke to Target（TST）試験である[21]．主要エンドポイントは厳格脂質コントロール群8.5%，標準治療群10.9%と有意な抑制効果（HR 0.78, 95% CI 0.61–0.98, $p = 0.04$）があり，再発予防にはLDL-コレステロール70 mg/dL未満を目標としたコントロールがよいと示された．さらにサブ解析として，413例を頚動脈エコーで追跡したプラーク退縮評価試験（TST-Plaque Ultrasound Study：TST-PLUS）では，3.1年間の追跡期間で総頚動脈の内中膜複合体厚が厳格脂質コントロール群で−10.53 μm（95% CI −14.21- −6.85），

16）Marston NA, Giugliano RP, Im K et al：Association between triglyceride lowering and reduction of cardiovascular risk across multiple lipid-lowering therapeutic classes. A systematic review and meta-regression analysis of randomized controlled trials. Circulation 140：1308–1317, 2019
17）Hoshino T, Ishizuka K, Toi S et al：Athrogenic dyslipidemia and residual vascular risk after stroke or transient ischemic attack. Stroke 52：79–86, 2022
18）Bhatt DL, Steg PG, Miller M et al：Cardiovascular risk reduction with icosapent ethyl for hypertriglyceridemia. N Engl J Med 380：11–22, 2019
19）Tan C, Liu X, Mo L et al：Statin, cholesterol, and sICH after acute ischemic stroke：systematic review and meta-analysis. Neurol Sci 40：2267–2275, 2019
20）He L, Xu R, Wang J et al：Prestroke statins use reduces oxidized low density lipoprotein levels and improves clinical outcomes in patients with atrial fibrillation related acute ischemic stroke. BMC Neurol 19：240, 2019
21）Amarenco P, Kim JS, Labreuche J et al：A comparison of two LDL cholesterol targets after ischemic stroke. N Engl J Med 382：9, 2020

標準治療群で－2.69 μm（95％ CI －6.55-1.18）退縮していた．2 群間で－7.84 μm（95％ CI －13.18-－2.51，$p = 0.004$）の有意な差が認められ，厳格脂質コントロール（LDL-コレステロール＜70 mg/dL）によって動脈硬化プラークが退縮する可能性も示唆された[22]．

脂質低下療法後の脳出血発症リスクについて，Stroke Prevention by Agressive Reduction in Cholesterol Levels（SPARCL）ではアトルバスタチン 80 mg/日にて脳出血リスクが 1.68 倍高まると報告された．しかし，2019 年のシステマティックレビューによって脂質低下療法と脳出血リスクとの関係は否定されている[23]．

その他

電子タバコ

電子タバコは従来のタバコより脳卒中のリスクが低い可能性もあるが，いまだ十分なエビデンスはない．2000 年から 2017 年に発表された 14 試験のシステマティックレビューによると，電子タバコによって脈拍は 2.27/分（95％ CI 1.64-2.89，$p < 0.0001$）増加し，収縮期血圧も 2.02 mmHg（95％ CI 0.07-3.97）上昇する[24]．一方，電子タバコへの変更によって血管内皮機能が改善したという報告もある[25]．

22) Amarenco P, Hobeanu C, Labreuche J et al：Carotid atherosclerosis evolution when targeting a low-density lipoprotein cholesterol concentration ＜70 mg/dL after an ischemic stroke of atherosclerotic origin. Circulation 142：748-757, 2020

23) Tramacere I, Boncoraglio GB, Banzi R et al：Comparison of statins for secondary prevention in patients with ischemic stroke or transient ischemic attack：a systematic review and network meta-analysis. BMC Med 17：67, 2019

24) Skotsimara G, Antonopoulos AS, Oikonomou E et al：Cardiovascular effects of electronic cigarettes：a systematic review and meta-analysis. Eur J Prev Caridol 26：1219-1228, 2019

25) George J, Hussain M, Vadiveloo T et al：Cardiovascular effects of switching from tobacco cigarettes to electronic cigarettes. J Am Coll Cardiol 74：3112-3120, 2019

III章　脳外傷

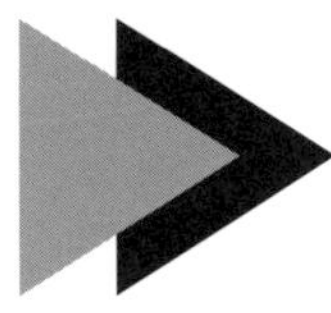

21. 重症頭部外傷（最近の治療）

末廣栄一（すえひろえいいち）
国際医療福祉大学医学部 脳神経外科学

最近の動向

- 神経集中治療の分野では，脳神経モニタリングの目標値を設定して全身管理を行う．この全身管理をプロトコール化して，多くの人に受け入れやすくなったのではなかろうか．本稿での key word は，頭蓋内圧 22 mmHg 以下，脳灌流圧 60 mmHg 以上，フィブリノーゲン値 150 mg/dL 以上である．
- 脳損傷は不可逆的損傷であるため，頭部外傷による二次性脳損傷が悪化する前に対応することが肝要である．頭部外傷による凝固線溶異常の predictor は D-dimer 値である．高齢者頭部外傷の病態悪化の predictor は抗血栓薬服用の聴取である．Predictor を用いて早期の対応が可能となる．
- これまで脳神経外科医は，重症頭部外傷の急性期治療に集中していた．しかし，われわれの予想以上に長期予後の改善が可能であることがわかった．われわれは，長期予後の改善を念頭に，急性期の治療のみでなく亜急性期（適切なリハビリテーション）や慢性期（再生医療）の治療にどのような橋渡しをするのかを考えなければならない．

凝固障害

重症頭部外傷患者における，凝固線溶異常の併発についてはよく知られるようになった．日常診療の中で，**フィブリノーゲン**や **D-dimer** のような凝固系，線溶系の指標を測定し，凝固線溶異常を早期に指摘 / 対応することは重症頭部外傷の転帰改善するために重要である[1)]．凝固障害に対する対応として，クリオプレシピテートやフィブリノーゲン製剤，活性型第Ⅶ因子製剤，4 因子プロトロンビン複合体濃縮製剤などが考慮されるが，エビデンスの不足もあり本邦では使用できない[1)]．現在，本邦で頭部外傷による凝固障害に対して使用できる薬剤は，**トラネキサム酸と新鮮凍結血漿**（fresh frozen plasma：FFP）のみとなる[1)]．Nakae ら[2)] の観察研究によると，受傷後 3 時間でのフィブリノーゲンの値が 150 mg/dL 以上であった患者群では，それ以下であった患者群と比較して転帰良好であったと報告されている．つまり，重症頭部外傷患者の急性期では，フィブリノーゲンの値を 150 mg/dL 以上を目標として管理する必要があり，本邦の現状では FFP の投与が唯一の手段である．また，重症頭部外

1) Nakae R, Murai Y, Morita A et al：Coagulopathy and traumatic brain injury：overview of new diagnostic and therapeutic strategies. Neurol Med Chir（Tokyo）62：261-269, 2022

2) Nakae R, Yokobori S, Takayama Y et al：A retrospective study of the effect of fibrinogen levels during fresh frozen plasma transfusion in patients with traumatic brain injury. Acta Neurochir（Wien）161：1943-1953, 2019

2434-9992/22/¥100/頁/JCOPY

傷の急性期にフィブリノーゲンの値が低下することを予測する指標として，搬入時のD-dimer値が有用であるとされている[2]．搬入時にD-dimerが高値である場合は，フィブリノーゲンの値が正常であってもFFPの準備をしておくことが必要であろう．

この凝固障害について，患者の年齢による影響が検討されている[3, 4]．**75歳以上の高齢者**では頭部外傷後のフィブリノーゲンの消費は若年者と比較してより顕著であり，凝固線溶障害の程度はより重度であった[3]．この凝固線溶障害の相対的悪化が，高齢者の転帰不良と関連があると報告されている[3]．また，**小児**では成人と比較して頭部外傷後急性期に，prothrombin time-international normalized ratio（PT-INR），activated partial thromboplastin time（APTT）の延長やフィブリノーゲンの低下がより強く観察されるが転帰との関連は認められなかった[4]．ただし，搬入時のD-dimer値と転帰の間には有意な関連が認められた[4]．

3）Nakae R, Fujiki Y, Takayama Y et al：Age-related differences in the time course of coagulation and fibrinolytic parameters in patients with traumatic brain injury. Int J Mol Sci 21：5613, 2020
4）Nakae R, Fujiki Y, Takayama Y et al：Time course of coagulation and fibrinolytic parameters in pediatric traumatic brain injury. J Neurosurg Pediatr 28：526-532, 2021

抗血栓薬

日本社会の高齢化に伴い，抗血栓薬を服用している頭部外傷患者は増加している．米国からの報告によると，抗血栓薬を服用している頭部外傷患者の特徴として，①**高齢**である，②受傷機転として**転倒**が多い，③**出血性病変**が多い，④経過中に**血腫の拡大**を認める頻度が高い，⑤**転帰不良**である，とされている[5]．日本頭部外傷データバンクからも，ほぼ同様の報告がされている[6]．一方で，血腫の拡大は抗凝固薬服用者のみに認められ，抗血小板薬服用者には認められないとする報告もあり[7]，抗血栓薬の種類や量などにより影響は異なるようである．

抗血栓薬を服用している頭部外傷患者では，高齢者の急性硬膜下血腫が多く，脳萎縮による緩衝作用のため受傷早期に症状として現れにくい．受傷後時間が経過し，血腫拡大による脳ヘルニアが完成する頃に突然症状が出現するため，治療困難となることが多い．そのため，抗血栓薬を服用している頭部外傷患者においては，症状の進行を認めなくても積極的に**repeat CT**を施行し，慎重な経過観察ならびに早めの対応が求められる．

抗血栓薬を服用している頭部外傷患者への対応として，もう一つ重要なポイントは**中和療法**である．抗血小板薬には血小板輸血，ワルファリンには，ビタミンK，新鮮凍結血漿，プロトロンビン複合体製剤が用いられる．直接トロンビン阻害薬には特異的中和剤であるイダルシズマブが用いられ，第Xa因子阻害薬に対しては，その中和剤であるアンデキサネット アルファが用いられる．これら中和剤の臨床的効果については，まだ報告が少ない．米国の15施設からの観察研究によると，2,793例を対象に抗血小板薬に対する中和療法（デスモプレシン，あるいは血小板輸血）の効果，あるいは第Xa因子阻害薬

5）Scotti P, Séguin C, Lo BWY et al：Antithrombotic agents and traumatic brain injury in the elderly population：hemorrhage patterns and outcomes. J Neurosurg doi：10.3171/2019.4.JNS19252, 2019［online ahead of print］
6）Suehiro E, Fujiyama Y, Kiyohira M et al：Risk of deterioration of geriatric traumatic brain injury in patients treated with antithrombotic drugs. World Neurosurg 127：e1221-e1227, 2019
7）Wettervik TS, Lenell S, Enblad P et al：Pre-injury antithrombotic agents predict intracranial hemorrhagic progression, but not worse clinical outcome in severe traumatic brain injury. Acta Neurochir（Wien）163：1403-1413, 2021

に対する中和療法（プロトロンビン複合体製剤）の効果について報告している[8]．中和療法の有無による生存率を比較検討すると，それぞれ82.9% vs 90.4%（p = 0.30），84.6% vs 84.6%（p = 0.68）と中和療法の効果を示すことができなかった[8]．一方で，先述したように，病態が進行した後に対応しても治療困難であるため，病態が進行する前に中和し，病態の進行を止めることは検討に値する．今後は，抗血栓薬に対する中和療法の施行時期など，適切な中和療法をいかに行うかの検討が必要である．

神経集中治療

近年，欧米を中心として**神経集中治療**の発展は目覚ましいものがある．神経集中治療とは，脳神経モニタリングを指標として**脳指向型の全身管理**を行うことである．頭部外傷診療にも応用され，良好な転帰を示す報告も散見されている．

頭部外傷における脳神経モニタリングとして代表的な指標は，頭蓋内圧モニタリングである．頭蓋内圧モニタリングの有用性については，大規模臨床研究において立証されず，本邦においても普及率は欧米に比べ低迷している．しかし，42ヵ国，146施設においてコホート研究が行われ，有意義な結果が報告された[9]．頭蓋内圧モニタリングを施行した群と施行していない群を比較検討したところ，受傷後6ヵ月における死亡率は施行群にて有意に低値であった（34% vs 49%，$p < 0.0001$）[9]．また，少なくとも一側の瞳孔が散大している患者群については，受傷後6ヵ月の死亡率は頭蓋内圧モニタリングの施行と有意に関連（ハザード比（HR）0.35，95% CI 0.26-0.47，$p < 0.0001$）し，機能予後も改善（オッズ比（OR）0.38，95% CI 0.26-0.56，p = 0.0025）がみられた[9]．重症度の高い頭部外傷症例において頭蓋内圧モニタリングの有用性が，初めてエビデンスレベルの高い研究で示された．

この**頭蓋内圧モニタリングを指標とした頭部外傷治療のアルゴリズム**が，6大陸の神経集中治療医10名，脳神経外科医23名，脳神経内科医5名，外傷外科医2名，救急医2名が集結した協議でコンセンサスを得た[10]．まずは，頭部外傷治療に勧められない処置としてフロセミドやステロイドの使用，安易な過換気療法の導入，漫然とした高浸透圧利尿薬の使用などが挙げられている．次にTier Zero（Basic Severe TBI care）として，ICUへの入室，人工呼吸管理，頭位挙上，鎮静鎮痛，体温管理，抗けいれん薬の投与，**脳灌流圧（60 mmHg以上）**の維持，ヘモグロビン（7 g/dL以上）の維持，低ナトリウム血症の回避，静脈還流を考慮した頭位，などについて記載されている[10]．これらの処置で，**頭蓋内圧22 mmHg以下**，あるいは**脳灌流圧60 mmHg以上**が維持できない場合は，repeat CT等を施行し病態を考慮したうえで，次のステップへと進む．Tier 2，Tier 3では，軽度の過換気療法や筋弛緩薬の量の調整を行

8) Yorkgitis BK, Tatum DM, Taghavi S et al：Eastern association for the surgery of trauma multicenter trial：comparison of pre-injury antithrombotic use and reversal strategies among severe traumatic brain injury patients. J Trauma Acute Care Surg 92：88-92, 2022

9) Robba C, Graziano F, Rebora P et al：Intracranial pressure monitoring in patients with acute brain injury in the intensive care unit (SYNAPSE-ICU)：an international, prospective observational cohort study. Lancet Neurol 20：548-558, 2021

10) Hawryluk GWJ, Aguilera S, Buki A et al：A management algorithm for patients with intracranial pressure monitoring：the Seattle international severe traumatic brain injury consensus conference (SIBICC). Intensive Care Med 45：1783-1794, 2019

い，**MAP Challenge** により脳血管自動調節能の障害程度を評価したうえで，昇圧による脳灌流圧の維持を行う[10]．最終的には，バルビツレート療法や減圧開頭術，軽度低体温療法を導入することもある[10]．

頭蓋内圧亢進を未然に防ぐことも重要である．その一つの方法として，脳組織酸素分圧と頭蓋内圧を同時に連続モニタリングしながら管理する方法が注目されている．頭蓋内圧は 22 mmHg 以下を，**脳組織酸素分圧は 20 mmHg 以上**を目標に管理する．このように脳組織の酸素化を維持することで，頭蓋内圧亢進の時間帯が短縮され，転帰も改善したと報告されている．前節にて紹介したアルゴリズム作成と同じメンバーにより，頭蓋内圧と脳組織酸素分圧の両者を指標とした頭部外傷治療のアルゴリズムが報告されている[11]．先ほどと同様に，Tier 1〜Tier 3 と段階的に指標を管理する．脳組織酸素分圧を上げる方法として，脳灌流圧を上げる，酸素分圧を上げる，鎮静薬や筋弛緩薬を調整する，などが挙げられる[11]．また，脳組織酸素分圧のモニタリングによる効果に関するメタ解析が報告されている[12]．この報告によると，頭蓋内圧モニタリングのみの患者群と比較し，頭蓋内圧モニタリングと脳組織酸素分圧の両者をモニタリングすることにより，受傷後 6ヵ月における死亡率が有意に低下し，経過中の頭蓋内圧も有意に低下した[12]．しかし，受傷後 6ヵ月における機能的予後の改善は得られなかった[12]．

再生医療

重症頭部外傷における治療戦略として，開頭術や神経集中治療を駆使して積極的に取り組んでいるが，外傷により損傷した脳の機能回復を図る有効な治療法はない．そのような状況の中，**幹細胞**には，神経細胞に分化し，神経栄養因子を放出するため脳保護作用が期待できることから，これを用いた治療法の開発が注目されている．そのため，近年これに関連する多くの臨床研究が行われている[13]．現在，精力的に研究が進められているのは，胚性幹細胞の問題点であった倫理的問題や免疫拒絶の問題を克服できる人工多能性幹細胞（iPS 細胞）を用いた治療法の開発である．しかし，iPS 細胞には腫瘍化の可能性や，細胞培養において多大なコスト・労力・時間がかかるといった問題がある．そのため，近年**骨髄由来の間葉系幹細胞（bone marrow-derived mesenchymal stem cell：BMSC）**が注目され，現在ももっとも広くドナーとして用いられている[14, 15]．本邦の施設も SanBio 社が開発した BMSC である SB623（他家由来遺伝子改変 BMSC）を用いた臨床研究に参加している[16]．頭部外傷から 12ヵ月以上経過した中等度から重度の障害を有する患者を対象に SB623 を脳内に投与し，6ヵ月後の Fugl-Meyer motor scale（FMMS）による運動機能の改善が得られている[16]．安全性評価についても，有害事象の発生頻度はコントロール群と有意差を認めていない[16]．慢性期頭部外傷患者に対する SB623 の

11）Chesnut R, Aguilera S, Buki A et al：A management algorithm for adult patients with both brain oxygen and intracranial pressure monitoring：the Seattle international severe traumatic brain injury consensus conference（SIBICC）. Intensive Care Med 46：919-929, 2020
12）Hays LMC, Udy A, Adamides AA et al：Effects of brain tissue oxygen（PbtO2）guided management on patient outcomes following severe traumatic brain injury：a systematic review and meta-analysis. J Clin Neurosci 99：349-358, 2022
13）Schepici G, Silvestro S, Bramanti P et al：Traumatic brain injury and stem cells：an overview of clinical trials, the current treatments and future therapeutic approaches. Medicina（Kaunas）56：137, 2020
14）Yasuhara T, Kawauchi S, Kin K et al：Cell therapy for central nervous system disorders：current obstacles to progress. CNS Neurosci Ther 26：595-602, 2020
15）Cozene B, Sadanandan N, Farooq J et al：Mesenchymal stem cell-induced anti-neuroinflammation against traumatic brain injury. Cell Transplant 30：9636897211035715, 2021
16）Kawabori M, Weintraub AH, Imai H et al：Cell therapy for chronic TBI：interim analysis of the randomized controlled STEMTRA Trial. Neurology 96：e1202-e1214, 2021

脳内投与が安全であり，機能回復を得ることができる治療法であることが示唆されている[16]．今後，本邦での臨床使用が期待されている．

長期予後

重症頭部外傷は障害を後遺する割合や死亡率が高く，予後不良な疾患とされてきた．このことは社会における労働人口へも影響を与えるため，われわれ脳神経外科医は挑戦的な集学的治療を継続してきた．そのような状況の中，重症頭部外傷患者の長期予後が注目を集めている．単施設での前向き観察研究において，重症頭部外傷患者304例の受傷後3ヵ月，6ヵ月，12ヵ月，そして24ヵ月の転帰をGlasgow Outcome Scale-Extended（GOS-E）を用いて評価している[17]．受傷後6ヵ月の時点で転帰不良であった生存者の54％が，受傷後24ヵ月の時点で転帰良好へと改善していた[17]．実に，受傷後24ヵ月の時点で，全生存者の74％が転帰良好な状態であった[17]．米国の頭部外傷患者を対象とした大規模観察研究（TRACK-TBI）においても，重症頭部外傷患者362例を評価すると，受傷後2週間の時点では12.4％の患者が転帰良好であったが，受傷後12ヵ月では52.4％が転帰良好であり，**長期予後を評価すると，われわれの予想を超える割合で重症頭部外傷患者の転帰は改善している**ことがわかる[18]．日本頭部外傷データバンクからも同様の報告がある．退院時の転帰良好率は30.2％であったが，受傷後6ヵ月に時点での転帰良好率は35.7％まで改善していた[19]．特記すべきことは，退院時severe disability（SD）であった患者の44.6％が，受傷後6ヵ月の時点で転帰良好へと改善していたことである[19]．退院時SDであった患者の中で，転帰が改善した患者群の予測因子として，年齢や既往歴，受傷機転，入院時の血清D-dimer値，入院期間，退院先（リハビリテーションの内容）などが示唆された[19]．欧州からの報告でも，同様のものが示された[20]．つまり，急性期治療の終了時に強い後遺症を残していても，その後に転帰が改善する症例が含まれているため，転帰改善する患者をトリアージし適切な施設で積極的なリハビリテーションを行うことが求められる．そして，このトリアージの指標として何を用いるのかが，今後の課題となる．

17）Wilkins TE, Beers SR, Borrasso AJ et al：Favorable functional recovery in severe traumatic brain injury survivors beyond six months. J Neurotrauma 36：3158-3163, 2019

18）McCrea MA, Giacino JT, Barber J et al：Functional outcomes over the first year after moderate to severe traumatic brain injury in the prospective, longitudinal TRACK-TBI study. JAMA Neurol 78：982-992, 2021

19）Suehiro E, Kiyohira M, Haji K et al：Changes in outcomes after discharge from an acute hospital in severe traumatic brain injury. Neurol Med Chir（Tokyo）62：111-117, 2022

20）Forslund MV, Perrin PB, Røe C et al：Global outcome trajectories up to 10 years after moderate to severe traumatic brain injury. Front Neurol 10：219, 2019

22. スポーツによる脳振盪（sports related concussion：SRC）

おぎ の まさ ひろ
荻野雅宏
獨協医科大学 脳神経外科

最近の動向

- スポーツによる脳振盪（sports related concussion：SRC）は多種多様な要因や病態を含み，臨床的にはレベルの高いエビデンスが得られにくいため，システマティックレビューやメタアナリシスも明快な結論につながりにくい．
- そのような中，受傷後の診断や経過観察に MRI 拡散テンソル画像（diffusion tensor imaging）による白質の評価が有用であるとの報告が相次いでいる．
- 受傷後に段階的に復帰すべきことはすでに周知のものとなったが，安静時の症状が軽快した後にはいたずらに長く休むのではなく，早期に有酸素運動からトレーニングを再開したほうが症状が遷延しにくい．とのエビデンスが蓄積されつつある．
- 反復受傷が慢性外傷性脳症（chronic traumatic encephalopathy：CTE）につながる，という懸念は，現実的なものとなりつつある．
- 一方で，体液バイオマーカーによる診断や SRC に対する薬物治療，また出血後の復帰の可否などについては有効な答えに至っておらず，残された問題は今なお多い．
- 現時点で有効ないわゆる「ベルリン声明」も，2023 年の半ばまでには改訂される見込みであり，脳神経外科医は引き続きこの領域の情報と知識のアップデートに努めたい．

受傷リスク

「リスクが高いのはどの種目ですか？」という質問をしばしば受けるが，Van Pelt らは 2021 年に比較的大きなシステマティックレビューを発表した[1]．SRC のリスクがもっとも高いスポーツはラグビーで，次いでアメリカンフットボール，アイスホッケー，レスリング，ラクロス，サッカーなどと続いた．総じて女性は男性よりも発生率が高く，10,000 athlete-exposure（AE，1 人の選手が 1 回の練習もしくは試合に参加すると 1 AE）あたり 0.11 回多く SRC を負う．また，大学選手は高校の選手より 10,000 AE あたり 0.12 回多く SRC を生じていた．サッカーとバスケットボールやラクロスに限ったメタアナリシスでも，同じく女性の受傷率が高いことが報告されている[2,3]．

1）Van Pelt KL, Puetz T, Swallow J et al：Data-driven risk classification of concussion rates：a systematic review and meta-analysis. Sports Med 51：1227-1244, 2021
2）Cheng J, Ammerman B, Santiago K et al：Sex-based differences in the incidence of sports-related concussion：systematic review and meta-analysis. Sports Health 11：486-491, 2019
3）Ling DI, Cheng J, Santiago K et al：Women are at higher risk for concussions due to ball or equipment contact in soccer and lacrosse. Clin Orthop Relat Res 478：14691479, 2020

2434-9992/22/¥100/頁/JCOPY

英語論文のみの渉猟に基づいており，必ずしも本邦の現状に即したものではないが，参考とすべき最新のデータであろう．種目によって国ごとの競技人口が異なるうえ，データ集積に熱心か否かにも差があり，たとえば相撲やいくつかの武道がこの統計に加わる可能性は高くない．本邦の多くの競技団体もこのようなデータを正しく収集・公表し，真摯に検討・対処してくださることを願う．

国際的なコンセンサスと段階的競技復帰

すでに広く知られるようになった「国際スポーツ脳振盪会議」は，国際オリンピック連盟，国際サッカー連盟，国際アイスホッケー連盟，ワールド・ラグビーが主体となって，おおむね夏季五輪の年の秋に開かれ，会議の決議事項をまとめた共同声明がこの領域の国際的コンセンサスを提供することは周知の通りである．コロナ禍の影響で会議には延期が重ねられ，次回は2022年10月末にアムステルダムで開催され，新たな声明も2023年春発表にずれ込む見込みである．

したがって，執筆時点では2017年6月に発表された「ベルリン声明」がなお有効で，著者らの許諾を得た日本語版[4]は広く本邦でも参照されている．現場における標準的な対処法を提供するSCAT（Sports Concussion Assessment Tool）5やchild SCAT 5，非医療従事者向けのCRT（Concussion Recognition Tool）5なども，これに含まれる．内容については前版で解説済みであり，本稿で繰り返すことはしないが，現時点での上記指針は正しく理解しておくことが望ましい．

4）荻野雅宏，中山晴雄，重森裕 他：スポーツにおける脳振盪に関する共同声明—第5回スポーツ脳振盪会議（ベルリン，2016）—解説と翻訳．神経外傷 42：1-34，2019

ちなみに，この指針に含まれる「脳振盪後の段階的復帰」の原則もすでに広く浸透した印象で，2022年2月に行われた第116回医師国家試験では，ついにこれを正解とする問題（D 59）が出題された．今後の若い医師たちの間では「常識」になってくれるものと期待する．

頭蓋内出血後の競技復帰

一方で，私たちが相談を受けることが少なくない，頭蓋内出血などの器質的病変を認めた場合の競技復帰については，ベルリン声明をはじめとする過去の国際的指針は，いずれも積極的に（あるいは全く）触れていない．

Zuckermanらは2021年に，この問題に関するシステマティックレビューに有識者らのコンセンサスを加えて報告している[5]．これによると，器質的病変を伴うスポーツ頭部外傷は多種目にわたって報告されているが，おおむね症例報告でどれも10例未満にとどまり，手術例も非手術例も混在し，術後3ヵ月で復帰した例から生涯のコンタクトスポーツを禁じられた例まで，その対応もさまざまであった．エキスパートらの意見もまとまらず，対応は高校生か大学

5）Zuckerman SL, Yengo-Kahn AM, Tang AR et al：Sport-related structural brain injury and return to play：systematic review and expert insight. Neurosurgery 88：E495-E504, 2021

レベルか，あるいはプロフェッショナルかによって異なり，後者であればあるほど復帰に積極的にならざるを得ない，というものであった．

ほぼ唯一，2013年に出された本邦の指針[6]はこの問題に触れ，器質的病変後のコンタクトスポーツへの復帰を原則として禁止している．しかし，さまざまな理由で準拠が難しい場合もあり，ケース・バイ・ケースで対応する以外にないことは洋の東西を問わず変わらない．

体液バイオマーカーによる診断

SRCの診断は，現場における医療機器がごく限られることもあって，原則として症状・症候ベースで行われる．もとよりその病態生理はさまざまであって，単一のmodalityでは評価しにくいものと推察され，一時もてはやされた体液バイオマーカーによる診断についてのメタアナリシスは，いずれも不調な結果に終わっている[7,8]．

そんな中，欧州のグループは唾液をサンプルとした低分子無コード（small non-coding：snc）RNAによる新たな診断法を提唱した（Study of Concussion in Rugby Union through Micro RNAs：SCRUM）[9]．対象は男性のプロラグビー選手である．フィールド上で脳振盪が疑われ，その後彼らの定める脳振盪を疑う基準（Head Injury Assessment：HIA）で診断が確定した群（HIA＋）と否定された群（HIA－），非受傷群，筋骨格受傷群とを比較した．すると，受傷後36～48時間において，当初脳振盪が疑われた2群（HIA＋，HIA－）と他の2群とで32種のsnc RNAの発現パターンが異なった．とりわけlet-7f-5pと呼ばれるsnc RNAが大きな差を呈し，これを含む14種のsnc RNAは，HIA＋群とそれ以外を有意に分別したという．

即時的な診断に用いることはできないが，今後は従来の診断法に組み合わされて用いられることが期待され，さらなる活用法も注目されよう．

MRIによる評価

脳振盪は一般的なCT/MRI画像では異常を呈さないが，functional MRIやDTI等に特別な処理を施すことにより，白質における変化を描出しようという試みが盛んである．

Chongらは脳振盪患者のresting stage MRIを検討し，functional connectivity（FC）をパラメータにこれを追跡した[10]．それによると受傷者は健常ボランティアに比して，受傷後1ヵ月に帯状回や島回，三叉神経脊髄路核，視床枕など痛みとの関連を思わせる部位のFCが低下し，数ヵ月後には一部が回復することを示した．さらにこの回復が明らかであるほど，症状も軽減しやすいことを示唆している．

Chungらは，大学スポーツ選手の拡散尖度画像（diffusion kurtosis imaging：

6）永廣信治，谷論，荻野雅宏 他：スポーツ頭部外傷における脳神経外科医の対応―ガイドライン作成に向けた中間提言―．神経外傷 36：119-128，2013

7）Mannix R, Levy R, Zemek R et al：Fluid biomarkers of pediatric mild traumatic brain injury：a systematic review. J Neurotrauma 37：2029-2044, 2020

8）Meyer J, Bartolomei C, Sauer A et al：The relationship between fluid biomarkers and clinical outcomes in sports-related concussions：a systematic review. Brain Inj 34：1435-1445, 2020

9）Di Pietro V, O'Halloran P, Watson CN et al：Unique diagnostic signatures of concussion in the saliva of male athletes：the Study of Concussion in Rugby Union through MicroRNAs (SCRUM). Br J Sports Med 55：1395-1404, 2021

10）Chong CD, Wang L, Wang K et al：Homotopic region connectivity during concussion recovery：a longitudinal fMRI study. PLoS One 14：e0221892, 2019

DKI）を検討し，アメリカンフットボール部に属する選手では脳振盪の既往があろうとなかろうと，すなわち繰り返し頭部打撲を負っているが脳振盪と診断されたことがない選手も含めて，非コンタクトスポーツに従事する選手たちに比して白質の変化が大きいことを示し，特に脳梁において顕著であることを報告した[11]．

Leesらはこの領域のシステマティックレビューを行い[12]，抽出された質の高い研究においては，受傷後の急性期から数週間，とりわけfunctional anisotropy値や拡散率の変化などに広範囲な差が認められたことを報告した．この変化は慢性期（2～6ヵ月）にもみられ，臨床的にプレーに復帰したときのDTI上の回復は不完全で，臨床的回復指標に遅れる可能性を示唆した．さまざまな指標は症状の重症度とも相関しており，DTIによる診断法が標準されれば，今後の研究をさらに向上させるであろうとしている．

11）Chung S, Chen J, Li T et al：Investigating brain white matter in football players with and without concussion using a biophysical model from multi shell diffusion MRI. AJNR Am J Neuroradiol 43：823-828, 2022
12）**Lees B, Earls NE, Meares S et al：Diffusion tensor imaging in sport-related concussion：a systematic review using an a *priori* quality rating system. J Neurotrauma 38：3032-3046, 2021**

SRCの薬物治療

脳振盪に対する薬物治療については，10年前のNeurosurgeryに掲載された1編の報告が「ケース・バイ・ケースの対症療法に限られる」と結んだが[13]，その後も大きな臨床試験は行われていないか，少なくとも有意な結果は報告されていない．2021年にJAMA Neurologyに発表されたシステマティックレビューも同様で，質の高い臨床研究が乏しく，多施設共同研究も含めた大規模な試験が必要であるとしている[14]．

実際的な小さな試みはさまざまに行われており，たとえばStandifordらは12～18歳の軽症頭部外傷患者に対してrandomized cohort studyを行い，鎮痛薬や制吐薬に加えて酸化マグネシウムを投与した群が，非投与群に比して受傷後48時間以降のPost-Concussion Severity Score（PCSS）が有意に軽度であったことを報告している[15]．かつて重症頭部外傷に対する保護効果が期待されたマグネシウム製剤を，小さなサンプル数の受傷者に経口で投与するという研究デザインだが，現場でも比較的容易に導入可能な試みの一つと思われ，今後，関連する報告が増えるかもしれない．

13）Petraglia AL, Maroon JC, Bailes JE：From the field of play to the field of combat：a review of the pharmacological management of concussion. Neurosurgery 70：1520-1533, 2012
14）Feinberg C, Carr C, Zemek R et al：Association of pharmacological interventions with symptom burden reduction in patients with mild traumatic brain injury：a systematic review. JAMA Neurol 78：596-608, 2021
15）Standiford L, O'Daniel M, Hysell M et al：A randomized cohort study of the efficacy of PO magnesium in the treatment of acute concussions in adolescents. Am J Emerg Med 44：419-422, 2021

SRC後のリハビリテーション

受傷後に長期間の安静を保っても，回復までの期間や復帰後の状態を改善させるわけではないことが知られるようになり，症状が回復した後はむしろ速やかに運動を再開するよう勧められている．

Bakerらは受傷後24～48時間を経たpost-acute phaseの有酸素運動についてのシステマティックレビューを報告し，ウォーキングやサイクリング，水泳は安全に導入でき，症状の重症度や回復期間に効果的に作用することを示した[16]．Wortsらは受傷後の有酸素運動開始についてのdouble blind randomized

16）Baker B, Koch E, Vicari K et al：Mode and intensity of physical activity during the postacute phase of sport-related concussion：a systematic review. J Sport Rehabil 30：492-500, 2020 control trial（RCT）を行い[17]，13～18歳の脳振盪受傷者に，ウォームアップののちに心拍数を年齢予測最大値（一般に「220－年齢」とされる）の40%ないし60%を保ってトレッドミル運動を負荷すると，これを行わない群に比して，頭痛やふらつきが速やかに軽快し，PCSSやVestibular/Ocular-Motor Screening（VOMS）のスコアも改善したことを報告している．Kontosらはめまいやふらつきが遷延する12～18歳の脳振盪患者を，積極的な前庭機能のトレーニングを加えた群，日常生活指導のみを施した群に分けて経過を追ったところ，4週間後の症状回復に有意な差が生じた旨を報告した[18]．またHowellらは，脳振盪後のplyometrics（ジャンプ要素を取り入れた筋力トレーニング）を含めた8週間のプログラムが，その後1年間のスポーツ外傷をも減少させたとのRCTを報じている[19]．

Piedadeらは受傷後のさまざまなリハビリテーションについてのシステマティックレビューで，質の高いエビデンスに裏付けられた普遍的なプログラムはない，と結論しているが[20]，上記の報告はいずれも，症状に応じた適切なリハビリテーションの早期開始が好ましい転帰につながることを示したもので，各施設のリハビリテーション・スタッフと共有すべき情報であろう．

古典的な予防策

ベルリン声明は，若年層のコンタクト制限がいくつかの種目において脳振盪の発生を減少させることを明言した．米国サッカー連盟は2015年12月より10歳以下のヘディングを全面的に禁止していたが，英国のウェールズを除く3つのサッカー協会（イングランド，スコットランド，北アイルランド）も2020年から12歳以下のヘディング練習を禁止している．日本サッカー協会も，2021年に15歳未満の育成世代に対するヘディング習得のためのガイドラインを発表した[21]．

FIFA（国際サッカー連盟）は，サッカー選手の傷害予防を目的に作成された「FIFA11＋」というエクササイズ・プログラムを公開している[22]．ウォームアップやクールダウンの際に用いられることを想定しており，ランニング系6種目（8分，part 1），筋力・plyometricsおよびバランス系6種目（10分，part 2），ランニング系3種目（2分，part 3）を約20分で行うものだが，Peekらはこの FIFA11＋の part 2に，オリジナルにはない頚部の筋力トレーニングを加えたプログラムを作成した．それを10歳代の選手たちに課して1年の経過を追ったところ，選手たちの頚部筋力は当然のように増したが，それに伴ってヘディング時の衝撃も軽減されたと報告している[23]．Pilot studyの域を出ないが，現場への導入を支持する結果であり，速やかな周知が望まれる．

大学アメリカンフットボール選手に着目した2021年の米国の研究によると[24]，脳振盪発生のみならずその原因となる頭部への衝撃の機会は，シーズ

17）Worts PR, Mason JR, Burkhart SO et al：The acute, systemic effects of aerobic exercise in recently concussed adolescent student-athletes：preliminary findings. Eur J Appl Physiol 122：1441-1457, 2022

18）Kontos AP, Eagle SR, Mucha A et al：A randomized controlled trial of precision vestibular rehabilitation in adolescents following concussion：preliminary findings. J Pediatr 239：193-199, 2021

19）Howell DR, Seehusen CN, Carry PM et al：An 8-week neuromuscular training program after concussion reduces 1-year subsequent injury risk：a randomized clinical trial. Am J Sports Med 50：1120-1129, 2022

20）Piedade SR, Hutchinson MR, Ferreira DM et al：The management of concussion in sport is not standardized. A systematic review. J Safety Res 76：262-268, 2021

21）JFA技術委員会 医学委員会：育成年代でのヘディング習得のためのガイドライン（幼児期～U-15）第一版．日本サッカー協会，2021 https://www.jfa.jp/coach/pdf/heading_guidelines.pdf

22）国際サッカー連盟．FIFA11＋日本語版．日本サッカー協会，2017 https://www.jfa.jp/medical/11plus.html

23）Peek K, Andersen J, McKay MJ et al：The effect of the FIFA 11＋ with added neck exercises on maximal isometric neck strength and peak head impact magnitude during heading：a pilot study. Sports Med 52：655-668, 2022

24）McCrea MA, Shah A, Duma S et al：Opportunities for prevention of concussion and repetitive head impact exposure in college football players：a concussion assessment, research, and education（CARE）consortium study. JAMA Neurol 78：346-350, 2021

ン中よりもシーズン前，またシーズンを通して試合よりも練習中にはるかに多い．彼らは，脳振盪の予防策はシーズン前や練習中にこそ講じられるべきであって，ゲームプランなどの変更は必ずしも要さないと結論している．

海外においてはスポーツの「シーズン制」が確立しており，1年中練習を繰り返す種目はない．その中にあってのこの結果は，スポーツをしばしば「道」になぞらえ，他種目を並行する競技人生が一般的でない本邦のスポーツ「文化」にも，変化を求めているのかもしれない．

斬新な予防策

旧くは2010年代前半に，内頚静脈圧を圧迫して脳血液量を増やすと，頭蓋内での脳の移動と動揺を抑えて外傷性軸索損傷を減じる，というラットの実験があった[25]．Mannixらは同様の実験をブタのモデルで行い，内頚静脈圧迫群では閉鎖性頭部外傷後のタウ蛋白の沈着とミクログリアの出現を抑えた旨の報告を行った[26]．

このCincinnatiのグループは並行してヒトでの研究を走らせ，favorableな結果を発表している．Diekfussらは高校生のフットボールチームに，両側内頚静脈を軽度圧迫する器具（カラー）を装着させてひとシーズンを追い，MRI DTI画像で評価した[27]．カラー装着群は非装着群に比して，白質における拡散性とfunctional anisotoropy値が保たれ，白質の保護に有効である可能性が示唆された．いろいろな意味で本邦では立案・実行しにくい研究デザインと思われるが，他にも同様の報告があり[28]，新たな予防法として今後の展開に注視したい．

神経変性疾患／慢性外傷性脳症（chronic traumatic encephalopathy：CTE）のリスク

いくつかの種目と神経変性疾患との関連性が報告されている．Mezらは2020年に，自分たちのグループに寄贈された元アメリカンフットボール選手233人の脳の解剖結果をまとめ，競技経験が長いほど病理学的にCTE所見を呈する確率と，その重症度が高まることを示した[29]．

Mackayらはスコットランドの元プロサッカー選手の死因を後方視的に解析し，アルツハイマー病やパーキンソン病などの神経変性疾患による死亡率が高く，虚血性心疾患など他の一般的疾患による死亡率が対照群よりも低いことを示した[30]．また，生前の元選手には，対照選手よりも頻繁に認知症治療薬が処方されていた．

いずれも後方視的な研究結果であり，前向きなコホート研究による確認を待たねばならないが，反復受傷による神経変性は避けられない問題ととらえるべきだろう．

25）Smith DW, Bailes JE, Fisher JA et al：Internal jugular vein compression mitigates traumatic axonal injury in a rat model by reducing the intracranial slosh effect. Neurosurgery 70：740-746, 2012

26）Mannix R, Morriss NJ, Conley GM et al：Internal jugular vein compression collar mitigates histopathological alterations after closed head rotational head impact in swine：a pilot study. Neuroscience 437：132-144, 2020

27）Diekfuss JA, Yuan W, Barber Foss KD et al：The effects of internal jugular vein compression for modulating and preserving white matter following a season of American tackle football：a prospective longitudinal evaluation of differential head impact exposure. J Neurosci Res 99：423-445, 2021

28）Yuan W, Diekfuss JA, Barber Foss KD et al：High school sports-related concussion and the effect of a jugular vein compression collar：a prospective longitudinal investigation of neuroimaging and neurofunctional outcomes. J Neurotrauma 38：2811-2821, 2021

29）Mez J, Daneshvar DH, Abdolmohammadi B et al：Duration of American football play and chronic traumatic encephalopathy. Ann Neurol 87：116-131, 2020

30）Mackay DF, Russell ER, Stewart K et al：Neurodegenerative disease mortality among former professional soccer players. N Engl J Med 381：1801-1808, 2019

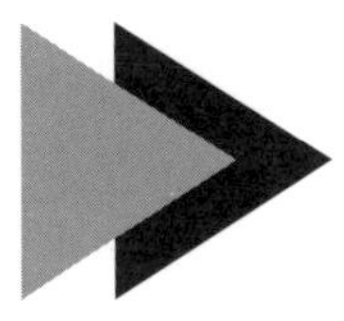

23. 児童虐待

荒木　尚（あらき　たかし）
埼玉医科大学 総合医療センター 高度救命救急センター
埼玉県立小児医療センター 外傷診療科

最近の動向

- 虐待による頭部外傷（abusive head trauma：AHT）の診断に必要な臨床知見に関する研究が進められ，受傷機転，画像所見，治療転帰等の領域に関する考察において，より高い科学的根拠が集積されている．特に MRI による病態解析に関する知見の蓄積が目覚ましい．
- AHT 診断は多職種・多診療科の見解を基にする総合的判断であると同時に，司法判断にも強く関係する領域であることから，事例の多様性に柔軟に対応可能かつ最新の医学的知見が反映されたガイドラインの改訂等，検討が進められている．
- AHT の長期予後に深く影響を及ぼす，広範な大脳半球性低吸収性病変（hemispheric hypodensity：HH）の発生機序に関する基礎研究が進み，特に痙攣重積に起因する免疫反応の重要性が指摘されている．臨床面では，AHT 超急性期の電気生理学的異常の制御による予後改善に注目が集まっている．

虐待による頭部外傷（abusive head trauma：AHT）の診断（概説）

虐待による頭部外傷（abusive head trauma：AHT）という語彙は，身体的虐待による乳幼児の頭蓋内外・頸椎頸髄損傷を包括する医学的概念に対する，もっとも適切な診断名である．これは，揺さぶり動作，また衝撃を伴う揺さぶり動作による機転を否定するものではなく，虐待行為に伴うあらゆる受傷機転を包括するという点で，いわゆる“shaken baby syndrome（SBS）”を含む，総合的な疾患概念を反映している．AHT 診断では，病歴が明らかでない場合，病歴が頻回に変遷する場合，また損傷の重症度との整合が認められない場合，AHT の疑いをもって対峙することはきわめて重要である．また AHT 例では，頭蓋内損傷に加え網膜出血，骨折，その他身体部位の虐待所見を伴うことが多く認められることから，従来 3 徴候として重要視されてきた．しかし，現在では多様な AHT 例の解析から，受傷の背景や既往歴に添い，慎重な鑑別診断を総合的に行うことが求められている．同時に，頭蓋内損傷のみの AHT 例，軽微な受傷機転による頭蓋内損傷の発生が疫学的に蓄積されてきており，

2434-9992/22/¥100/頁/JCOPY

画一的な診断基準はもはや意味をなさない．**AHT 診断を可能とする単一の損傷形態はなく，急性硬膜下血腫，多層性多発性網膜出血，肋骨・長管骨を含むあらゆる身体部位の骨折所見，皮膚・皮下出血などの痕跡などを伴う複合的な性質の診断であること**を銘記すべきである[1)]．同時に，類似した所見を呈しうる内因性疾患の鑑別は，今後重要性を増すと考えられている．特に脳静脈洞血栓症，虚血性低酸素性脳症，腰椎穿刺合併症，誤嚥による窒息嘔吐などによる類似病態，分娩外傷による急性硬膜下血腫の慢性化や慢性硬膜下血腫の急性増悪，良性くも膜下腔拡大に伴う出血性病変等につき鑑別を要する．これらの判断は複数の関連診療科により構成された組織により包括的に行われ，家族支援を含め，対応が重要である．医学的判断はあくまで医師が診療行為を通して得た専門的裁量に基づくものであり，犯罪性や犯人性に関する司法判断とは独立しなくてはならない．そのため，AHT 診断に関連する学術団体は，まず医療従事者に対して AHT に関する啓発や教育を確実に行い，司法機関，捜査機関，行政機関との情報共有を進める必要があり，多職種相互の信頼関係が構築されることにより，AHT に関する社会常識が確かなものとなることが期待される．

AHT 診断における画像所見

頭蓋骨骨折

AHT と単純事故による頭部外傷との鑑別に資する頭蓋骨骨折の所見について詳細な検討がなされている．原因が説明できない乳幼児の頭蓋骨骨折を認めた場合，身体的虐待の可能性を念頭に置かなくてはならないが，**頭蓋骨骨折自体の様式で AHT と診断可能な特異的所見は存在しない**[2)]．一方，従来教科書的には，陥没骨折や複雑骨折，離開骨折，縫合を超える骨折は虐待による受傷の可能性が高いと考えられてきた．しかし，これらの根拠となる 1980 年代の研究において調査対象とされた症例群の虐待診断の精度は不明で，いわゆる循環論法の誹りを免れない．このことから，近年，虐待診断が確かな症例を対象とした臨床研究が行われている．一方，受傷機転に関する生体力学的な定説はない[3, 4)]．

複雑骨折（単純線状ではないもの），および複雑骨折に頭蓋内損傷を伴う場合[5)]，AHT であることが多い[6)]．また，頭頂骨線状骨折が最多，後頭骨が続き，副縫合との鑑別が容易でない場合もあり，骨折にはスペクトラムがあることが指摘されている[7)]．また，2 つ以上の縫合に連結する骨折線は AHT に多く（89%，オッズ比（OR）28.4）[8, 9)]，画像では明らかではなかった離開骨折が剖検で初めて診断された例もある[10)]．重要なことは，個別の所見を振り返る際，頭蓋骨骨折の部位，骨折の性状，受傷した子どもの成長発達の程度を加味

1) Duhaime AC, Christian CW：Abusive head trauma：evidence, obfuscation, and informed management. J Neurosurg Pediatr 24：481-488, 2019

2) Kemp AM, Dunstan F, Harrison S et al：Patterns of skeletal fractures in child abuse：systematic review. BMJ 337：a1518, 2008

3) Hajiaghamemar M, Lan IS, Christian CW et al：Infant skull fracture risk for low height falls. Int J Legal Med 133：847-862, 2019

4) Tavor O, Boddu S, Glatstein M et al：The importance of skull impact site for minor mechanism head injury requiring neurosurgical intervention. Childs Nerv Syst 36：3021-3025, 2020

5) Boruah AP, Potter TO, Shammassian BH et al：Evaluation of nonaccidental trauma in infants presenting with skull fractures：a retrospective review. J Neurosurg Pediatr doi：10.3171/2021.2.PEDS20872, 2021［online ahead of print］

6) Kelly P, John S, Vincent AL et al：Abusive head trauma and accidental head injury：a 20-year comparative study of referrals to a hospital child protection team. Arch Dis Child 100：1123-1130, 2015

7) Sidpra J, Jeelani NUO, Ong J et al：Skull fracture in abusive head trauma：a single centre experience and review of the literature. Child Nerv Syst 37：919-929, 2021

8) Kriss S, Morris J, Martich V：Pediatric skull fractures contacting sutures：relevance in abusive head trauma. AJR 217：218-222, 2021

9) Uçan B, Tokur O, Aydın S：Pediatric skull fractures：could suture contact be a sign of abuse? Emerg Radiol 29：403-408, 2022

10) Campobasso CP, De Micco F, Bugelli V et al：Undetected traumatic diastasis of cranial sutures：a case of child abuse. Forensic Sci Int 298：307-311, 2019

して丁寧に検討することにより，身体的虐待の関与が明らかになる，と認識することであろう．

また，**頭蓋骨骨折の検出には3D CTがもっとも有用**であり，単純撮影を行わずとも，骨折診断の感度および特異度とも3D CT単独の検査により上昇したという[11, 12]．個人的にも，3D CTを頭蓋冠の軽微な骨折や頭蓋底骨折，副縫合との鑑別，離開骨折など多彩な骨折所見の診断に重用している．

頚椎・頚髄損傷

AHTに合併する頚椎・頚髄損傷に関する知見が蓄積されている．従来，臨床症状や画像診断の限界からAHTへの頚椎・頚髄損傷の合併は稀と考えられてきたが，近年，単純撮影やCTでは診断困難であった部位に対してもMRI撮像法の進化により[13]，靭帯損傷の診断が可能となった．**乳幼児期は，上位頚椎・頚髄損傷の危険性が高く，多くは軟部組織損傷や靭帯損傷である**[14]．身体的虐待が疑われる症例の画像診断にて，骨傷が認められることは少なく[15]，AHTが確定した症例群では，約70％に骨傷以外の損傷が剖検等により診断されたという[16]．また，MRIによって靭帯損傷，頚椎硬膜下血腫（後頭蓋窩との連絡あり）等が高率に明らかとなった[17]．

脊髄硬膜下血液貯留と虐待の統計学的相関は明らかであり，特に胸腰椎レベルに多く認められていることから，頚椎のみの評価では不十分である[18]．そのため，**AHTに伴う頭蓋内病変を認める場合には，全脊髄領域の画像診断が推奨される**．頚椎・頚髄所見，特に硬膜下血腫は重篤な加速減速運動の関与を示唆し，AHT診断に有用とする報告もある[19]．また頭蓋内の虚血性低酸素性病変を合併する場合，AHT診断の確率が著しく高くなることから，その存在は受傷機転の因果関係を強める[20]ものと考えられている．しかし，頚椎損傷の所見が存在しないことがAHT/SBSを否定するものではないことを銘記すべきである．

脳実質損傷

乳幼児の未熟な中枢神経固有の特性により，AHTによる画像所見は多様である．また，画像所見では受傷機転の定量的な評価は困難であり，受傷機序，揺さぶりの回数や長さ，衝撃の有無などについて断定的な判断の根拠とはなり得ない．画像診断上の限界を正しく理解しながら，萎縮した医学的判断に陥らない判断力を養わなくてはならない．AHTに伴う頭蓋内病変のうち，急性硬膜下出血がもっとも頻度が多く，脳実質損傷は罹患率と死亡率に強い相関を有する[21]．MRIは脳実質損傷の評価にきわめて有用であるが，近年では静脈損傷がAHTと強い相関をもつことが明らかになっている．静脈洞の損傷は，特に矢状静脈洞と架橋静脈の接合部に多く認められ，血腫に伴う静脈や静脈洞の

11）Purushothaman R, Desai S, Jayappa S et al：Utility of three-dimensional and reformatted head computed tomography images in the evaluation of pediatric abusive head trauma. Pediatr Radiol 51：927-938, 2021
12）Cosgrave L, Bowie S, Walker C et al：Abusive head trauma in children：radiographs of the skull do not provide additional information in the diagnosis of skull fracture when multiplanar computed tomography with three-dimensional reconstructions is available. Pediatr Radiol 52：924-931, 2022
13）Haq I, Jayappa S, Desai SK et al：Spinal ligamentous injury in abusive head trauma：a pictorial review. Pediatr Radiol 51：971-979, 2021
14）Choudhary AK, Ishak R, Zacharia TT et al：Imaging of spinal injury in abusive head trauma：a retrospective study. Pediatr Radiol 44：1130-1140, 2014
15）Kemp A, Cowley L, Maguire S et al：Spinal injuries in abusive head trauma：patterns and recommendations. Pediatr Radiol 44 Suppl 4：S604-S612, 2014
16）Brennan LK, Rubin D, Christian CW et al：Neck injuries in young pediatric homicide victims. J Neurosurg Pediatr 3：232-239, 2009
17）Garcia-Pires F, Jayappa S, Desai S et al：Spinal subdural hemorrhage in abusive head trauma：a pictorial review. Pediatr Radiol 51：980-990, 2021
18）Colombari M, Troakes C, Turrina S et al：Spinal cord injury as an indicator of abuse in forensic assessment of abusive head trauma（AHT）. Int J Legal Med 135：1481-1498, 2021
19）Rabbitt AL, Kelly TG, Yan K et al：Characteristics associated with spine injury on magnetic resonance imaging in children evaluated for abusive head trauma. Pediatr Radiol 50：83-97, 2020
20）Kadom N, Khademian Z, Vezina G et al：Usefulness of MRI detection of cervical spine and brain injuries in the evaluation of abusive head trauma. Pediatr Radiol 44：839-848, 2014
21）Oates AJ, Sidpra J, Mankad K：Parenchymal brain injuries in abusive head trauma. Pediatr Radiol 51：898-910, 2021

圧迫，硬膜内静脈叢からの出血も描出される[22]．

旧来，本邦では，いわゆる乳幼児急性硬膜下血腫（中村Ⅰ型血腫）に関する議論が続けられてきたが，多施設共同の疫学調査により，単純事故例の発症は年長児に多く，虐待例の危険因子は年齢5ヵ月以下，網膜出血，痙攣という特徴が明らかになった[23]．軽微な受傷機転による頭蓋内出血性病変の発症，重症化に関する海外からの報告も相次ぎ，診断プロセスの標準化が重視された従来のガイドラインから，症例背景の個別性に着目し多職種・多診療科の総合的視点が反映された内容への改訂が求められている．

画像診断の意義

さまざまな神経画像診断法のうち，MRIはきわめて重要である．MRI所見上，「虚血性」病変，脳挫傷，びまん性軸索損傷はAHTのORが高い．また「虚血性」病変が半球性，4ヵ所以上ある場合にはAHT診断の確度が上がる[24]．また，初診時の画像診断における，脳室内出血，びまん性軸索損傷，虚血性低酸素性脳症，脳梗塞，頚椎靱帯損傷等の所見はAHTの予後不良因子である[25]．このようにAHT診断におけるCT/MRI等画像診断の意義はきわめて大きいため，精確な撮像と正しい適応を遵守して評価がなされる必要がある[26]．AHTの病態は多様であり，かつ画像上類似した所見を呈しうる病態との鑑別は医事紛争に発展することもあり，容易ではない．画像所見単独による診断は適切ではなく，画像診断の特性を熟知した放射線科医と協働しながら[27]，手術所見や臨床経過を併せ，冷静かつ繊細に確かな診断に導くことが専門医の責務である．

大脳半球性低吸収性病変（hemispheric hypodensity：HH）の動物実験モデルと痙攣発作

Perfect storm

AHTに認められるCT所見の一つとして半球性低吸収性病変（hemispheric hypodensity：HH）が知られている．この広範な病変の機序を解明するため，Costine-Bartellらは，多因子が関与する独自の大型動物モデルを用いてHHを再現し，発達段階の違いによる影響を含めて検証した[28]．ヒトの乳児期（生後1週間，以下乳児）および幼児期（生後1ヵ月，以下幼児）の発達段階にあたるpigletに，**脳容積に応じて皮質への衝撃，血腫による影響，硬膜下血腫の設置，痙攣誘発，無呼吸，低換気などの障害**を与え，痙攣を抑制しない深度で麻酔した状態で管理した．処理を受けたpigletに24時間ICU管理を行い，大脳半球損傷を病理学的に評価した結果，脳損傷パターンは，「幼児期」では痙攣発作時間と出血に関連し，損傷側と同側に，深部脳領域と対側大脳半球は

22）Vilanilam GK, Jayappa S, Desai S et al：Venous injury in pediatric abusive head trauma：a pictorial review. Pediatr Radiol 51：918-926, 2021

23）Akutsu N, Nonaka M, Narisawa A et al：Infantile subdural hematoma in Japan：a multicenter, retrospective study by the J-HITs（Japanese head injury of infants and toddlers study）group. PLoS One 17：e0264396, 2022

24）Miller Ferguson N, Rebsamen S, Field AS et al：Magnetic resonance imaging findings in infants with severe traumatic brain injury and associations with abusive head trauma. Children（Basel）9：1092, 2022

25）Orman G, Kralik SF, Desai NK et al：An in-depth analysis of brain and spine neuroimaging in children with abusive head trauma：beyond the classic imaging findings. AJNR Am J Neuroradiol 43：764-768, 2022

26）Gunda D, Cornwell BO, Dahmoush HM et al：Pediatric central nervous system imaging of nonaccidental trauma：beyond subdural hematomas. Radiographics 39：213-228, 2019

27）Sidpra J, Chhabda S, Oates AJ et al：Abusive head trauma：neuroimaging mimics and diagnostic complexities. Pediatr Radiol 51：947-965, 2021

28）Costine-Bartell B, Price G, Shen J et al：A perfect storm：the distribution of tissue damage depends on seizure duration, hemorrhage, and developmental stage in a gyrencephalic, multi-factorial, severe traumatic brain injury model. Neurobiol Dis 154：105334, 2021

温存された状態で片側大脳半球損傷が再現された．「乳児期」では，痙攣発作時間は「幼児期」同様に損傷の発生に関係したが，程度は幼児よりも小さく斑状で両側性であった．硬膜下血腫は隣接する局所的くも膜下出血の発生と関係し，乳児・幼児期ともくも膜下出血で被覆された大脳半球の割合と脳損傷発生には正の相関があった．ヒトの幼児期の発達段階にあるpigletの重症外傷性脳損傷多因子モデルは，片側の大脳皮質に広範な破壊像を再現し，**痙攣発作時間および脳表の血腫の存在（perfect storm）は組織破壊の程度と正の相関がある**ことが示された．

一方，痙攣発作に対する脳の反応，脳損傷の程度やパターンは年齢により変化すると考えられ，乳児期の脳にはperfect stormを抑制する内因性メカニズム，幼児期の脳には障害を片側に限局化させるメカニズムの存在が推測された．現在，これらの耐性に関する研究が進められており，重症外傷性脳損傷後の組織破壊の進展を抑制する新たな治療ターゲットが明らかになる可能性がある．頭部外傷後てんかんに特化した抗てんかん薬ガイドラインは存在しないが，このモデルは，小児重症頭部外傷の治療と管理を進化させるプラットフォームとしてきわめて重要である．

AHTに伴う痙攣の重要性とlevetiracetam

AHTでは非てんかん性痙攣発作等の電気生理学的異常が頻繁に認められるため，**持続脳波モニタリングによる観察が推奨されている**[29]．また，AHTに合併した痙攣の重症度はMRI上の「虚血性低酸素性」変化の重症度と相関することから，難治性痙攣を伴うAHT例に対し持続モニタリングと画像評価による病態評価が強く推奨される[30]．

小児重症頭部外傷後の痙攣予防薬としてlevetiracetamとphenytoinが頻用されている[31]．小児重症頭部外傷におけるphenytoinの痙攣予防効果について定説がないことや，治療域の狭さから頻回の血中濃度測定が必要なこと，薬物間相互作用や重篤な合併症があるなど負の側面から，小児領域ではlevetiracetamの使用が台頭している[32]．最新の研究では，人工呼吸器装着を必要とした外傷性脳損傷の乳幼児に対するlevetiracetamの早期投与はphenytoinに比べて痙攣抑止効果がある[33]と結論された．Levetiracetamは，シナプス小胞糖蛋白SV2Aに結合してグルタミン酸放出を抑制し，シナプス間刺激伝導を抑え，さまざまな神経疾患における痙攣予防薬として頻用されているが，受傷60分以内の早期投与により大脳皮質の過興奮と痙攣誘発を抑止し，てんかん源形成を防止したという基礎研究もある[34]．臨床面ではlevetiracetamについて，システマティックレビューやメタアナリシスが行われ，有効性，至適薬用量，副作用等について考察されている[35]が，治療閾値以下の投与量による効果検討等，適切な結論を導くには不十分な研究が多い．積極的な電気生理学的異常の早期

29) Hasbani DM, Topjian AA, Friess SH et al：Nonconvulsive electrographic seizures are common in children with abusive head trauma. Pediatr Crit Care Med 14：709-715, 2013
30) Dingman AL, Stence NV, O'Neill BR et al：Seizure severity is correlated with severity of hypoxic-ischemic injury in abusive head trauma. Pediatr Neurol 82：29-35, 2018
31) Kurz JE, Poloyac SM, Abend NS et al：Variation in anticonvulsant selection and electroencephalographic monitoring following severe traumatic brain injury in children-understanding resource availability in sites participating in a comparative effectiveness study. Pediatr Crit Care Med 17：649-657, 2016
32) Ruzas CM, DeWitt PE, Bennett KS et al：EEG monitoring and antiepileptic drugs in children with severe TBI. Neurocrit Care 26：256-266, 2017
33) Haque KD, Grinspan ZM, Mauer E et al：Early use of antiseizure medication in mechanically ventilated traumatic brain injury cases：a retrospective pediatric health information system database study. Pediatr Crit Care Med 22：90-100, 2021
34) Yang L, Afroz S, Valsamis HA et al：Early intervention with levetiracetam prevents the development of cortical hyperexcitability and spontaneous epileptiform activity in two models of neurotrauma in rats. Exp Neurol 337：113571, 2021
35) Fang T, Valdes E, Frontera JA：Levetiracetam for seizure prophylaxis in neurocritical care：a systematic review and meta-analysis. Neurocrit Care 36：248-258, 2022
36) Ang SC, Marret MJ, Jayanath S et al：Outcome of abusive head trauma in children less than 2 years：a single center study from a middle-income country. Child Abuse Negl 120：105187, 2021

検出と痙攣の抑止による転帰改善について，さらなる知見の蓄積が望まれる．

AHT の長期予後

AHT の予後はきわめて不良であり，虐待の予防が最良の治療といわれる[36]．AHT は重篤な後遺症をもたらし，**死亡率は 3.7〜38％と幅広い．生存例であっても 20〜40％に日常生活動作全般に支援を要する重度後遺症を負い，特に運動機能，心理学的機能，認知機能に障害を有する**ことが多い[37]．予後不良にかかわる因子は複合的であるが，若い両親，複雑な家庭環境，低所得者層，早産や身体障害の小児などが指摘され[38]，受傷直後の状態における因子としては心肺停止，Glasgow Coma Scale（GCS）低値が予後不良にきわめて強く相関する[39]．AHT の児童は長期に神経学的，精神心理学的後遺症に苦しむこととなり，生涯にわたり治療とリハビリテーションを必要とする．これらの事実は徐々に認識されているが，AHT に伴う後遺症の評価を行うための標準的な指針は全く存在していない[40]．一方，Pediatric intensive care unit（PICU）の多施設研究では，AHT 例であっても，重症頭部外傷治療ガイドラインに準拠した管理により非 AHT の重症例と同様の神経学的回復を期待できると結論されており[41]，**AHT であることが積極的治療を控える理由とはならない**ことを認識すべきであろう．

37) Chevignard MP, Lind K：Long-term outcome of abusive head trauma. Pediatr Radiol 44 Suppl 4：S548-S558, 2014
38) Keenan HT, Runyan DK, Marshall SW et al：A population-based comparison of clinical and outcome characteristics of young children with serious inflicted and noninflicted traumatic brain injury. Pediatrics 114：633-639, 2004
39) Regeffe F, Chevignard M, Millet A et al：Factors associated with poor neurological outcome in children after abusive head trauma：a multicenter retrospective study. Child Abuse Negl 131：105779, 2022
40) Primalani NK, Chan YH, Ng ZM et al：Abusive head injury in the very young：outcomes from a Singapore children's hospital. Childs Nerv Syst doi：10.1007/s00381-022-05572-x, 2022［online ahead of print］
41) Miller Ferguson N, Sarnaik A, Miles D et al：Abusive head trauma and mortality-an analysis from an international comparative effectiveness study of children with severe traumatic brain injury. Crit Care Med 45：1398-1407, 2017

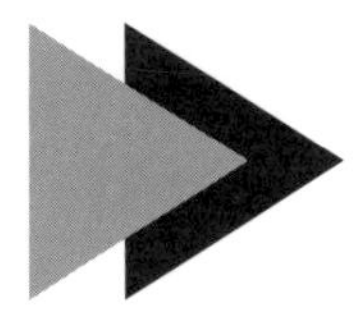

24. 外傷に伴う高次脳機能障害

前田　剛（まえだ　たけし）
日本大学医学部 脳神経外科学系神経外科学分野
青森大学脳と健康科学研究センター
日本大学病院 麻酔科

最近の動向

- Mild traumatic brain injury（mTBI）において，高次脳機能障害が後遺するか否か，後遺する場合はどの程度の障害がどの位続くか，検討する報告は多い．しかし，研究対象や研究者によってmTBIの定義が異なるので注意を要する．
- 慢性硬膜下血腫（CSDH）は高齢者頭部外傷の代表的疾患であり，一般的には治療の後，症状の改善を認める．転帰良好の疾患と認識されていたが，超高齢人口の増加により，患者数の増加や好発年齢の高齢化を呈し，必ずしも転帰良好でない．CSDHの長期予後において，身体機能的，認知能力的，精神的に低下する可能性が示された．
- 慢性外傷性脳症（CTE）を生前に診断する試みや，危険因子の解明が行われている．危険因子の除去により，症状を改善させる可能性がある．
- 高次脳機能障害と自動車運転に関する研究も散見される．脳外傷後の自動車の運転に対する評価は，通常リハビリテーション中に行われるが，運転可能と診断されても長期の観察が必要である．

Mild traumatic brain injury（mTBI）

Mild traumatic brain injury（mTBI，軽度外傷性脳損傷）は，American Association of Rehabilitation Medicine や World Health Organization の定義のほか，米国の Centers for Disease Control and Prevention や Department of Veterans Affairs からの定義が報告されている．またスポーツ頭部外傷では，意識消失を認めない脳振盪（mild concussion または subconcussion）を mTBI と定義することがある．このように，mTBI にはいくつもの定義が存在し，使用している分野や研究者によって定義が異なるので注意を要する．

近年行われた，軽症頭部外傷（Glasgow Coma Scale：GCS 13～15），30分以内の意識消失，24時間以内の外傷後健忘を認めた症例に対する大規模コホート研究では，受傷後6ヵ月における予後 Glasgow Outcome Scale Extended（GOSE）＜8は44％であった[1]．GOSE＜8は認知機能障害に限らず，何らか

1) van der Naalt J, Timmerman ME, de Koning ME et al：Early predictors of outcome after mild traumatic brain injury (UPFRONT)：an observational cohort study. Lancet Neurol 16：532-540, 2017

2434-9992/22/¥100/頁/JCOPY

の機能障害を有する状態である．**予後不良因子は，受傷前のメンタルヘルスに問題のある場合，教育歴，年齢など，すべて外傷に起因する因子ではなかった**．不安感，うつ，post traumatic stress disorder（PTSD）などに対しては，受傷早期の介入が必要であり，早期の介入は予後を改善する傾向にあった．

外傷後24時間以内に受診したGCS 13～15において，GOSE＜8を後遺する頻度は，受傷後12ヵ月の時点で53%であり，対照群の整形外科的外傷では38%であった[2]．機能障害の原因になる症状は，頭痛，倦怠感，うつ病などであり，対照群より，臨床心理テストの結果が低下した．また，CTで急性期に頭蓋内所見を認めた症例は予後が悪い．整形外科的外傷では，全例GCSが15であるにもかかわらず，1年後のGOSE＜8が38%に認められること（ほとんどが末梢神経障害），また，**軽症頭部外傷における機能障害の原因が器質的脳損傷による認知機能低下ではなく，頭痛，倦怠感，うつなどであったことが興味深い**．

Yuhらは，mTBIと頭部CTにおける長期予後との関係を評価した[3]．対象は，Transforming Research and Clinical Knowledge in Traumatic Brain Injury（TRACK-TBI）studyに登録されたGCS 13～15の成人である．TBI後24時間以内にCTを実施し，CT所見と経時的な予後との関係を評価した．TRACK-TBI studyは，米国で行われた頭部外傷の急性期から慢性期までの前向きコホート研究である．また，この結果をthe Collaborative European Neurotrauma Effectiveness Research in Traumatic Brain Injury（CENTER-TBI）studyを用い検証している．階層的クラスター分析では，①脳挫傷・くも膜下出血・硬膜下血腫，②脳室内出血・点状出血，③硬膜外血腫の3群のクラスターが認められた．脳挫傷・くも膜下出血・硬膜下血腫の所見は，1年後におけるGOSE＜8と相関し，GOSE＜5とも相関を認めた．

GCSは頭部外傷の重症度分類であり，脳損傷の重症度分類ではない．頭部外傷は，脳外傷を含むが，同一の病態ではない．頭部外傷の分類を念頭において，mTBIを論ずるときは注意を要する．外傷性頭蓋内血腫や脳挫傷が存在しても，GCS 13以上であれば，軽症頭部外傷に分類される．そのためGCSによりmTBIを定義すると，上記のような結果になる．

Levinらは，TRACK-TBI studyの結果を用い，mTBIにおける性別と年齢の影響を報告した[4]．この研究におけるmTBIの定義はGCS 13～15であり，受傷後24時間以内にCTが施行された症例である．脳振盪症状の重症度を評価する自己報告尺度，PTSDチェックリスト，うつの尺度，うつと不安の尺度が評価された．対照の整形外科的外傷には症状の程度に性差はないが，mTBIにおいて女性は症状が重く，脳振盪に伴う身体症状は，女性において加齢により有意な悪化を認めた．

mTBIにおいて性別や年齢による回復の違いを理解することは，個々の症例

2) **Nelson LD, Temkin NR, Dikmen S et al：Recovery after mild traumatic brain injury in patients presenting to US Level Ⅰ Trauma Centers：a Transforming Research and Clinical Knowledge in Traumatic Brain Injury（TRACK-TBI）study. JAMA Neurol 76：1049-1059, 2019**

3) Yuh EL, Jain S, Sun X et al：Pathological computed tomography features associated with adverse outcomes after mild traumatic brain injury：a TRACK-TBI study with external validation in CENTER-TBI. JAMA Neurol 78：1137-1148, 2021

4) Levin HS, Temkin NR, Barber J et al：Association of sex and age with mild traumatic brain injury-related symptoms：a TRACK-TBI study. JAMA Netw Open 4：e213046, 2021

を治療するにあたり有益である．しかし，前頁でも述べたようにGCSは脳損傷の重症度分類ではなく，特にGCS 13を軽症と定義した場合，脳損傷の重症度との乖離が非常に大きくなることがある．頭部外傷の分類を念頭において，脳外傷・脳損傷を論ずるときは注意を要する．

mTBIの経過観察中に認知機能障害が生じることがあると事前に伝えた群と，認知機能障害についての情報を与えていない群を比較した過去の報告では，認知機能障害を生じる可能性があると伝えた群で，有意に知能検査や記憶検査で低下を認め，記憶障害や不安感の強さを認めた．よって過度な説明は，mTBIを悪化させる可能性がある．

BussellとGavettは，現代における，テレビやインターネットなどの情報伝達媒体におけるセンセーショナルな情報が，脳振盪後症候群，mTBIに及ぼす悪影響を調べた[5]．mTBIの既往があるボランティアに対し，mTBIに焦点を当てたセンセーショナルまたは非センセーショナルなニュースを視聴させて，配分性注意障害や脳振盪後症候群，うつ，PTSDの評価を行った．配分性注意障害や脳振盪後症候群の重症度には関係を認めず，センセーショナルな情報への1回の短時間の曝露は，mTBIを既往にもつ人に対し，認知機能や症状に即時の影響を与えないとの結果になった．しかし長期的な曝露や影響を調査する必要がある．

5）Bussell CA, Gavett BE：Effects of media sensationalization on cognitive performance and post concussive symptoms. J Int Neuropsychol Soc 25：90-100, 2019

現在はインターネットの発達により，患者は簡単に自らの疾患についての情報を得られる．患者自らインターネットを用いてmTBIの後遺症について検索し，過度の情報を得ることは，予後を悪化させる可能性がある．

慢性硬膜下血腫

慢性硬膜下血腫（chronic subdural hematoma：CSDH）は高齢者頭部外傷の代表的疾患であり，一般的には治療の後，症状の改善を認める．転帰良好の疾患と認識されていたが，超高齢人口の増加や抗血小板・抗凝固療法の増加，人工透析患者の増加により，患者数の増加や好発年齢の高齢化を呈し，必ずしも転帰良好でない．

慢性硬膜下血腫の身体機能的，認知能力的，精神的な長期予後（発症後5.5＋2.1年）についての検討では，評価時の併存疾患の罹患率は，CSDHで有意に高く，身体機能機能における自立性，および言語的短期記憶の有意な低下と抑うつ症状を示した[6]．また，既知の長期生存率の低下に加え，長期的な観察において，対照群よりも身体機能的，認知能力的，精神的に劣っていた．

6）Moffatt CE, Hennessy MJ, Marshman LAG et al：Long-term health outcomes in survivors after chronic subdural haematoma. J Clin Neurosci 66：133-137, 2019

平均寿命の広がりから，CSDH治癒後の余命も延長し，その症例数も増加すると考えられる．今後，フレイルやサルコペニアなど，高齢者に特有の状態がCSDHにどのように影響するかを研究することは喫緊の課題である．

CSDHにおける認知機能障害の有病率と重症度を明らかにするために行わ

れたシステマティックレビューでは，主観的な認知機能障害（認知的愁訴（cognitive complaints：CC））と客観的な認知機能障害（認知障害（cognitive impairment：CI））に分け検討したところ，両者の推定プール有病率は45％であった[7]．認知機能障害の治療前における推定有病率は61％であったが，術後は18％に減少した．CC と CI は CSDH で非常に一般的な症状であり，治療後に改善する傾向にある．したがって，適切な認知機能の評価を治療の前後で行い評価することが大切である．

CSDH の症状が治療後の機能的転帰に影響を与えるか否かの調査では，対象の約50％が GOSE 7～8 であった[8]．認知機能に関連する症状は，GOSE の悪化と関係したが，頭痛と GCS の高スコアは GOSE の好結果と関係を認めた．認知機能に関する症状は，独立して機能的転帰の悪化と関連していたことから，**CSDH の発症時の症状として認知機能障害を認めた場合，機能的転帰が悪化する可能性が大きい**ことを考えて治療に当たらなければならない．

日常生活では問題なく過ごすことが可能な軽度の高次脳機能障害でも，自動車の運転などでは瞬時の判断により高度な能力が必要とされるため，問題が生じることがある．超高齢化社会を迎え，CSDH の好発年齢は高齢化し，高齢者による交通事故が大幅に増加している．しかし，CSDH 治療後において運転を再開するか否かについての明確な基準は示されていない．Katsuki らは，CSDH 治療後の運転復帰率と関連因子を調査した[9]．**Mini Mental State Examination（MMSE）と Trail Making Test-A（TMT-A）の低下が，運転障害と有意に関連していた**．一般的に CSDH による認知症状は治療可能な認知症として知られているが，特に運転を希望する場合には，運転再開前に客観的な認知評価を行う必要がある．

サッカーのヘディングが認知機能に及ぼす影響

意識消失を認めない脳振盪（mild concussion，subconcussion）でも，その累積は繰り返す脳振盪のように認知機能へ影響を及ぼす可能性がある．そのためサッカーのヘディングの認知機能へ及ぼす影響が懸念されている．しかし，ヘディングと認知機能障害に関する研究の結果は千差万別である．

元プロサッカー選手と一般人の神経変性疾患による死亡率を死亡診断書から比較した検討では，ヘディングとの直接の因果関係は認められなかった[10]．サッカー選手のヘディングによる認知的，行動的，構造的，生物学的経過についてのシステマティックレビューにおいても，サッカー選手のヘディングによる影響の可能性を支持，または反対するのに十分な結果は得られなかった[11]．

Mild concussion，subconcussion の累積時期の年齢的違いや累積期間の長さなど，検討する課題は多い．ヘディングが脳に及ぼす病態生理や潜在的なリスクの解明，そしてサッカーする人々が，安全にスキルを伸ばせるようなガイド

7) Blaauw J, Boxum AG, Jacobs B et al：Prevalence of cognitive complaints and impairment in patients with chronic subdural hematoma and recovery after treatment：a systematic review. J Neurotrauma 38：159-168, 2021

8) Blaauw J, Meelis GA, Jacobs B et al：Pre senting symptoms and functional outcome of chronic subdural hematoma patients. Acta Neurol Scand 145：38-46, 2022

9) Katsuki M, Yasuda I, Narita N et al：Chronic subdural hematoma in patients over 65 years old：results of using a postoperative cognitive evaluation to determine whether to permit return to driving. Surg Neurol Int 12：212, 2021

10) Mackay DF, Russell ER, Stewart K et al：Neurodegenerative disease mortality among former professional soccer players. N Engl J Med 381：1801-1808, 2019

11) Snowden T, Reid H, Kennedy S et al：Heading in the right direction：A critical review of studies examining the effects of heading in soccer players. J Neurotrauma 38：169-188, 2021

ラインの構築が望まれる.

慢性外傷性脳症

慢性外傷性脳症（chronic traumatic encephalopathy：CTE）は，反復性の頭部外傷の既往と関連が示唆されている神経変性疾患である．その症状は，精神症状，認知機能障害，パーキンソニズムなどである．しかしCTEは病理診断名であるため，剖検の後に確定診断される．剖検によるCTEの検討では，ボクシングが最多であり，次にアメリカンフットボール，その他，ホッケーやレスリング，退役軍人などであった[12].

Robertsらは，元プロのアメリカンフットボール（NFL）選手を対象に，認知機能障害に関して予防可能な危険因子（心臓血管疾患，睡眠，疼痛，うつ，不安感，喫煙，身体機能，身体活動など）について検討し，認知機能に関するquality of life（QOL）との関連を評価した[13]．**身体機能，疼痛，うつ，不安感は，認知関連のQOLの低下と非常に強く関連しており，睡眠障害と低い身体活動も強く関連していた**．健康群と不健康群の大きな差異は，慢性疼痛，抑うつ，不安症状，および身体障害であった．また，睡眠時無呼吸症候群の有病率，短い睡眠時間，激しい運動，ウエイトトレーニング，高血圧，およびBMI $\geqq$ 35 kg/m^{2}の項目においても10%以上の差異を認めた.

慢性疼痛，うつ，不安，ストレスなどの気分障害，睡眠障害，肥満，運動不足などは，認知機能障害との関係を認め，これらの危険因子の治療は，認知機能障害を改善させる可能性がある.

CTEの神経病理学的所見は，タウ蛋白の蓄積を認めるがアミロイドβの沈着はほとんど認めない．繰り返す頭部外傷の既往などCTEのリスクがある人の脳を対象にタウ蓄積とアミロイド沈着の検出が実行可能かどうかは，十分な研究が行われていない.

Sternらは，認知症状・神経精神症状を有する元NFL選手の脳内タウ蛋白の蓄積とアミロイドβ沈着を測定するため，flortaucipir positron-emission tomography（PET）とflorbetapir PETを行い，TBIの既往のない対照群と比較した[14]．タウ蛋白の蓄積と認知機能検査，および神経精神学的検査結果に関係は認められなかったが，CTEの影響を受けるとされる領域（両側上前頭葉，両側内側側頭葉，左頭頂葉）においてタウ蛋白の値が対照よりも高かった．これは，CTEの神経病理学的所見と一致する．今後タウ蛋白の値が，個々の症例で診断に用いることができるよう検出可能かどうか，明らかにする必要がある.

逆境的小児期体験とCTE

小児期の虐待やネグレクト，機能不全家族などの逆境的小児期体験（adverse

12）Maroon JC, Winkelman R, Bost J et al：Correction：chronic traumatic encephalopathy in contact sports：a systematic review of all reported pathological cases. PLoS One 10：e0130507, 2015

13）Roberts AL, Zafonte RD, Speizer FE et al：Modifiable risk factors for poor cognitive function in former American-style football players：findings from the Harvard Football Players Health Study. J Neurotrauma 38：189-195, 2021

14）Stern RA, Adler CH, Chen K et al：Tau positron-emission tomography in former National Football League players. N Engl J Med 380：1716-1725, 2019 childhood experiences：ACEs）は，成人期以降の心身の健康に影響を及ぼす[15, 16]．ACEsが認知面・情緒面の発達のみならず，発達中の脳機能や精神機能に永続的な障害を与えてしまい，うつ，不安，自傷，自殺企図などを成人期に呈するというものである．また，不眠，パニック発作，薬物・アルコール依存等の情緒的，行動的問題を認めることが少なくない．しかしACEsが，成人期の認知機能と認知機能障害にどの程度関係しているかは明らかになっていない．

Robertsらは，元NFL選手を対象にACEsと認知機能障害について調査した[17]．4つ以上のACEsがある元選手は，認知機能障害のリスクが高く，不安を除くすべての神経精神疾患のリスクが大幅に高かった．認知機能障害のスクリーニングが陽性になるリスクも高かった．脳振盪の回数を調整するとこれらの関連性は低下したが，認知機能障害との関連性，認知機能関係のQOLの低下，疼痛は依然として有意差を認めた．またACEsが4つ以上ある元選手は，脳振盪症状の発症リスクが60％増加した．

ACEsがCTEに関連している可能性がある．コンタクトスポーツの選手のACEsを確認し，必要であれば現役時代からACEsに対する神経精神医学的な加療を施行すれば，引退後の精神機能的な健康を改善できるかもしれない．

15）Felitti VJ, Anda RF, Nordenberg D et al：Relationship of childhood abuse and household dysfunction to many of the leading causes of death in adults：the adverse childhood experiences（ACE）study. Am J Prev Med 14：245-258, 1998
16）Felitti VJ, Anda RF, Nordenberg D et al：REPRINT OF：Relationship of childhood abuse and household dysfunction to many of the leading causes of death in adults：the adverse childhood experiences（ACE）study. Am J Prev Med 56：774-786, 2019
17）Roberts AL, Zafonte R, Chibnik LB et al：Association of adverse childhood experiences with poor neuropsychiatric health and dementia among former professional US football players. JAMA Netw Open 2022 5：e223299, 2022

小児期TBIの成人期における神経医学的影響

小児期のTBIが，成人期において神経医学的にどのような影響を及ぼすかについては明らかになっていない．Arifらは，既往について小児期TBIの有無で分け，精神医学的予後を検討した[18]．新規精神障害（novel psychiatric disorder：NPD）の発病は，TBI群で有意に多く，NPDの発症までの期間も対照群と比較して大幅に短い．NPDの発症は，受傷前の精神障害の存在と受傷後直後のCTの異常所見が関係していた．

小児TBIで入院した成人の長期的な精神医学的予後は，NPDの有病率と早期発症の両者において，小児TBIの既往のない成人対照群と比較して著しく悪化する．しかし，本研究では，TBIの重症度とNPDの関係は明らかになっておらず，また参加症例が，非参加者と比較してより重症のTBI症例である可能性は否定できない．

18）Arif H, Troyer EA, Paulsen JS et al：Long-term psychiatric outcomes in adults with history of pediatric traumatic brain injury. J Neurotrauma 38：1515-1525, 2021

TBIと認知症

TBIが，認知症に対していかに影響を及ぼすかは明らかになっていない．TBIの認知症への影響を性差と年齢について検討したところ，受傷10年以内の認知症発生率は男性でTBI（＋）8.8％とTBI（－）4.8％，それぞれの数値は女性で9.0％と6.7％であり，**男性ではTBIと認知症の間に有意な関連を認めた**[19]．

19）Jacob L, Azouvi P, Kostev K：Age-related changes in the association between traumatic brain injury and dementia in older men and women. J Head Trauma Rehabil 36：E139-E146, 2021

TBIと認知症，加齢との関係には性差が認められた．今後，日常生活状況や家族関係など，行動や患者の生活背景を含めたデータを調べる必要がある．

脳外傷慢性期の自動車運転

脳外傷慢性期における運転能力についての報告は少ない．脳外傷慢性期に自己申告と公式の運転記録から行った調査では，TBI後の運転評価に合格した群において，自己申告では交通違反・運転ミスについて過小評価をしていながらも，運転記録では有意に高い罰点数を示し，事故の頻度も有意に高かった[20]．

TBI後は，運転に適していると見なされていても，危険な運転行動を過小評価し，自己評価と客観的な運転能力との間に不一致が生じている可能性がある．リハビリテーション時に運転機能の評価を行うことは勿論であるが，定期的に運転機能の評価が必要であるかもしれない．

20） McKerral M, Moreno A, Delhomme P et al：Driving behaviors 2-3 years after traumatic brain injury rehabilitation：a multicenter case-control study. Front Neurol 10：144, 2019

TBIと学習障害に伴う高次脳機能障害の差異

TBIに伴う高次脳機能障害と限局性学習障害（specific learning disorder：SLD）の両者は，ワーキングメモリの障害，注意障害，処理速度の低下などがみられる．これら2グループ間の認知機能障害の差異について検討したところ，ロジスティック回帰分析により，TMT-Aがもっとも感度の高い識別検査であることが明らかになった[21]．

SLDと比較した中等度から重度のTBIの診断は，画像診断と臨床心理テストの評価の違いから可能である．診断の解釈や治療計画に有用であるかもしれない．また，SLDを既往に認め，交通事故などに巻き込まれる症例は少なくない．このような症例の評価に有用であるかもしれない．

21） Finley JC, Matuszb EF, Parente F：Cognitive differences between adults with traumatic brain injury and specific learning disorder. Brain Inj 35：411-415, 2021

Ⅳ章　定位・機能

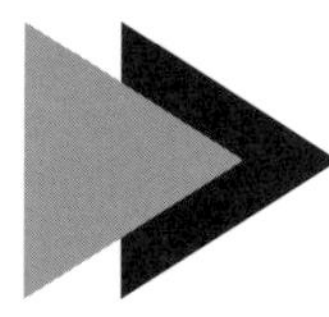

25. てんかんの診断と治療

國枝武治（くにえだ たけはる）
愛媛大学大学院医学系研究科 脳神経外科学

最近の動向

- 2017年に示された発作分類とてんかん症候群分類が普及し，現時点での有用性とともに，さらなる病態理解を深める知見が必要とされている．
- 患者数の多い「高齢者てんかん」では，実臨床での診断の難しさが示され，頻度が高い「脳卒中後てんかん」では，てんかん病態につながる危険因子を探索することで予防治療につなげる可能性はうかがえるものの，確立したものはない．一方で，COVID-19感染拡大による診療体制への影響が多く報告された．
- てんかん外科治療に関して，技術の進歩に伴って，侵襲的検査手法だけでなく，治療手法においても大きな変化が認められ，今後，最適手法の検討と長期的予後の確認が求められている．

てんかんの分類

これまで発作分類は1981年に提唱されたものが中心的役割を果たし，てんかん症候群分類は1989年分類が使用されてきた．International League Against Epilepsy（ILAE）が2017年に示した新しい発作分類では，発作起始が不明の場合も考慮に入れ，発作症状を具体的に表現する形であり，新しいてんかん症候群分類では，体系的かつ段階的に分類を進めるものとなっている．

実際の臨床症例において，これら分類の妥当性を検証した研究が報告されている．連続100症例の213発作記録で，1981年と2017年の発作分類を比較検証したところ，部分発作の表現がより具体的に変化し，以前は全般発作とされていたものの相当数が部分発作や発作起始不明に分類された．欠神発作とされていたものの12.5%と全般性強直間代発作とされていたものの35%が，起始不明発作に分類された．また，脳波とMRI画像情報を含めて1989年と2017年の症候群分類を比較検証すると，症候性部分てんかんの多くは構造的焦点てんかんに分類される一方で，特発性全般てんかんの27%と潜因性部分てんかんの7%は，病型不明てんかんに統合されることとなった[1]．一方，小児症例において，1989年・2010年・2017年という3つの症候群分類を試みると，

1）Legnani M Bertinat A, Decima R et al：Applicability and contribution of the new ILAE 2017 classification of epileptic seizures and epilepsies. Epileptic Disord 21：549-554, 2019

2434-9992/22/¥100/頁/JCOPY

2010年分類よりも1989年分類が有意に優れており，2017年分類とは有意差を認めないことが示された．2017年分類は実臨床で可能な範囲で診断もでき，追加情報が得られた段階で，追加・変更可能な多層性が特徴である[2]．これら**新しい分類の強みは，「起始不明」を導入したことで無理に分類することを避けられる点**にあり，完成形とは捉えられておらず，新たな知見による病態理解に基づいて再評価が必要という点で，両報告は一致している．

さらには，2017年ILAE分類と4つの軸で分類を試みる体系[3]とを統合した「Integrated Epilepsy Classification」も提案されている[4]．これは，**①ILAE分類で用いられる部位と病因を簡潔にまとめたHeadline，②発作症状のすべてをしめすSeizure type，③Epilepsy type，④Etiology，⑤Comorbidities & patient preferencesの5つを併記するもの**である．

てんかんの診断

実臨床において，病態の正確な把握は重要で，病歴聴取に始まり，発作症状，CT/MRIといった画像検査，脳波に代表される電気生理学的検査は重要である．てんかん以外の発作，特に心因性非てんかん性発作（psychogenic nonepileptic seizure：PNES）の鑑別には欠かせないが，系統的レビュー[5]によれば，発作時症候は定型的であることから，Asadi-Pooyaが提唱した方法[6]などの新たな分類を用いることは，以前の手法よりも診断に有用である．さらには，手首に装着したセンサーとビデオ脳波モニタリングの情報を機械学習の手法を用いて解析することで，発作時の自律神経系活動からPNESとてんかん性発作との鑑別を可能にする野心的な研究報告もある[7]．

高齢者てんかん

てんかんの発病率は，先進諸国の報告から65歳以上の高齢で高いことが認識されるようになったが，発病率が年齢に対して二峰性となるのは，発展途上国でも同じである[8]．**高齢者に特徴的な病態として，認知症関連てんかん，一過性てんかん性健忘，自己抗体関連てんかん，重積発作と突然死があり，高い確率で併存症が認められる**[9]．また，発作のほとんどは側頭葉外起始であり，発作型もさまざまで，けいれん発作を呈することは多くない．心機能による影響で神経症状を呈することや，逆に発作で自律神経症状を呈することもある．さらには，部分発作の重積では不随意運動と間違われる可能性があるなど，高齢者ではてんかんの診断は難しい[10]．実際，非典型的な突発的な症状や，普通とは異なる行動のエピソードから「てんかん」を疑う必要があるが，独居の場合も多く，本人以外からの確認や情報提供がないことは，診断をより困難にする．高齢発症てんかんの原因疾患として脳卒中の頻度が高く，脳腫瘍と潜因性がこれに続く．そのため，脳卒中の危険因子を治療・コントロールすること

2) Sharma S, Anand A, Garg D et al：Use of the International League Against Epilepsy (ILAE) 1989, 2010, and 2017 Classification of Epilepsy in children in a low-resource setting：a hospital-based cross-sectional study. Epilepsia Open 5：397-405, 2020

3) Luders H, Vaca GF, Akamatsu N et al：Classification of paroxysmal events and the four-dimensional epilepsy classification system. Epileptic Disord 21：1-29, 2019

4) Rosenow F, Akamatsu N, Bast T et al：Could the 2017 ILAE and the four-dimensional epilepsy classifications be merged to a new "Integrated Epilepsy Classification"? Seizure 78：31-37, 2020

5) Garg D, Agarwal A, Malhotra V et al：Classification and comparative analysis of psychogenic nonepileptic seizures (PNES) semiology based on video-electroencephalography (VEEG). Epilepsy Behav 115：107697, 2021

6) Asadi-Pooya AA：Semiological classification of psychogenic nonepileptic seizures：a systematic review and a new proposal. Epilepsy Behav 100：106412, 2019

7) Zsom A, Tsekhan S, Hamid T et al：Ictal autonomic activity recorded via wearable-sensors plus machine learning can discriminate epileptic and psychogenic nonepileptic seizures. Annu Int Conf IEEE Eng Med Biol Soc 2019：3502-3506, 2019

8) GBD 2016 Epilepsy Collaborators：Global, regional, and national burden of epilepsy, 1990-2016：a systematic analysis for the Global Burden of Disease Study 2016. Lancet Neurol 18：357-375, 2019

9) Thijs RD, Surges R, O'Brien TJ et al：Epilepsy in adults. Lancet 393：689-701, 2019

10) Freitas ME, Ruiz-Lopez M, Dalmau J et al：Seizures and movement disorders：phenomenology, diagnostic challenges and therapeutic approaches. J Neurol Neurosurg Psychiatry 90：920-928, 2019

は，高齢発症てんかんを減じるのにつながる[11]．

脳卒中後てんかん

臨床研究では，脳卒中 1,000 例に対して 94.5 例が脳卒中発症後 1 年以内にてんかんを発症し，虚血性よりも出血性の脳卒中，入院中に初発発作がみられることなどが危険因子と報告され[12]，虚血性脳卒中に関しては，病変部位，前方循環領域，再発，冠動脈疾患の既往を危険因子として報告するものがある[13]．後方視的解析による脳卒中後てんかんの予測因子として，**虚血性脳卒中で，中大脳動脈灌流域に関する Alberts Stroke Program Early CT Score（ASPECTS）スコアが関連し，出血性脳卒中では，出血の部位が関連していた**[14]．これまでの基礎研究をレビューすることで，高齢に伴う神経血管系の変化，脳の炎症，てんかんとけいれん発作の病態生理学的関係を示すことはできたが，臨床知見との差異は大きく，明確に機序を説明できるには至っていない．基礎研究で見出される新たな機序から，発症を予測する可能性は増しているが，実際に発症を抑制したり予防したりするには，新たな治療戦略の開発が必須である[15]．出血性脳卒中症例では，皮質の関与，65 歳未満の年齢，10 mL 以上の血腫量，7 日以内の初発発作からなる CAVE スコアが提唱されていた．これを検討して，初発発作の時期に代えて外科的血腫除去の有無を使用する CAVS スコアが，多人種においても同様に発作再発を予測できることが報告されている[16]．逆に，実臨床で脳出血症例に対して抗けいれん薬の予防投与を判断した理由を後方視的に解析すると，出血部位（脳葉か，基底核か），出血量（10 mL 以下か，それより多いか），意識状態（GCS 5〜12 か，13〜15 か），年齢（65 歳未満か，それ以上か），人種の違いといった因子のうちで，出血部位と意識状態であった[17]．

内科治療

てんかんに対する治療の中心は薬物療法で，発作とてんかん症候群に基づいて薬剤選択が行われるが，同時に年齢や性別，併存症や薬物相互作用にも配慮する必要がある[18]．使用薬剤に関するメタ解析や系統的レビューの報告では，有効性に関する有意な違いは見出されなかったが，lacosamide（LCM），lamotrigine（LTG），levetiracetam（LEV）といった新薬は良好な発作コントロールにつながる可能性は高かった．一方で，旧来薬 carbamazepine（CBZ）は忍容性が低く，LEV，LTG，valproic acid（VPA）に比べて中止や変更が多かった[19,20]．

COVID-19

本レビューは 2019 年以降の論文を対象とするため，COVID-19 の世界的感

11）Sen A, Jette N, Husain M et al：Epilepsy in older people. Lancet 395：735-748, 2020

12）Hardtstock F, Foskett N, Gille P et al：Poststroke epilepsy incidence, risk factors and treatment：German claims analysis. Acta Neurol Scand 143：614-623, 2021

13）Redfors P, Holmegaard L, Pedersen A et al：Long-term follow-up of post-stroke epilepsy after ischemic stroke：room for improved epilepsy treatment. Seizure 76：50-55, 2020

14）Dziadkowiak E, Guziński M, Chojdak-Lukasiewicz J et al：Predictive factors in post-stroke epilepsy：retrospective analysis. Adv Clin Exp Med 30：29-34, 2021

15）van Vliet EA, Marchi N：Neurovascular unit dysfunction as a mechanism of seizures and epilepsy during aging. Epilepsia 63：1297-1313, 2022

16）Kwon SY, Obeidat AZ, Sekar P et al：Risk factors for seizures after intracerebral hemorrhage：Ethnic/Racial Variations of Intracerebral Hemorrhage（ERICH）Study. Clin Neurol Neurosurg 192：105731, 2020

17）Pinto D, Prabhakaran S, Tipton E et al：Why physicians prescribe prophylactic seizure medications after intracerebral hemorrhage：an adaptive conjoint analysis. J Stroke Cerebrovasc Dis 29：104628, 2020

18）Kanner AM, Bicchi MM：Antiseizure medications for adults with epilepsy：a review. JAMA 327：1269-1281, 2022

19）Lattanzi S, Trinka E, Del Giovane C et al：Antiepileptic drug monotherapy for epilepsy in the elderly：a systematic review and network meta-analysis. Epilepsia 60：2245-2254, 2019

20）Lezaic N, Gore G, Josephson CB et al：The medical treatment of epilepsy in the elderly：a systematic review and meta-analysis. Epilepsia 60：1325-1340, 2019

染拡大の影響に関する考察は避けられない．ワクチン接種に関する研究では，接種率は95.4％と高く，一部のてんかん症例においてのみ接種後に発作頻度が増しているが，ワクチン自体が発作を引き起こすことや，代償不全に陥らせる影響はほとんどないと考えられた[21]．感染拡大状況下での新規発症では，以前の時期と比較して，てんかんの既往歴・家族歴をもつ症例が多く，職を有している割合も高いという特徴が認められた[22]．国際的な多施設研究では，家族関係に問題がある症例の割合が有意に高く，世界的な感染拡大が家族関係に影響を及ぼしたことが危惧される[23]．系統的レビューによれば，総じて発作再発の頻度は高く，担当医に注意を促す結果となっていた[24]．一方で，てんかん診療体制に対する影響は無視できない．米国内，特に東部地域において，レベル3のてんかんセンター（難治てんかんも含めて，基本的な検査や治療と，一部のてんかん外科も施行できる施設）では，モニタリング入院が23％減少しており，外科的治療が5.7％減少した[25]．一方，国内においては，てんかん診療に与えた影響を検証した多施設研究では，外来脳波検査は10％以上減少し，遠隔診療は26倍に増加する変化が認められた．月次変化でみると，**COVID-19感染者数が，てんかんの入院患者数とモニタリング検査数に影響した独立因子で，救急医療の状況は外来患者数，外来脳波検査数，遠隔診療，入院患者数，モニタリング検査数，外科手術数に影響を及ぼしたことを報告している**[26]．

21) Martinez-Fernandez I, Sanchez-Larsen A, Gonzalez-Villar E et al：Observational retrospective analysis of vaccination against SARS-CoV-2 and seizures：VACCI-COVID registry. Epilepsy Behav 134：108808, 2022
22) Asadi-Pooya AA, Farazdaghi M：New-onset functional seizures during the COVID-19 pandemic. Clin Neurol Neurosurg 219：107310, 2022
23) Asadi-Pooya AA, Trinka E, Hingray C et al：An international study of the effects of the COVID-19 pandemic on characteristics of functional seizures. Epilepsy Behav 127：108530, 2022
24) Kuroda N, Gajera PK, Yu H et al：Seizure control in patients with epilepsy during the COVID-19 pandemic：a systematic review and meta-analysis. Intern Med doi：10.2169/internalmedicine.9321-22, 2022 [online ahead of print]
25) Ahrens SM, Ostendorf AP, Lado FA et al：Impact of the COVID-19 pandemic on epilepsy center practice in the United States. Neurology 98：e1893-e1901, 2022
26) Kuroda N, Kubota T, Horinouchi T et al：Impact of COVID-19 pandemic on epilepsy care in Japan：a national-level multicenter retrospective cohort study. Epilepsia Open doi：10.1002/epi4.12616, 2022 [online ahead of print]

外科治療

難治てんかんに対する外科的治療を検討するためには，非侵襲的検査に加えて頭蓋内電極留置による侵襲的検査が必要になる．従来，硬膜下電極留置での評価が中心であったが，定位頭蓋内脳波（stereoelectroencephalography：SEEG）の導入が広がっている．PubMedで検索しても，2019年（103編）以降，2020年（154編），2021年（172編）と，報告は増加傾向にある[27]．**これまで評価が難しかった島葉や視床といった脳深部の構造まで探索できる点は大きな進歩であり**[28, 29]**，確実性・安全性とともに効率にも配慮して，手術用ロボットを併用するのが一般的になっている**[30]．

27) Miller C, Schatmeyer B, Landazuri P et al：sEEG for expansion of a surgical epilepsy program：safety and efficacy in 152 consecutive cases. Epilepsia Open 6：694-702, 2021
28) Gadot R, Korst G, Shofty B et al：Thalamic stereoelectroencephalography in epilepsy surgery：a scoping literature review. J Neurosurg doi：10.3171/2022.1.JNS212613, 2022 [online ahead of print]
29) Passos GAR, Silvado CES, Borba LAB：Drug resistant epilepsy of the insular lobe：a review and update article. Surg Neurol Int 13：197, 2022
30) Dorfer C, Rydenhag B, Baltuch G et al：How technology is driving the landscape of epilepsy surgery. Epilepsia 61：841-855, 2020

限局性皮質異形成（focal cortical dysplasia：FCD）

難治性てんかんの病因として頻度も高くて重要なFCDの診断と分類に関して，2011年には改善の必要性が認識されていた．ILAEの作業班は，2012～2021年に発表された関連論文から，FCD typeⅡにおいては，臨床像・電気生理学的検査所見・画像所見との関連や外科的治療成績との相関を認めた知見がある一方で，FCD typeⅠやⅢでは，新規知見に乏しい状況であった．このため，「mild malformations of cortical development（mMCDs）」，「mMCDs with ologodendroglial hyperplasia（MOGHE）」，そして「no definite FCD on histopathology」を新たな項目に加えることを提言するにとどまった[31]．

レーザー間質温熱療法（laser interstitial thermal therapy：LITT）

術前評価の焦点探索で新たな手法が普及する一方で，切除術だけでなく，レーザー治療の臨床応用が進んでいる．MR 誘導 LITT（MRgLITT）は，頭蓋内のどの部位に対しても，最小限の侵襲で治療することが可能である．この新規技術によって，プローブ先端温度をリアルタイムに確認しながら，周辺組織の傷害を避け，標的部位各個に焼灼を行うことができる．このため，**内側側頭葉てんかん，視床下部過誤腫，限局性皮質異形成，結節性硬化症，脳室周囲結節性異所性灰白質，海綿状血管奇形，さらに MRI 陰性の難治てんかん症例まで，その適応が急速に広がっている**[32]．すでに切除術のエビデンスが確立している内側側頭葉てんかんについても，LITT の有効性を示す報告はある．しかし，かつて ROSE（Radiosurgery or Open Surgery for Epilepsy）研究によって定位放射線治療が有効性で切除術に劣ることが示されたのに対し，LITT では，切除術との比較はまだ十分に行われていない[33]．

ニューロモデュレーション

MRI 陰性の難治てんかん症例において切除術の成績が悪いが，侵襲的検査を組み合わせることで，クローズドループ型の NeuroPace 社製 RNS® system を適用でき，症状緩和と良好な発作コントロールを目指す手法が広がりをみせている．さらに多焦点性であれば，本邦でも承認されている迷走神経刺激療法（vagus nerve stimulation：VNS）や本邦未承認の脳深部刺激療法（deep brain stimulation：DBS）が検討される[34]．視床前核（anterior thalamic nucleus：ANT）を標的部位とする DBS では，よりよい発作予後に向けて最適部位に関する報告もある[35]．

31）Najm I, Lal D, Alonso Vanegas M et al：The ILAE consensus classification of focal cortical dysplasia：an update proposed by an ad hoc task force of the ILAE diagnostic methods commission. Epilepsia doi：10.1111/epi.17301, 2022［online ahead of print］

32）Youngerman BE, Save AV, McKhann GM：Magnetic resonance imaging-guided laser interstitial thermal therapy for epilepsy：systematic review of technique, indications, and outcomes. Neurosurgery 86：E366-E382, 2020

33）Wang R, Beg U, Padmanaban V et al：A systematic review of minimally invasive procedures for mesial temporal lobe epilepsy：too minimal, too fast? Neurosurgery 89：164-176, 2021

34）McGrath H, Mandel M, Sandhu MRS et al：Optimizing the surgical management of MRI-negative epilepsy in the neuromodulation era. Epilepsia Open 7：151-159, 2022

35）Ilyas A, Snyder KM, Thomas TM et al：Optimal targeting of the anterior nucleus of the thalamus for epilepsy：a meta-analysis. J Neurosurg doi：10.3171/2022.2.JNS212550, 2022［online ahead of print］

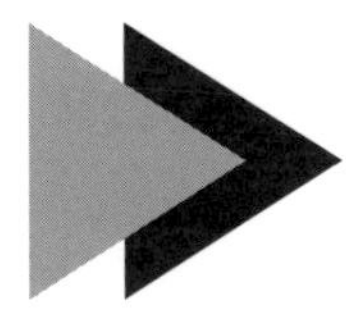

26. ニューロモデュレーション

前原健寿（まえはら たけとし）
東京医科歯科大学 脳神経外科

最近の動向

- ニューロモデュレーションは，電気や磁気あるいは薬物で神経活動に干渉する方法で，新たなデバイスの出現により脳神経外科領域における役割が高まってきている．
- 薬剤抵抗性てんかんに対して，海外では迷走神経刺激療法（vagus nerve stimulation：VNS）以外にも脳深部刺激療法（deep brain stimulation：DBS），responsive neurostimulation（RNS）の導入が進んでいる．
- 脳卒中急性期からのリハビリテーションに対するVNSの有用性が報告されている．
- Closed-loop機能をもつadaptive DBS（aDBS）が国内にも導入されている．
- 海外では強迫性障害やうつ病に対するDBSの効果が報告されている．
- パレステジアを伴わない高頻度SCS（5～10 kHz），burst SCS，subperception SCSなどの刺激法による疼痛改善効果が報告されている．
- SCSはパーキンソン病ではしばしば合併する疼痛症状にも有効で，すくみ足などの歩行障害を改善することが報告されている．
- Brain Machine Interface（BMI）は，外傷や疾患等で失われた人間の機能を機械技術によって代償する試みである．脳神経外科領域では皮質脳波を対象にした研究を中心として，運動や言語の補助のみならず，精神的な領域にまで適応が拡大している．
- 反復性経頭蓋磁気刺激（repetitive transcranial magnetic stimulation：rTMS）は，欧州や米国ではうつ病や慢性疼痛，強迫性障害などの治療に対して導入されている．

薬剤抵抗性てんかんに対するニューロモデュレーション

薬剤抵抗性てんかんのうち外科的に焦点を切除可能な患者は限られる．このため，近年緩和手術としてニューロモデュレーションの導入が進んでいる．国内では迷走神経刺激療法（VNS）のみが適応であるが，海外では脳深部刺激療法（DBS），RNSが導入されている．国際抗てんかん連盟のSurgical Therapies Commissionは，ニューロモデュレーションについて，薬剤抵抗性てんかんに対する効果的な治療オプションであり，時間の経過とともに転帰が

2434-9992/22/¥100/頁/JCOPY

改善され，主要な合併症はほとんどないと結論している[1]．今後国内においても，DBSをはじめとした新たな治療オプションの追加が望まれる．

本邦でも，心拍変動を感知して刺激を追加するclosed-loop systemのAspireSR®が導入されている．Loらは従来のopen-loop systemからSenTiva™へのバッテリー消費に伴う刺激装置交換を施行した小児例10例を，自動刺激なしの時と比較して，発作消失率が60～83％に改善し，50％以上の発作減少を示した有効症例も70％から90％に改善したと報告している[2]．Salanovaらは視床前核をターゲットとしたANT-DBSを施行したSANTÉ studyの長期成績を報告している．110例中10年（最大14年）以上の長期追跡例57例では，7年後の発作減少率の中央値が75％（$p < 0.001$）であり，特に両側性強直間代性発作に限局するもっとも重篤な発作タイプは71％減少したと報告している．予期せぬ重篤な有害事象はなく，突然死（suddenly unexpected death in epilepsy：SUDEP）発生率は，1,000人中2.0人/年の死亡率であり，治療効果，安全性ともに他のモダリティーと同等である[3]．Schaperらは視床前核と乳頭視床束移行部での刺激を20例に行い，1年後の発作減少率が平均46％で，50％の患者に効果がみられ，20％で発作消失するなど効果が高かったと報告している[4]．視床前核の前半部でより効果が高いとする報告が多いが，今後，刺激部位と治療効果に関するさらなる検証を要する．

脳卒中後遺症に対するVNS

VNSはてんかん以外の多くの神経疾患で有用性が報告され，近年，脳卒中後遺症に対する効果が注目されている．英国と米国で施行されたVNS-REHAB試験は，発症から9ヵ月以上経つ中等度-重度の上肢麻痺の患者を対象とした無作為化三重盲検試験である[5]．全員にVNS装置を挿入し，VNS群では上肢トレーニングの時のみ，最大0.8 mA，30 Hz，0.5秒の刺激を加え，対照群では刺激を行わなかった．週3回を6週間，計18回の迷走神経刺激と上肢トレーニングを行ったところ，終了直後の上肢機能のFMA-UEスコア改善度の平均値は，5.0 vs 2.4ポイントで刺激群が有意に優れていた（$p = 0.0014$）．90日後，臨床的に意味のある改善が得られた患者の割合は，47％ vs 24％でVNS群が有意に多く（$p = 0.0098$），迷走神経刺激とリハビリテーションの組み合わせが，虚血性脳卒中後慢性期における中等度から重度の上肢機能障害に有用であるとしている．VNSは経皮的に耳介で刺激する方法もあり，Wuらは急性期から亜急性期の脳卒中症例に対して刺激後にリハビリテーションを施行し，刺激群でシャム群と比較して有意な改善を認めたことを報告している[6]．**動物実験では急性期のVNSが脳虚血に有効であるとの報告も多く，今後はより低侵襲な方法で，急性期からのリハビリテーションにVNSが導入**

1) Touma L, Dansereau B, Chan AY et al：Neurostimulation in people with drug-resistant epilepsy：systematic review and meta-analysis from the ILAE Surgical Therapies Commission. Epilepsia 63：1314-1329, 2022

2) Lo WB, Chevill B, Philip S et al：Seizure improvement following vagus nerve stimulator（VNS）battery change with cardiac-based seizure detection automatic stimulation（AutoStim）：early experience in a regional paediatric unit. Childs Nerv Syst 37：1237-1241, 2021

3) Salanova V, Sperling MR, Gross RE et al：The SANTÉ study at 10 years of follow-up：effectiveness, safety, and sudden unexpected death in epilepsy. Epilepsia 62：1306-1317, 2021

4) Schaper FLWVJ, Plantinga B, Colon AJ et al：Deep brain stimulation in epilepsy：a role for modulation of the mammillothalamic tract in seizure control? Neurosurgery 87：602-610, 2020

5) Dawson J, Liu CY, Francisco GE et al：Vagus nerve stimulation paired with rehabilitation for upper limb motor function after ischaemic stroke（VNS-REHAB）：a randomised, blinded, pivotal, device trial. Lancet 397：1545-1553, 2021

6) Wu D, Ma J, Zhang L et al：Effect and safety of transcutaneous auricular vagus nerve stimulation on recovery of upper limb motor function in subacute ischemic stroke patients：a randomized pilot study. Neural Plast 2020：8841752, 2020

される可能性がある．

Adaptive DBS

DBSは，国内でもすでにパーキンソン病（PD），振戦，ジストニア，疼痛を対象とした治療として定着している．従来はあらかじめ決められた設定の刺激を持続させるopen-loop機能のみであったが，**近年ではclosed-loop機能をもつadaptive DBS（aDBS）が国内でも導入されている**．脳深部に留置した刺激用電極から，留置した部位における基底核のlocal field potential（LFP）を測定する．LFPから測定したlow-β帯域のoscillationは，PDの運動症状と相関することが知られている．BocciらはSTN-DBSを行ったPD 8名を対象に，従来の刺激と，aDBSの運動症状への影響を比較した[7)]．この研究では，aDBSはSTNのβ帯域（12〜35 Hz）のoscillationによって制御された．結果としてaDBSにおいて運動症状への効果，電力消費の両者で有意な改善があったと報告している．小規模の同様の報告が散見されるが，現時点ではaDBSの有効性を示すエビデンスレベルの高い臨床研究はない．現在，前向きの多施設二重盲検試験が進行している[8)]．

本態性振戦では，視床腹側中間核（Vim-DBS）が治療法として確立されているが，長期的有効性は未確立であった．Paschenらは術後平均約6年のVim-DBS患者20名を対象に，刺激時と刺激中止時の症状を評価している[9)]．Vim-DBSは治療前と比較して有効性は十分に維持されているものの，時間経過とともにその効果が減弱する．また，刺激中止時の症状も悪化していることからも，aDBSによる治療効果のさらなる改善が期待される．

精神疾患，てんかんに対するDBS

本邦での適応は未承認であるが，海外では難治性精神疾患や薬剤抵抗性てんかんに対し，DBSによる治療がすでに行われている．**強迫性障害（obsessive compulsive disorder：OCD）はその代表的疾患で，すでに長期成績も報告されている**．Graatらは内包前脚にDBS治療を受けている治療抵抗性OCD患者で，3年以上（平均6.8 ± 3年間）経過観察された50名を検討した[10)]．半数の患者で治療効果を認め，OCD症状は39%減少し，不安と抑うつ症状もそれぞれ48%と50%減少した．失業率の低下，向精神薬の減少，中止も有意に認めており，効果の長期的持続を報告している．治療抵抗性のうつ病も，DBSが試みられているもう一つの代表的精神疾患である．Ramasubbuらは両側subcallosal cingulate gyrusをターゲットとしたDBSを22名に施行し，SPW（90 μs）またはLPW（210〜450 μs）にランダムに振り分けた．2群間に差はなく，6ヵ月後，12ヵ月後ともに有意にハミルトンうつ病評価尺度での改善を認めた[11)]．**短期，長期ともに薬剤抵抗性のうつ病に対する効果が報告され，**

7) Bocci T, Prenassi M, Arlotti M et al：Eight-hours conventional versus adaptive deep brain stimulation of the subthalamic nucleus in Parkinson's disease. NPJ Parkinsons Dis 7：88, 2021

8) Marceglia S, Conti C, Svanidze O et al：Double-blind cross-over pilot trial protocol to evaluate the safety and preliminary efficacy of long-term adaptive deep brain stimulation in patients with Parkinson's disease. BMJ Open 12：e049955, 2022

9) Paschen S, Forstenpointner J, Becktepe J et al：Long-term efficacy of deep brain stimulation for essential tremor：an observer-blinded study. Neurology 92：e1378-e1386, 2019

10) Graat I, Mocking R, Figee M et al：Long-term outcome of deep brain stimulation of the ventral part of the anterior limb of the internal capsule in a cohort of 50 patients with treatment-refractory obsessive-compulsive disorder. Biol Psychiatry 90：714-720, 2021

11) Ramasubbu R, Clark DL, Golding S et al：Long versus short pulse width subcallosal cingulate stimulation for treatment-resistant depression：a randomised, double-blind, crossover trial. Lancet Psychiatry 7：29-40, 2020

小規模なRCTも報告されている．しかし，精神症状の悪化を認める症例もいて，適応患者の選択や刺激部位，刺激方法に対するさらなる検討が必要である．てんかんに対するDBSはすでにRCTで有効性が示されているが，VNS同様に全般性てんかんも治療対象にしている点が特徴である．Dalicらは19例の若年成人のLennox-Gastaut syndromeに対して，両側視床内側中心核（central medial nucleus：CM）-DBSを行う二重盲検試験を行っている[12]．3カ月の盲検期には，50％以上の発作減少は刺激群の50％で認め，対照群の22％と比較して有意に高かった．最終的にはすべての患者の約50％で50％の発作減少を認めており，ほぼVNSと同程度の治療効果といえる．

12) Dalic LJ, Warren AEL, Bulluss KJ：DBS of thalamic centromedian nucleus for lennox-gastaut syndrome（ESTEL trial）. Ann Neurol 91：253-267, 2022

脊髄刺激療法

脊髄刺激療法（spinal cord stimulation：SCS）は，難治性の慢性疼痛に対する治療として確立された，疼痛緩和の治療法である．脊髄硬膜外腔に電極を留置し，脊髄後索を中心に電気刺激を行う．特に脊椎手術後疼痛症候群，末梢血管障害による虚血性疼痛や，下肢の有痛性糖尿病性末梢神経障害に対して有効性が示されている．その他，中枢性脳卒中後疼痛や脊髄損傷後の痛み，複合性局所疼痛症候群（complex regionalpain syndrome：CRPS），幻肢痛，帯状疱疹後神経痛に対しては有効性の報告はあるが，エビデンスレベルの高い報告はない[13]．

13) 慢性疼痛診療ガイドライン作成ワーキンググループ 編：慢性疼痛診療ガイドライン．真興交易(株)医書出版部，2021

SCSの鎮痛効果の作用機序はまだ完全には解明されていないが，脊髄後索の刺激により太い有髄線維が脱分極し，上行性，下行性の双方向に刺激が伝導することで，脊髄後角の広作動域ニューロンの異常活動を抑制する機序が考えられている．

従来のtonic SCS（100 Hz未満）における鎮痛効果は，痛みのある身体部位に刺激によるパレステジア（不快を伴わない異常感覚）を誘発することで痛みが緩和することにあったが，最近ではパレステジアを伴わない高頻度SCS（5～10 kHz），burst SCS，subperception SCS（1～5 kHz）などの刺激法による疼痛改善効果が報告されている．慢性神経障害性疼痛および下肢痛，脊椎手術後症候群，CRPSにおける刺激効果の違いを検討したシステマティックレビューでは，パレステジアがなくても鎮痛効果が得られる点は優れているが，鎮痛効果が高いかどうかの結論は出ていない[14]．

14) Head J, Mazza J, Sabourin V et al：Waves of pain relief：a systematic review of clinical trials in spinal cord stimulation waveforms for the treatment of chronic neuropathic low back and leg pain. World Neurosurg 131：264-274.e3, 2019

従来のtonic SCSでは刺激が疼痛部位以外に及ぶと不快に感じることもあったが，パレステジアがない刺激法により，疼痛部位を十分にカバーできる広範囲な刺激が可能である．また高頻度SCSやburst SCSはtonic SCSでは，治療効果が乏しかった軸性疼痛に対しても有効との報告もある．さまざまな周波数のSCSの開発により個々の患者の痛みに対応できるようになってきており，SCSの適応拡大も期待される．今後，痛みの病因に基づいた最適な刺激周波数の選択についての検討が必要である．

パーキンソン病に対するSCS

PDではしばしば合併する疼痛症状がSCSで軽減され，すくみ足（freezing of gait：FoG）などの歩行障害を改善することが報告されている． Samotusらは，歩行障害と治療抵抗性のFoGを有する進行PD患者4人が，胸部中部のSCS（T8-T10）によりFoGエピソードの数が6ヵ月後の時点で26.8％改善し，3年使用後もFoGエピソードの頻度の改善が持続していると報告している[15)]．胸部SCSでも中程度の効果が報告されている[16,17)]．

FoGに対する最大の治療効果をもつ正確なSCSパラメータはまだ不明であるが，最近の研究ではburst SCSの有効性が示唆されている．Furusawaらは，PD患者の難治性疼痛に対し，tonicではなくburst SCSで疼痛（特に感情的要素）と歩行症状の改善を報告している[18)]．また，Samotusらは，大脳皮質基底核症候群の患者2名で60 HzのSCSを行い，2人のうち1人は，SCS介入後3ヵ月と6ヵ月で歩行とFoG症状の劇的な回復を示したと報告している[19)]．Zhangらは，パーキンソニズムが優位な多系統萎縮症の患者において，60 HzのSCSがFoGを改善したと報告している[20)]．このことから，パーキンソン様神経疾患によって影響を受ける歩行の病態生理に，SCSが根本的に作用することが示唆される．

Brain Machine Interface

外傷や疾患等で失われた人間の機能を機械技術によって代償する試みはBrain Machine Interface（BMI）またはBrain Computer Interface（BCI）と呼ばれ，医学のみならず機械・情報・材料などの各種工学分野や基礎神経科学などの連携が不可欠な学際領域である．米国テスラ社のCEOで起業家として知られるイーロン・マスク氏らが2016年にNeuralink社を設立し，BMI技術の開発を表明したことは記憶に新しい．本邦においては特許数を見ると，米国に大きく遅れを取っている現状が課題である[21)]．脳神経外科領域では，主に脳表への皮質電極や深部電極の留置を通じて精密な脳波信号を得ることで，BMI/BCIの研究が行われてきた[22)]．研究の中心はECoGからの信号の解析であり，ALSや四肢麻痺の患者の機能回復，リハビリテーションの補助としての役目が期待されている[23)]．そして，それらを可能とするためには長期間の安定した電極留置と信号取得が欠かせない．異物との接触による脳組織表面の炎症を回避するため，組織の直接の酸化還元反応を伴わない（非ファラデー電流）電極など，材料科学の発達が重要である[24)]．加えて，近年は皮質からの信号を取得できる血管内電極（stent-electrode arrays：Stentrodes）が，低侵襲なBMI/BCIの手法として研究されている．Stentrodesについては前臨床的

15) Samotus O, Parrent A, Jog M：Long-term update of the effect of spinal cord stimulation in advanced Parkinson's disease patients. Brain Stimul 13：1196–1197, 2020
16) Prasad S, Aguirre-Padilla DH, Poon YY et al：Spinal cord stimulation for very advanced Parkinson's disease：a 1-year prospective trial. Mov Disord 35：1082–1083, 2020
17) Cai Y, Reddy RD, Varshney V et al：Spinal cord stimulation in Parkinson' disease：a review of the preclinical and clinical data and future prospects. Bioelectron Med 6：5, 2020
18) Furusawa Y, Matsui A, Kobayashi-Noami K et al：Burst spinal cord stimulation for pain and motor function in Parkinson's disease：a case series. Clin Park Relat Disord 3：100043, 2020
19) Samotus O, Parrent A, Jog M：Spinal cord stimulation therapy for gait dysfunction in two corticobasal syndrome patients. Can J Neurol Sci 48：278–280, 2021
20) Zhang Y, Song T, Zhuang P et al：Spinal cord stimulation improves freezing of gait in a patient with multiple system atrophy with predominant parkinsonism. Brain Stimul 13：653–654, 2020
21) Greenberg A, Cohen A, Grewal M：Patent landscape of brain-machine interface technology. Nat Biotechnol 39：1194–1199, 2021
22) Chari A, Budhdeo S, Sparks R et al：Brain-machine interfaces：the role of the neurosurgeon. World Neurosurg 146：140–147, 2021
23) Miller KJ, Hermes D, Staff NP：The current state of electrocorticography-based brain-computer interfaces. Neurosurg Focus 49：E2, 2020
24) Keogh C：Optimizing the neuron-electrode interface for chronic bioelectronic interfacing. Neurosurg Focus 49：E7, 2020

な比較試験が複数報告されており，基本的な安全性と，特に深部への留置における有効性が示されている．一方で，電極の素材やアプローチ方法（経静脈か経動脈か），信号のデコーディング方法など，課題は多い[25]．特にてんかん外科領域では，定位的な電極留置（stereoelectroencephalography：SEEG）を応用して人間の扁桃核からγ帯周波数として運動の信号を検知することに成功している[26]．**BMI/BCIの応用の範囲は，研究が広まった当初の運動や言語の補助のみならず，精神的な領域にまで拡大している**．うつ病，強迫神経症やトゥレット症候群の治療に加え，統合失調症の治療としての手綱核のDBSの有効性が報告されている[27]．

反復性経頭蓋磁気刺激

反復性経頭蓋磁気刺激（rTMS）とは，電磁コイルを通じて強力な磁場を作り出すことで電流を発生させ，脳組織の神経興奮性を修飾するものである．刺激の対象部位，周波数などのパラメータによって応用目的を変えることが可能である．**欧州や米国ではうつ病や慢性疼痛，強迫性障害などの治療に対して導入されている**．一般的な慢性疼痛に対しては，RCTの結果で短期長期いずれも有効性を示せていないが，神経性疼痛と頭痛に対する研究結果は意見が分かれている[28]．rTMSにおける欧州の専門家パネルによるガイドラインによると，レベルAエビデンス（確実な効果）が得られる疾患と治療法の組み合わせは，神経因性疼痛に対して疼痛の存在する身体部位の反対側一次運動野への高周波rTMS（HF-rTMS），うつ病に対して左背外側前頭前皮質への八字型かH1コイルでのHF-rTMS，脳卒中の急性期後の手の運動回復に対して麻痺側と反対側の一次運動野への低周波rTMS（LF-rTMS）である[29]．rTMSは認知能力へも影響することが示唆されている．前頭葉におけるθ波は意思決定に関与しており，その活動が高まると「現在取り組んでいる課題を諦める」という行動に関係するとされる．同周波数のrTMSを施すことによりそのような行動を修飾できることが示され[30]，うつ病治療などへの応用が期待されている．

25）Soldozy S, Young S, Kumar JS et al：A systematic review of endovascular stent-electrode arrays, a minimally invasive approach to brain-machine interfaces. Neurosurg Focus 49：E3, 2020
26）Gogia AS, Martin Del Campo-Vera R, Chen KH et al：Gamma-band modulation in the human amygdala during reaching movements. Neurosurg Focus 49：E4, 2020
27）Wang Y, Zhang C, Zhang Y et al：Habenula deep brain stimulation for intractable schizophrenia：a pilot study. Neurosurg Focus 49：E9, 2020
28）Knotkova H, Hamani C, Sivanesan E et al：Neuromodulation for chronic pain. Lancet 397：2111–2124, 2021
29）Lefaucheur JP, Aleman A, Baeken C et al：Evidence-based guidelines on the therapeutic use of repetitive transcranial magnetic stimulation（rTMS）：an update（2014–2018）. Clin Neurophysiol 131：474–528, 2020
30）Miyauchi E, Kawasaki M：Behavioural effects of task-relevant neuromodulation by rTMS on giving-up. Sci Rep 11：22250, 2021

27. パーキンソン病・不随意運動の治療

堀澤士朗（ほりさわ しろう）
東京女子医科大学 脳神経外科

最近の動向

●パーキンソン病を始めとした不随意運動の治療は，長らくスタンダードな治療として定着してきた脳深部刺激療法（DBS）と並び立つ勢いで集束超音波治療のエビデンスが続々と報告され，その適応も広がりつつある．特に，本態性振戦とパーキンソン病（PD）ではすでに確立された治療となりつつある．
●また，ジストニアの治療では，淡蒼球視床路や小脳などの新たな治療ターゲットが模索され，一定の有効性が報告されている．これらの新しい治療ターゲットは，ジストニア以外の不随意運動疾患にとどまらず，他の疾患への応用も期待されている．
●また，集束超音波とマイクロバブルを併用することで，血液脳関門を開く研究がヒトでも報告された．この技術を応用してPDやアルツハイマー病の病態をなす異常蛋白質の除去を試みる研究が開始されている．
●人工知能や集束超音波などの新たな技術革新が，治療効果の改善と新たな治療法の確立につながることが期待される．

はじめに

不随意運動の治療は，脳深部刺激療法（deep brain stimulation：DBS）や近年出現したMRIガイド下経頭蓋集束超音波（MR-guided focused ultrasound：MRgFUS）による熱凝固療法が行われている．MRgFUSは，熱凝固療法以外にも血液脳関門（blood brain barrier：BBB）を開窓させる目的でも用いられている．また，人工知能を用いた最適な治療条件やclosed-loop DBSなど，最新の技術が治療の応用され始めている．目覚ましい進歩を遂げる科学技術の発展がダイレクトに治療につながる点は，機能的脳神経外科の醍醐味ともいえよう．

パーキンソン病（PD）の治療

STNかGPiか？

DBSは1990年代以降から行われてきたスタンダードな治療法である．治療

2434-9992/22/¥100/頁/JCOPY

ターゲットは淡蒼球内節（globus palliodus internus：GPi）や視床下核（subthalamic nucleus：STN）が主に用いられ，振戦優位型にのみ視床腹側中間核（ventral intermediate nucleus：Vim）が用いられてきた．最適な治療ターゲットに関しては，いまだ明確な結論をみていない．STNとGPiを用いたPDに対するDBSの報告（10人以上の被験者数，UPDRS Part Ⅲスコアの治療6～12ヵ月後のデータが利用可能）に関して，1990年から2019年までのメタアナリシスが報告された[1]．STN-DBSは2,035人，GPi-DBSは292人が対象となった．UPDRS-Ⅲスコアは STN-DBSで50.5%，GPi-DBSで29.8%改善した．STN-DBSはジスキネジアを64%，1日のOFF時間を69.1%，生活の質を22.2%改善した一方，レボドパ1日投与量は50.0%減少した．GPi-DBSでは，ジスキネジア，OFF時間，生活の質，レボドパ1日投与量に関する情報が不十分なため，検討困難であった．術前のレボドパに対する反応性とSTN-DBSの運動機能改善は高い相関を示した．これらのことから，レボドパ反応性がよいPDに対しては，STN-DBSが好ましいターゲットであると結論づけている．一方，適切な患者選択のもとにGPi-DBSを用いれば，GPiがより望ましい場合があるとの意見もある．フロリダ大学のグループは，寡動，固縮，振戦，ジスキネジアに対する良好な改善効果を有し，刺激調整が容易であること，レボドパなどの薬剤調整に影響を与えないこと，刺激による副作用が少ないこと，また良好なGPi-DBSの結果を得るには慎重で適切な手術手技が必要であることを報告している[2]．これまでのPDに対するGPi-DBSは，STN-DBSに比べて圧倒的に数が少ないこと，STN-DBSによる認知機能低下の影響などから，STNかGPiのどちらが優れているかを結論づけることは依然困難である．

1）Lachenmayer ML, Mürset M, Antih N et al：Subthalamic and pallidal deep brain stimulation for Parkinson's disease–meta-analysis of outcomes. NPJ Parkinsons Dis 7：77, 2021

2）Au KLK, Wong JK, Tsuboi T et al：Globus pallidus internus（GPi）deep brain stimulation for Parkinson's disease：expert review and commentary. Neurol Ther 10：7-30, 2021

人工知能を用いた刺激条件の最適化

Boutetらのグループは，DBSを行ったPD患者67名に対して，安静時fMRIを用いて最適な刺激条件が予測できるかを検討した[3]．最適な刺激条件とそれ以外の刺激条件における安静時fMRIのBOLD信号の変化パターンを，人工知能に学習させた．最適な刺激コンタクトに対するBOLD信号の変化は，同側の一次運動野，反対側小脳で低下し，同側視床で上昇するパターンであった．最適な刺激コンタクトを用いて，最適な刺激強度から低い刺激強度へ下げていくと，上記のBOLD信号強度が減弱した．最適な刺激強度以上の刺激では，同側の一次運動野，反対側小脳のBOLD信号の増強だけでなく，非運動領域である下前頭葉，後頭葉などでも増強がみられた．これらの得られたパターン等をもとに，マシーンラーニングモデルを構築し，最適な刺激条件を予測させた．DBSを受けたPD患者39名の最適な刺激コンタクトや刺激強度を予測させたところ，88%の精度で予測することができた．fMRIがPD患者に

3）Boutet A, Madhavan R, Elias GJ et al：Predicting optimal deep brain stimulation parameters for Parkinson's disease using functional MRI and machine learning. Nat Commun 12：3043, 2021

おけるDBSの反応性を予測することができる客観的な指標になりうる可能性が示唆された.

経頭蓋集束超音波を用いた治療

MRgFUSを用いたGPiやSTNに対する熱凝固療法の成績が報告されている. Eisenbergらは, レボドパ反応性を有する20名のPD患者に対して, オープンラベルで片側GPiをターゲットとしたMRgFUS熱凝固療法を行った[4]. ジスキネジアの改善を主要評価項目とし, 治療12ヵ月で59%の改善を示した. OFF状態の治療側のUPDRS Part Ⅲにおいても, 治療後12ヵ月で45.2%の改善を持続した. 合併症は, 一過性の視野障害 (1例), 構音障害 (4例), 認知機能障害 (1例), 巧緻運動障害 (2例), 顔面麻痺 (1例), バランス障害 (1例) であった. Martínez-Fernándezらは, 一側視床下核をターゲットに, 2対1で治療群とシャム群に分けたランダム化二重盲検化試験を行った[5]. 27例の治療群, 13例のシャム群にランダム化された. 治療4ヵ月後のUPDRS Part Ⅲは19.9点から9.9点へ改善したのに対し, シャム群では18.7点から17.1点の改善にとどまった. 治療合併症は, ジスキネジア (4例), 筋力低下 (2例), 構音障害 (3例), 顔面麻痺 (1例), 歩行障害 (2例) を4ヵ月目でも認めていた. 12ヵ月後の時点では6例の患者に何らかの合併症を認めていた.

MRgFUSは, マイクロバブルと組み合わせることで血液脳関門を開くことができる. この技術を利用したドラッグデリバリーにより, アルツハイマー病やパーキンソン病などの異常蛋白質の蓄積によって発症する難治性疾患への治療が期待されている. 現時点では, ヒトにおけるBBBを開窓させることの安全性を検討している段階である. Gasca-Salasらは, 5名の認知症を合併したPD患者を対象にBBB開窓を行った[6]. BBB開窓のターゲットは, PD認知症の病態に関与しているとされる頭頂後頭側頭葉皮質の合流部とした. マイクロバブルを投与してからターゲットに超音波を照射したのち, ガドリニウムを投与することによって脳実質へのガドリニウムの漏出を確認することで, BBB開窓を判断した. 超音波照射直後には造影剤の脳実質の漏出が確認されたが, 24時間後の造影MRIでは脳実質へのガドリニウムの漏出は確認されなかった. 明らかな有害事象は認めなかった. 効果的なドラッグデリバリーのために, BBB開窓は安全に行いうることが示唆された. ただし, 超音波照射部位の体積が小さく, より大きな体積を安全にBBB開窓ができるのか, BBB開窓時の有害物質の細胞内移行などのリスクなど, さまざまな課題が今後解決される必要がある.

4) Eisenberg HM, Krishna V, Elias WJ et al : MR-guided focused ultrasound pallidotomy for Parkinson's disease : safety and feasibility. J Neurosurg 135 : 792-798, 2020

5) Martínez-Fernández R, Máñez-Miró JU, Rodríguez-Rojas R et al : Randomized trial of focused ultrasound subthalamotomy for Parkinson's disease. N Engl J Med 383 : 2501-2513, 2020

6) Gasca-Salas C, Fernández-Rodríguez B, Pineda-Pardo JA et al : Blood-brain barrier opening with focused ultrasound in Parkinson's disease dementia. Nat Commun 12 : 779, 2021

本態性振戦の治療

DBSの長期成績

本態性振戦（essential tremor：ET）に対するVim-DBSは，長期的に効果が減弱する，失調症状が出現する，などの懸念がある．Paschenらが報告した20名のET患者に対するVim-DBSの報告では，術後13.1ヵ月時では62.9％の振戦スコアの改善に対し，術後71.9ヵ月時では23.3％の改善であった[7]．経時的な振戦抑制効果の減弱が確認された．また刺激OFF時の振戦は術前よりも35.9％悪化していた．Vim-DBSの長期的な効果減弱はhabituationとして認識されており，長期的な治療効果維持がVim-DBSの大きな課題となっている．

MRgFUSの長期成績

一方，MRgFUSを用いた熱凝固療法では，長期成績がよいとの報告がされている．Halpernらは，MRgFUSを用いたVim thalamotomyを受けた52名のET患者を3年間追跡した[8]．治療6ヵ月後，3年後ともに40％の改善を維持していた．生活の質においても，治療6ヵ月後，3年後で改善を持続していた．合併症は，治療3年後で11名の患者に認め（バランス障害，筋力低下，失調，測定障害，味覚障害など），いずれも重篤な合併症は認めなかった．Parkらは，同様の治療手技による4年間の長期成績を報告した．12名のET患者において，上肢振戦スコアは，治療前17.4点，治療6ヵ月後5.0点，治療4年後7.7点と良好な改善を維持していた[9]．治療4年後に合併症を認めた患者はみられなかった．MRgFUSによるETの治療は，DBSで報告されている治療効果減弱はみられておらず，長期的成績の点においてDBSに対する優越性を有する可能性がある．

両側MRgFUS Vim thalamotomy

Vim thalamotomyは両側に行うと構音障害，嚥下障害，発声障害などの合併症が重篤に発症する懸念があることから，これまでほとんど報告がみられなかった．MRgFUSを用いた両側視床Vim thalamotomyが報告されている．Martínez-Fernándezらは，9名のET患者に対して，平均24ヵ月のインターバルを設けて2期的なMRgFUS Vim thalamotomyを行った[10]．治療前，一側治療後，反対側治療後のClinical Rating Scale for Tremorは，32.3点，22.3点，10.8点であり，両側治療により66.6％の改善がみられた．合併症は6ヵ月の評価時点では2名に顔面の感覚低下を認めたのみであった．Iorio-Morinらは，10名のET患者に対して，9ヵ月のインターバルで2期的なMRgFUS Vim thalamotomyを行い，治療3ヵ月後で45.1％の振戦改善を認めた[11]．合

7) Paschen S, Forstenpointner J, Becktepe J et al：Long-term efficacy of deep brain stimulation for essential tremor：an observer-blinded study. Neurology 92：e1378-e1386, 2019

8) Halpern CH, Santini V, Lipsman N et al：Three-year follow-up of prospective trial of focused ultrasound thalamotomy for essential tremor. Neurology 93：e2284-e2293, 2019

9) Park YS, Jung NY, Na YC et al：Four-year follow-up results of magnetic resonance-guided focused ultrasound thalamotomy for essential tremor. Mov Disord 34：727-734, 2019

10) Martínez-Fernández R, Mahendran S, Pineda-Pardo JA et al：Bilateral staged magnetic resonance-guided focused ultrasound thalamotomy for the treatment of essential tremor：a case series study. J Neurol Neurosurg Psychiatry 92：927-931, 2021

11) Iorio-Morin C, Yamamoto K, Sarica C et al：Bilateral focused ultrasound thalamotomy for essential tremor（BEST-FUS phase 2 trial）. Mov Disord 36：2653-2662, 2021

併症は，歩行障害，失調，構音障害，嚥下障害，味覚障害，感覚障害，めまいなど多岐にわたって生じたが，いずれも mild な合併症にとどまっていた．この報告は治療 3ヵ月後と経過観察期間が短く，これらの合併症はさらなる経過観察期間中に改善してくる可能性がある．本邦からは Fukutome らが，5 名の ET 患者に対して 2 期的な両側 MRgFUS Vim thalamotomy を行い，両側治療後 3ヵ月で 65.9%の改善を認めた[12]．合併症は，構音障害，舌の感覚障害を 1 名に認めた．いずれの報告も経過観察期間が短く，報告された合併症は改善する可能性があることを考慮すると，MRgFUS を用いた 2 期的な vim thalamotomy は，ET に対しては安全に行いうる可能性がある．

ジストニアの治療

GPi-DBS と STN-DBS

ジストニアに対する DBS においても，PD と同様に GPi と STN が用いられている．PD とは反対に，ジストニアに対する DBS は GPi が治療報告数において圧倒的な趨勢である．ジストニアに対して，GPi-DBS と STN-DBS を比較した単一施設における報告では，Burke-Fahn-Marsden Dystonia Rating Scale（BFMDRS）において，治療 12ヵ月後では GPi-DBS では 68.0%改善，STN-DBS では 77.8%改善であった[13]．治療に必要な刺激強度は STN-DBS が有意に低かった．この研究は，後方視的研究であり，対象患者群の選択バイアスを排除できておらず，治療効果の優越を判断することは困難である．ただし，STN が有効であることは間違いなく，同等程度の効果を有することが期待される．頚部ジストニアに限定した GPi-DBS と STN-DBS のメタアナリシスでは，Toronto Western Spasmodic Torticollis Rating Scale（TWSTRS）を用いて評価を行い，GPi-DBS（125 例）で 60.4%改善，STN-DBS（24 例）で 56.6%改善を認めた[14]．刺激強度は GPi-DBS で 3.3 V，STN-DBS で 2.3 V と，有意差をもって STN-DBS の刺激強度が低かった．

Pallidotomy（淡蒼球内節凝固術）と pallidothalamic tractotomy（淡蒼球視床路凝固術）

GPi は，古くからジストニアに対する熱凝固療法のターゲットとして用いられてきた．一方，淡蒼球視床路は近年報告された新規の治療ターゲットである．Horisawa らは，頚部ジストニアに対する GPi と淡蒼球視床路の熱凝固療法の効果についてそれぞれ報告している．25 名の頚部ジストニアに対して，片側 pallidotomy を行い，6ヵ月後の TWSTRS において 47.9%の改善を報告した[15]．一方，頚部ジストニアに対する片側 pallidothalamic tractotomy の報告では，35 名の頚部ジストニア患者において，治療後 13.9ヵ月時点で TWSTRS

12) Fukutome K, Hirabayashi H, Osakada Y et al：Bilateral magnetic resonance imaging-guided focused ultrasound thalamotomy for essential tremor. Stereotact Funct Neurosurg 100：44-52, 2022

13) Lin S, Wu Y, Li H et al：Deep brain stimulation of the globus pallidus internus versus the subthalamic nucleus in isolated dystonia. J Neurosurg 132：721-732, 2019

14) Tsuboi T, Wong JK, Almeida L et al：A pooled meta-analysis of GPi and STN deep brain stimulation outcomes for cervical dystonia. J Neurol 267：1278-1290, 2020

15) Horisawa S, Fukui A, Kohara K et al：Unilateral pallidotomy in the treatment of cervical dystonia：a retrospective observational study. J Neurosurg doi：10.3171/2019.9.JNS191202, 2019［online ahead of print］

46.4％の改善を認めた[16]．淡蒼球視床路はSTNと同様の治療効果を有することが示唆された．淡蒼球視床路は，STNよりも中心に位置しており，集束超音波への適合性がよいこと，STN凝固術に生じる遅発性脳梗塞の合併症がないことなどから，今後のジストニア治療の主要なターゲットになる可能性がある．

16）Horisawa S, Kohara K, Nonaka T et al：Unilateral pallidothalamic tractotomy at Forel's field H1 for cervical dystonia. Ann Clin Transl Neurol 9：478-487, 2022

新たな治療ターゲット：小脳

ジストニアの病態は，大脳基底核-視床-皮質回路の機能異常によると考えられてきた．そのため，大脳基底核の主要な出力核であるSTN，STNからの投射を受ける視床Vo核，STNから視床への投射線維である淡蒼球視床路を用いた治療が用いられてきた．一方，近年の研究により，小脳がジストニアの病態に深く関与していることが報告され，ジストニアにおける小脳の役割に注目が集まっている．症例報告レベルであるが，3例のジストニアに対する小脳へのDBSの報告がある．Horisawaらは，両側STN凝固術，バクロフェン髄腔内治療などに抵抗性であった若年発症の全身性固定ジストニア患者に対して，両側小脳DBSを行った[17]．電極は歯状核とその出力線維が集約する上小脳脚に留置した．6ヵ月後の評価で39.3％の改善を認めた．GPiに治療抵抗性のジストニアに対して小脳が異なる治療効果をもたらす興味深い報告である．Brownらは，小児期に発症した脳卒中後のヘミジストニアに対して，小脳DBSを行った．2度のthalamotomyで有意な改善が得られず，脳卒中によりGPiを始めとした広範囲の大脳基底核の構造的破壊が生じていたため，小脳をターゲットに選択した[18]．2年の経過観察期間において40％の症状改善を報告した．また，ジストニアと振戦を合併した症例に対する小脳DBSも報告されている[19]．Vim/淡蒼球視床路破壊術（pallidothalamic tractotomy：PTT）-DBSが感染を発症したため，palliative surgeryとして小脳DBSが選択された．6ヵ月後の評価において，振戦は完全消失，ジストニアは91.7％の改善を認めた．従来の治療法が施行困難または抵抗性の難治性ジストニアに対する新たな治療手段として，小脳が有効なターゲットとなる可能性がある．

17）Horisawa S, Arai T, Suzuki N et al：The striking effects of deep cerebellar stimulation on generalized fixed dystonia：case report. J Neurosurg 132：712-716, 2019
18）Brown EG, Bledsoe IO, Luthra NS et al：Cerebellar deep brain stimulation for acquired hemidystonia. Mov Disord Clin Pract 7：188-193, 2020
19）Horisawa S, Kohara K, Nonaka T et al：Case report：deep cerebellar stimulation for tremor and dystonia. Front Neurol 12：642904, 2021

集束超音波を用いた治療

MRgFUSを用いたジストニアの治療は，Horisawaらが報告した視床Vo核を用いた上肢ジストニアの研究のみである[20]．10名の上肢ジストニアに対して，MRgFUS Vo-thalamotomyを行い，書痙評価スコア，Tubiana-Chamagne Scaleがそれぞれ74.6％，72％の改善を認めた．MRgFUSによるVo-thalamotomyは，高周波熱凝固を用いたVo-thalamotomyと同程度の治療効果を有していた．ジストニアの治療で期待されるMRgFUSのターゲットはGPiであるが，GPiは超音波の集束性が悪く，有効な温度上昇が得られにくいこと，片側のみ

20）Horisawa S, Yamaguchi T, Abe K et al：Magnetic resonance-guided focused ultrasound thalamotomy for focal hand dystonia：a pilot study. Mov Disord 36：1955-1959, 2021

の GPi 治療は一般的に行われていないことなどから，MRgFUS のジストニア治療の報告がない．しかし，淡蒼球視床路を用いた MRgFUS はすでに PD で報告されており，ジストニアに対する高周波熱凝固療法を用いた一側淡蒼球視床路凝固療法が有効であった報告もあることから，ジストニアに対する MRgFUS を用いた一側淡蒼球視床路凝固療法は有効性が十分期待される治療法である．

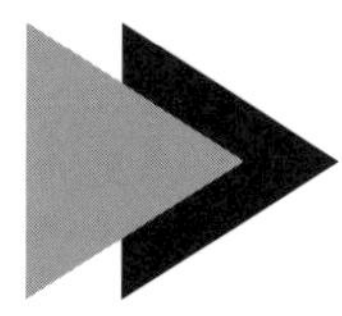

28. FUS 治療の現状と将来

前澤　聡（まえさわ　さとし）
名古屋大学大学院医学系研究科 脳神経外科学

最近の動向

- MRI-guided focused ultrasound surgery（MRgFUS）による定位的機能外科治療は成熟期を迎え，新たな適応も増えて，機能外科領域における強力なモダリティとしての確固たる地位を獲得したといえる.
- 本態性振戦に対する MRgFUS を使った視床腹側中間核（ventral intermediate nucleus：Vim）凝固術は，2019 年に保険収載となった.
- 本態性振戦治療の予後規定因子として，治療時の最高到達温度，凝固巣サイズが重要であった.
- 本態性振戦治療の 4 年以上の長期的効果が報告され，約 56～70%の改善が継続し合併症が少ないことがわかった.
- 本態性振戦に対する二期的な両側治療の安全性と有効性が示された.
- パーキンソン病に対しては 2020 年に Vim，淡蒼球内節（globus pallidus interna：GPi）を標的部位とした治療が保険適応となった.
- 振戦優位型のパーキンソン病に対する Vim 凝固術の有効性，ジスキネジアを伴うパーキンソン病に対する GPi 凝固術の有効性が示された.
- 低周波照射とマイクロバブルを併用して局所的な薬剤到達性を高める targeted drug delivery 治療の開発研究が，特にアルツハイマー病を対象として進んでいる.
- 新たな適応拡大に向けて，局所性ジストニア，強迫性障害，てんかん等に対しての臨床成績が報告され，実臨床化への準備が進んでいる.

MRgFUS の概要と本邦における保険適応について

経頭蓋 MR ガイド下集束超音波治療（transcranial MR-guided focused ultrasound surgery，以下 MRgFUS と表記）とは，1,024 個の超音波発生エレメントを有するトランスデューサーを頭部に装着し，位相と振幅を制御しながら超音波を集束させることで，標的部位を MRI ガイド下に熱凝固し，機能修飾を加えるニューロモデュレーションの手法のことである．穿頭や電極留置を行わず，真に低侵襲治療といえる．中高周波（650～670 kHz）では焦点部位

2434-9992/22/¥100/頁/JCOPY

に熱凝固巣を作成し，視床凝固術（thalamotomy）や淡蒼球凝固術（pallidotomy）を可能とする．低周波（220 kHz）では，マイクロバブルを併用することで照射部位の脳血管関門（blood brain barrier：BBB）を開くことが可能であり，標的部位薬剤透過に応用される．InSightec社（イスラエル）が開発した同製品は，米国で2016年7月にFDAで承認され，以後世界的に普及した．本邦では，2016年12月に本態性振戦に対する治療が薬事承認され，2019年6月には保険収載されるようになった．さらに，2020年9月には，パーキンソン病に対する視床腹側中間核（ventral intermediate nucleus：Vim），淡蒼球内節（globus pallidus interna：GPi）を標的部位とした治療が合わせて保険適応となった[1,2]．国内での導入数は2022年7月現在で17台となり，総治療患者数は1,000名を超えた．このように，MRgFUSはこの2，3年で保険適応という大きな節目を迎え，さらなる発展を遂げて，定位機能外科手術における強力なモダリティとして確固たる地位を築いたといえる．

本態性振戦に対するMRgFUS

本態性振戦に対するVim凝固術は，MRgFUS治療の中でももっともよい適応であり，最近は治療予後因子に関する論文が増加した．一つの重要な因子として頭蓋骨密度比（skull density ratio：SDR）があり，これが低いと超音波の通過性が低下し，頭蓋内の標的部位に到達しにくくなる．欧米ではSDR≧0.45を一つの治療適応基準とする報告がみられるが[3]，一方でSDR自体は治療予後を規定しないとする報告もある[4,5]．アジア人は欧米人に比べSDRが低い傾向にあり，先の基準を用いると適応外となる症例が少なくないが，そのような場合の工夫として，症状確認時の試験相における照射熱量を抑えて，治療相の照射を急峻に大きくすることで熱効率を上げる，標的部位の内側，前方にも追加して照射する，等が本邦の施設より報告された[6,7]．このようなマネージメントをすることで，**日本人のようにSDRが低くても振戦のコントロールは決して劣らないとしている**[8]．われわれの施設からの連続64例での検討においては，重要な予後規定因子は照射時の最高到達温度（カットオフ値＝52.5℃）と凝固巣のサイズ（カットオフ値＝5.5 mm：上下方向，3.9 mm：前後方向）であり，SDRはこれらの因子に関連するが，予後を直接規定するものではなかった[9]．この2つの予後因子に加えて，年齢が若いこと，罹病期間が短いことも報告されている[10]．Pineda-Pardoらは，治療後の凝固巣に関しての検討を行い，サイズが大きい，Vimをカバーする範囲が広い，また位置が後方下方であると振戦抑制効果が高いとしている[11]．一方で，大きな凝固巣は歩行障害など副作用と相関するため，注意が必要である．

また，長期的な効果についてもいくつか報告されている[12,13]．2019年，Parkらは4年の術後経過を報告した[12]．15例の前向き研究であり，Clinical

1) 前澤聡，中坪大輔，津川隆彦 他：MRガイド下集束超音波治療による凝固術―神経疾患への応用と治療手技（特集：定位・機能脳神経外科の基礎と臨床）．脳神経外科 49：847-856, 2021
2) Maesawa S, Nakatsubo D, Tsugawa T et al：Techniques, indications, and outcomes in magnetic resonance-guided focused ultrasound thalamotomy for tremor. Neurol Med Chir（Tokyo）61：629-639, 2021
3) Park YS, Jung NY, Na YC et al：Four-year follow-up results of magnetic resonance-guided focused ultrasound thalamotomy for essential tremor. Mov Disord 34：727-734, 2019
4) Boutet A, Gwun D, Gramer R et al：The relevance of skull density ratio in selecting candidates for transcranial MR guided focused ultrasound. J Neurosurg 132：1785-1791, 2019
5) D'Souza M, Chen KS, Rosenberg J et al：Impact of skull density ratio on efficacy and safety of magnetic resonance guided focused ultrasound treatment of essential tremor. J Neurosurg 132：1392-1397, 2019
6) Fukutome K, Kuga Y, Ohnishi H et al：What factors impact the clinical outcome of magnetic resonance imaging-guided focused ultrasound thalamotomy for essential tremor? J Neurosurg 134：1618-1623, 2020
7) Yamamoto K, Ito H, Fukutake S et al：Factors asso ciated with heating efficiency in transcranial focused ultrasound therapy. Neurol Med Chir（Tokyo）60：594-599, 2020
8) Abe K, Horisawa S, Yamaguchi T et al：Focused ultra sound thalamotomy for refractory essential tremor：a Japanese multicenter single-arm study. Neurosurgery 88：751-757, 2021
9) Torii J, Maesawa S, Nakatsubo D et al：Cutoff values for the best management strategy for magnetic resonance-guided focused ultrasound ablation for essential tremor. J Neurosurg doi.org/10.3171/2022.3.JNS212460, 2022［online ahead of print］
10) Krishna V, Sammartino F, Cosgrove R et al：Predictors of outcomes after focused ultrasound thalamotomy. Neurosurgery 87：229-237, 2020
11) Pineda-Pardo JA, Urso D, Martínez-Fernández R et al：Transcranial magnetic resonance-guided focused ultrasound thalamotomy in essential tremor：a comprehensive lesion characterization. Neurosurgery 87：256-265, 2020

Rating Scale of Tremor（CRST）で56～70％の改善度を4年後も保っていたとしている．半年から1年は効果が減少したり振戦が再発したりするが，それ以降は安定すると述べている．また，感覚障害や歩行障害などの合併症は一時的にみられるが，4年次にはまったくみられなかった．**彼らは，既報告より他のモダリティの4年後の治療成績を引用して比較を行い，deep brain stimulation（DBS）ではデバイスに関連した合併症が半数以上の症例にあり，ラジオ波凝固術では出血や感染例が4～5％みられるとして，MRgFUSの治療がもっとも安全であると結論づけている**．より多くの症例で，より長期間にわたって経過を追った報告が待たれる．

さらなる話題としては，両側治療がある．本態性振戦は一般に両側上肢に振戦が生じるため，多くの患者が両側治療を望む．しかし両側視床凝固術は構音障害，歩行障害など合併症が重篤となるという理由で，従来は禁忌とされていた．ところが，最近の画像進歩とMRgFUSを含む凝固技術の進歩によって両側治療の可能性が増大し，再注目されるようになった．**2021年に両側治療の前向き研究（Bilateral Focused Ultrasound Thalamotomy for Essential Tremor（BEST-FUS）の第Ⅱ相試験の結果が報告された**[13]．初回の治療の標的部位より若干上方に小さめの凝固巣を作成することで，良好な振戦抑制を得て，構音障害など合併症は軽度であったという．本邦からもFukutomeらが同様の結果を報告している[14]．現在は保険適応が一側視床凝固術に限られているが，これらの結果を受けて改変するかもしれず，重要な報告といえる．また，この領域の最後の話題になるが，本態性振戦に対するMRgFUSのネットワーク変化を安静時機能的MRIで評価する研究を，つい先日，われわれのグループより報告した[15]．安静時ネットワークでは病態や治療後の変化を反映しており，新規なバイオマーカーとして期待される．

パーキンソン病に対するMRgFUS

パーキンソン病は全身性機能的障害を呈する進行性の疾患であり，一側の運動機能改善のみ期待できる片側の視床や淡蒼球凝固術は，臨床的意義が小さいように思える．しかし，MRgFUSは非侵襲的で患者負担が小さいゆえに，限定された症例に対しては，QOL改善に有用となり得る．現在，もっとも治療効果が報告されているのは，振戦優位型パーキンソン病に対するVim凝固術である．手技的には本態性振戦治療の方法と同じである．**Sinaiらは最長5年のフォローアップがある26名の治療成績を報告し，CRST，Unified Parkinson's Disease Ranking Scale（UPDRS）ともに，5年後においても有意差をもって改善していることを報告した**[16]．ただし，パーキンソン病の本質として，経年的に悪化は避けられないことも指摘している．

またGPiを標的とした，いわゆるpallidotomyの多施設共同研究の結果が

12) Park YS, Jung NY, Na YC et al：Four-year follow-up results of magnetic resonance-guided focused ultrasound thalamotomy for essential tremor. Mov Disord 34：727-734, 2019
13) Sinai A, Nassar M, Eran A et al：Magnetic resonance guided focused ultrasound thalamotomy for essential tremor：a 5-year single-center experience. J Neurosurg doi：10.3171/2019.3.JNS19466, 2020［online ahead of print］
14) Fukutome K, Hirabayashi H, Osakada Y et al：Bilateral magnetic resonance imaging-guided focused ultrasound thalamotomy for essential tremor. Stereotact Funct Neurosurg 100：44-52, 2022
15) Kato S, Maesawa S, Bagarinao E et al：Magnetic resonance-guided focused ultrasound thalamotomy restored distinctive resting-state networks in patients with essential tremor. J Neurosurg doi：10.3171/2022.5.JNS22411, 2022［online ahead of print］
16) Sinai A, Nassar M, Sprecher E et al：Focused ultrasound thalamotomy in tremor dominant Parkinson's disease：long-term results. J Parkinsons Dis 12：199-206, 2022

2020年に報告された[17]．ジスキネジア症状が優位に観察され，非対称性運動症状を有する患者20例に対して，MRgFUSによる片側のpallidotomyを施行した．UPDRSの運動スコアは12ヵ月後で45.2%改善，ジスキネジアのスコアは43%改善したという．合併症は20例のうち視野障害1例，構音障害4例でみられたが，いずれも軽症で一過性であったと報告している．MRgFUSのpallidotomyのテクニカルな問題点として，GPiは比較的大きな構造であり，頭蓋底付近に存在して，超音波による温度上昇が得られにくいことがある．また視索が近傍にあるため，熱損傷に注意を要する．これに対してMillerらは，凝固巣の作成の際に48℃アイソサーム（等温線）の使用を推奨し，これが，術後1日目の凝固巣の容積や形状に一致することを報告した[18]．Pallidotomyを安全に行うための，術中の重要な指標であると考えられ，臨床的意義の高い報告である．

この章の最後に，視床下核凝固術（subthalamotomy）について述べる．従来，視床下核の凝固術は，舞踏運動やバリスム，ジスキネジア，構音障害など重篤な副作用の可能性から，敬遠されていた経緯がある．果たしてMRgFUSの技術をもってすれば可能となるのか，多くの機能外科医が関心をもつ話題である．2018年にセンセーショナルに報告されたpilot study[19]を受けて，偽手術群とのランダム化試験が実施され，その結果が2020年に報告された[20]．40名（実手術群27名，偽手術群13名）で評価され，4ヵ月後のUPDRSの運動症状は実手術群のほうが17.1ポイント勝っており，明らかに有意差があった．しかし術直後の合併症については，27例の実手術群のうち，オフ時，オン時のジスキネジアの悪化6例，脱力5例，発語障害15例，顔面麻痺3例，歩行障害13例に認めた．4ヵ月後に多くの症例で回復したが，残存している症例もあった．この結果を良とするか，それとも危険であると判断するか，この論文で最終結論は言及されていない．今後のさらなる検討が必要であり，重要な課題といえよう．

アルツハイマー病に対するMRgFUS

アルツハイマー病の病理を説明するアミロイドカスケード仮説では，細胞外でのアミロイドβの凝集により，老人斑が形成され，細胞内のリン酸化タウの貯留により神経原線維変化が生じ，結果として神経細胞脱落と脳萎縮が進むとされる．この疾患修飾治療として，このアミロイドβやタウの除去を目的として，アミロイドβ免疫療法薬，タウ凝集阻害薬などがいくつか開発された．2021年にFDAで承認され，話題となったアデュカヌマブは記憶に新しい．**一方で，薬剤がBBBを十分に通過できないことによる，生物学的活性の低さが指摘されている．**低周波超音波は経静脈的に投与されたマイクロバブルに干渉して，組織を破壊することなく，BBBを一過性に広げることが可能である．

17) Eisenberg HM, Krishna V, Elias WJ et al：MR-guided focused ultrasound pallidotomy for Parkinson's disease：safety and feasibility. J Neurosurg doi：10.3171/2020.6.JNS192773, 2020 [online ahead of print]

18) Miller TR, Guo S, Melhem ER et al：Predicting final lesion characteristics during MR-guided focused ultrasound pallidotomy for treatment of Parkinson's disease. J Neurosurg 134：1083-1090, 2020

19) Martínez-Fernández R, Rodríguez-Rojas R, Del Álamo M et al：Focused ultrasound subthalamotomy in patients with asymmetric Parkinson's disease：a pilot study. Lancet Neurol 17：54-63, 2018

20) Martínez-Fernández R, Máñez-Miró JU, Rodríguez-Rojas R et al：Randomized trial of focused ultrasound subthalamotomy for Parkinson's disease. N Engl J Med 383：2501-2513, 2020

海外ではphase Iの臨床治験として以下の2つが報告された．2018年のLipsmanの報告では，5人の軽度～中等度のアミロイド陽性のアルツハイマー型認知症患者を対象として，マイクロバブルを投与後，220 kHzの低周波でもって背外側前頭前野部に照射を行った[21]．標的部位において造影効果を照射直後より認め，BBBが開いたことが示され，この造影効果は24時間後には認めず，BBBの開放が一時的であることが示された．さらに2020年には，Rezaiらが海馬，嗅内皮質を標的として低周波照射による臨床治験を報告し[22]，同様にBBBが一時的に開放されて，特に合併症を認めず，安全かつ実現性のある方法であることが実証された．このように，BBBを開いて治療薬を投与するtargeted drug delivery法は，新規性の高い治療として大きく期待されている．薬剤を投与せずとも，グリンパティックシステムの改善が起きて，アミロイドβなど貯留物の除去も期待できる，という説もある．今後の研究の発展に期待したい．

MRgFUSの新規適応に向けた各種の臨床研究

薬剤抵抗性の強迫性障害に対しては，MRgFUSを使った両側の内包前脚凝固術（anterior capuslotomy）に関していくつかの臨床報告がなされており，その本格的な臨床応用が期待されている．Germannらは，強迫性障害に対する有効な標的部位の決定に関して，安静時機能的MRIおよびdiffusion tensor imagingを使ったネットワーク解析を行った[23]．その結果，内包前脚の中でも，背側前帯状回領域，および背外側前頭前野にネットワーク連絡をするような領域に凝固巣ができている場合には，良好な長期効果を得られることがわかった．**精神疾患は脳内の限局する領域の機能異常ではなく，全体にわたるネットワークの疾患と考えるべきである**．この論文では，病態に関連したネットワークを評価しながら最適な標的部位を決定する戦略を示しており，重要な報告といえる．

局所性ジストニアに対しては，視床から大脳皮質へ至る四肢末梢部の筋活動を調整する異常な投射性出力を抑制すると，治療効果が得られることが知られている．Horisawaらは，上肢の局所性ジストニアに対して，視床の亜核の一つである吻側核（ventral oralis：Vo）を標的としてMRgFUSを行った結果を報告している[24]．10人の患者を対象としており，奏楽ジストニアなど職業性ジストニアや書痙を含んでいる．全例で治療後に著明な改善を認め，12ヵ月後も有意な治療効果が続いていた．副作用としては一例で構音障害があった．上肢の局所性ジストニアは1万人当たり1.2～1.5人の頻度であるが，特殊な作業を必要とする職種では頻度はさらに上昇する．例えば，奏楽ジストニアは音楽家の1～2%にみられるという．このような疾患に対して高い効果を示した本治療は，標準治療の一つとなっていく可能性もある．

21) Lipsman N, Meng Y, Bethune AJ et al：Blood-brain barrier opening in Alzheimer's disease using MR-guided focused ultrasound. Nat Commun 9：2336, 2018

22) Rezai AR, Ranjan M, D'Haese PF et al：Noninvasive hippocampal blood-brain barrier opening in Alzheimer's disease with focused ultrasound. Proc Natl Acad Sci U S A 117：9180-9182, 2020

23) Germann J, Elias GJB, Neudorfer C et al：Potential optimization of focused ultrasound capsulotomy for obsessive compulsive disorder. Brain 144：3529-3540, 2021

24) Horisawa S, Yamaguchi T, Abe K et al：Magnetic resonance-guided focused ultrasound thalamotomy for focal hand dystonia：a pilot study. Mov Disord 36：1955-1959, 2021

最後になるが，てんかんに対する治療について述べる．MRgFUSを使った臨床治験としては，米国のバージニア大学，スタンフォード大学，オハイオ大学等で複数の研究が現在進行中である．まとまった報告はまだ出ていないが，焦点性てんかんにおいては焦点の決定，また全般性てんかんでは伝播形式の理解が必要であり，てんかん外科の根底に存在するこれらの難題が研究を遅らせているのかもしれない．しかし，この領域は確実に進んでいる様子である．台湾のLeeらは，InSightec社のMRgFUSとは異なる，ナビゲーションを使った集束超音波装置を使って，定位的頭蓋内脳波電極の入ったてんかん患者に対して，頭蓋内電極で確認できた焦点に集束超音波照射を行った[25]．結果として，焦点付近の異常放電の減少，および臨床的発作の減少を報告している．また同部は後日手術摘出され，組織学的変化が起きていないことも確認されている．超音波による組織破壊を伴わない，ニューロモデュレーション治療がてんかん患者においても可能であることを示し，大変興味深い論文である．

25) Lee CC, Chou CC, Hsiao FJ et al：Pilot study of focused ultrasound for drug-resistant epilepsy. Epilepsia 63：162-175, 2022

以上，MRgFUSの治療の現状と将来について言及した．前回，3年前に同じテーマで執筆させて頂いたが，この3年でこの治療が大きく発展していることを目の当たりにし，自分ながら驚いている．MRgFUSは，今後もさらに発展すると期待され，機能外科領域の中核的治療となるであろうと予想する．

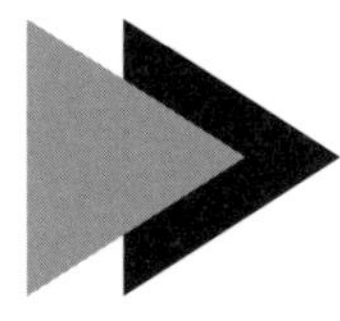

29. 痙縮の治療

竹林成典（たけばやししげのり）
名古屋セントラル病院 脳神経外科

最近の動向

- 初発の麻痺を伴う脳卒中において，痙縮の有病率は約40%である．
- 痙縮治療にはボツリヌス療法とバクロフェン髄注療法があり，治療選択が重要である．
- ボツリヌス療法ではより個別化した治療が必要である．
- 早期の痙縮治療介入が良好な結果つながることが予測される．
- 痙縮治療に新規の補助療法を併用することで，相乗的な効果が期待できる可能性がある．

痙縮の疫学とリスク因子

痙縮の原因としてもっとも多い疾患は脳卒中である．脳卒中後の痙縮の有病率やリスク因子については諸説あるが，メタ解析したものが報告された[1]．23件のコホート研究が解析され，**初発脳卒中後の痙縮の有病率は26.7%，麻痺を伴う場合の有病率は39.5%であった**．本邦では新規脳卒中患者が毎年22万人と推測されていることから，5万人以上の新規痙縮患者が毎年発生していると予測される．またこの論文では，中等度から重度の麻痺と感覚障害が痙縮発生のリスク因子だったと報告されている．さらに，出血性脳卒中もリスク因子である可能性が示唆されていることは興味深い．また別の論文では，modified Rankin Scale（MRS），National Institutes of Health Stroke Scale（NIHSS），Mini-Mental State Examination（MMSE）が3ヵ月後の痙縮発生の予測因子であることが報告された[2]．これらの報告から，**重度の脳卒中患者は痙縮発生の可能性が高く**，継続的なモニタリングとタイミングを逃すことなく治療介入することが重要である．

痙縮の治療①：ボツリヌス療法とバクロフェン髄注療法（ITB）

痙縮治療方法として主にボツリヌス療法とバクロフェン髄注療法（intrathecal baclofen therapy：ITB）があり，その治療選択は重要である．17ヵ国79名の

1) Zeng H, Chen J, Guo Y et al：Prevalence and risk factors for spasticity after stroke：a systematic review and meta-analysis. Front Neurol 11：616097, 2021

2) Glaess-Leistner S, Ri SJ, Audebert HJ et al：Early clinical predictors of post stroke spasticity. Top Stroke Rehabil 28：508-518, 2021

2434-9992/22/¥100/頁/JCOPY

専門家から両療法における治療選択に関するコンセンサスが発表された[3]．経口薬に抵抗性の多分節性・全身性の痙縮はITBの最有力候補であり（96.1%），局所性・単分節性の痙縮はボツリヌス療法の理想的な候補である（98.7%）とされた．また，**下肢のみの両側性痙縮（97.4%），両下肢と体幹（100%），片側下肢と体幹（90.9%），両側または片側の上肢と下肢の痙縮（96.1%）がITBの有力候補**であるとしている．やはりボツリヌス療法とITBは相補的な治療であり，時に両療法が必要となる症例も存在する．また，ITBが必要な症例にボツリヌス療法だけで治療することはナンセンスである．

痙縮の治療②：バクロフェン髄注療法（ITB）

ITBは，全身性，両下肢，体幹を含む上下肢痙縮に対する治療として有効である．体幹上部や上肢痙縮を治療する際，カテーテル先端を頚椎や上部胸椎レベルまで上げることとなるが，2012年に発売されたアセンダカテーテルによって技術的には容易となった．13件の報告をまとめたレビューが報告され[4]，**頚椎レベルまでカテーテルを上げた場合の有効性と安全性が確認された**．上肢の機能回復を88%で認め，リスクはより下部にカテーテル先端をおいた場合と比較して増大しなかったと報告している．呼吸機能および睡眠時無呼吸症候群に対する影響は判断されなかったが，過去の報告からは，治療用量では呼吸機能は改善こそしても悪化させることはないと推察される．投与量の限界のあるボツリヌス療法と違い，ITBは副作用が出現しない程度まではバクロフェン投与量を増やすことができ，より細かい調整も可能である．また痙縮以外の不随意運動にも一定の効果が報告されている[5]．

痙縮の治療③：ボツリヌス療法の効果と施注方法

ボツリヌス療法により痙性が低下することに異論はないが，機能回復まで得られるかどうかについては肯定的な意見と否定的な意見が混在する．脳卒中後片麻痺症例での上肢に対するボツリヌス療法の効果に関して40の無作為化比較試験（RCT）をメタ解析したものが報告された[6]．**結果，手関節や手指の痙縮とセルフケア能力の改善は認めたが，能動的運動の改善は認めなかった．その他，下肢の機能回復についてメタ解析したものもあり**[7]**，機能回復に肯定的な報告がされている**．報告によると，歩行速度の改善は認めなかったものの，歩幅や歩数等の機能改善を認めたとしている．痙縮治療においては，治療適応，上記のITBを含む治療選択，治療方法の最適化が重要だと考える．ボツリヌス療法は個別化して適切な治療を行うべきという19名の専門家からの網羅的なコンセンサスステートメントが発表されている[8]．施注時には，電気刺激が可能な筋電計か超音波エコーの使用，または両者の併用が本邦のボツリヌス治療学会からも推奨されている．ボツリヌス療法では，よりオーダーメイド

3) **Biering-Soerensen B, Stevenson V, Bensmail D et al：European expert consensus on improving patient selection for the management of disabling spasticity with intrathecal baclofen and/or botulinum toxin type A. J Rehabil Med 54：jrm00241, 2021**

4) Jacobs NW, Maas EM, Brusse-Keizer M et al：Effectiveness and safety of cervical catheter tip placement in intrathecal baclofen treatment of spasticity：a systematic review. J Rehabil Med 53：jrm00215, 2021

5) Lake W, Shah H：Intrathecal baclofen infusion for the treatment of movement disorders. Neurosurg Clin N Am 30：203-209, 2019

6) **Andringa A, van de Port I, van Wegen E et al：Effectiveness of botulinum toxin treatment for upper limb spasticity poststroke over different ICF domains：a systematic review and meta-analysis. Arch Phys Med Rehabl 100：1703-1725, 2019**

7) **Varvarousis DN, Martzivanou C, Dimopoulos D et al：The effectiveness of botulinum toxin on spasticity and gait of hemiplegic patients after stroke：a systematic review and meta-analysis. Toxicon 203：74-84, 2021**

8) Francisco GE, Balbert A, Bavikatte G et al：A practical guide to optimizing the benefits of post-stroke spasticity interventions with botulinum toxin A：an international group consensus. J Rehabil Med 53：jrm00134, 2021

9) Masakado Y, Abo M, Kondo K et al：Efficacy and safety of incobotulinumtoxinA in post-stroke upper-limb spasticity in Japanese subjects：results from a randomized, double-blind, placebo-controlled study（J-PURE）. J Neurol 267：2029-2041, 2020

な治療が必要である．

痙縮の治療④：ボツリヌス製剤

本邦でも，2020年12月よりインコボツリヌストキシンAが使用可能となった．上肢痙縮[9)]と下肢痙縮[10)]に対する国内第Ⅲ相試験の結果が報告され，効果と安全性が確認された．それぞれ400単位での試験が施行され，最終的に上肢痙縮に対する投与量の上限は400単位，下肢も上限400単位で認可された．よって，合計で800単位まで投与できることとなった（あくまでも，それぞれは400単位までである）．既存のオナボツリヌストキシンAは，上肢の上限は400単位，下肢の上限300単位，上下肢の治療時の上限は400単位である．ボツリヌス療法に2製剤が使用できるようになり，治療の選択肢が拡がったことになる．ボツリヌス毒素は単位で表記され，動物実験的には同等の効果である．しかし，実際の効果は同等とするものと違うとする論文の両者が存在する[11,12)]．実臨床での印象は，若干オナボツリヌストキシンAのほうが効果が強い印象はある．ただ，製剤選択においては投与上限量の違いも考慮し，個々の症例ごとに判断するべきであろう．

早期の痙縮治療

早期の痙縮治療介入が注目されている．脳卒中後においては痙縮発症の可能性から3群に分け，発症高リスク群には集中的なモニタリングが必要で，適切な時期に多職種からなるチームでの治療介入が望ましいとの提言がされている[13)]．また，脳卒中発症1年未満の患者を対象とした多施設共同研究では，**発症3ヵ月以内にボツリヌス療法を行った群で治療効果が高かったことが報告されている**[14)]．さらに超早期に介入した報告もあり，脳卒中発症後6週間以内に発生した痙縮に対してボツリヌス療法の効果をみたRCTでは，施注後12週間目において痙縮の軽減を認め，機能回復を妨げなかったと報告されている[15)]．やはり早期の痙縮治療介入が重要であり，拘縮に移行する前の介入が望ましい．今後は痙縮が完成してから治療介入するのではなく，早期から痙縮をコントロールしながら機能回復につなげるリハビリテーション方法の構築が望まれる．

痙縮治療と補助療法

痙縮治療においては，リハビリテーションとの併用が重要である．神経集中学的なリハビリテーションが痙縮の予後を改善することは以前から報告されていたが，近年特殊なリハビリテーションやロボット等との補助療法と痙縮治療の併用が注目され，運動機能の改善につながるのではと示唆されている[16)]．具体的には，**修正CI療法modified constraint-induced movement therapy**

10）Masakado Y, Kagaya H, Kondo K et al：Efficacy and safety of incobotulinumtoxinA in the treatment of lower limb spasticity in Japanese subjects. Front Neurol 13：832937, 2022
11）Scaglione F：Conversion ratio between Botox®, Dysport®, and Xeomin® in clinical practice. Toxins（Basel）8：65, 2016
12）Ledda C, Artusi CA, Tribolo A et al：Time to onset and duration of botulinum toxin efficacy in movement disorders. J Neurol 269：3706–3712, 2022
13）Bavikatte G, Subramanian G, Ashford S et al：Early identification, intervention and management of post-stroke spasticity：expert consensus recommendations. J Cent Nerv Syst Dis 13：11795735211036576, 2021
14）Picelli A, Santamato A, Cosma M et al：Early botulinum toxin type A injection for post-stroke spasticity：a longitudinal cohort study. Toxins（Basel）13：374, 2021
15）Lindsay C, Ispoglou S, Helliwell B et al：Can the early use of botulinum toxin in post stroke spasticity reduce contracture development? A randomised controlled trial. Clin Rehabil 35：399–409, 2021
16）Hara T, Momosaki R, Niimi M et al：Botulinum toxin therapy combined with rehabilitation for stroke：a systematic review of effect on motor function. Toxins（Basel）11：707, 2019
17）Nasb M, Li Z, S A Youssef A et al：Comparison of the effects of modified constraint-induced movement therapy and intensive conventional therapy with a botulinum-a toxin injection on upper limb motor function recovery in patients with stroke. Libyan J Med 14：1609304, 2019
18）Munari D, Serina A, Disarò J et al：Combined effects of backward treadmill training and botulinum toxin type A therapy on gait and balance in patients with chronic stroke：a pilot, single-blind, randomized controlled trial. NeuroRehabilitation 46：519–528, 2020
19）Megna M, Marvulli R, Farì G et al：Pain and muscles properties modifications after botulinum toxin type A（BTX-A）and radial extracorporeal shock wave（rESWT）combined treatment. Endocr Metab Immune Disord Drug Targets 19：1127–1133, 2019
20）Kim J, Kim DY, Chun MH et al：Effects of robot-（Morning Walk®）assisted gait training for patients after stroke：a randomized controlled trial. Clin Rehabil 33：516–523, 2019

(mCIMT)[17]，**後方トレッドミル歩行訓練**[18]，**体外衝撃波**[19]，**ロボット**[20, 21]**との併用が報告されているが**，効果は限定的で長期的効果の検証もできていない．ただ，理論的には魅力的であり，それぞれ単独での治療より併用することで相乗的な効果が期待できる．今後も研究が進んでいく分野であると確信している．

21) Gandolfi M, Valè N, Dimitrova EK et al：Effectiveness of robot-assisted upper limb training on spasticity, function and muscle activity in chronic stroke patients treated with Botulinum toxin：a randomized single-blinded controlled trial. Front Neurol 10：41, 2019

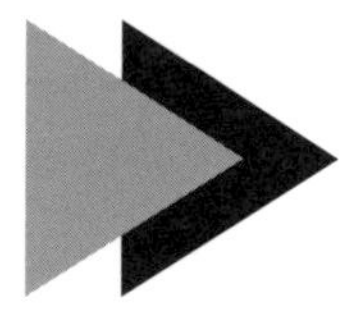

30. 定位的放射線治療の現状と展望

髙橋　弘（たかはし　ひろし）
医療法人景雲会 春日居サイバーナイフ・リハビリ病院 サイバーナイフセンター
日本医科大学 脳神経外科

最近の動向

- 転移性脳腫瘍に対して定位的放射線治療と免疫チェックポイント阻害薬を併用する場合は，両者の同時併用が治療の有効性を増すことが示唆された．
- 再発悪性グリオーマに対する寡分割定位的放射線再照射治療は有望な生存率をもたらし，化学療法（特に bevacizumab）の併用療法を受けた患者の生存率はより良好であった．
- 良性脳腫瘍の中でも稀な視神経鞘髄膜腫に対して，寡分割定位的放射線治療により治療前視力の安定や改善をもたらす加療が可能であることが示された．
- 三叉神経痛に対してガンマナイフに劣らないサイバーナイフによる定位的放射線治療の可能性が示され，今後の治療選択の拡大が期待される．

脳転移（brain metastases：BM）に対する定位的放射線治療（stereotactic radiotherapy：SRT）と免疫チェックポイント阻害薬（immune checkpoint inhibitor：ICI）の併用治療

最近になって，BM の治療に SRT と ICI のコンビネーション治療が広く行われるようになってきたが，この併用治療の安全性や効果，さらには効果的な治療タイミングなどに関する十分な検証はなされていない．そこで，2019 年には定位的放射線手術（stereotactic radiosurgery：SRS）と ICI の併用についてのメタアナリシスの論文が出された[1]．3ヵ国 15 施設で行われた，BM と同時または非同時に SRS/ICI の治療を受けた患者を対象とした 17 研究が検討された．結果は，1 年全生存率（OS）は同時併用療法で 64.6%，非併用療法で 51.6% と有意差が認められた．一方，1 年後の局所制御，1 年後の局所脳制御に関しては明らかな有意差は認められず，全試験の放射線壊死（radiation necrosis：RN）の発生率は 5.3% であった．これらの結果は，SRS と ICI の同時投与は順次投与に比べ安全性と有効性が改善される可能性を示唆した．また，同じ 2019 年には 150 人の患者（1,003 個の BM）に対する SRS/ICI の後

1) Lehrer EJ, Patterson J, Brown PD et al：Treatment of brain metastases with stereotactic radiosurgery and immune checkpoint inhibitors：an international meta-analysis of individual patient data. Radiother Oncol 130：104-112, 2019

2434-9992/22/¥100/頁/JCOPY

ろ向き観察研究も報告された[2)]．この報告は，さまざまな間隔でSRSとICIを行った患者を対象としたこれまでで最大の研究で，SRSとPD-1またはPD-L1阻害薬をただちに投与した免疫療法未経験の患者群において奏効率がもっとも高く，これらの奏効は生存期間と直接相関していることも明らかにされた．また興味ある知見として，ステロイドの使用が奏効率を低下させることが示された．

BMに対するSRTとICIの併用療法が模索され始めてから，その弊害や具体的併用法について種々な論議がなされてきたが，これらの報告により両者の同時併用が有効性を増すことが強く示唆されたことになる．

一方，進行性の非小細胞肺癌（non-small cell lung cancer：NSCLC）患者に対するICIの有効性を検討した2019年の臨床試験では[3)]，SRSの前後3ヵ月以内にICIを受けたICI併用群（17例45 BM）と，受けていないICI非併用群（34例92 BM）の2つのマッチドコホートが同定され，局所腫瘍制御，腫瘍周囲の浮腫，中枢神経系（central nervous system：CNS）の有害事象をコホート間で比較した．その結果，ICIとSRSの同時使用はOSおよびCNS無増悪生存期間（progression-free survival：PFS）に有意差は認められなかったが，より迅速なBM退縮をもたらし，腫瘍周囲の浮腫やRNの発生率を増加させなかったと報告された．さらに，2022年には進行性メラノーマのCNS転移患者791人に対してのSRS/ICI併用療法の後方視的解析研究の報告もなされた[4)]．CNS転移したメラノーマに対して，SRSは単独または他の局所療法や全身療法との併用でもっとも一般的な治療法（40.5％）で，全身療法ではICIがもっとも多く（30.5％），主にCTLA-4単独，PD-1単独または抗CTLA-4との併用であった．OS中央値は，CNS転移の数にかかわらずSRS治療患者群で最長の1.17年で，特に2015年以降は1.75年に増加した．これらの結果からは，難治の進行性小細胞肺癌やメラノーマの脳転移に対しても，SRTとICIの併用療法がある程度奏効することが明らかにされた．

脳脊髄の転移性腫瘍における寡分割定位的放射線治療（hypo-fractionated stereotactic radiotherapy：HFSRT）の優位性

近年，脳や脊髄への転移性腫瘍の状況に応じたHFSRTの有用性を示す論文報告が増加してきている．2020年にBM患者のHFSRTにおいて，ICI併用による有効性と安全性を比較するためのメタアナリシスの結果が報告された[5)]．2018年12月25日までの2,365人の患者を対象とした24報の研究が本解析に含まれた．結果は，6ヵ月PFS，OS中央値のいずれも著しい改善がみられ，RNの発生率は両群間に有意差は認められなかった．2021年には，局所再発BMに対するCyberKnife（CK）を用いたHFSRT再照射の成績が報告さ

2) Kotecha R, Kim JM, Miller JA et al：The impact of sequencing PD-1/PD-L1 inhibitors and stereotactic radiosurgery for patients with brain metastasis. Neuro Oncol 21：1060-1068, 2019

3) Shepard MJ, Xu Z, Donahue J et al：Stereotactic radiosurgery with and without checkpoint inhibitor for patients with metastatic non-small cell lung cancer to the brain：a matched cohort study. J Neurosurg 26：685-692, 2019

4) Tawbi H, To TM, Bartley K et al：Treatment patterns and clinical outcomes for patients with melanoma and central nervous system metastases：a real world study. Cancer Med 11：139-150, 2022

5) Yang L, Liu L, Wu X et al：Hypofractionated radiation therapy with versus without immune checkpoint inhibitors in patients with brain metastases：a meta-analysis. Int Immunopharmacol 80：106148, 2020

れた[6]．2014年から2018年の間にCKによるSRS再照射治療を受けた254個の局所再発BM患者77例を後方視的に検討した結果，局所制御（local control：LC）およびOS（3/6/9ヵ月）はLC（92.2/73.4/73.4％），OS（79.2/61.0/48.1％）であった．多変量解析では，女性・SRSによる初回脳照射・腫瘍容積≦12 ccの因子でよりよいOSが報告された．また，BMの摘出術後の補助的HFSRTの有効性に関する論文も，2019年にすでに発表されている[7]．2施設の160名のBM患者の術後にHFSRT（多くが24 Gy/3 Frか30 Gy/5 Fr）が施行された結果，1/2年のLCは88/81％で，1年後の遠隔制御率は48％であった．1年後のOSは68％で，より多い脳外転移個数とより大きい計画目標体積がOSの低下と関連した．さらに，稀ながら治療困難な脊髄の髄内転移に対してのロボット放射線治療（CK）の有用性を後方視的に分析した多施設共同研究の結果が2021年に報告された[8]．髄内転移33例（46転移）に対し中央値16 Gyで治療が実施され，局所制御率79％・OS中央値11.7ヵ月，12/24ヵ月OSは47/31％であった．12/24ヵ月のPFSは42/25％で，死亡原因は主に全身性疾患の進行であり，治療に関連する重大な毒性発現は観察されなかった．

このように，BMに対するICI併用時や局所再発時のSRT，さらには腫瘍摘出術のSRTにおけるHFSRTの優位性が示され，**脊髄転移においてはCKによるHFSRTが適切であることが判明した．**

グリオーマ治療におけるSRTの有用性

初発の悪性グリオーマに放射線治療が有用であることは論をまたないが，再発悪性グリオーマや脳幹，脊髄など治療に苦慮する部位に発生するグリオーマに対してのSRTの有用性が指摘されてきている．2021年には，2000年から2021年までの文献の系統的レビューとメタアナリシスにより，再発したWHOグレードⅢおよびグレードⅣの脳腫瘍に対してCKを用いたSRT治療の有効性と安全性が評価された[9]．13件の臨床研究（398例）が含まれ，初回診断からのOS中央値は22.6ヵ月，CK治療からのOS中央値は8.6ヵ月（グレードⅢ：11ヵ月，グレードⅣ：8.4ヵ月）であった．さらに，CK治療単独では4.4ヵ月だったのが，CKと化学療法併用では9.5ヵ月と延長した．このように，CKを用いたSRTによる再発悪性グリオーマへの再照射治療は，有望な生存率をもたらし，CKと化学療法の併用療法を受けた患者の生存率においてより良好な傾向が示された．また，時を同じくして2021年には，再発の悪性グリオーマに対してbevacizumab（BVZ）を併用した再照射（SRS，HFSRTおよび通常分割照射）の有用性に関する大規模な系統的レビューの結果が報告された[10]．1990年から2019年までの38文献から抽出された，954例の再照射のみの群と，445例のBVZ併用再照射群を比較検討したところ，OS中央値

6）Berber T, Raturi V, Aksaray F et al：Clinical outcome after CyberKnife® radiosurgery re-irradiation for recurrent brain metastases. Cancer Radiother 25：457-462, 2021

7）Martinage G, Geffrelot J, Stefan D et al：Efficacy and tolerance of post-operative hypo-fractionated stereotactic radiotherapy in a large series of patients with brain metasatases. Front Oncol 9：184, 2019

8）Ehret F, Senger C, Kufeld M et al：Image-guided robotic radiosurgery for the management of intramedullary spinal cord metastases - a multicenter experience. Cancers（Basel）13：297, 2021

9）De Maria L, Terzi di Bergamo L, Conti A et al：CyberKnife for recurrent malignant gliomas：a sustematic review and meta-analysis. Front Oncol 11：652646, 2021

10）Kulinich DP, Sheppard JP, Nguyen T et al：Radiotherapy versus combination radiotherapy-bevacizumab for the treatment of recurrent high-grade glioma：a systematic review. Acta Neurochir（Wien）163：1921-1934, 2021

は再照射のみの群9.9ヵ月に対してBVZ併用群は11.2ヵ月を示した．また，RN発生率に関しては，再照射のみの群の6.5%に比べてBVZ併用群は2.2%と，きわめて良好な結果が示された．

再発悪性グリオーマに対するCKによるHFSRT再照射治療は有望なOSをもたらし，化学療法（特にBVZ）の併用療法を受けた患者のOSはより良好であった．

一方，その発生部位により治療が困難とされる脳幹グリオーマに対するCK治療の臨床アウトカムに関して，後方視的評価研究の報告がなされた[11]．2006年から2015年にかけて，CKによるSRTを受けた脳幹グリオーマ患者21例が評価された．総線量中央値26 Gy（14〜33 Gy）を2〜6分割で照射し，生物学的等価線量中央値は59.8 Gyであった．追跡期間中央値は54.5ヵ月で，患者OS中央値は19ヵ月であり，5名の患者が生存していた．さらに1/2年OSは87.5/52.4%で，6人の患者にMRI上腫瘍の偽増悪（pseudoprogression）が観察されたが，CKによる脳幹グリオーマの治療は有効と評価できた．また，グリオーマの中でも脳室と脊髄に好発する上衣腫も治療に難渋する腫瘍であるが，2021年に報告された脊髄上衣腫の治療にロボット放射線治療（CK）を施行した2施設の治療成績が報告された[12]．2005年から2020年の間に，12例の患者が32個のWHOグレードⅡまたはⅢの脊髄上衣腫病変の治療のためにCK治療を受けた．中央値56.7ヵ月での追跡調査後のLCは84%で，1/3/5年後のLCは92/85/77%であった．1/3/5年後のOSは75/75/64%で，5人の患者が死亡したが，いずれもグレードⅢで，患者の過半数（58%）は，最終フォローアップ時に安定した神経学的状態を示していた．

良性脳腫瘍に対するHFSRTの評価

代表的な良性脳腫瘍である聴神経鞘腫に対する，CKによるHFSRT後の腫瘍制御率および臨床アウトカムの後方視的研究が2019年に報告された[13]．119例の患者について，中央値は追跡期間49ヵ月，腫瘍体積1.6 cm^3，処方線量18 Gy/3 Frであり，治療前に聴力を維持していた59例中35例（59%）が，最終フォローアップでも聴力維持が可能であった．一方，KoosグレードⅣはグレードⅠ〜Ⅲと比較して放射線手術後の腫瘍増殖予測因子で，1/3/5/7年における腫瘍制御率は96/94/88/88%であった．CKは聴神経鞘腫を効果的に制御し，聴力温存率も許容範囲内であった．さらに，2021年には前庭神経鞘腫（聴神経鞘腫）に対して，CKによるSRSとHFSRTが施行された後の長期臨床成績を後方視的に評価した報告が発表された[14]．123例の連続した前庭神経鞘腫患者が対象となったが，有効聴力がないかKoosグレードⅠ〜Ⅲの腫瘍を有する患者（23例：19%）にはSRS，聴力を有するかKoosグレードⅢ〜Ⅳの腫瘍を有する患者（100例：81%）にはHFSRTが施行された．SRS

11）Zhang J, Liu Q, Yuan Z et al：Clinical efficacy of CyberKnife radiosurgery for adult brainstem glioma：10years experience at Tianjin CyberKnife center and review of the literature. Front Oncol 9：257, 2019

12）Ehret F, Kufeld M, Fürweger C et al：Image-guided robotic radiosurgery for the management of spinal ependymomas. Front Oncol 11：654251, 2021

13）Przybylowski CJ, Baranoski JF, Paisan GM et al：CyberKnife radiosurgery for acoustic neuromas：tumor control and clinical outcomes. J Clin Neurosci 63：72-76, 2019

14）Putaweepong P, Dhanachai M, Swangsilpa T et al：Long-term clinical outcomes of stereotactic radiosurgery and hypofractionated stereotactic radiotherapy using the CyberKnife® robotic radiosurgery system for vestibular schwannoma. Asia Pac J Clin Oncol 1：1-8, 2021

は 12 Gy，HFSRT は 18 Gy/3 Fr が頻用された．追跡中央値 72ヵ月で，全コホートの 5/8 年 PFS は 96/92％であり，PFS は SRS 群と HFSRT 群の間で有意差はなかった．また，HFSRT 群で聴力を維持できた 28 人のうち，5/8 年の聴力維持率は 87/65％であり，聴覚以外の合併症発現率は 14％であった．CK による SRS および HFSRT は，聴覚以外の合併症発現を抑制しながら優れた長期腫瘍制御を提供し，特に HFSRT では聴力温存率を維持できる可能性が示唆された．また，やはり良性脳腫瘍である髄膜腫に関しても，2020 年に大型の頭蓋底髄膜腫に対する治療の選択肢としての HFSRT が評価された[15]．大型頭蓋底髄膜腫（体積中央値 18.9 cm^3）に対して，CK による HFSRT を受けた連続 31 例を評価した．全患者は中・後頭蓋底腫瘍を有し，HFSRT は 3～5 分割で，線量中央値 27.8 Gy（22.6～27.8 Gy）で行われた．追跡期間中央値 57ヵ月で，31 例中 28 例（90.3％）において腫瘍制御が達成された．そして，治療前に神経障害を示した患者 21 例のうち，20 例（95.2％）で神経障害の改善がみられた．このように，大型頭蓋底髄膜腫に対する HFSRT は，腫瘍制御および神経学的転帰の観点から妥当な治療選択肢と考えられた．最近，髄膜腫の中でも稀な視神経鞘腫髄膜腫に対する HFSRT の効果を後方視的に評価した論文が 2021 年に発表された[16]．25 例（27 病変）の患者が CK による HFSRT を受けたが，処方線量 20.0～25.0 Gy/4～5 Fr が 84.0％の患者に，線量 14.0～15.0 Gy の単回照射が 16％の患者に行われた．治療前に 7 人（28％）の患者が病巣側を失明していたが，治療後に視力が保たれていた患者では，90％で視力が変わらず，10％で視力が改善された．平均追跡期 37.4ヵ月で，局所腫瘍制御率は 96％であった．

このように，良性脳腫瘍の前庭神経鞘腫や大型の髄膜腫に対しては，HFSRT が有用であることが改めて示されたが，**比較的稀な視神経鞘髄膜腫に対しても HFSRT は治療前視力の安定や改善をもたらす加療が可能であることが示され，今後の治療に光明がもたらされた．**

三叉神経痛（trigeminal neuralgia：TN）に対する SRT 選択の拡大

TN には薬物療法や根治療法として神経血管減圧術が施行されるが，高齢や薬物抵抗性のために SRS が選択されることがあり，本邦では Gamma Knife（GK）のみが現在保険適用となっている．しかし，2018 年に TN に対しての GK，直線加速器（LINAC），そして CK による SRS の治療結果を系統的にレビューした論文が発表された[17]．すなわち，1951～2015 年の英文論文を渉猟した結果，疼痛緩和効果発現の平均値は GK/LINAC/CK：84.8/87.3/79.3％で，再発率の平均値は GK/LINAC/CK：24.6/32.2/25.8％であった．一方，知覚障害発生率の平均値は GK/LINAC/CK：21.7/27.6/29.1％と，いずれの機器を用

15）Oh HJ, Cho YH, Kim JH et al：Hypofractionated stereotactic radiosurgery for large-sized skull base meningiomas. J Neurooncol 149：87-93, 2020

16）Senger C, Kluge A, Kord M et al：Effectiveness and safety of robotic radiosurgery for optic nerve sheath meningiomas：a single institution series. Cancers（Basel）13：2165, 2021

17）Tuleasca C, Régis J, Sahgal A et al：Stereotactic radiosurgery for trigeminal neuralgia：a systematic review. J Neurosurg 130：733-757, 2018

いても TN に対しての SRS の効果はほぼ同等であることが示唆された．さらに，2019 年に筆者らは，上記結果を本邦に紹介するとともに，TN 治療に際して CK は non-isocentric（ビーム強度の変化で 3 次元的な線量分布を形成）と isocentric（GK と同様に対象の一点にビームを収束）の 2 種類の照射法からの選択が可能である利点を報告し，GK に劣らない効果を得た自験例を報告した[18]．国外では，3 年間の経過を観察した 387 例の TN に対する CK 治療の結果が 2019 年に報告された[19]．治療方法は，non-isocentric で 60 Gy を神経に照射した．343 例の患者（合計 387 回の治療）が最低 3 年間フォローアップされ，6/12/18/24/30/36 ヵ月における疼痛緩和率はそれぞれ 92/87/87/82/78/76％であった．343 例中 44 例（12.8％）が観察期間中に再治療を必要とした．治療後 36 ヵ月の時点で，21 例（6.1％）の患者が，気になる顔面知覚低下の存在を報告したが，そのうち 18 例（85.7％）が再治療後であった．また，2020 年には CK による TN 治療のアウトカム評価が報告された[20]．3 施設 262 名の患者に対して，296 例の SNS 治療が行われた．追跡期間中央値 38 ヵ月で，6/12/24/36/48/60 ヵ月の疼痛コントロール率は 96.8/90.9/84.2/81.4/74.2/71.2％であった．また，18％の患者に感覚障害が発生した．体積が 30 mm^3 以上の患者は痛みの軽減を維持する傾向があり，低線量群で痛みの再発が多い傾向にあった．多変量解析では，多発性硬化症，積算線量，平均線量が痛みの再発に関連する因子であり，再照射と多発性硬化症が感覚障害の予測因子であった．

このように，近年 CK による SRS が GK に劣らないという報告が増してきており，本邦においても TN に対する CK 治療が 2021 年 10 月に厚生労働省から TN 治療適応の承認を得ることができたが，2022 年 8 月現在保険適用待ちの状態となっている．

18) 髙橋弘：三叉神経痛に対するサイバーナイフを用いた定位放射線治療．日ペインクリニック学誌 26：279-287, 2019
19) Romanelli P, Conti A, Redaelli I et al：CyberKnife radiosurgery for trigeminal neuralgia. Cureus 11：e6014, 2019
20) Conti A, Acker G, Pontoriero A et al：Factors affecting outcome in frameless non-isocentric stereotactic radiosurgery for trigeminal neuralgia：a multicentric cohort study：Radiat Oncol 15：115, 2020

V章 小　児

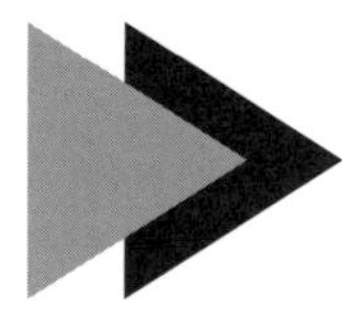

31. 脊髄髄膜瘤（胎児手術を含めた最近の進歩）

下地一彰（しもじ かずあき）
国際医療福祉大学医学部 脳神経外科学

最近の動向

- 2011年発表のMOMS trial 以降胎児治療が選択肢の一つとなってから10年以上経過し，長期フォローアップの結果の知見も蓄積されてきた.
  - ・胎内で脳室三角部幅が15 mmを超える場合胎児手術施行後シャント回避の確率は低いことが，他の報告からも示唆された．脳室腹腔シャント術に加え，水頭症の治療法として，第三脳室底開窓術±脈絡叢焼灼術を選択する施設もみられ，今後の出生前修復術後の水頭症の治療方針に変化が生じる可能性もある.
  - ・MOMS trialの登録患児が学童期に入り，長期成績，MOMS Ⅱの結果が示された．出生前修復と出生後修復両群の間では，認知適応行動の評価には差はなかったが，さまざまな項目で出生前修復群のほうがよい結果を得た.
  - ・膀胱直腸障害に関しては，MOMS trialでは胎児手術の有効性が示されずにいた．学童期追跡調査では，清潔的間欠導尿導入率が出生前修復群で低いと示されたが，評価法が原因でバイアスがかかっている可能性が否定できない.
  - ・母体リスク軽減のため胎児鏡を用いた手術方法の報告は，これまで有効性は示されずにいたが，open hysterotomyと比較して母体への侵襲が少なく経腟分娩も可能とする報告もみられるようになり，安全な手術手技が確立されつつある.
- 2019年に，北米Congress of Neurological Surgeonsがガイドラインを発行した．本邦では日本小児神経外科学会が独自のガイドライン作成の準備に入っている.
- 本邦においては，葉酸摂取により発生率低下を望めることへの周知がまだ十分ではない．妊娠前から胎生3〜4週の神経管閉鎖までの重要な時期に十分に摂取を可能とする仕組み作りも必要である.

脊髄髄膜瘤：本邦の現状

脊髄髄膜瘤は，胎生4週で閉鎖する神経板が閉鎖できず，同じ外胚葉性である神経外胚葉と皮膚外胚葉と癒合し，神経組織が体外に露出した状態を指す．脊髄髄膜瘤は中枢神経系の奇形疾患の中では比較的頻度の高い疾患であり，水頭症に次いで多いとされている．発生率は1980年頃は2.0〜2.5人/10,000分娩

2434-9992/22/¥100/頁/JCOPY

数から1995年頃には3.5～4.0人/10,000人にみられるようになり，増加傾向にあると報告されている[1]．また，日本産婦人科医会は40年以上にわたり神経管閉鎖不全症の発生率を報告している[2]．このデータベースによると，脊髄髄膜瘤は過去20年にわたり分娩10,000件あたり5.0～6.0の値を示しており，減少傾向を示していない．一方，この数値には人工妊娠中絶に伴う数値が含まれず不完全なデータである可能性があるとし，近藤らは（推定）真の発生率を求めるため1,015施設の分娩を行う施設にアンケート調査を行い，2016～2018年の生産数・死産数・脊髄髄膜瘤と無脳症の出生数・死産数・人工妊娠中絶のデータを収集した．有効回答52.8％のデータからは推定される真の神経管閉鎖障害（脊髄髄膜瘤＋無脳症）の発生率は7.93～8.28/10,000分娩数であり，脊髄髄膜瘤のみだと2.76～3.63/10,000分娩数となった．うち22.0～26.4％で人工妊娠中絶が選択されていた[3]．各国のデータと完全に比較するのは困難であるが，罹患率の多少のばらつきはあるものの少なくとも本邦での脊髄髄膜瘤の発生は減少はしていないことが理解できる．脊髄髄膜瘤の治療は，生後48時間，遅くとも72時間以内に露出した神経組織を硬膜内に収めることにより，神経機能の温存，露出した神経組織への新たな障害の予防，中枢神経系の感染予防を図ることを目的に行われる．このprimary closureの後，合併した水頭症の管理（脳室腹腔シャント術）を行うとともに，Chari type 2 malformation（hindbrain herniation）による嚥下障害，中枢性の無呼吸，喘鳴などがみられた場合には，外科的に減圧術が必要となる．この治療戦略はこの半世紀変化がなく，生後1日足らずで手術を行うにもかかわらず，残念ながら患児に神経機能の改善をもたらすことはほとんどできていないのが現状である．

脊髄髄膜瘤の胎児手術の前方視的ランダム化比較試験（MOMS trial）

患者が出産後に行われる手術は，あくまでも感染防止が目的で，機能改善までできずにいた状況を大きく変えたのがMOMS trialである．1997年初めて行われた胎児手術の安全性と有効性を示すために行われたこの研究では，従来の出生後の手術と前方視的ランダム化比較試験が行われた．胎生19.0～25.9週に胎児が脊髄髄膜瘤と診断された母体が無作為に胎児手術と出生後手術に割り付けられ，胎児死亡，出生12ヵ月時点での死亡もしくは脳室-腹腔シャント（ventricloperitoneal shunt：VPS）の有無，30ヵ月時の精神発達と運動機能が評価された．登録された183例を解析すると，女児の割合と髄膜瘤の位置がやや高い患児が胎児手術群で多かった以外，両群の構成には有意差はなかった．周産期の母体死亡は両群ともにみられなかったが，羊水過少，絨毛膜羊膜分離，胎盤早期剥離，前期破水などの胎児手術に関連する母体を含めた合併症が胎児手術群で有意に多くみられ，また胎児手術群の3分の1の母体で胎児手術

1) 阪本博昭：Ⅱ部 各論 脊髄髄膜瘤．胎児期水頭症 診断と治療ガイドライン．金芳堂 104-119，2010
2) クリアリングハウス国際モニタリングセンター日本支部：2018年度外表奇形等統計調査結果．2018 https://icbdsr-j.jp/2018data.html
3) 近藤厚生，多田克彦，和田誠司 他：葉酸による神経管閉鎖障害の予防：発生率，リスク因子，葉酸サプリメントの摂取，行政への要望．日周産期・新生児会誌 57：8-18，2021

時の子宮の切開創が非薄化していたことが確認された．胎児手術群は平均34.1週で出生し，うち13%が30週以前に出生している．一方，出生後に手術を受けた群は平均37.3週で出生，30週以前の出生はみられなかった．5分の1の胎児手術群の患児で呼吸窮迫症候群がみられたが，これは患児の未熟性によるものと考えられ，その他の患児の状態に有意な差はみられなかった．First primary outcomeに設定されたVPSの手術の有無は胎児手術群が40%，出生後手術群が82%と，統計学的有意差がみられた（$p < 0.001$）．hindbrain herniationも胎児手術群で64%，出生後手術群で94%とこちらも統計学的有意差がみられた（$p < 0.001$）．またsecond primary outcomeでは，30ヵ月時点での発達と運動に関しても，有意差をもって胎児手術群のほうがよい数値を示した（$p = 0.007$）．このMOMS trialでは胎児手術の有効性が示された反面，母体に対するリスクも生じることが示され，今後の課題とされた[4]．このtrial以降，胎児手術は海外の主要な胎児治療センターにおいて脊髄髄膜瘤の治療の選択肢の一つとなっている．

ガイドライン

MOMS trialの結果胎児手術が普及した北米では，北米Congress of Neurological Surgeons（CNS）が1966～2016年までの論文をレビューし，2019年に脊髄髄膜瘤に関するevidence-based guidelineを発表した．これは5つのclinical question（CQ）により構成されている．

CQ1：出生前修復術を受けた患児と出生後修復術を受けた患児ではシャントが必要な水頭症の発生率に差があるか？

推奨：胎児（患児）と母体がMOMSで設定されている基準を満たしている場合，シャント術が必要な水頭症のリスクを軽減するために出生前修復術が推奨される（レベルI）．ただし母体と胎児のさまざまな要素を考慮する必要がある[5]．

CQ2：出生前もしくは出生後の髄膜瘤修復術は歩行障害を改善するか？

推奨：胎児（患児）と母体がMOMSで設定されている基準を満たしている場合は，可能であれば出生前修復を行うことが短期（生後30ヵ月時点）での歩行状態を改善する（レベルII）．両群において歩行状態の増悪の因子は脊髄の係留であるため，脊髄係留症候群の症状の出現の観察と係留解除術が歩行状態の安定に寄与する可能性がある（レベルIII）．どちらかの群が成人期までに歩行状態を維持できるかに関しての報告はない[6]．

CQ3：出生後に診断された脊髄髄膜瘤の患児の48時間以内の修復術は皮膚や中枢神経系の感染を減らすか？

推奨：48時間以内の修復術が創部感染・中枢神経系の感染を減らすという十分なエビデンスはない．

一方，修復術が生後48時間以降に施行される場合，抗菌薬の導入が推奨さ

4) Adzick NS, Thom EA, Spong CY et al：A randomized trial of prenatal versus postnatal repair of myelomeningocele. N Engl J Med 364：993-1004, 2011

5) Tamber MS, Flannery AM, McClung-Smith C et al：Congress of neurological surgeons systematic review and evidence-based guideline on the incidence of shunt-dependent hydrocephalus in infants with myelomeningocele after prenatal versus postnatal repair. Neurosurgery 85：E405-E408, 2019

6) Bauer DF, Beier AD, Nikas DC et al：Congress of neurological surgeons systematic review and evidence-based guideline on the management of patients with myelomeningocele：whether prenatal or postnatal closure affects future ambulatory status. Neurosurgery 85：E409-E411, 2019

れる（レベルⅢ）[7]．

CQ4：水頭症を伴う脊髄髄膜瘤の患児では脳室拡大の持続が神経認知機能に悪影響を及ぼすか？

推奨：現時点では脳室の大きさ，形態が神経認知機能に影響する十分なデータはない[8]．

CQ5：出生前修復術を受けた患児と出生後修復術を受けた患児に脊髄係留症候群の発生率に差があるか？

推奨：脊髄係留症候群や封入嚢胞（類皮嚢胞など）の発生が出生前修復を受けた患児に多いという報告もあり，継続的な監視が必要である（レベルⅡ）[9]．

本邦においては胎児手術の臨床研究が開始されたばかりであり（後述），現時点ではCNSのガイドラインをそのまま用いることは現実的でないとの判断から，現在，日本小児神経外科学会が脊髄髄膜瘤ガイドライン作成小委員会を結成して本邦独自のガイドライン作成に取り掛かっている[10]．

MOMS trial 後の長期成績

水頭症

MOMS trialのデータが北米の小児脳神経外科医の考え方にどのような変化をもたらしたかを示す調査が2019年に発表されている．154人の米国脳神経外科学会に所属するactive pediatric neurosurgeonを対象に行い，65％の回答があったこの調査では，71％が出生前修復術に好意的な意見で，51％が出生前修復を推奨すると答えた．一方で，この好意的な意見の比率は他の周産期にかかわる職種よりは低く，小児脳神経外科医が周術期の合併症により配慮している点と，中絶を推奨する比率は以前と変わりないことが示された．また注目すべきは，脊髄髄膜瘤に合併する水頭症に対する治療法として60％の小児脳神経外科医がシャント術に加えてETVを検討し，実際27％がETV（うち55％が＋choroid plexus cauterization：CPC）を施行している点である[11]．MOMS trialのenrollmentの時期と比較して近年ETV＋CPCを行う施設が増えてきたことを考慮すると，脊髄髄膜瘤に合併する水頭症の治療も再考される時期がくる可能性も否定できない．2015年にTulipanらが示したMOMS trialの水頭症の解析では，在胎時側脳室三角部幅（atrial width：AW）が15 mmを超えている場合，胎児手術を行ってもシャントを回避できる確率は出生後手術群と差がないとしている．これはCavalheiroらが示した自験例1,050例の脊髄髄膜瘤の調査でも，やはり胎児期にAWが16 mmを超えている2例は在胎中にventricular amniotic shuntを施行されたが，最終的にVPSが必要であったと報告したことを考えると，在胎中の脳室のサイズによって胎児手術の適応を検討する必要があると思われる．この調査では出生後に閉鎖術が行われ

7）Beier AD, Nikas DC, Assassi N et al：Congress of neurological surgeons systematic review and evidence-based guideline on closure of myelomeningocele within 48 hours to decrease infection risk. Neurosurgery 85：E412-E413, 2019

8）Blount JP, Durham SR, Klimo P Jr et al：Congress of neurological surgeons systematic review and evidence-based guideline on the management of patients with myelomeningocele：whether persistent ventriculomegaly adversely impacts neurocognitive development. Neurosurgery 85：E414-E416, 2019

9）Mazzola CA, Tyagi R, Assassi N et al：Congress of neurological surgeons systematic review and evidence-based guideline on the incidence of tethered cord syndrome in infants with myelomeningocele with prenatal versus postnatal repair. Neurosurgery 85：E417-E419, 2019

10）五味玲，埜中正博：日本小児神経外科学会の脊髄髄膜瘤治療ガイドライン作成に向けて．脳外誌 31：212-217, 2022

11）Riley JS, Antiel RM, Flake AW et al：Pediatric neurosurgeons' views regarding prenatal surgery for myelomeningocele and the management of hydrocephalus：a national survey. Neurosurg Focus 47：E8, 2019

た患児の83%（593例）に対して生後4日目までにVPSが施行された一方で，出生前修復が行われた患児は7.4%（24例）に手術が必要であった．しかしこの出生前手術を受けた患児は生後6ヵ月を過ぎてから手術が必要な状況になり，62.5%においてETVを施行され水頭症のコントロールが可能となった[12]．つまり，出生前修復は水頭症に対する手術時期を遅らせることが可能となり，結果，ETVが効果を示す時期まで水頭症の治療を遅延させることができる可能性を示唆している．

12) Cavalheiro S, da Costa MDS, Barbosa MM et al：Hydrocephalus in myelomeningocele. Childs Nerv Syst 37：3407-3415, 2021

歩行状態

MOMS trial以前に出生前修復を受けた症例が一定数存在し，その結果，比較的長い期間のアウトカムが報告されるようになっている．Danzerらは，MOMS trial以前に胎児手術が行われたmedian follow up 10年の患児42人のコホートで，80%が自宅外でも歩行可能であり，車椅子で生活している患児は14%であったことを報告した[13]．またMOMS trialに登録された患児が小学校に入学する時期となり，HoutrowらはMOMS trialに登録された161人の患児の発達・歩行状態・運動感覚機能・quality of life（QOL）に関して，MOMS IIとして検討を行った．その結果，出生前・出生後修復両群の間で認知適応行動に有意な差はなく，装具を使用せずとも歩行可能であった患児が出生前群に多く，運動感覚機能テストでも出生後群よりよい成績であった．また，MOMS trialと同様に出生前修復群のほうがhindbrain heriationの比率，VPS施行が必要となる水頭症は少なかった．さらに，シャント再建が必要となる割合も出生前修復群で少なかった．最後にQOLのスコアも家族の負担も，出生前修復群のほうが統計学的有意差をもって良好な数値を示していた[14]．

13) Danzer E, Thomas NH, Thomas A et al：Long-term neurofunctional outcome, executive functioning, and behavioral adaptive skills following fetal myelomeningocele surgery. Am J Obstet Gynecol 214：269.e1-269.e8, 2016

14) Houtrow AJ, Thom EA, Fletcher JM et al：Prenatal repair of myelomeningocele and school-age functional outcomes. Pediatrics 145：e20191544, 2020

膀胱直腸機能

MOMS trialのsubstudyとして，Brockらが膀胱機能の評価を行っている[15]．彼らはMOMS trialにエントリーした115人の患児（胎児手術群56人，出生後手術群59人）を解析し，30ヵ月時点での清潔的間欠導尿（clean intermittent catheraization：CIC）導入の割合および12ヵ月，30ヵ月時点での膀胱または腎臓の異常の有無を比較した．30ヵ月時点でのCIC導入の適応に当てはまった患児は胎児手術群で52%，出生後手術群で66%であり統計学的有意差はみられなかった．また12ヵ月，30ヵ月時点での膀胱・腎臓の異常の検討では，性別と髄膜瘤の位置を統計処理した後に比較すると，胎児手術群において肉柱形成が少なく，より正常に近い膀胱の形態を呈することが示された．30ヵ月という短期間であるため，これらの変化に関してはまだどのような臨床的な意義があるかは不明であるが，長期的にみると出生前治療群ではよりよい膀胱機能獲得と治療が必要であっても軽度な障害で済む可能性を秘めてい

15) Brock JW 3rd, Carr MC, Adzick NS et al：Bladder function after fetal surgery for myelomeningocele. Pediatrics 136：e906-e913, 2015

ると彼らは結論づけていた．2019年にBrockらは同じMOMS trialのコホートの長期成績を報告している．MOMS trialに登録された156人（出生前修復78人出生後修復78人）を平均7.4年の観察期間で評価したところ，CICは出生前修復群の62%に，出生後修復群の87%に導入され，統計学的有意差をもって出生前修復群のほうが少ない結果となった．また抗コリン薬の使用頻度も出生前修復群が少なく，さらに24%の出生前修復の患児が随意的に排尿を止めることができたと報告している[16]．この2つのBrockらの報告は，MOMS前の出生前修復群と出生後修復群の比較では得られなかった胎児手術の排尿に関する有効性を示している非常に期待できる結果ではあるが，前者がプロトコールに沿った中で中央化された評価であった反面，後者は家族へのアンケートおよび地元の泌尿器科医に任された評価であるため，バイアスがかかっている可能性も考慮しなければいけないとClaytonらは述べている[17]．現在泌尿器科領域でCenter of Disease Control National Spina Bifida Registry and the Urologic Management to Preserve Initial Renal Function Prtocol of Young Children（UMPIRE）study[18]という登録事業が進んでおり，さらなる高いエビデンスレベルの報告が期待される．

精神発達

脊髄髄膜瘤で出生前修復を行った群と出生後修復を行った群の神経発達の比較のため，Inversettiらはシステマティックレビューを行った[19]．11,359 studyからinclusion criteriaを満たす2つの論文[20, 21]から14〜53ヵ月，213人の患児を調査した．出生前修復群で早産が統計学的有意差をもって多かったにもかかわらず，発達の遅れがみられた患児は出生前修復群で23.8%，出生後修復群で27.8%と，統計学的有意差を認めなかった．また，シャントの有無による発達の差は1つの研究[20]で得られたが，明らかな有意差はみられなかった．発達の評価は困難であるとInversettiも述べているが，胎児手術が施行された群では34週以前に生まれた患児が多かったにもかかわらず，発達に関して出生後修復群と差がみられなかったことは着目すべき所見である．

MOMS trial以降，胎児手術のさまざまな知見が積み重ねられてきた．水頭症に対してはVPシャントの選択肢に加えてETV + CPCという新たな選択肢が選択されることが増えてきており，この手術方法の変化が今後の胎児手術の有効性にも影響を及ぼすものと考えられる．また，学童期になっても胎児手術群における運動機能の優位性は継続するものと思われる．反面，膀胱直腸機能に関する胎児手術の有効性はいまだ解明できておらず，光明は見えているもののまだコンセンサスが得られていない状況である．最後に発達に関しては，元々脊髄髄膜瘤の患児は水頭症の管理ができていればある程度の精神発達は得られると考えられており，出生前修復例も早産が多いにもかかわらず出生後修

16) Brock JW 3rd, Thomas JC, Baskin LS et al：Effect of prenatal repair of myelomeningocele on urological outcomes at school age. J Urol 202：812-818, 2019

17) Clayton DB, Thomas JC, Brock JW 3rd：Fetal repair of myelomeningocele：current status and urologic implications. J Pediatr Urol 16：3-9, 2020

18) Tanaka ST, Paramsothy P, Thibadeau J et al：Baseline urinary tract imaging in infants enrolled in the UMPIRE protocol for children with spina bifida. J Urol 201：1193-1198, 2019

19) Inversetti A, Van der Veeken L, Thompson D et al：Neurodevelopmental outcome of children with spina bifida aperta repaired prenatally vs postnatally：systematic review and meta-analysis. Ultrasound Obstet Gynecol 53：293-301, 2019

20) Farmer DL, Thom EA, Brock JW 3rd et al；Management of Myelomeningocele Study Investigators：The Management of Myelomeningocele Study：full cohort 30-month pediatric outcomes. Am J Obstet Gynecol 218：256.e1-256.e13, 2018

21) Zamłyński J, Olejek A, Koszutski T et al：Comparison of prenatal and postnatal treatments of spina bifida in Poland--a non-randomized, single center study. J Matern Fetal Neonatal Med 27：1409-1417, 2014

復例と比較して発達に差がみられないのは，胎児手術の有効性を示す所見であると考えてもよいのであろう．

手術手技の進歩

脊髄髄膜瘤は他の先天性疾患と異なり，出生後に治療を行っても生命予後には大きく影響を与えない疾患である．McLone らが提唱した unified theory によると，脊髄髄膜瘤では神経管が閉鎖されないために脊髄髄膜瘤の部分で脊髄中心管が外表に開放され，胎児期を通じてこの部位より髄液が体外（子宮内）に流出し続けることにより，水頭症，Chiari type 2 malformation などさまざまな中枢神経系の病変が発生するとされている[22]．また Heffez らが提唱した two hit hypothesis では，患児の髄膜瘤が胎内で継続的に羊水に曝露することによる化学的損傷と，子宮壁との接触による物理的な損傷によって徐々に脊髄神経損傷が進行するとされている[23]．この両仮説を考慮すると，脊髄髄膜瘤の患児は胎内で病態が増悪する疾患であるといえるが，致死的ではないがゆえにより母体への配慮も必要となる．MOMS trial において得られた母体リスクとしては，早産に加え羊水過少，絨毛膜羊膜分離，胎盤早期剥離，前期破水とともに3分の1の母体で子宮壁の菲薄化が認められていたことである．母体の安全性を確保するために，この胎児手術を胎児鏡（fetoscope）にて行う試みがなされてきた．Fetoscope の使用は母体の皮膚切開を最小化し，子宮の瘢痕化を最小限にすることが可能である．Espinoza らは two-port fetoscope を用いて multilayer closure を行う手術法を開発した．自施設での open hysterotomy 44 例と fetoscopic closure 46 例を比較しこれまで母体のリスクとされていた感染，絨毛膜羊膜分離，胎盤早期剥離，前期破水が open hysterotomy と統計学的有意差がないことを示し，経膣分娩も半数の胎児鏡手術の母体で可能であったことを報告した[24]．このように手術手技の進歩が母体のリスク軽減につながる報告が散見されるようになってきた．また今後，他の外科領域で盛んに使用されている手術ロボットの導入も近い将来検討されると予想される[25]．

本邦の今後

Otera らは胎児手術の準備として，本邦の脊髄髄膜瘤診断のアンケート調査を行った．2012～2014 年の期間で脊髄髄膜瘤の診断，治療に関して 169 施設から 71％の回答を得たが，脊髄髄膜瘤の診断時期は平均で胎生 26 週（12～38 週）であった．そのうち 22％が 22 週以前に診断されており，この 4 分の 3 が人工妊娠中絶を選択されていた[26]．欧州の 12ヵ国の診断時期の平均が 17 週（8～40 週）[27] であることを考えると，本邦の診断時期は遅いといわざるを得ない．胎児手術を行う体制を整えるためにはより早期の診断が望まれる．

そしていよいよ本邦にて，国立成育医療研究センターおよび大阪大学により

22）McLone DG, Knepper PA：The cause of Chiari Ⅱ malformation：a unified theory. Pediatr Neurosci 15：1-12, 1989

23）Heffez DS, Aryanpur J, Hutchins GM et al：The paralysis associated with myelomeningocele：clinical and experimental data implicating a preventable spinal cord injury. Neurosurgery 26：987-992, 1990

24）Espinoza J, Shamshirsaz AA, Sanz Cortes M et al：Two-port, exteriorized uterus, fetoscopic meningomyelocele closure has fewer adverse neonatal outcomes than open hysterotomy closure. Am J Obstet Gynecol 225：327.e1-327.e9, 2021

25）Dewan MC, Wellons JC：Fetal surgery for spina bifida. J Neurosurg Pediatr 24：105-114, 2019

26）Takahashi YO, Wada S, Miya M et al：Nationwide survey of fetal myelomeningocele in Japan：Background for fetal surgery. Pediatr Int 61：715-719, 2019

27）Boyd PA, Devigan C, Khoshnood B et al：Survey of prenatal screening policies in Europe for structural malformations and chromosome anomalies, and their impact on detection and termination rates for neural tube defects and Down's syndrome. BJOG 115：689-696, 2008

組織された日本胎児治療グループにより「脊髄髄膜瘤胎児手術の早期安全性試験」が2020年4月から開始された（https://fetusjapan.jp）．4年間で15例の目標で安全性の評価を行う予定である．

脊髄髄膜瘤は，先天奇形疾患の中で発生率を下げることが可能な疾患の一つである．先人の知見の積み重ねによって葉酸の投与が脊髄髄膜瘤の発生率を下げることが証明された[28]．さまざまな国で食物に葉酸を添加するプログラムが開始され，その後米国：26%，カナダ：46%，チリ：43%，南アフリカ：31%の減少率で，各国において神経管閉鎖不全症（脊髄髄膜瘤＋無脳症）の発生が減少しているデータが示されている[3]．本邦では2000年に厚生労働省が『妊娠可能な女性が栄養補助食品から1日0.4 mgの葉酸を摂取すれば，神経管閉鎖障害の発症リスクが集団としてみた場合に低減することが期待できる』という葉酸摂取を推奨する提言を発表し，周知することを勧めたが，実際のところは近藤らによると葉酸の重要性の認知率27.0～70.4%，実際の摂取率は6.3～20.5%[3]と十分に周知されているとはいいがたい．また近藤らが渉猟した文献はすべて妊婦が対象であることを勘案すると，妊娠前から神経系が形成される胎生3～4週の間に十分な葉酸を摂取していたとはとても思えない．妊娠前の女性に対する啓蒙が重要であるが，実際には医療系学部の学生でも葉酸の重要性の認知率は，看護学部8.5%[29]，薬学部10.8%[30]であった．妊娠前の一般女性の葉酸の重要性の認知度はさらに低いと予想される．日本小児神経外科学会のHPでは2022年に葉酸摂取推奨の声明文が掲載されている．また地方自治体レベルでの啓発活動も進められているが，最終的には諸外国と同じように食品への葉酸添加の義務化を政府へ働きかけることも重要であると考えられる[3]．

まとめ

脊髄髄膜瘤の治療においてはMOMS trialがgame changerとなり，胎児手術についてこの数年でガイドラインの制定，併発する症状に対する長期成績の報告，そしてより母体への弊害を減らすためのより安全な手術手技の確立がなされている．本邦においては胎児手術の安全性の評価が始まり，将来的には本邦の患児も出生前修復の恩恵に預かることができることが期待される．そのためにはより早期の診断が必要であり，神経管閉鎖不全症のスクリーニングのプロトコール作成が急がれる．早期に診断されると中絶の問題も出てくるが，妊娠前からの葉酸摂取の重要性を含め，精神発達に関しては遅滞が少ないといわれている本疾患の理解を進めるべく，周術期にかかわる専門職種がより積極的に啓蒙活動にあたる必要がある．新たな治療戦略と，これまで行われてきたもののまだ十分でない予防への啓蒙の両輪で進めていくことが，将来的に脊髄髄膜瘤の患児および家族へよりよい医療を提供することにつながると思われる．

28) Prevention of neural tube defects：results of the Medical Research Council Vitamin Study. MRC Vitamin Study Research Group. Lancet 338：131-137, 1991

29) 金正めぐみ，前田恵理，村田勝敬：本邦女子医学生の妊娠・出産に関する意識及び知識調査．秋田県公衆衛生学雑誌 14：29-34, 2018

30) 高橋敦史，小原拓，大原宏司 他：葉酸による出生時の神経管閉鎖障害リスク低下効果に関する薬学生の認識．医薬品情報学 17：185-191，2016

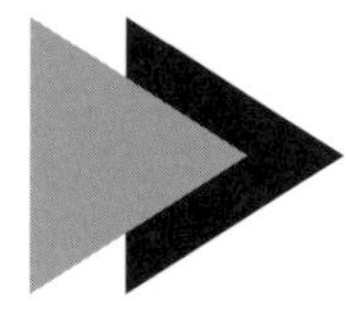

32. 脊髄脂肪腫

荻原英樹
国立成育医療研究センター 脳神経外科

最近の動向

- 無症候性の脊髄円錐部脂肪腫に対する手術適応に関しては依然として議論が多く，画一的な治療方針を定めるには至っていない．
- 脊柱管外に脂肪腫が突出するlipomyelomeningocele typeは，症状増悪の危険因子となる．
- Lipomyelomeningoceleや身長のgrowth rateの高い例において，手術後の再係留率が高い．
- 脊髄脂肪腫に脊髄空洞症を伴う場合，空洞の頭尾側径が長い症例において症状出現の可能性が高い．
- 長期的な排尿機能の予後をみると，lipomyelomeningocele type, transitional typeが予後不良である．
- 無症候性の脊髄円錐部脂肪腫に対する治療方針は，症例をより個別化して決定されるべきである．

脊髄円錐部脂肪腫における症状増悪因子[1)]

脊髄円錐部脂肪腫の術前における，症状の増悪を調べた論文である．87例の受診時の平均年齢は24ヵ月，50例が無症候で，37例で出生時から症状を認めていた．transitional typeが74例，dorsal typeが9例，chaotic typeが4例であった．術前に症状の増悪を認めたものは37例（43%）で，増悪時の平均年齢は36ヵ月であった．増悪症状は，排尿障害が20例（54%），下肢運動機能障害が12例（32%），下肢感覚障害が5例（14%）であった．脊柱管外にまで病変が及ぶ脊髄脂肪髄膜瘤で有意に多く，出生時に症状を認めた群で少なかった．脊柱管外へ突出した脊髄が頭側の脊椎後弓により圧迫され，係留がより強くなることが推察された．無症候性の円錐部脂肪腫の手術適応は，現時点でも明瞭な結論に至っていない．これまでも，症状増悪因子として，transitional type，脊髄空洞症の存在などが報告されているが，脊柱管外への脊髄・脂肪腫の脱出も，手術適応を決めるうえで考慮されるものと考えられる．

脊髄円錐部脂肪腫における再係留危険因子[2)]

初回係留解除術後に100ヵ月以上経過観察を行った脊髄円錐部脂肪腫51例

1) Sarkar S, Vora TK, Rajshekhar V：Risk factors for pre-operative functional deterioration in children with lipomyelomeningocele. Childs Nerv Syst 38：587-595, 2022

2) Hayashi T, Kimiwada T, Shirane R et al：Retethering risk in pediatric spinal lipoma of the conus medullaris. J Neurosurg Pediatr doi：10.3171/2021.9.PEDS21413, 2021 [online ahead of print]

2434-9992/22/¥100/頁/JCOPY

において，再係留の危険因子を調べた論文である．12 例（23.5%）で再係留を認めた．脂肪腫の新井分類のタイプ別では，caudal type が 13 例中 0 例，dorsal type が 15 例中 1 例（7 %），transitional type が 5 例中 2 例（40 %），lipomyelomeningocele type が 14 例中 8 例（57%）に再係留を認めた．新井分類で lipomyelomeningocele と平均成長率（身長）が有意に再係留の発症に関与していた．

これらの結果から，成長率が高い乳児期における無症候性の lipomyelomeningocele や transitional type に対する予防的手術は奨励されないかもしれないと述べられている．

ただ，無症候性の lipomyelomeningocele や transitional type の症状出現率も，再係留率と同様かそれ以上に高い可能性もあり，無症候性の手術適応の確立には，やはり長期経過観察による手術群と待機群を比較した prospective study が望まれる．

再係留に対する係留解除術 [3]

脊髄円錐部脂肪腫 209 例のうち，再係留を認めたものは 9 例（4.8%）であった．8 例は transitional type，1 例は chaotic type であった．9 例中 8 例で初回手術は生後 6ヵ月以内に行われた．軟膜縫合による脊髄形成と Gore-tex を用いた硬膜形成が全例で行われた．

再係留時の平均年齢は 7.4 歳（2～12 歳）で，初回手術より平均 7.5 年で発症した．症状は，排尿障害が 5 例，歩行障害が 6 例，脊椎変形が 2 例，背部痛・下肢痛が 5 例であった．

再係留に対する係留解除術後，平均観察期間 50ヵ月で，歩行障害は 50%で改善，排尿障害は 16%で改善，背部痛・下肢痛は全例で改善を認め，長期的にみても再係留解除術前より神経学的に悪化した例は認めなかった．再係留に対する係留解除術は有効であり，症状の出現よりなるべく早期の対処が望まれることが示された．

本論文での再係留率は 4.8%と従来の報告に比べ低いものとなっているが，円錐部脂肪腫の type 別の内訳が示されておらず，complex type（transitional または chaotic type）の割合が低い可能性がある．

カナダにおける脊髄円錐部脂肪腫の手術適応 [4]

カナダの小児脳神経外科医に向けて，円錐部脂肪腫の手術適応について 5 つの症例を示してアンケート調査を行った．症例は，①仙骨レベルの lipomyelomeningocele でくも膜下腔は脂肪腫の腹側から尾側に存在，② S1/2 レベルから皮下の脂肪腫に連続する transitional type でくも膜下腔は脂肪腫の腹側に存在，③ conus L3 レベルの caudal type でくも膜下腔は脂肪腫の腹側

3) Idriceanu T, Beuriat PA, Di Rocco F et al : Recurrent tethering in conus lipomas : a late complication not to be ignored. World Neurosurg doi : 10.1016/j.wneu.2022.07.048, 2022［online ahead of print］

4) Manoranjan B, Pozdnyakov A, Ajani O : Neurosurgical management of conus lipoma in Canada : a multi-center survey. Childs Nerv Syst 36 : 3041-3045, 2020

に存在，④ conus S5 level の caudal type であり，lipoma は巨大で尾側においてくも膜下腔は脂肪腫で埋め尽くされ確認されない．神経根が involve されている可能性がある，⑤ conus S5 level の transitional type であり，lipoma は巨大で尾側においてくも膜下腔は脂肪腫で埋め尽くされ確認されない．神経根が involve されている可能性がある，という特徴がそれぞれみられた．これらの画像所見で，Ⓐ無症候性の 1 歳児，Ⓑ足関節の底屈障害と進行性の内反足を認める 2 歳児，Ⓒ尿失禁を認めるようになった 8 歳児，のそれぞれのケースにおける手術適応を質問した．23 人から結果を得て回答率は 61％であった．症候性のものに対しては 9 割以上が手術を行うと回答した．無症候性のものに関しては，脂肪腫の腹側にくも膜下腔が確認される例では 3～4 割で手術を行うと回答されたが，脂肪腫が巨大で脂肪腫周囲にくも膜下腔が確認されない例では，2 割程度が手術を行うと回答した．無症候性のものに対しては，術者間で手術適応にばらつきを認めた．

カナダにおいては，無症候性例に対し待機的な方針をとる小児脳神経外科医が比較的多いと思われる．無症候性例での手術適応は，症例ごとに術者の経験も含め決められるべきと考えられる．

脊髄空洞症を伴う脊髄係留症候群に対する係留解除術の長期経過[5)]

脊髄空洞症を伴う脊髄係留症候群に対する係留解除術後の脊髄空洞症の変化の長期経過を調べた論文である．25 例の脊髄係留を起こし得る疾患の内訳は，脂肪脊髄髄膜瘤 8 例，脊髄終糸脂肪腫 / 肥厚 7 例，硬膜下脂肪腫 5 例，myelocystocele 2 例，髄膜瘤 2 例，割髄症 1 例で，平均観察期間は 8.4 年であり，全体として空洞症のサイズに有意な変化はなく，頭尾側の長さは 0.86 椎体分増加し，前後径は 0.72 mm 減少した．空洞症の改善は症例間でばらつきがあり，空洞症の変化が症状の変化と必ずしも関連しないので，空洞症の存在のみを手術適応とはできない，と述べている．しかし，①本論文の疾患群にばらつきがあり，係留解除がどの程度まで行われたか不明である（脂肪腫や myelocystocele などで係留解除が不完全であった可能性がある），②本論文では空洞症の改善を頭尾側の長さと前後径の両者が改善した場合と定義しているが，真の改善は空洞症の内圧の減少である（前後径か頭尾側径のみの改善でも内圧が減少している場合が考えられる），③係留脊髄の際に出現する空洞症は腰椎から下位胸椎に首座を置くと考えられるが，本論文では頭側の空洞症のみの症例も含まれている，という理由で，やはり空洞症の存在は係留脊髄と関連している可能性は否定できないと考えられる．

5) Bruzek AK, Starr J, Garton HJL et al：Syringomyelia in children with closed spinal dysraphism：long-term outcomes after surgical intervention. J Neurosurg Pediatr doi：10.3171/2019.9.PEDS1944, 2019［online ahead of print］

脊髄円錐部脂肪腫に伴う脊髄空洞症の臨床的意義[6)]

脊髄空洞症を頭尾側長が1椎体以上あり，矢状断における空洞症/脊髄比が0.3以上のものと定義し，140例の脊髄円錐部脂肪腫において調べたものである．140例中39例（27.9%）に脊髄空洞症を認め，presyrinx（空洞症/脊髄比が0.3未満）は25例（17.9%）に認めた．脊髄空洞症と神経学的症状の有無に有意な関連は認めなかった．脊髄空洞症の位置が脂肪腫のレベルより1椎体以上離れているものは，出生時より神経学的症状を認めるものが有意に多かった（$p = 0.045$）．また，脊髄空洞症の頭尾側長が5椎体より長いもので，神経学的症状が進行する例が優位に多かった（$p = 0.04$）．脊髄空洞症の増大を認めた8例中6例（75%）で，神経学的症状の悪化を認めた．

脊髄空洞症と神経学的症状の有無に関連は認めなかったとしているが，脊髄空洞症をどのように定義するかによって結果は変わる可能性がある．脊髄空洞症の頭尾側長が5椎体より長い症例で神経学的症状の悪化を認める場合が多かったとのことで，手術適応の一助になると考えられる．

6）Abraham AP, Vora TK, Selvi BT et al：Characterizing syringomyelia and its clinical significance in 140 patients with lipomyelomeningocele. J Neurosurg Pediatr doi：10.3171/2022.6.PEDS2286, 2022 [online ahead of print]

脊髄終末部の空洞症に対する係留解除術[7)]

脊髄終末部の空洞症は係留脊髄に起因する可能性があるが，その詳細な手術適応に関しては定まっていない．本論文では，57例の脊髄終末部空洞症（terminal syringomyelia）に対して脊髄終糸切除による係留解除術を行っている．うち40例は，脊髄終糸脂肪腫，終糸肥厚，低位脊髄円錐のどれかを認め，17例は終末部空洞症のみを認めていた．平均観察期間3.3年で，47%の症例に症状の改善がみられた．症状の増悪は再係留で再手術が行われた1例（1.8%）のみであった．空洞症のサイズは術後1年で33%が縮小，69%で変化なし，術後3年でのMRIが撮られた28例中，61%が縮小，35%が変化なしであった．

症状の改善率は，終糸病変か低位脊髄を認める群で54%（7/13），終末部空洞症のみを認める群で33%（2/6）であった．また，空洞症の縮小率は，終糸病変か低位脊髄を認める群で52%（21/40），終末部空洞症のみを認める群で47%（8/17）であった．これらの結果は，9%で症状の増悪を認め，25%で空洞症の縮小を認めた自然経過の報告に比べ良好なものであった．終末部空洞症に対する係留解除術が有効な群があることが示された．ただ，無症候性の空洞症に対する手術適応の確立には，自然経過と手術群を長期にわたり比較するlarge-scale prospective studyが待たれる．

7）Ishisaka E, Usami K, Ogiwara H：Surgical outcomes by sectioning a filum terminale in patients with terminal syringomyelia. Childs Nerv Syst 36：3035-3039, 2020

予防的係留解除術における排尿機能の長期予後[8)]

1歳未満の円錐部脂肪腫に対する予防的な係留解除術後の，長期的な排尿機能の予後について述べた論文である．53例中10例（19%）で間欠導尿が必要

8）Hayashi C, Kumano Y, Hirokawa D et al：Long-term urological outcomes of spinal lipoma after prophylactic untethering in infancy：real-world outcomes by lipoma anatomy. Spinal Cord 58：490-495, 2020

となり，6例（11%）で尿失禁を認めた．2例（4%）で腎機能障害を認め，2例（4%）で膀胱拡大術を必要とした．脂肪腫のサブタイプ別（caudal, dorsal, transitional, lipomyelomeningocele）にみると，transitonal typeでもっとも予後が悪く，54%で間欠導尿が必要となり，38%で尿失禁を認めた．これに対し，caudal typeでは間欠導尿を必要としたものはなく，dorsal typeでは5%，lipomyelomeningoceleでは33%であった．間欠導尿の適応は，排尿困難，残尿過多，尿失禁，水腎症，膀胱尿管逆流，繰り返す有熱性尿路感染としている．間欠導尿の導入時期は平均で4.2歳であった．Kaplan-Meier曲線では，lipomyelomeningoceleでは乳幼児期に間欠導尿が導入される例が多いのに対し，transitional typeでは学童期以降でも導入される例がみられた．

本論文は，乳児期に予防的な手術が行われた患児の排尿機能の長期経過をみたものでは，初めてのものである．サブタイプごとの予後の違いが示され，長期経過観察をする際に重要な情報が提供されている．

排尿機能からみた早期係留解除術の有効性[9]

9) Valentini LG, Babini M, Cordella R et al：Early de-tethering：analysis of urological and clinical consequences in a series of 40 children. Childs Nerv Syst 37：941-949, 2021

24ヵ月未満で係留解除術が行われた40例において，その有効性を排尿機能の観点からみた論文である．脊髄円錐部脂肪腫に対しては，可能であればradical resectionを行っている．全例で術前後にurodynamic studyによる排尿機能の評価がなされた．術後6ヵ月の時点で術前urodynamic studyで排尿障害を認めていた11例中，8例で改善を認めた．術前下肢運動機能障害を認めていた2例とも改善を認めた．術前に排尿障害を認めていなかった5例で術後に不可逆的な排尿障害を認めた．このうち，4例はchaotic typeの円錐部脂肪腫であり，1例はterminal myelocystoceleであった．Chaotic typeは全例で6例で，2例は術前より，4例は術後より排尿障害を認め，長期観察においても不可逆的であった．これに対し，dorsal type, transitional type, filar type, limited dorsal myeloschisisでは係留解除術により術前の排尿障害は全例で改善し，長期的にも排尿障害を認めるものはなかった．

Pangらが述べているように，chaotic typeでの脂肪腫のradical resectionは術後の不可逆的な排尿障害のriskが高く，奨励されない結果であった．Chaotic typeに対するpartial resectionによる早期係留解除術と自然歴との比較のcontrol studyが望まれる．

CUSAを用いたdynamic mapping[10]

10) Sapir Y, Buzaglo N, Korn A et al：Dynamic mapping using an electrified ultrasonic aspirator in lipomyelomeningocele and spinal cord detethering surgery-a feasibility study. Childs Nerv Syst 37：1633-1639, 2021

帯電性のCUSA（electrified CUSA：eCUSA）を用いて，脊髄脂肪腫の係留解除術の際にreal timeで神経根のmappingが可能かどうかを検証したものである．CUSAの先端のshaftから0.3～3 mAの刺激を行うものである．まずは感度を上げるために3 mAで刺激を行い，徐々に刺激強度を下げ，顕微鏡下での手術所見も加味して神経根を同定していく．大腿四頭筋，前脛骨筋，腓腹筋，肛門括約筋よりのMEPを検出する．20例中12例で，eCUSAからの刺激による筋電図が得られ，顕微鏡下での神経根同定に有効であった．eCUSAからの刺激による筋電図が検出されない領域では，脂肪腫の摘出を集中的に進めることが可能であった．Transitional typeなどで神経根が脂肪腫に巻き込まれている例に対し，手術時間の短縮，電気刺激とCUSAを交互に使う煩雑性の低下につながり，有効と考えられる．

仙尾部皮膚洞に対するスクリーニング超音波検査[11)]

腰仙部病変に対する超音波検査は，椎骨の骨化が進んでいない生後1〜3ヵ月で行われる．本論文では，337例の仙骨部皮膚洞をもつ乳児に対して超音波検査を行い，50例（15%）で終糸脂肪腫を認めた．うち40例でMRIが行われ全例で終糸脂肪腫が確認された．超音波検査における終糸脂肪腫の最大径は1.7 ± 0.4 mm，最小径は1.1 ± 0.2 mmであった．頭尾側径は1.9〜5.1 cmであった．また，30例（8.9%）でL2/3〜midL3の低位脊髄円錐を認めた．

仙骨部皮膚洞に対するMRI検査により15〜20%程度で終糸病変が検出されると報告されている．超音波検査は安価で，かつ無鎮静で行え安全性も高く，同様に有効と考えられる．ただ，本論文では全例にMRIを施行しておらず，偽陰性率がどの程度かは不明である．

11）Oh JE, Lim GY, Kim HW et al：Filum terminale lipoma revealed by screening spinal ultrasonography in infants with simple sacral dimple. Childs Nerv Syst 36：1037-1042, 2020

脊髄終糸脂肪腫における家族性発生[12)]

脊髄終糸脂肪腫における家族性発生に関しての報告はほとんどなされていなかった．本論文では，脊髄終糸脂肪腫の患者の同胞が腰仙部部陥凹や脊髄係留の症状があるときにMRIを行い，同胞の脊髄終糸脂肪腫の頻度を調べたものである．54家系中，48人の同胞を認め，うち2人（4.2%）に脊髄終糸脂肪腫を認めた．これは，今までの4つの罹患率が示されている論文を合わせた頻度（0.91%，482/53,245）よりも有意に高く，本疾患における家族性発生の関与が示された．

同胞に腰仙部部陥凹や症状を認める際には，MRI検査が必要なことが示唆されるが，本論文では皮膚症状や脊髄係留の症状がない同胞にはMRIを行っておらず，こうした同胞に対してもMRIを行うかどうかは議論の余地がある．これまで遺伝的な関与は明瞭でなかったが，今後本疾患における責任遺伝子の同定，発生のメカニズムの解明が待たれる．

12）Nonaka M, Ueno K, Isozaki H et al：Familial tendency in patients with lipoma of the filum terminale. Childs Nerv Syst 37：1641-1647, 2021

総排泄腔外反症（cloacal exstrophy）における脊髄奇形[13)]

総排泄腔外反症に伴う二分脊椎奇形について調べた論文である．34例中33

13）Kumar N, Chatur C, Balani A et al：Patterns of spinal cord malformation in cloacal exstrophy. J Neurosurg Pediatr doi：10.3171/2021.1.PEDS20648, 2021［online ahead of print］

例に潜在性二分脊椎を伴い，もっとも多い疾患は脊髄脂肪腫で20例であった．2番目に多い疾患は，myelocystoceleで11例に認めた．脊髄脂肪腫20例の内訳は，dorsal type：4例，transitional type：9例，chaotic type：4例，terminal type：3例であった．このうち，10例は連続しない円錐部脂肪腫と終糸脂肪腫を認めた．2例で脂肪腫を合併しない終糸肥厚を認めた．これらの疾患は二次神経管形成に関連したものが多く，総排泄腔外反症の発生時期と考えられる胎生4〜6週とoverlapするものであった．総排泄腔外反症にはほぼ全例に潜在性二分脊椎を伴い，MRIでの検索は必須であり，適切なタイミングでの係留解除術を行う必要がある．

乳児期早期における脊髄円錐部脂肪腫の急速増大[14)]

診断時と術直前にMRIを施行した27例を対象に，診断時の年齢により3群に分け（1ヵ月未満13例，1〜2ヵ月7例，3ヵ月以上7例），脂肪腫，正常部分の皮下脂肪，脊柱管の変化をみた論文である．診断時と術直前のMRIの間隔は平均83.1日であった．脂肪腫の平均増大率は，前後方向に199%，外側方向に149%，頭尾側方向に133%であった．特に1ヵ月未満の群では，前後方向に258%，外側方向に172%，頭尾側方向に145%となっており，1〜2ヵ月の群では，前後方向に174%，外側方向に146%，頭尾側方向に132%の増大率が示された．正常部分の皮下脂肪の厚みの平均増大率は183%であった．脊柱管の平均増大率は111%となっていた．診断時3ヵ月未満の群では，脂肪腫と皮下脂肪の増大率に比べ脊柱管の増大率は有意に低く，術直前のMRIにおいて脂肪腫周囲のくも膜下腔は35.3%で消失し，脊髄の圧迫を48.1%に認めた．乳児早期に手術を計画する場合には，術直前のMRIでの評価が望ましいと思われる．本論文では，手術の待機期間に症状の増悪を認めた例はなかったとのことであるが，この結果からは，乳児期早期においても，比較的早期の手術が望ましい可能性があると考えられる．

14) Yoshifuji K, Morota N, Omori Y et al：Physiological rapid growth of spinal lipoma in the early postnatal period. J Neurosurg Pediatr　doi：10.3171/2022.1.PEDS21474, 2022［online ahead of print］

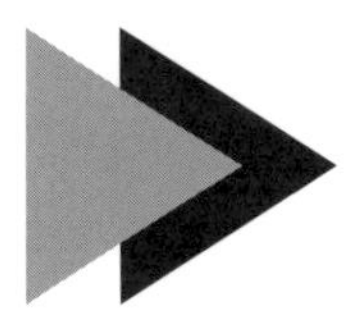

33. 頭蓋内囊胞性病変

河村淳史（かわむら あつふみ）
兵庫県立こども病院 脳神経外科

最近の動向

- 小児における頭蓋内囊胞性病変には，内胚葉由来の神経腸管囊胞，コロイド囊胞，外胚葉由来の上衣囊胞，脈絡裂囊胞，ラトケ囊胞，松果体囊胞，大脳半球間裂囊胞，透明中隔囊胞，間葉系由来のくも膜囊胞があるが，いずれも頻度が低い．その中で日常診療においてもっとも遭遇する機会が多いのはくも膜囊胞と思われる．この度の2019年1月から2022年3月と限定された期間の中で多くの論文があった疾患も，やはりくも膜囊胞であった．
- 前巻では治療方法に関する報告が多かったが今回，約200本の文献を渉猟したところ，日常診療におけるくも膜囊胞への対処，さらに治療法として第一選択肢となりつつある神経内視鏡下における囊胞開窓術に関して複数の報告を認めた．概要としては，くも膜囊胞における症状の評価，外来での対応と治療介入，長期追跡，および神経内視鏡治療，治療評価，合併症などの報告が増えていた．これらを中心にこの3年間で論じられてきた点について解説していく．

くも膜囊胞の自然史，最近知見

くも膜囊胞は成人における推定有病率は1.1～2.3%，小児では2.6%[1～3]と推定されている．その多くが小児期（75%）[2]に，神経放射線学的検査の際に偶発的な所見として認識されるものである．神経学的な症状を引き起こす場合の治療方針は明快で，神経内視鏡的また開頭顕微鏡下に囊胞を開窓し減圧する，あるいは囊胞腹腔シャント術を行うべきとの意見もある．しかし，その自然歴については不明な点が多い．どの囊胞が将来的に拡大し，症候性となるかについてなど，検討の余地は大きい．

今回，くも膜囊胞の自然歴に関する小児例の大規模研究として取り上げるのは，2019年のHallらの報告[1]で単一施設の後方視的研究である．対象の小児患者116名（18歳未満）のうち，84名（72.4%）は無症状で，残りの32例はくも膜囊胞に直接起因する症状，あるいは水頭症に関連する症状を有していた．症状群と偶発発見群との間で年齢，性別に有意差はなかったが，水頭症の併発は症候群に多かった．症候性32例のうち，初診時に外科的治療を受けた

1）Hall S, Smedley A, Sparrow O et al：Natural history of intracranial arachnoid cysts. World Neurosurg 126：e1315-e1320, 2019
2）Jafrani R, Raskin JS, Kaufman A：Intracranial arachnoid cysts：pediatric neurosurgery update. Surg Neurol Int 10：15, 2019
3）Carbone J, Sadasivan AP：Intracranial arachnoid cysts：review of natural history and proposed treatment algorithm. Surg Neurol Int 12：621, 2021

2434-9992/22/¥100/頁/JCOPY

のは30例（93.8％）であり，研究期間中に観察されたすべての小児くも膜嚢胞の25.9％に相当する．手術を行わなかった有症状の2例は，嚢胞が破裂した頭痛の症例（血腫が消失して症状が改善），および手術前に自然消退した頭痛の症例であった．Jafrani[2]らの報告にあるように，症候性例に対する手術適応については，頭蓋内くも膜嚢胞の位置，圧迫所見，髄液灌流動態への影響（例：水頭症），局所神経障害，頭痛，発作，および発達障害／認知機能障害が重要な因子となることは周知の事実である．症候性嚢胞は鞍上部，脳室内，四丘体槽に位置することが多く，これらの部位は，特に小児において水頭症の高い発生率と関連している．また手術法の選択としては，神経内視鏡または開頭術による開窓・減圧と，嚢胞腹腔シャント術があるが，それぞれにメリット，デメリットがあるため，頭蓋内くも膜嚢胞の最適な手術法に関するClass Iのエビデンスはない．よって方針決定には症例に合わせて，保存的治療も含めてそれぞれの治療のベネフィットとリスクを比較検討する必要があるのは言うまでもない．

さらにHallらの報告[1]をみると，無症状群の28例（33.3％）は画像診断による経過観察となり，平均追跡期間14.0ヵ月（95％信頼区間（CI）6.7〜21.4ヵ月）において，嚢胞容積は，24例（85.7％）で不変，3例（10.7％）で減少，1例（3.6％）で増大との結果になった．嚢胞が増大した1例は，8歳時にシルビウス裂にあるGalassi分類type 1中頭蓋窩くも膜嚢胞と診断されたが無症状のため追跡され，59ヵ月目の追跡画像評価で嚢胞が数ミリ大きくなっていたが依然，無症候であった．臨床的なフォローアップが可能であったのは56例（66.6％）であり，平均経過観察期間は23.9ヵ月（95％ CI 18.8-29.0ヵ月）であった．無症状例のうち，追跡調査中に新たな症状を発症した症例はなかった．しかし無症状例のうち1例は，3ヵ月の経過観察の時点で，出生前に診断された四丘体槽嚢胞が将来的に閉塞性水頭症を発症するリスクを懸念し，予防的に外科的治療を行われている．

これまで自然歴に関する小児症例の大規模研究は2つあるが，Hallらの報告では小児における嚢胞増大率は3.6％[1]で，そのうち新たな症状を発症したのは0％となっており，これまでの研究報告より低い．またJafraniらの報告[2]では，小児でもほとんどの症例で嚢胞拡大を認めず，増大を認めるとすれば4歳以下で診断された症例としている．しかし再びHallらの結果[1]をみると，小児では成人と比較し有意に症候性嚢胞となる可能性が高かったことから，4歳以下のみならず若年の症例，嚢胞の位置によって閉塞性水頭症のリスクが高い症例，大きな嚢胞を有する症例は依然，追跡監視の対象として考慮されるべきである．というのも，Hallら[1]は後年に嚢胞の拡大を認める症例を報告しており，先天的にくも膜が裂け，その後に，そこが軽微な外傷によって裂孔弁のようになり，結果として嚢胞が増大するといった機序を提唱しているが，筆者も外傷後にくも膜嚢胞が破裂して慢性硬膜下出血を呈し，嚢胞が増大した症例の経験がある．これに関してJafraniら[2]も小児症例で稀少（0.3～6%）としながらも，くも膜嚢胞内出血や破裂により症候化した嚢胞増大例について言及しており，その危険因子は，外傷と大きな嚢胞（サイズ）であるとしている．これはJafrani[2]らの報告の症例3：中頭蓋窩くも膜嚢胞（Galassi分類type 3）の12歳児のスポーツ時の外傷によって，くも膜嚢胞が破裂し硬膜下出血を呈した症例に該当する．くも膜嚢胞が判明している小児の活動制限については議論の余地があるが，多くの脳神経外科医がコンタクトスポーツを控えることを推奨している．くも膜嚢胞の破裂に関しては次の項で解説するが，特に若年例では無症候性のくも膜嚢胞が外傷を契機に破裂し，症候性になる点には留意すべきである．

くも膜嚢胞全体で，治療の対象となった症例は11.3%であった．これは，過去の自然歴についての報告で示された3.6～15.6%と同程度である．若年症例はより症候性になりやすいという結果は，小児患者において外科的治療を必要とする割合が高いことを反映している．これらの報告から，成人の無症候症例に関しては定期的追跡の必要性は乏しいといえる[1,3]．一方，小児例では軽微な外傷による嚢胞破裂例もあり，特に嚢胞の位置によって閉塞性水頭症のリスクが高い症例，大きな嚢胞を有する症例に対しては，追跡評価・監視の対象とされるべきである．

またLim[4]らの報告にある，左シルビウス裂に大きな無症状のくも膜を有する6歳男児について参考までに記述しておく．この症例は，初診時から2年間の経過観察期間中に嚢胞が自然消退し，外科的治療も必要がなかった．現在，7年目の経過観察中であるが，神経学的所見に問題なく，学校に通い，無症状で経過している．偶発的に診断されたシルビウス裂くも膜嚢胞の患者に遭遇した場合は，自然退縮の可能性も念頭に置くべきである．

4) Lim JW, Choi SW, Song SH, et al：Is arachnoid cyst a static disease? A case report and literature review. Childs Nerv Syst 35：385-388, 2019

くも膜嚢胞の破裂と出血の合併症

くも膜嚢胞は良性の疾患とみなされているが，硬膜下腔への破裂や嚢胞内出血のような重篤な合併症が0.3～6%に発生するといわれている[5]．これらの合併症は，特別な誘因なし，自然に発生するもの，強い脳震盪を伴う外傷によって発生するものがある．外傷後のくも膜嚢胞の破裂は，亜急性/慢性硬膜下血腫または水腫を引き起こすとされているが，この合併症の病態，嚢胞との関連性や治療法についてはまだ議論の余地があり，今日まで明確に提唱されているコンセンサスは乏しい．しかし今回の渉猟し得た文献の中で，興味深い1つの総説，4つの症例報告を得た．

5) Tinois J, Bretonnier M, Proisy M et al：Ruptured intracranial arachnoid cysts in the subdural space：evaluation of subduro-peritoneal shunts in a pediatric population. Childs Nerv Syst 36：2073-2078, 2020

Tinoisらの報告[5]は，2005年1月から2018年12月までの18歳未満の頭蓋内くも膜嚢胞症例で，軽微な外傷により嚢胞破裂を認めた10例を対象とした後方視的総括についてである．診断までの平均期間は15日から5ヵ月で，症状は主に頭蓋内圧亢進に関連したものであった．6例でくも膜嚢胞と同側の硬膜下水腫，2例で両側に水腫（くも膜嚢胞側に優位），2例でくも膜嚢胞と同側慢性硬膜下血腫を認めた．既存のくも膜嚢胞は，5例でGalassi分類type 1，5例でtype 2に分類された．症候例に対して全例，硬膜下－腹腔シャント術が施行され，術後は全例で速やかに症状が消失し，術後1～4日で退院となった．平均経過観察期間は3年であり，最終経過観察時には全例無症状であったが，シャント抜去ができた症例はわずか2例であった．破裂の原因となった外傷は，直接的かつ局所的な外傷よりも，大きな頭部の揺れを伴うものが多く，ラグビーやサッカーで頭を揺さぶられるもの，オートバイ・自転車からの転倒，落下などの受傷機転であった．また頭蓋内くも膜嚢胞の大きさは，小型（Galassi分類type 1）または中型（Galassi分類type 2）であった．嚢胞の大きさと出血に関してはさまざまな報告があり，相関関係に関してはいまだコンセンサスは得られていない．それゆえにTinoisの報告[5]では過去の事例も合わせて，小児における頭蓋内くも膜嚢胞の発生率やスポーツを行う子どもの数を考慮すると，くも膜嚢胞の存在は，アマチュアスポーツを行う子どもにとって特別なリスクになり得ないと最終的に結論づけている．

しかしながら，今回の2019年1月から2022年3月の間に報告された，小児くも膜嚢胞破裂に関する論文は4報あり，その中の5例において出血を認めているのは事実である．各症例をみていくと，症例1[6]の8歳の男児は，サッカーの試合中に衝突による軽度の頭部外傷を受傷，頭痛は30日後に強まり複視を伴い，病院来院時に傾眠，頭痛・嘔吐を認め，画像検査では左側頭部くも膜嚢胞（Galassi分類type 3）内に出血があり，同側の硬膜下血腫が認められた症例であった．本症例では血腫除去および開頭顕微鏡下による嚢胞開窓術により症状が軽快している．症例2[7]は，12歳の男児でサッカーをしている最中に軽い頭部外傷を受け，20日後から持続する頭痛を訴えて来院，画像検査で左側頭部くも膜嚢胞と同側の硬膜下水腫を認めた．画像診断時に頭蓋内圧亢進の顕著な徴候は認められなかったため保存的治療が行われ，頭痛は3ヵ月で徐々に消失した．症例3[7]は15歳男児で，一過性に意識がなかった交通事故の2日後に，嘔吐と頭痛を訴えて来院，頭部CTでは右中頭蓋窩くも膜嚢胞破裂と同側の硬膜下水腫と診断，同院脳神経外科に紹介され経過観察となった．症例4[8]は，14歳の男児が，活動時に悪化する孤立性右前頭部痛で救急外来を受診した．頭部CTではGalassi分類type 3の中頭蓋窩くも膜嚢胞と，両側慢性硬膜下血腫を発症していた．この症例では，くも膜嚢胞破裂に伴う頭蓋内圧低下が，両側性慢性硬膜下血腫の発症に関与しているものと考えられた．神経眼科的検査では乳頭浮腫を認めず症状も安定していたため，退院し数週間後の画像診断による経過観察となった．症例5[9]は，以前よりくも膜嚢胞と慢性

6) Furtado LMF, Costa Val Filho JA, Ferreira RI et al：Intracranial arachnoid cyst rupture after mild TBI in children：have we underestimated this risk? BMJ Case Rep 12：e228790, 2019

7) Hamidi MF, Hamidi H：Ruptured middle cranial fossa arachnoid cysts after minor trauma in adolescent boys presenting with subdural hygroma：two case reports. J Med Case Rep 15：511, 2021

8) Li B, Ng C, Feldstein E et al：Non-operative management of a pediatric patient with bilateral subdural hematomas in the setting of ruptured arachnoid cyst. Cureus 13：e20099, 2021

9) Singh G, Zuback A, Gattu R et al：Subdural hygroma after spontaneous rupture of an arachnoid cyst in a pediatric patient：a case report. Radiol Case Rep 16：309-311, 2020

頭痛の既往を有する11歳女児が眼科を受診し，視力低下と乳頭浮腫を指摘され，頭蓋内圧亢進症と診断され救急外来を受診となった．外傷の既往がないことから，自然発生的なくも膜嚢胞破裂による円蓋部硬膜下血腫であると診断され，開頭術による硬膜下血腫の除去とくも膜嚢胞開窓術が行われた．術後は経過良好であった．

以上から，先ほどの自然歴の項でも述べたが，日常診療において偶然，診断された小児頭蓋内くも膜嚢胞症例に対して，患児・家族や教育機関に対して安全を保証して，診療における追跡・監視を解くことは難しいと考える．

くも膜嚢胞と認知機能・高次機能

小児のくも膜嚢胞と認知，言語，行動の障害 / 遅延との関連についての文献は限られているが，ほとんどが中頭蓋窩くも膜嚢胞であり，外科的治療の必要性に関するコンセンサスは得られていない．2021年にMaxwellらは，前頭蓋窩くも膜嚢胞に対して開窓術を施行することで，認知，言語，行動の遅れを回復させることに成功した最初の小児1例という興味深い報告を行った[10]．症例は3歳の男児で，転落外傷の精査で偶然発見された前頭蓋窩くも膜嚢胞の症例であり，以前より自閉症と診断されていた．具体的には，認知機能の発達に遅れがあり，簡単な命令に従うこと，物の名前を言うこと，視線を合わせることが困難で，介助にて歩行は可能であったが階段の昇降は不可能であった．また，叫びながら壁に頭をぶつけるエピソードが頻発していたとのことであった．両親は早期より介入療法を受けさせていたが，実質的な改善はみられなかったとある．来院時の所見は，MRIにて隣接する脳実質と左側脳室前角を圧迫する5.6 × 5.2 × 4.5 cmの左前頭部くも膜嚢胞を認めたが，乳頭浮腫は認めなかった．本症例に対して，左前頭部開頭術による顕微鏡下嚢胞開窓術が施行されたが，術後10日の追跡で両親は，以前のような自ら頭を打つなど不安定な暴発行為がなく，行動が非常に落ち着いていると報告している．術後1ヵ月後の追跡では，コンピュータゲームの指示に従えるようになり，多段階の問題を解くことができるなど，認知機能が著しく改善したことが報告された．また視線を合わせたり，人の名前を言う，あるいは複数の人と対話するようになり，3歳児としてより適切な行動が取れるように変化した．3ヵ月後の追跡でも，引き続き行動は改善され，家族や見知らぬ人との交流やアイコンタクトがみられるようになったとのことであった．以上から，経時的画像診断による嚢胞増大，嚢胞の圧迫による局所的神経学的欠落症状，乳頭浮腫などの頭蓋内圧亢進症状といった一般的な手術適応がない場合でも，有意な認知・言語機能障害がある小児症例に対しては外科的治療の介入を検討すべきである，と勧めている．しかし惜しむらくは，この論文は1例報告であり，治療前後の評価と追跡の不足，特に神経心理学的評価などの客観的評価法が欠如していることか

10) Maxwell CR, Joshi N, Feller CN et al : Reversal of cognitive, behavioral, and language impairments after the left frontal arachnoid cyst fenestration in a pediatric patient. Surg Neurol Int 12 : 371, 2021

ら，本症例の知見を一般化することは困難だが，参考にできると考えている．

これに対して2019年のKimら[11]，2021年のKwiatkowskaら[12]の報告は，単一施設，後方視的研究ではあるが，神経心理評価に関しては客観的な評価を行い，統計学的データ処理を施行している．具体的には，Kimらの報告[11]では2009年6月から2012年8月まで，ソウル大学小児病院でくも膜嚢胞の診断のもと手術を受けた24例の小児のデータを分析している．20例に開頭嚢胞開窓術，4例に内視鏡的嚢胞開窓術が行われ，神経認知機能は，韓国版ウェクスラー児童知能評価尺度改訂版（WISC-R）とBender-Gestalt Test（BGT）により評価された．17症例で病変は左側であり，水頭症を合併している症例はなかったが，硬膜下水腫を伴う症例は1例あった．中頭蓋窩はもっとも頻度の高い部位であった（Galassi分類type 1：1例，type 2：10例，type 3：9例）．

Kwiatkowskaらの報告[12]は外科的介入の評価ではないが，くも膜嚢胞と認知機能の関連について2018年から2020年にかけて小児脳神経外科に入院した中頭蓋窩くも膜嚢胞32症例を対象に，神経心理評価としてスタンフォード・ビネー知能評価尺度（SB 5）を施行して，統計的評価を行っている．くも膜嚢胞11例は右側，21例は左側に位置していた．Galassi分類ではtype 1は11例で，17例がtype 2，残り4例がtype 3であった．

結果，Kimらの報告[11]では，全検査IQ（FSIQ），言語性IQ（VIQ），と動作性IQ（PIQ）において，ピアソン相関検定で術前術後に有意差はなかった．また術前術後のVIQ-PIQ較差にも，有意な変化は認められなかった．さらに，ブロックデザインを除く各種下位テスト得点の術後に有意な変化は認められなかった．実際，くも膜嚢胞の小児例においては言語理解，注意・記憶機能，知覚統合能力は，手術前でも年齢基準で平均上位的なレベルであった．ただしブロックデザイン下位項目のみ，術後平均スコアは術前と比較して有意に改善した．これは視覚－空間統合および精神的構築能力と関連するため，手術後にそれらの能力が改善したと思われるが，嚢胞部位と能力との相関関係は明確ではなかった．くも膜嚢胞が認知障害を引き起こすかどうかについてはさまざまな議論があるが，Kimらの研究[11]ではそもそも術前に障害が存在するかに関しても有意差がなく，術前術後でも有意な差が乏しかった．左中頭蓋窩くも膜嚢胞患者では，VIQおよび情報スコアが，右側頭蓋窩のくも膜嚢胞患者よりも低いことを認めた．しかし手術後，これらのスコアに有意な変化はなかった．このようなことから，手術の前後でIQに有意な差はないと解釈することができる．この研究の第一の問題点は，無作為比較試験でないこと，第二の問題点は，患者数が少ないことである．第三の問題点は，VIQとPIQとは異なる半球に影響されることが一般に知られているが，登録症例ではFSIQ，VIQ，PIQは年齢標準の平均を下回っていなかったことである．また本報告では認知機能検査について，健康な対照群や未治療のくも膜嚢胞患者群との比較を施

11）Kim KH, Lee JY, Phi JH et al：Neurocognitive profile in children with arachnoid cysts before and after surgical intervention. Childs Nerv Syst 35：517-522, 2019
12）Kwiatkowska K, Milczarek O, Dębicka M et al：Are arachnoid cysts actually clinically mute in relation to neuropsychological symptoms? Cognitive functioning in children with AC of middle and cranial fossa. Clin Neurol Neurosurg 208：106825, 2021

行していないことも不十分な点である．しかし，結論として術前術後において認知機能には有意な変化はみられなかったのは確かである．以上から，小児頭蓋くも膜嚢胞に対する外科的治療は慎重に検討されるべきであり，手術の目標は認知機能の改善だけであってはならないと結論される．

反対にKwiatkowskaらの報告[12]では，手術を施行されていない患児に対するSB 5課題において，被検者（くも膜嚢胞患者）は母集団平均より低い結果を示した．特に視空間的推論，数量的推論，知識的推論に問題があり，これは長期記憶と学習過程に対応すると思われ，この結果は認知障害と中頭蓋窩くも膜嚢胞との関連を示唆するものであると結論づけている．また，患者の年齢とともに非言語性IQスケールが低下する結果（負の相関）となる理由に関しては，年齢が進むと学校での勉強が本格的になり，認知的な困難が増加してくるからと推測している．しかし，画像診断における項目のうち，嚢胞の大きさのみがSB 5の一部としか負の関係を示さないことから，画像情報により認知機能を予測することは困難であるとした．またSB 5の結果が患者の臨床症状や神経症状とほとんど関連しないことからも，問診で聴取された愁訴は必ずしも客観的に臨床評価を反映していないとし，より適切な臨床情報を得るためには，画像診断に加え神経心理学的検査をすべてのくも膜嚢胞患者の診療で施行し，統合的に評価すべきであるとしている．

以上のことは，小児中頭蓋窩くも膜嚢胞患児では，潜在的に認知障害を有する可能性があり，外科的治療にかかわらず，神経心理学的な評価と学校生活における支援が必要である可能性が示唆された．この意見は小児くも膜嚢胞の診療において参考にすべきものといえる．ただし，本研究にも一定の限界があり，特に中頭蓋窩くも膜嚢胞を有する小児患者を対象としたため，単一施設の研究でデータ収集の規模が小さい点と，神経症状に関する臨床的な所見を管理ができていないという点である．より確かな結論を得るためには，サンプル数を増やし，他のバッテリーを用いて患者の認知機能を評価することが必要と考える．

以上の3つの報告から，統一した見解を導き出すことは難しい．しかし現実的にくも膜嚢胞が潜在的に認知機能障害の誘因となっている可能性もあり，日常診療において神経心理学評価や学業成績の追跡評価を行うことは，環境を踏まえて総合的に治療方針決定を検討するために，また適切な神経心理学的・心理学的支援を行ううえできわめて重要であることが示唆された．

中頭蓋窩くも膜嚢胞

中頭蓋窩くも膜嚢胞は頭蓋内くも膜嚢胞の50%を占め，もっとも頻度が高い．これに対する手術療法の適応と選択についてはまだ議論の余地があり，単一の術式が普遍的に採用されているわけではない．しかし最近の脳神経外科手術は，より低侵襲な技術を取り入れる方向にシフトし，結果として神経内視鏡的嚢胞開窓術が主流となりつつある．

Sufianov ら[13]は小児中頭蓋窩くも膜嚢胞に対して，革新的な低侵襲の mini semi-rigid endoscope（Endoskop 11576 KF/KG（Karl Storz），Germany）を全 65 例に使用し治療を行った，同一手技によるくも膜嚢胞開窓術における臨床的および放射線学的所見と，その手術結果と臨床転帰に関するデータを後方視的に統計処理し，結果を評価している．手術計画および嚢胞のターゲティングは，ナビゲーションステーション（Curve®, BrainLab 社）による支援を行っている．ミニ内視鏡手技における特徴として Sufianov ら[13]は，その操作性から開窓部の数や大きさを増やすことで，嚢胞と脳槽とを広く交通させることが可能であるとしている．対象は，ロシアの単一施設で 2012 年から 2018 年の間にかけて手術を行った 65 例（男児 41 例，女児 24 例）の小児中頭蓋窩くも膜嚢胞症例で，フォローアップ期間は 12ヵ月から 96ヵ月（平均 54 ± 3.5ヵ月），治療時の平均年齢は 5.3 歳（1ヵ月から 17 歳），32 例（49％）が 3 歳未満，初回手術症例は 32 例であった．無症状の 4 例を除き，61 例全例が 1 つ以上の症候を呈した．もっとも多かったのは頭蓋内圧亢進症状で 26 例（40％）に，20 例（31％）に言語発達遅延が，13 例（20％）に眼球運動障害，運動障害が 13 例（20％）に認められた．4 例は無症状であったが，正中線偏位を伴う嚢胞容積の増大が進行したため，治療が行われた．嚢胞の位置は右側が 46 例（71％），左側が 13 例（20％），両側が 6 例（9％）であった．Galassi 分類によると，type 2 が 20 例（31％）で，45 例（69％）が type 3 であった．内視鏡治療の有効性の評価基準は，臨床症状の改善，発作の軽減または寛解，抗けいれん薬の投与量の減少，術中・術後合併症の有無，頭囲の漸増の停止，嚢胞の縮小，および再手術の必要性などとしている．結果，小児中頭蓋窩のくも膜嚢胞 65 例に対するミニ神経内視鏡による嚢胞開窓術の有効率は 81.5％となった．頭蓋内圧亢進症状の消失は 23 例（88％）で達成された．15 例（75％）で言語発達の改善がみられた．10 例（77％）で眼球運動障害の改善が認められた．てんかんの完全寛解は 7 例で，薬物減量による薬理学的寛解は 3 例で達成された．また，術後の頭囲の安定化も全例で達成された．術後の嚢胞体積は平均 124.83 ± 17.2 cm^3 となり，平均嚢胞容積の減少量は 58.18 ± 13.51 cm^3，術前容積の 31.3％であった．2 回以上の手術が必要だった症例は 12 例（18.5％）であった．再手術の理由は，内視鏡的開窓術後の開窓部閉鎖，症状の再発であり，再手術は低侵襲であることを優先して内視鏡的再開窓術を選択している．再発手術と年齢には相関があり，手術の有効性は 3 歳未満の小児では 68.75％であったのに対し，3 歳以上では 93.75％であった（$p < 0.01$）．このような相関は，生後間もない時期の集中的な成長や組織再生能力が高いためであると推測している．手術中の死亡や脳神経障害や術後感染症は認められな

13) Sufianov RA, Abdumazhitova MM, Rustamov RR et al：Endoscopic treatment of middle cranial fossa arachnoid cysts in children：surgical results of 65 cases. World Neurosurg doi：10.1016/j.wneu.2021.11.046, 2021［online ahead of print］

かった．術後合併症は，硬膜下水腫（n ＝ 3），硬膜下血腫（n ＝ 1），動眼神経麻痺（n ＝ 2）であった．硬膜下血腫の患者 1 名と水腫の患者 2 名は外科的処置が必要であったが，その後は特に問題なく経過した．9 例の患者は，嚢胞液に多核球と高濃度の蛋白質を認めた（最大細胞数：45 個 /1 μL，蛋白質：6.1 g/L）が，開窓部が閉塞をきたし，再手術を必要としたのは 2 例のみであった．

くも膜嚢胞の治療においてどれがもっとも効果的で低侵襲，術後合併症が少ないかに関しては一定の意見はなく，どの方法にも一長一短はある．しかし近年，神経内視鏡手術の発展により，その有効性を多くの論文が論じている．頭蓋内嚢胞性疾患に対する手術において内視鏡手術が第一選択され，その臨床的有効性は 70～92.5％，嚢胞体積減少は 72.5～75％で得られ，合併症発生率は 10～18％，再手術率は 11.7～17％と報告されている．今回のデータはこれらと比較して遜色なく，神経内視鏡嚢胞開窓術が小児中頭蓋窩くも膜嚢胞に対して，低侵襲で安全かつ効果的な外科治療法であることを支持するものである．本報告の手術手技の特徴としてミニ内視鏡を使用することにより，脳底槽を深く観察できることで，神経・血管損傷のリスクを回避して狭いスペースに開窓し，瘻孔サイズや数を増やすことができる．その利点は，より低いリスク，低い合併症発生率で，シャント手術の追加を必要とせず，手術時間や入院期間の短縮を実現し，早期リハビリテーションの実現と生活の質の向上に貢献できていることである．Sufianov らは種々の手術法の中で，この内視鏡的嚢胞開窓術は，もっとも手術侵襲の少ない方法で，生理的髄液灌流を回復させることができる唯一の術式としている[13]が，比較のために本手術手技以外を施行した患者グループが少ないことなどに限界がある．また本研究で述べた方法の有効性をより明確に示すためには，上記グループのコホートを拡大することが望まれる．しかし結論として，小児中頭蓋窩くも膜嚢胞に対する治療において，本手術法は術中・術後合併症のリスクが低く，有効性は 81.5％に達したこと，内視鏡的嚢胞開窓術の有効性と年齢には相関があり，3 歳未満では 68.7％，3 歳以上では 93.7％であったこと，などのデータは十分参考にできるものである．

後頭蓋窩くも膜嚢胞に対する治療

後頭蓋窩は，くも膜嚢胞が中頭蓋窩に次いで 2 番目に多く発生する部位であるが，Soleman らによると本報告[14]が，乳幼児の後頭蓋窩くも膜嚢胞に対する治療に焦点を当てた最初の研究である．本コホート研究では，乳幼児の後頭蓋窩くも膜嚢胞の外科的治療の適応，手術手技，臨床および放射線的所見における治療結果について解析し，手術後の転帰に影響を及ぼす可能性のある危険因子についても分析している．対象は 2000 年から 2019 年の間に，乳児期または出生前に後頭蓋窩くも膜嚢胞を認め，2 歳までに外科的治療を受けた症例で

14）Soleman J, Kozyrev DA, Constantini S et al：Surgical treatment and outcome of posterior fossa arachnoid cysts in infants. J Neurosurg Pediatr 28：544-552, 2021

あり，後方視的に統計学的分析を加えている．2歳以降に治療した患者，Mega cisterna magna，Dandy-Walker症候群，Blake's pouch cystのいずれかであった症例は，本研究から除外している．対象は35例で，うち54.3％が男性であった．嚢胞は23例（65.7％）が出生前に診断された．長期（1年以上）の臨床的および放射線学的なフォローアップデータが得られたのは，それぞれ97.1％と88.6％であった．部位に関しては，小脳橋角部（cerebellopontine angle：CPA）嚢胞，小脳上（supracerebellar：SC）嚢胞，小脳四丘体槽（quadrigeminal：QR）嚢胞，後小脳（retrocerebellar：RC）嚢胞，および混合嚢胞に分類している．QR嚢胞は小脳の頭側にある嚢胞と定義され，嚢胞の大部分は四丘体槽に存在する，SC嚢胞は，天幕と小脳の間に位置し，小脳の前尾側に位置するものと定義された．実施された外科的手技は，開頭術と嚢胞摘出または開窓術，内視鏡的嚢胞開窓術，嚢胞腹腔シャント術（cistoperitoneal shunt：CPS），脳室腹腔シャント術（ventriculoperitoneal shunt：VPS），第三脳室底開窓術（endoscopic third ventriculostomy：ETV），開頭術による嚢胞開窓術とETV，内視鏡的嚢胞開窓術とETV，内視鏡的嚢胞開窓術とVPS術併用であった．嚢胞に対する手術は平均3.4 ± 3.9ヵ月の追跡後に実施され，手術時の平均年齢は6.1 ± 5.9ヵ月であった．54.3％の患者（n = 19）において，手術は生後6ヵ月より前に行われた．57.1％の患者（n = 20）で純粋に神経内視鏡的に治療され，28.6％の患者では開頭嚢胞開窓術（n = 10）が行われた．5.7％（n = 2）はシャント術を施行，8.6％（n = 3）が複合的な処置を受けている．手術適応の内訳は，嚢胞は安定していたが水頭症が合併または頭囲の増加した患者24例（68.6％），嚢胞が増大し水頭症が合併または頭囲増加した患者7例（20.0％），水頭症を伴わず嚢胞が増大した3例（8.6％），画像変化は伴わないが進行性の神経学的欠落症状を認めた1例（2.9％）であった．神経学的欠落症状は13例（37.1％）に認められ，6例（17.1％）に脳神経症状を認め，発達遅延を呈したのが4例（11.4％），錐体路症状3例（8.6％）であった．治療のために選択された最初の外科的手法は開頭手術による嚢胞摘出または開窓術が28.6％（n = 10），次いでETV（22.9％，n = 8），内視鏡的開窓術（20％，n = 7），内視鏡的開窓術とETV（14.3％，n = 5），内視鏡的嚢胞開窓術およびVPS（5.7％，n = 2）およびCPS，VPS，または開頭手術による嚢胞開窓術とETV（2.9％，両方ともn = 1）であった．症状の再発・持続や水頭症により追加手術が行われたのは11例（31.4％）で，最初の手術から平均14 ± 16.1ヵ月（± SD）の間に施行された．患者あたりの平均追加手術回数は2.36 ± 2.11（1〜8件／症例）であった．術後臨床上の改善がみられたのは47.1％（n = 16），17.6％（n = 6）は不変であり，35.3％（n = 12）は悪化していた．しかし最終フォローアップ時（術後平均61.40 ± 55.33ヵ月）において，全症例が良好な臨床的回復を示している．画像診断上は83.9％（n = 26）

で改善がみられ，9.7%（n = 3）では変化がみられなかった．術後の一過性の合併症は22.8%（n = 8）の症例にみられ（脳神経麻痺，術後出血（すべて保存的に治療）），シャント再建術（5.7%，n = 2），感染症およびスリット脳室症候群（2.9%，n = 各々1）であった．死亡や永久的な後遺症は発生していない．シャント（VPSまたはCPS）の導入は，一般的に合併症発生率が高かったが（p = 0.08），臨床症状，画像診断における治療結果には影響しなかった．内視鏡手術や術前の水頭症の有無は，術後の臨床的・放射線学的転帰に影響を及ぼさなかった．単変量解析の結果，いずれの因子も再手術と有意な相関は認められなかった．ただし生後6ヵ月までに手術を受けた症例（p = 0.09），手術前に嚢胞の増大を認めなかった症例（p = 0.08）では，いずれも再手術率が高いことが示された．さらに，術前の嚢胞増大に関連した変数は，単変量解析，多変量解析の結果，嚢胞の分類（RCが有意に多い）と出生前画像検査の有無であった．

果たして開頭して開窓するか，内視鏡で開窓するか，シャントを挿入するか，ETVを行うか，ステントとしてオンマイヤ・リザーバーを留置するか，それともこれらの方法を組み合わせるべきか，今回の報告からは特定の手術方法の優位性を見出すことはできていない．選択される手術手技は通常，嚢胞の種類によって異なり，第三脳室との境界面や水頭症の有無などを考慮し選択され，経験に基づく術者の個人的な好みが反映されている．乳幼児後頭蓋窩くも膜嚢胞に対する開頭術も内視鏡的治療も同様に困難なものであり，術者は，それぞれの方法の技術的特徴と，潜在的な合併症について熟知しておく必要がある．また，大きな嚢胞に対してテント上脳室システムを経由して処置を行うためには，術中ナビゲーションによる手術計画が望ましい．これらの理由から，VPSやCPSの選択を提唱している報告もあるが，シャントは特に幼少期に留置された場合，合併症の発生や再建術が必要になる可能性の高いことが知られている．本研究ではシャント術は，外科的な処置を要する合併症率が高かった．一方，幼少期（通常6ヵ月未満）の内視鏡的嚢胞開窓術は，再閉鎖のリスクが高いといわれているが，本研究では20例（57.1%）が「純粋な」内視鏡検査を受け，うち2例（10%）において嚢胞開窓部または第三脳室底の閉鎖が認められ，再内視鏡手術が必要であったと報告している．この再手術率の低さは，内視鏡治療が，これらの症例の治療に有効な治療法であることが示唆している．

しかし上記の結果を主張するためには，さらにくも膜嚢胞全般，特に乳幼児後頭蓋窩くも膜嚢胞に対するさまざまな治療オプションに焦点を当てた，大規模な多施設共同研究の追加と同時に，どのようなサブグループの分析も行う必要がある．また手術の適応と適用されるさまざまな手術手技は，担当の外科医によって決定されるため，選択バイアスの影響を受けた可能性もある．これらの点を考慮して初めて，乳幼児後頭蓋窩くも膜嚢胞に対してどの手術方法が望ましいか，確固たる結論を得ることができると思われる．

乳幼児後頭蓋窩くも膜嚢胞は，天幕上の脳室内または鞍上嚢胞とは自然歴，手術成績，手術合併症が異なるようである．また異なる部位にある嚢胞は異なる挙動を示し，さまざまな治療法に対して異なる反応を示している．RC，QR，混合嚢胞では，水頭症を主な原因として手術に至るケースが多かった一方で，SC 嚢胞では，しばしば水頭症に伴う（あるいは水頭症の原因となる）嚢胞の増大がみられた．また，QR および SC 嚢胞は，ほとんど神経内視鏡のみによって治療可能だが，CPA 嚢胞は開頭による嚢胞開窓術，RC 嚢胞は開頭嚢胞開窓術または ETV により治療がなされている．SC 嚢胞は他の嚢胞型，特に RC 嚢胞に比べて，より頻繁に増大を示すことが示唆されたが，術後の再手術は不要であった．また，再手術を必要とする嚢胞の多くは RC 嚢胞（50％）であった．これは，RC 嚢胞が開頭手術で治療されることが多かったためと推察しているが，この時期の後頭蓋窩開頭術は難しく，より多くの合併症を伴うことに基づいている．また RC 嚢胞例は水頭症を呈している患者が多く，開頭術による嚢胞開窓術を行う際に同時に水頭症に対処できなかったことも要因と挙げている．このため多くの症例（7 例中 5 例）で，水頭症の進行に対応した追加手術が行われた．一方，水頭症を解決するために VPS または第三脳室底開窓術を行った症例では，7 例中 1 例だけが嚢胞の治療のために追加手術を必要とした．したがって本論文の結果から，RC 嚢胞を有する患者において嚢胞が大きい場合は，まず水頭症の対処に取り組む必要があり，次に嚢胞開窓術とシャント術を併用することが妥当と思われた．また，いくつかの症例では時間とともに病態が安定した状態を保つという事実も明らかとなった．このことから無症状で水頭症に至らない症例は，嚢胞が少し増大しても自然経過は良性である可能性があるため，慎重な経過観察が望ましい．

結論として，乳児期後頭蓋窩くも膜嚢胞は，生後 6ヵ月までに外科的治療が必要になることが多く，結果的に神経放射線学的にも臨床的にも良好の成績を認めた．ただし患者の最大 30％が追加手術を必要とし，1 人あたりの平均手術回数は 2.4 回であった．再手術を必要とする危険因子として，未熟な年齢と非進行性に増大する嚢胞が考えられる．以上のことから，乳幼児後頭蓋窩くも膜嚢胞を有する胎児を身ごもった親にカウンセリングを行う場合，本報告で解説した良好な手術成績および低い合併症率・死亡率，良好な臨床的転帰が期待されることを説明すべきである．この後方視的研究は，患者コホートが小規模であったため，潜在的な危険因子に関する統計解析などはやや限定的であった．また，乳幼児後頭蓋窩くも膜嚢胞の自然史を評価するには至らなかった．しかし本研究は，これまでで乳幼児後頭蓋窩くも膜嚢胞手術症例を分析した最大かつ唯一の研究であること，コホートが均質であること，長い追跡期間を得ていることから，今後われわれの日常診療にも十分参考にできるものと考える．

神経内視鏡的嚢胞開窓術における治療効果と合併症

神経内視鏡的嚢胞開窓術における治療効果としての容量変化の捉え方

内視鏡的開窓術は現在，症候性くも膜嚢胞に対する第一選択の治療法として普及している．Pitsika ら[15] は治療効果の評価として，瘻孔形成が成功し，症状が改善した後の嚢胞容積の変化を計測した．本研究は単一施設の後方視的研究で症例数が少ないことが欠点ではあるが，今後の治療評価の知見として有用である．対象は 2009 年 6 月から 2014 年 2 月までの間に経験された，症候性小児くも膜嚢胞症例で内視鏡的瘻孔開窓術により症状が改善した 4 症例（女性 1 例，男性 3 例）であり，経時的 MRI 画像追跡で嚢胞の体積変化を測定し，評価を行っている．平均追跡期間は 20.5ヵ月（3～48ヵ月），手術時の平均年齢は 2.45 歳（0.57～6.84 歳），平均追跡期間は 24.75ヵ月（3～48ヵ月），嚢胞の位置は，中頭蓋窩 n ＝ 2，脈絡裂 n ＝ 1，後頭蓋窩 n ＝ 1 となっている．結果としては 4 例すべてにおいて，有意な嚢胞体積の減少が認められた．患者 1 で 42％減，症例 2 では 88％減，症例 3 では 30％減，症例 4 で 56％まで減少した．全例，7ヵ月後もすべて安定しており，それ以降も容積の増大はみられない．容積変化は，最初の 3～7ヵ月で徐々に減少し，その後プラトーに達している．治療に対する臨床的な反応は治療後早期に認められ，その後，嚢胞が完全に消えない，または大きいままにもかかわらず，長期的には無症状を維持していることから，嚢胞の大きさが臨床的な状態と直接的に相関しない可能性，あるいは内視鏡的開窓術は嚢胞内の圧力の上昇を改善するのではなく，周辺脳組織との平衡状態を改善していること，が示唆された．確かに，嚢胞は完全に消失しないにもかかわらず，内視鏡的開窓術を行うと症状が改善するメカニズムは不明である．本研究では術後 6ヵ月ほどまでは嚢胞の大きさが減少し，それ以降は安定した大きさを保つことから，治療後，嚢胞と脳室系の連絡・交通により，新たな髄液動態が形成される可能性について言及している．症状の発症機序や治療適応を検討するうえでさらなる研究が望まれる．

15) Pitsika M, Sgouros S : Volume change of cranial arachnoid cysts after successful endoscopic fenestration in symptomatic children. Childs Nerv Syst 35 : 2313-2318, 2019

くも膜嚢胞開窓術後の血管攣縮

くも膜嚢胞開窓術の合併症として血管攣縮は非常に稀だと考えられるが，驚くべきことに 2019 年に症候性くも膜嚢胞開窓術に関与した脳血管攣縮に関する 2 本の類似症例報告があったので，解説する．血管攣縮はくも膜下出血に伴うものが一般的であるが，稀に腫瘍摘出術や外傷性脳損傷の後に血管攣縮が生じるとの報告がある．Prajsnar-Borak ら[16] は 9 歳男児の側頭葉先端部くも膜嚢胞に対する内視鏡的嚢胞開窓術後早期に血管攣縮を発症し脳梗塞に至った症例を，Shao[17] らは 4 歳男児の前頭側頭部くも膜嚢胞に対して開頭嚢胞開窓術

16) Prajsnar-Borak A, Oertel J, Antes S et al : Cerebral vasospasm after endoscopic fenestration of a temporal arachnoid cyst in a child-a case report and review of the literature. Childs Nerv Syst 35 : 695-699, 2019
17) Shao B, Banu MA, Carroll JJ et al : Cerebral vasospasm after open fenestration of an arachnoid cyst in a 4-year-old boy : case report and review of the literature. Pediatr Neurosurg 54 : 132-138, 2019

施行後の重篤な血管攣縮により，不全片麻痺を発症した症例を報告している．

頭蓋内くも膜嚢胞に対する内視鏡的開窓術は，現在主流となりつつある比較的安全な手術であり，術後合併症は硬膜下血腫，脳浮腫，脳実質内出血を含め頻度は低い．Prajsnar-Borak[16] らの症例は，9歳男児で，2ヵ月前から断続的な頭痛，目のかすみ，複視の症状を訴え来院，神経学的所見評価では右側外転神経麻痺と両側乳頭浮腫を認めた．MRIでは左側頭部に硬膜下水腫を伴うGalassi分類type 2の巨大な中頭蓋窩くも膜嚢胞を確認した．この嚢胞に対してナビゲーション下に内視鏡的嚢胞開窓術を施行している．開窓は左視神経・内頚動脈槽，脚間槽に施行され，脳底槽を覆っている肥厚したくも膜を慎重に切除した．さらに橋前槽へ向けて側方・尾側へと瘻孔を拡げている際に薄いくも膜上の血管を損傷し，出血に至った．この出血は30分間の灌流により止血を確認できており，最終的にくも膜下腔に出血や血腫の残存を認めず，手術を終了している．術後，自覚症状・神経学的欠落症状も数時間で軽快し，問題を認めなかった．しかし術後1日目に突然，約20分間の一過性の右半身不全片麻痺を呈したため，緊急でMRIを施行したところ，嚢胞に関しては減圧は良好で，硬膜下水腫は消失していた．だが左視床・基底核部に急性期脳梗塞とMRAにて内頚動脈鞍上部遠位，および中大脳動脈M1分節に血管攣縮を認めた．このため中動脈圧（MAP）を連続的にモニター，70 mmHg以上を維持し，血管攣縮の放射線学的徴候が完全に消失した術後26日目までニモジピン（30 mg，6時間ごと）の経口投与を続けた．臨床的には新たな神経障害は認められなかった．Shaoらの症例[17]は，4歳の男児で頭部外傷精査に伴い，偶発的に左前頭側頭部に巨大なくも膜嚢胞を認めた．その時点では無症候であり，経過観察となったが原因不明の転倒，歩行時の動揺を認め始めたため，開頭によるくも膜嚢胞開窓術が施行された．手術操作は顕微鏡下で施行され，嚢胞深部の被膜は広く開放，脳底動脈，脳幹を容易に確認された．嚢胞を減圧し，視神経，頚動脈，動眼神経を視野に収めている．術中は，低血圧エピソード，血管への直接操作，血管攣縮所見は認めなかった．術後2日で問題なく退院したが，術後7日目に頭痛・嘔吐で再診となった．MRIにて血腫，梗塞，水頭症は認めないものの硬膜下水腫を認めたが，嚢胞による正中線偏位は改善していたことから，化学性髄膜炎または水腫からくる軽微な頭蓋内圧亢進症と診断され入院，保存的治療にて4日後に症状軽快し退院となった．ところが術後12日目に左不全片麻痺（上肢4/5，下肢2/5）と左顔面神経麻痺を呈し，緊急入院となった．MRIでは右大脳基底核，右内包被殻前縁，右前頭葉皮質下白質に急性期虚血性変化および右円蓋部に薄い慢性硬膜下血腫と新しい出血を確認した．このため緊急穿頭血腫除去術が施行された．その後の脳血管撮影でびまん性に血管攣縮を認め，ベラパミルを両側内頚動脈に動注．さらに成人用血管攣縮治療プロトコールにあるニモジピンを小児用量に変更し，6時間ごとに1

mg/kg 経口投与した．経頭蓋ドップラー検査は毎日実施し，収縮期血圧を110 mmHg 以上に維持した．髄液培養が陰性であったことから化学性髄膜炎が疑われ，デキサメタゾンの静注を再開，2 日後に患者の左腕の筋力は徒手筋力テスト（manual muscle testing：MMT）5/5 に改善した．16 日間のニモジピン投与が終了し，高血圧治療も終了した．以上の 2 つの経過は，今後の予想されるくも膜囊胞開窓術後の血管攣縮治療の参考になり得ると考える．

この 2 つの症例報告は，くも膜囊胞治療後に新たな神経障害が発生した場合，血管攣縮とそれに伴う虚血を考慮する必要があることを示唆している．小児血管攣縮に対する標準治療はない．しかし過去には開頭腫瘍摘出術後や，化学療法に続発する小児の血管攣縮例が報告されており，転帰は重篤な障害を残すものから完全な回復までさまざまである．後遺症例，死亡例は診断の遅れが一因である可能性があるため，どの報告でも迅速な診断と治療を奨励している．

今回のくも膜囊胞開窓術後の血管攣縮の原因として，類似の病態を筆者も小児類皮腫例で経験したことがあるが，コロイド囊胞および類皮腫囊胞に対して開頭または内視鏡的腫瘍摘出術を施行した後に血管攣縮を併発した成人例の報告もある．これらの症例で血管攣縮の誘因として疑われるものには，化学性髄膜炎，術中出血，くも膜下出血，血管作動性腫瘍抗原，術中血管操作，ゲルフォームなどがある．内視鏡手術の術後には，囊胞減圧に伴う硬膜下血腫，髄液漏，水頭症による髄液循環障害，また内視鏡的に出血をコントロールすることが困難なために生じる術中・術後出血など，さまざまな合併症が起こる可能性がある．確かに内視鏡手術では直接的に出血をコントロールすることが困難なため，時間を掛けた灌流で止血を行うことから，遅発性血管攣縮を起こす可能性はある．しかし内視鏡手術後の脳血管攣縮は小児神経外科領域では非常に稀な事象であり，本格的な知見や文献もほとんどない．また今回の検索において，術中出血を少なく管理できた開頭によるくも膜囊胞開窓術でも同様の報告があったことから，双方に共通する可能性のある化学性髄膜炎に関して留意が必要かもしれない．

また，ユニークな考察として Prajsnar-Borak らは，大きな中頭蓋窩くも膜囊胞は，その存在自体が脳虚血を引き起こす可能性があることを示す文献を引用している[16]．その内容は，SPECT の評価から中頭蓋窩くも膜囊胞による圧迫が，周囲の脳に慢性的な脳低灌流を引き起こす可能性があり，ゆえに囊胞の急激な減圧は再灌流障害の原因となりうる，というものである．

開頭または内視鏡的くも膜囊胞開窓術後の血管攣縮は依然，原因や危険因子は明らかでない．よって現時点で予防策を議論することは必ずしも適切でない．しかしこれらの症例報告 2 本は，術後に新たな局所神経障害が発現した場合には，血管攣縮を鑑別診断に想定し，迅速な対処が必要であるという教訓となり得る．

Ⅵ章　脊髄・脊椎・末梢神経

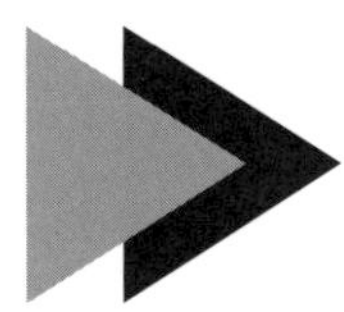

34. 椎間板治療の現状（椎間板内酵素注入療法と椎間板再生）

原　毅（はら　たけし）
順天堂大学医学部 脳神経外科

最近の動向

- コンドリアーゼ（コンドロイチンキナーゼ ABC）を用いた椎間板内酵素注入療法は，2018 年 3 月の使用認可以来，実臨床における治療成績が相次いで報告されている．治療効果は概ね満足のいく結果であり，保存的治療と手術治療の中間的役割を担う治療としての立場を確立しつつある．有害事象発生の報告も少なく安全性についても担保されているが，投与後に続発する椎間板腔狭小化が引き起こす問題について，留意する必要がある．種々の type の椎間板ヘルニアに対する良好な治療成績が報告されており，今後適応範囲が拡大する可能性がある．
- 椎間板に対する再生治療は，海外で細胞治療，分子 / 遺伝子治療において clinical trial が進行中である．変性に陥った椎間板の修復を目的とした多血小板血漿（platelet-rich plasma：PRP）を用いた治療では，椎間板内に PRP を注入することで椎間板変性抑制，修復効果，プロテオグリカンおよびコラーゲン合成増加効果が確認されており，実臨床においても変性椎間板の再生効果により腰痛を含めた症状の改善，ヘルニア再発の防止効果が示されている．PRP 療法は椎間板治療における新たな治療として，今後の発展が期待される．

コンドリアーゼによる化学的髄核融解術

椎間板内酵素注入療法は，局所麻酔下で椎間板内に酵素を注入することで髄核を縮小させて症状を軽減させる治療であり，保存的治療と手術の中間に位置する低侵襲な治療として位置づけられている．

蛋白分解酵素であるキモパパインの椎間板内注入により髄核を融解させる治療が，1960 年代に報告された．その後 1982 年に米国食品医薬品局（Food and Drug Administration：FDA）に椎間板内酵素注入療法のための初の薬剤として認可され，欧米を中心に広く使用された．しかしながら，キモパパインは髄核のプロテオグリカンのみならずコラーゲンを含めた蛋白全般を分解するため，その非特異性が問題であった．すなわち，線維輪や血管，神経などの周辺組織へ影響を及ぼし，激烈な腰痛，不適切な手技を基にした硬膜外腔への漏出や，硬膜内への誤注入による重篤な神経障害，さらに異種蛋白質であることに

2434-9992/22/¥100/頁/JCOPY

よるアナフィラキシー等の看過できない副作用の報告が相次いだ．最終的には米国で135,000症例に使用されたものの，1999年に販売中止に至った[1,2]．

このような歴史的背景がありつつも，椎間板内酵素注入療法は局所麻酔下での1回の椎間板内投与により症状の改善が得られる低侵襲治療であり，安全性を担保した薬剤の開発が求められていた．

コンドリアーゼ（コンドロイチンキナーゼABC）は，グラム陰性桿菌の一種である*Proteus vulgaris*より分離されたグリコサミノグリカンを分解する酵素である．同酵素を椎間板内に注入すると，椎間板髄核中に豊富に存在するプロテオグリカンの構成成分であるコンドロイチン硫酸およびヒアルロン酸を特異的に分解して髄核の保水能が低下する．結果，椎間板内圧が低下して，ヘルニアによる神経根圧迫が軽減すると考えられている．これにより腰椎椎間板ヘルニアの臨床症状を改善させると考えられている．コンドリアーゼは2018年3月より腰椎椎間板ヘルニア治療薬として厚生労働省により認可され，実臨床でも使用可能となった．

どのような症例にコンドリアーゼが有効か？

Bannoらはコンドリアーゼの治療成績に与える因子を検討し，罹患レベルの椎間板ヘルニア摘出術を施行された既往がある症例，画像上腰椎すべり症の存在，5度以上の後方開大をもつ症例は治療効果が低く，MRI T2 high intensity signalを有するヘルニアとtransligamentous typeのヘルニアは治療効果が高かったと報告している[3]．

吉岩らは，MRI信号の変化により椎間板変性の程度を評価するPfirrmann分類がGradeⅢであった7例，GradeⅣであった3例に対する治療効果を検討し，画像上でヘルニア縮小を認めたのは全例GradeⅢであり，これらは治療後Oswestry Disability Index（ODI）の中央値が有意に低いことを示した[4]．コンドリアーゼはグリコサミノグリカンを特異的に分解し，髄核の主成分であるプロテオグリカンの保水能を低下させることでヘルニアを縮小させるという機序であるため，椎間板変性が軽度で保水能が保たれている症例に効果を発揮する可能性が考えられる．

一方で，Pfirrmann GradeⅣおよびⅤの症例においてGradeⅡおよびⅢの症例に比較して有意に効果があったとする対立する報告も存在する．これはコンドリアーゼの注入後の椎間板内での分布の違いによるものと説明されている．変性が強く内部が線維性組織などで満たされている椎間板のほうが，より椎間板内にコンドリアーゼが分布しやすく，治療効果が高いとしている．また，同じ報告で発症から治療に至るまでの期間が治療効果に影響することが示されている．すなわち，治療に反応がみられなかった症例では，有意に発症から治療までの期間が長く（74.9週 vs 31.7週，$p = 0.021$），治療に反応がみられた症

1）Chiba K, Matsuyama Y, Seo T et al：Condoliase for the treatment of lumbar disc herniation：a randomized controlled trial. Spine (Phila Pa 1976) 43：E869–E876, 2018
2）Matsuyama Y, Seo T, Chiba K：Condoliase chemonucleolysis for lumbar disc herniation：a post-hoc follow-up study of patients in previous clinical trials. J Orthop Sci doi：10.1016/j.jos.2022.04.003, 2020 [online ahead of print]
3）Banno T, Hasegawa T, Yamato Y et al：Clinical outcome of condoliase injection treatment for lumbar disc herniation：Indications for condoliase therapy. J Orthop Sci 26：79–85, 2021
4）吉岩豊三，中村英次郎，高谷純司 他：椎間板内酵素注入療法の効果に影響する画像因子の検討．J Spine Res 11：931–935, 2020

例32例のうち，21例（65.6%）が発症から半年以内に治療が行われていた．

また，画像診断上，治療に反応が認められた症例では椎間板の縮小が有意に顕著であった．一方，注入箇所による治療効果の変動は認められなかった[5]．

その他，治療効果が得られやすい因子として，若年（40歳以下），硬膜外ブロックまたは神経根ブロックの既往がない，椎間板の中央部分への薬剤注入，MRI上で髄核が脊柱管内を占める割合が40%より高い症例では，有意に下肢痛の改善が得られた[6,7]．

椎間板ヘルニアの形態で治療効果に差異があるか？

Nakajimaらの報告では，subligamentous typeとtransligamentous typeではコンドリアーゼの治療効果に差は認められなかった．また，椎間板内のT2 high intensity zoneの有無による治療効果に差異はなかった[5]．

外側型腰椎椎間板ヘルニアは，腰椎椎間板ヘルニアの約7～12%を占め，dorsal root ganglionやexiting nerve rootを圧迫し通常保存的治療に抵抗性であることが多い．Funayamaらは外側型ヘルニアに対してコンドリアーゼの投与を行い，症状が改善した2症例を報告している．いずれの症例も十分に保存的治療を実施したうえでの治療であったが，投与後7～10日間で症状の改善が得られた[8]．Bannoらの報告の中では，foraminal typeの1治療例があり，これに対しても治療効果があったとしている[3]．

現時点ではコンドリアーゼの適応はsubligamentous typeの症例に限定されており，trans-ligamentous typeなど他のタイプの症例に対する投与は適応外使用となるが，subligamentous type以外の症例においてもコンドリアーゼの治療効果が得られることを示したこれらの報告の意義は深い．

再発ヘルニアに対する治療効果

Nakajimaらの報告では，コンドリアーゼ注入療法前に椎間板ヘルニア摘出術が行われた8例のうち6例が治療に反応し，その治療効果は椎間板ヘルニア摘出術の既往の有無で差異はなかった[5]．同様に，腰椎椎間板ヘルニア術後の再発ヘルニアに対してコンドリアーゼを注入し症状の改善を認めた症例の報告もあり[9]，術後の再発ヘルニアに対してもコンドリアーゼは治療の選択肢になり得る可能性がある．

一方で，Bannoらは再発ヘルニアに対しては治療効果が低かったと報告しており[3]，再発ヘルニアに対する椎間板内コンドリアーゼ注入療法の治療効果については，今後の症例蓄積と研究が待たれる．

コンドリアーゼ投与後の治療成績

Bannoらはコンドリアーゼ投与後1年間経過観察ができた症例について，

5) Nakajima H, Kubota A, Maezawa Y et al：Short-term outcome and predictors of therapeutic effects of intradiscal condoliase injection for patients with lumbar disc herniation. Spine Surg Relat Res 5：264-271, 2020

6) Okada E, Suzuki S, Nori S et al：The effectiveness of chemonucleolysis with condoliase for treatment of painful lumbar disc herniation. J Orthop Sci 26：548-554, 2021

7) Ishibashi K, Fujita M, Takano Y et al：Chemonucleolysis with chondroitin sulfate ABC endolyase for treating lumbar disc herniation：exploration of prognostic factors for good or poor clinical outcomes. Medicina（Kaunas）56：627, 2020

8) Funayama T, Mataki K, Murakami K et al：Two cases of lateral lumbar disc herniation successfully treated with intradiscal condoliase injection. Spine Surg Relat Res：437-441, 2020

9) Funayama T, Setojima Y, Shibao Y et al：A case of postoperative recurrent lumbar disc herniation conservatively treated with novel intradiscal condoliase injection. Case Rep Orthop 2022：3656753, 2022

治療効果の検討を行っている．コンドリアーゼの効果は78.3％の症例で継続したが，12.5％の症例で投与から平均3.4ヵ月の期間に手術が行われた．Visual analog scale（VAS）およびODIは，投与後1年の時点で投与前と比較して有意に低下していた．罹病期間が短い群（1年未満）で有意差をもってコンドリアーゼの治療効果が示された．興味深いことに，MRIにおける椎間板の信号変化が，15.4％の症例で1年の時点で改善し，さらに31.4％の症例で椎間板高も同様に回復していた．コンドリアーゼはその性質上椎間板変性を加速させる点が問題と考えられていたが，特に若年の症例においては椎間板変性が回復することを示した点は有意義である[10)].

Inoueらは，1椎間の腰椎椎間板ヘルニア症例84症例に対してコンドリアーゼを投与し，その24週後までの治療成績を報告した．下肢のVASは投与後24週の時点で77.4％の症例で50％以上の改善を認め，経時的に治療効果はより著明になった．JOABPEQおよびODIも経時的に有意差をもって改善した．また，87％の症例で外科手術を回避できた[11)].

Nakajimaらの報告では，42症例において治療後3ヵ月の時点で32例（76.2％）において，下肢痛が改善，10例（23.8％）が不変であった．また5例（11.9％）で一過性に腰痛が増強した[5)].

Okadaらの報告では，投与6ヵ月の時点で下肢痛のVASが50％以上軽減した例は82例中70例（85.4％）であった．外科治療が必要となった症例は4例であった．経過観察期間中に症状の再発した症例はなかった[6)].

Ishibashiらの報告では，コンドリアーゼ注入療法を行った32例のうち1例がforaminal type，1例でextraforaminal typeであったが，投与3ヵ月の時点で，腰痛におけるNRSでは有意な改善はなかったが，下肢痛においてNRSは有意に改善した[7)].

最長で1年間の経過観察期間の報告であるが，投与例のおよそ8割前後の症例で症状の改善は継続しており，治療効果は十分にあると考えられる．

有害事象

コンドリアーゼ投与後の皮膚発赤などアレルギー反応を示唆する事象の報告が散見される[3)]．Inoueらは，椎間孔狭窄を伴う症例で治療により椎間板腔が狭小化し，これにより椎間孔狭窄が進行し，下肢痛と筋力低下が出現して手術に至った例を報告した[11)]．Ishibashiらの報告においては，治療後1ヵ月の時点で腰背部痛が増強した症例が散見されたが，この症状は通常1ヵ月間の鎮痛薬投与で改善した．うち1例は分離症を併発している症例であり，治療後に生じる椎間板高の低下によって，分離部にmechanical stressが加わり，一過性に腰痛が出現したと考えられた[7)]．このようなコンドリアーゼ注入後の椎間板腔狭小化に伴う特有の有害事象を理解し，使用前に十分に検討を行う必要がある．

10）Banno T, Hasegawa T, Yamato Y et al：Disc degeneration could be recovered after chemonucleolysis with condoliase.-1 year clinical outcome of condoliase therapy. J Orthop Sci 27：767-773, 2022

11）Inoue M, Sainoh T, Kojima A et al：Efficacy and safety of condoliase disc administration as a new treatment for lumbar disc herniation. Spine Surg Relat Res 6：31-37, 2021

椎間板再生治療

椎間板再生治療は，方法論として椎間板強化（augmentation）と椎間板再生（repair）の2つに大別される．椎間板強化とは，変性し病的な状態となった髄核内に生体材料を挿入し，椎間板の機能的，生物学的特性を本来の状態に復元することをコンセプトとしている．一方，椎間板再生とは，病的な状態に陥った髄核が有する再生能力を増強させることにより椎間板の復元を試みるもので，成長因子療法，分子 / 遺伝子治療，および細胞治療が含まれる．

椎間板再生は椎間板が再生能力を保持している状態であることが前提であるため，変性が重度で再生能力が失われている状態の椎間板では適応とならない．よって，椎間板再生治療は椎間板の変性の進行度合いにより，適応となる治療が異なる．変性が早期の段階であれば分子 / 遺伝子治療が適応となり，中等度であれば細胞治療，重度の変性であれば生体材料を用いた治療を選択する[12]．

椎間板に対する細胞治療は，本邦および海外で臨床治験が実施され，安全性および有効性を評価する段階となっている[13]．

Scholは椎間板変性に対する細胞治療について，2018年8月の時点までに実施されたclinical trialをまとめた．14のclinical studiesが報告されており，mesenchymal stem cell, stromal vascular faction, chondrocytes, hematopoietic stem cell, reactivated nucleus pulposus cell, bone marrow concentratesを使用した研究となっている．Hematopoietic stem cellおよびintervertebral chondrocyteを用いた研究では治療効果が認められなかったが，他の研究では各々が設定したアウトカムの基準に基づき，改善が認められたとしている[14]．

他，clinical trialが施行されている椎間板再生治療は，growth-factorを用いた治療としてYH14618，rhGDF-5を用いた研究，低分子化合物を用いた治療としてabaroparatide，SM04690を用いた研究が報告されている[15]．

多血小板血漿（platelet-rich plasma：PRP）による椎間板再生

多血小板血漿（platelet-rich plasma：PRP）は，血球成分のうち血小板を高濃度で含有した血漿分画であり，組織修復に影響を与えるさまざまな成長因子，サイトカインを多数含む．組織修復能を有しており，さまざまな分野で軟部組織修復を目的とした研究・臨床応用がなされている．

脊椎領域においては，椎間板変性に対する修復を目的とした研究が本邦を中心に実施されているが，椎間板変性抑制，修復効果，プロテオグリカンおよびコラーゲン合成増加効果が確認されている[16]．

Chengらは椎間板性腰痛患者にPRP投与後，5〜9年の長期経過観察が可能

12）Ju DG, Kanim LE, Bae HW：Intervertebral disc repair：current concepts. Global Spine J 10（2 Suppl）：130S-136S, 2020
13）堀北夏美，酒井大輔：再生医療技術を用いた椎間板疾患治療．Jpn J Rehabil Med 56：694-697, 2019
14）Schol J, Sakai D：Cell therapy for intervertebral disc herniation and degenerative disc disease：clinical trials. Int Orthop 43：1011-1025, 2019
15）Sun Y, Leung VY, Cheung KM：Clinical trials of intervertebral disc regeneration：current status and future developments. Int Orthop 43：1003-1010, 2019
16）木下英幸，鴨田博人，折田純久 他：最新基礎科学 / 知っておきたい 脊椎領域におけるPRPを用いた組織再生．臨整外 54：92-99, 2019

であった症例について，71％の患者で統計学的に有意に疼痛および機能が改善したことを報告した．年齢，性別，またPRPを投与した椎間数による治療効果の差異は認められなかった[17]．このように，PRPによる椎間板性腰痛の改善効果は長期間継続する可能性を示している．

Akedaらは，L4/5またはL5/S1レベルの椎間板性腰痛患者に対してPRPを投与し，visual analog scale（VAS）とRoland-Morris Disability Questionnaire（RDQ）を評価したところ，5.9年の平均経過経過観察期間においてこれらの指標が有意に改善したことを報告した．すなわち椎間板性腰痛に対してPRP療法は長期間にわたり臨床的な症状の改善を維持できることを示している．この研究では投与後の椎間板高を単純X線写真を基に評価をしているが，5.9年の平均観察期間でベースラインに比較し椎間板高が13.9％減少する結果となった．これより，PRPには変性に陥った椎間板を再生する能力はないと結論している[18]．

PRPがもつ組織再生能力が，併用する手術の効果を高めたとの報告もある．Jiangらは経皮的内視鏡下椎間板ヘルニア摘出術を施行した症例に対し，術中にPRP注入を併用した群（PRP注入群51例）と併用しなかった群（コントロール群57例）について，治療効果の比較を行った．結果，術後3ヵ月，6ヵ月，および1年の時点の腰痛および下肢痛のVAS scoreおよびODIはPRP注入群で有意に改善していた．MRI上のヘルニアの縮小率もPRP注入群で高かった．ヘルニア再発により再手術を行った症例はPRP注入群で1例（1/51 1.96％），コントロール群で4例（4/57 7.02％）となり，再発率も有意にPRP群が低かった．この結果はすべて，PRPが椎間板のremodelingを促進したことによる結果と考えられている[19]．

Muthuらは腰椎椎間板病変に対するPRP注入療法の効果を調査した研究に関するメタアナリシスの結果を報告している．

VAS scoreおよびSF-36の疼痛に関するcompornentにおいて，疼痛はベースラインより有意に改善を示していた．一方で，ODI，SF-36のphysical compornent，およびMRI signal changeを基にした椎間板構造の回復については，有意な変化はなかった．また，有害事象については，メタアナリシスの対象となった研究では記載がなかった．このメタアナリシスの結果より，椎間板内PRP注入療法は疼痛の改善には一定の効果を有するといえる[20]．

最近のPRP椎間板内注入療法の報告でも，椎間板性疼痛に対する効果は満足のいくものであり，さらに長期的な効果も十分に期待できる治療であることが示されている．

しかしながら，椎間板の構造そのものを完全に再生するまでに至っているとはいいがたく，PRP椎間板内注入療法の作用機序については不明な点が多い．今後も症例の蓄積と長期成績を追っていく必要がある．

17) Cheng J, Santiago KA, Nguyen JT et al：Treatment of symptomatic degenerative intervertebral discs with autologous platelet-rich plasma：follow-up at 5–9 years. Regen Med 14：831-840, 2019

18) Akeda K, Takegami N, Yamada J et al：Platelet-rich plasma-releasate（PRPr）for the treatment of discogenic low back pain patients：long-term follow-up survey. Medicina 58：428, 2022

19) Jiang Y, Zuo R, Yuan S et al：Transforaminal endoscopic lumbar discectomy with versus without platelet-rich plasma injection for lumbar disc herniation：a prospective cohort study. Pain Res Manag 2022：6181478, 2022

20) Muthu S, Jeyaraman M, Chellamuthu G et al：Does the intradiscal injection of platelet rich plasma have any beneficial role in the management of lumbar disc disease? Global Spine J 12：503-514, 2022

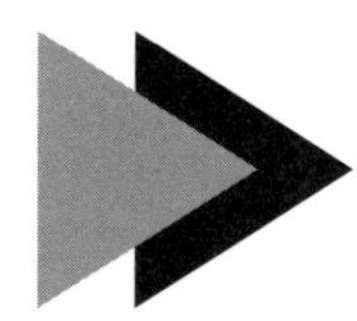

35. 脊椎脊髄外科における ロボット手術

たけ しま やす ひろ
竹島靖浩
奈良県立医科大学 脳神経外科

最近の動向

- 脊椎脊髄外科への手術ロボットの応用は，脊椎固定術におけるスクリュー挿入や脊髄腫瘍摘出に関する報告がある．
- 透視下のスクリュー挿入と比して，ロボット支援下でも遜色なく正確に挿入可能で，メリットの一つとして医療関係者の放射線被曝を少なくできるとする報告が多い．
- いまだ精度向上を目指した開発段階であり，より簡便で安価な手術支援ロボットの開発導入が望まれる．

はじめに

脊椎脊髄外科領域の手術支援ロボットについては海外で開発と医療導入が先行しており，本邦では2021年にようやく薬事承認が得られ，いくつかの施設で導入されている．臨床データは海外の報告が主であるのでこれらの報告を渉猟し，脊椎脊髄手術支援ロボットの歴史と最近の動向について言及する．

脊椎脊髄外科領域におけるロボット手術の歴史

優れた術者であっても外科治療は常に完全なものではない．個々の患者にはさまざまな違いがあるがゆえ，同じ術式でも結果が異なることがある．そのような鑑点から，われわれが手術用ロボットに期待する点は2つある．1つは手術支援機器として術者のさまざまな負担を除くこと，2つ目は術者に完全になり代わり手術を施行することである．後者の段階に到達するにはさまざまな課題があり，現時点では主に前者を目的としたロボットが開発されている．脊椎脊髄外科領域では，主に脊椎instrument挿入に際して使用される手術支援ロボットと，脊髄腫瘍の摘出に際して使用されるロボットが報告されている[1]．

Mazor Robotics社が開発したSpineAssist®が2004年に初めて米国Food and Drug Administration（FDA）の承認を受けた．それ以来，海外においてロボット支援脊椎固定術が行われるようになった．第一世代のSpineAssist®

1）Perfetti DC, Kisinde S, Rogers-LaVanne MP et al：Robotic spine surgery：past, present and future. Spine（Phila Pa 1976）doi：10.1097/BRS.0000000000004357, 2022［online ahead of print］

2434-9992/22/¥100/頁/JCOPY

は術前に撮影したCT画像を使用してスクリューの刺入角度・軌道を事前に計画し，術中に脊椎骨上に設置した機器により示されたスクリューの軌道に合わせて脊椎骨に穿孔を設け挿入する装置である．2011年に同じくMazor Robotics社のRenaissance®がFDAに承認された．この第二世代の機器も第一世代と同様に骨上に設置して使用するものであったが，2016年に新しい機構を導入した第三世代のMazor X™が登場した．その違いはベッドレールにロボットアームを設置し，かつ三次元光学カメラを用いて追跡することで正確性を担保する点である．

加えて最近は，さらなる進歩がみられている．2019年に導入されたMaxor X Stealth™では，Medtronic社の術中ナビゲーションシステムとの融合により，リアルタイムイメージガイド・ナビテーションシステムが組み込まれた．その他のロボットシステムとして，Zimmer Biomet社のROSA®，Globus Medical社のExcelsiusGPS®，BrainLab社のCirq robot®がある．ROSA®やExcelsius GPS®は可動型の床上設置型の手術支援ロボットであり，術前ならびに術中のCTや透視画像を用いてregistrationし，スクリュー刺入方向を指し示す．Cirq®は手術台設置型の6軸ロボットアームを有するもので，2021年にFDAに承認された．新しい機器については，初期の使用成績に関する報告が散見されるものの[2,3]，有用性を検討する症例対照研究などはこれからという印象を受ける．なお，TINAVI Medical Technologies社のTiRobot®，Asensus Surgical社のSurgiBot®やALF-X®も開発されているが，これらは2022年の年頭時点で，米国ではまだFDAの承認は得られていない．

2026年には，手術支援ロボットの世界市場が7,500万～3億2,000万ドル規模に拡大すると予想されている．最近では中国からの報告も増えている印象があり，今後も世界各国の複数企業による開発が進められるであろう．

脊髄腫瘍の摘出に際して使用されるロボットは，本邦でも泌尿器科や心臓血管外科をはじめとして他の領域でも広く臨床導入が広がっているIntuitive Surgical社が開発したDa Vinci®である．Da Vinci®は4本の操作腕，高解像度の三次元画質などを備え，人の手では不可能な方向からの操作も可能とする．

脊椎instrument手術へのロボット導入のメリット

脊椎instrument挿入に手術支援ロボットを導入するメリットとして，手術精度の向上，外科医の省力化，安全性への寄与，副次的効果として放射線被曝の低減が挙げられており，これらに関する報告が多くなされてきた．最近では，前向き研究やランダム化研究などの結果が報告されている．

Liらは，腰椎cortical bone trajectoryスクリューの挿入について後方視的研究の結果を報告している[4]．対象は81例（376本のスクリュー）で，正確

2) Pojskić M, Bopp M, Nimsky C et al：Initial intraoperative experience with robotic-assisted pedicle screw placement with Cirq® robotic alignment：an evaluation of the first 70 screws. J Clin Med 10：5725, 2021
3) Farah K, Meyer M, Prost S et al：Robotic assistance for minimally invasive cervical pedicle instrumentation：report on feasibility and safety. World Neurosurg 150：e777-e782, 2021
4) Li Y, Chen L, Liu Y et al：Accuracy and safety of robot-assisted cortical bone trajectory screw placement：a comparison of robot-assisted technique with fluoroscopy-assisted approach. BMC Musculoskelet Disord 23：328, 2022

性はロボット支援群で93％であったのに対し，透視支援群では83％にとどまった（$p = 0.003$）．スクリュー挿入に要した時間（5.58分 vs 7.25分，$p < 0.001$）や放射線照射時間（0.37分 vs 0.43分，$p = 0.001$）は，ロボット群で有意に短かった．一方で，術中出血量はロボット群で少ない傾向があったが，統計学的有意差は認めなかった（248.65分 vs 273.41分，$p = 0.313$）．1本あたりのスクリュー挿入時間は前期と後期に分けると短くなる傾向があり（5.73分 vs 5.43分，$p = 0.461$），緩やかなラーニングカーブがみられたとしている．

Fanらは，頚椎のスクリュー挿入について前方視的ランダム化研究で正確性・安全性を調査している[5]．使用したのは中国で開発されているTINAVI Medical Technologies社のTianJi Robot™で，登録された135例中61例がロボット支援に，66例が透視支援に割り付けされ，合計390本のスクリューで検討された．結果，事前計画設置位置と実際の挿入位置との誤差はロボット支援群でより小さく（0.83 mm vs 1.79 mm，$p < 0.001$），統計学的にも正確性に優れるという結果が得られた．また，ロボット支援群のほうが出血量は少なく（200 mL vs 350 mL，$p = 0.002$），入院期間も短かった（5日 vs 6日，$p = 0.021$）が，手術時間に差はなかった（220分 vs 210分，$p = 0.525$）としている．

Cuiらは腰椎のロボット支援下に施行した最小侵襲経椎間孔腰椎椎体間固定術（transforaminal lumbar interbody fusion：TLIF）と従来法であるOpen TLIFを比較したランダム化試験の予備調査結果を報告している[6]．使用したのはTianJi Robot™で対象は48例，術中にCアームCT画像を用いてスクリュー挿入計画を立て挿入した．結果，ロボット支援群では従来法と比べて正確性に優れ（$p = 0.025$），術中出血量（173.6 mL vs 332.1 mL，$p = 0.005$）や術後のドレナージ廃液量も少なく（97.5 mL vs 261.3 mL，$p < 0.001$），入院期間も短かった（7.3日 vs 10.0日，$p = 0.018$）．一方で，手術時間は長かった（135.1分 vs 102.2分，$p = 0.002$）と報告している．この研究の手術手技は，ロボット群が最小侵襲TLIFであり比較対象がopen-TLIFと，両者の侵襲度に大きな差があるため，ロボット支援のメリットについて評価できる結果は正確性に優れていたという点だけであろう．

また，手術のさらなる低侵襲化を目指し，ロボット関連機器の改良に関する報告もされている．Yongqiらはロボット支援椎弓根スクリュー挿入において棘突起に設置するトレーサーについて，より小さな皮膚切開で設置可能な改良版を開発し報告している[7]．中国で開発された光学tracking systemを採用した6軸アームロボットTiRobot®を使用し，ランダム化試験にてオリジナル版と比較すると，スクリュー設置の正確性には影響することなく，皮膚切開の長さと術中出血量は減じ，トレーサー設置にかかる時間は短縮したとしている．

5) Fan M, Liu Y, He D et al：Improved accuracy of cervical spinal surgery with robot-assisted screw insertion：a prospective, randomized, controlled study. Spine (Phila Pa 1976) 45：285-291, 2020

6) Cui GY, Han XG, Wei Y et al：Robot-assisted minimally invasive transforaminal lumbar interbody fusion in the treatment of lumbar spondylolisthesis. Orthop Surg 13：1960-1968, 2021

7) Yongqi L, Dehua Z, Hongzi W et al：Minimally invasive versus conventional fixation of tracer in robot-assisted pedicle screw insertion surgery：a randomized control trial. BMC Musculoskelet Disord 21：208, 2020

脊椎 instrument 挿入における手術支援ロボットの合併症低減効果

これまで多くの報告で，ロボット支援により手術合併症は低減するとされてきた[8,9]．Good らもロボット支援下の腰椎椎弓根スクリュー挿入の合併症発生について，多施設前向き症例対照研究を報告している[10]．用いたロボットはMazor Renaissance®で対象患者は485例であり，ロボット支援手術と透視支援手術についてcox回帰分析を用いて比較すると，手術時間は両群同等だったものの，透視支援手術のほうが1年以内の手術合併症が5.8倍高く，再手術率も11.0倍高かった．スクリュー1本あたりの術中放射線照射時間は3.6秒と17.8秒であり，ロボット支援により80%減少した（$p < 0.001$）．

しかし，最近相次いで発表されたデータベースを用いた合併症研究では，正反対の知見が報告されている．Lieber らはロボット支援下の腰椎椎弓根スクリュー挿入の合併症発生について，後方視的研究を報告している[11]．データベースから抽出したロボット支援群257例と症例をマッチさせた同数のconventional群について多変量解析を用いて比較すると，ロボット支援では重度・軽度の術後合併症の両方ともに低減効果が認められなかったとしている．

Yang らは腰椎固定術のデータベースを用いた後方視的研究にて[12]，従来群とrobot支援手術群のコホートをマッチさせた各群2,528例で比較したところ，ロボット支援は再手術（調整オッズ比（aOR）2.35，$p < 0.0001$），30日以内再入院（aOR 1.39，$p = 0.0002$），30日以内合併症（aOR 1.50，$p < 0.0001$），30日以内手術部位感染（aOR 1.56，$p = 0.0061$），インプラント関連合併症（aOR 1.74，$p = 0.0038$）の項目においてハイリスクであったとしている．

一般的にデータベース研究は，大きなサンプルサイズで強力な統計解析が可能という利点がある．しかし，国際疾病分類（ICD）コーディングのばらつき，外科医の経験と手術手技のばらつき，ロボットシステムの不均一性，合併症報告のヒューマンエラーなどの限界があり，その解釈には注意が必要である．これらの報告における方法論の不正確さへの指摘が続けて発表され，ロボット支援により合併症が増加するという結論に疑問が投げかけられた[13,14]．

このような背景を受けて，Yu らはpropensity-matchingしたコホートの調査を行っている[15]．単施設で施行された114例のロボット支援腰椎固定術とマッチされた同数の透視支援手術を比較したところ，術中，術直後，術後30日以内，そして術後90日以内の手術関連合併症発生率や再手術率・再入院率について調査し，両群でいずれも統計学的有意差を認めない結果となったが，一方で，ロボット支援で入院期間が有意に短かったことを示している（2.5日vs 3.17日，$p = 0.018$）．本研究ではスクリュー挿入手技にロボット支援を用いるか否かの違いがあるだけなので入院期間が短くなる理由はなく，何らかの

8) Keric N, Eum DJ, Afghanyar F et al：Evaluation of surgical strategy of conventional vs. percutaneous robot-assisted spinal trans-pedicular instrumentation in spondylodiscitis. J Robot Surg 11：17-25, 2017
9) Kantelhaldt SR, Martinez R, Baerwinkel S et al：Perioperative course and accuracy of screw positioning in conventional, open robotic-guided and percutaneous robotic-guided, pedicle screw placement. Eur Spine J 20：860-868, 2011
10) Good CR, Orosz L, Schroerlucke SR et al：Complications and revision rates in minimally invasive robotic-guided versus fluoroscopic-guided spinal fusions：the MIS ReFRESH prospective comparative study. Spine（Phila Pa）46：1661-1668, 2021
11) Lieber AM, Kirchner GJ, Kerbel YE et al：Robotic-assisted pedicle screw placement fails to reduce overall postoperative complications in fusion surgery. Spine J 19：212-217, 2019
12) Yang DS, Li NY, Kleinhenz DT et al：Risk of postoperative complications and revision surgery following robot-assisted posterior lumbar spinal fixation. Spine（Phila Pa 1976）45：E1692-E1698, 2020
13) Kanaly CW, Backes DM：Letter to the editor：spinal navigation is not the same as robotic assistance in surgery. Spine（Phila Pa 1976）46：E463-E464, 2021
14) Malik AT, Drain JP, Karnes JM：Letter to the editor regarding "Risk of postoperative complications and revision surgery following robot-assisted posterior lumbar spinal fusion". Spine（Phila Pa 1976）46：E411-E412, 2021
15) Yu CC, Carreon LY, Glassman SD et al：Propensity-matched comparison of 90-day complications in robotic-assisted versus non-robotic assisted lumbar fusion. Spine（Phila Pa 1976）47：195-200, 2022

バイアスが介入している可能性が考えられる.

脊椎 instrument 挿入における手術支援ロボットの費用削減効果

Menger らは，米国におけるロボット支援手術の費用削減効果に関する研究を報告している[16]．6 施設における胸腰椎固定術 557 例を対象として後方視的に調査すると，ロボット支援手術では再手術率や術後感染発生率が低く，入院期間や手術時間においても短縮効果が示されたとの結果を受け，胸腰椎固定術を年間 557 例行う米国の大学病院であれば，ロボット支援手術により年間 608,546 ドルの節約が可能であると結論づけている．この研究では，6 施設で使用されているロボットの種類について記載はない.

16) Menger RP, Savardekar AR, Farokhi F et al：A cost-effectiveness analysis of the integration of robotic spine technology in spine surgery. Neurospine 15：216-224, 2018

スクリュー挿入自動化に関する研究

これまではスクリュー挿入に際して刺入点や軌道を示す支援ロボットが主体であったが，自動化に向けて一歩進んだロボット機器の報告が出てきている.

Li らは腰椎固定術における K-wire の自動挿入について，多施設ランダム化研究の結果を報告している[17]．彼らが開発した Orthbot robotic system は位置決めに用いる座標板とトラッキングカメラを擁し，6 軸の機械腕を用いて圧感センサーによるモニター下に全自動で骨をドリリングした後に K-wire を挿入するというものである．27 例のロボット群と 29 例のフリーハンド群で比較すると，事前計画とのズレが距離（0.95 mm vs 4.35 mm，$p < 0.001$）と角度（coronal：6.80° vs 22.22°，$p < 0.001$，sagittal：1.27° vs 4.57°，$p < 0.001$）のいずれにおいてもロボット群で有意に少なく，このロボットシステムで正確な K-wire の自動挿入が可能であったとしている.

17) Li Y, Huang L, Zhou W et al：Evaluation of a new spinal surgical robotic system of Kirschner wire placement for lumbar fusion：a multi-center, randomized controlled clinical study. Int J Med Robot 17：e2207, 2021

いずれスクリュー挿入自動化を目指した機器の開発が進み，最終的には全自動化が可能となると思わせられる研究である．全自動化が達成された際に外科医に求められるのは，病態の把握と適切な治療計画の立案である．ただし，神経除圧手技をロボットに求めるのはいささか困難と予想されるため，われわれ外科医は神経除圧手技をしっかりと極めておく必要がある.

脊髄腫瘍摘出におけるロボット手術

Wewel らは Eden type 4 の胸椎ダンベル腫瘍（ganglioneuroma）に対して Da Vinci Si®を用いた症例を報告している．はじめに後方より進入して，脊柱管内から T2 椎間孔内に至る腫瘍を顕微鏡下に切除して椎間孔外腫瘍と離断しておき，その後に側方より port を 3 つ設けて Da Vinci Si®で en bloc に腫瘍を摘出した[18].

Rapoport らは，右 L1 神経根発生の Eden type 4 の神経鞘腫に対し後腹膜経

18) Wewel JT, Kasliwal MK, Chmielewski GW et al：Complete anterior-posterior minimally invasive thoracoscopic robotic-assisted and posterior tubular approach for sesection of thoracic dumbbell tumor. J Craniovertebr Junction Spine 11：148-151, 2020
19) Rapoport BI, Sze C, Chen X et al：Robotic resection of a nerve sheath tumor via a retroperitoneal approach. Oper Neurosurg (Hagerstown) 20：E85-E90, 2021

由でアプローチし，Da Vinci Xi®を用いて5 portでen blocに摘出した症例を報告し，限られた症例ではロボット支援手術は低侵襲で有用だとしている[19]．

これらの以前から散見されるダンベル型腫瘍に関する報告[20]とは異なり，Petrovらは軸椎椎体後方に限局したcordomaの症例を報告している．前後合併二期的手術のうち経口アプローチでDa Vinci Si®を用い，前方からの軸椎骨切りを加えて，腫瘍を発生部位の骨ごとen blocに摘出した[21]．今後も，特に治療困難な腫瘍の症例に対して，ロボットを用いて工夫した手技が報告されるであろう．

20）Jun C, Sukumaran M, Wolinsky JP：Robot-assisted resection of pre-sacral schwannoma. Neurosurg Focus 45（Video-Suppl1）：V1, 2018

21）Petrov D, Spadola M, Berger C et al：Novel approach using ultrasonic bone curettage and transoral robotic surgery for en bloc resection of cervical spine chordoma：case report. J Neurosurg Spine 30：788-793, 2019

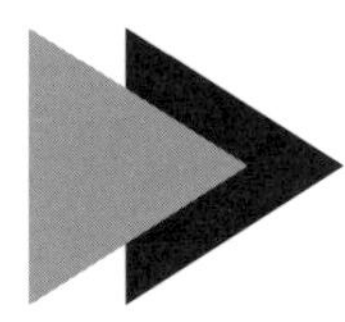

36. 骨粗鬆症性椎体骨折の治療戦略と現在の課題

隈元真志（くまもと しんじ）
福岡記念病院 脊髄脊椎外科

最近の動向

- 骨粗鬆症性椎体骨折には一定の割合で癒合が遷延する予後不良例が存在し，MRI T1 強調画像におけるびまん性低信号変化，および T2 強調画像における限局性高信号変化またはびまん性低信号変化がその予測因子とされる．
- 予後不良因子を有する急性期の骨粗鬆症性椎体骨折においては，早期の椎体形成術が治療成績向上に貢献する可能性がある．
- 椎体形成術後早期の隣接椎体骨折を予測するスコアリングシステムが開発され，外的検証を経た臨床応用が期待される．隣接椎体骨折のハイリスク症例には，骨修飾薬やインプラント併用などの治療オプションを検討する余地がある．
- 予後不良症例に対する手術治療については，いまだコンセンサスの得られたものはなく，有効で安全かつ低侵襲な術式の開発と質の高いエビデンスの構築が求められている．
- 続発性椎体骨折は死亡リスクが高まるため，椎体骨折診断後は再骨折予防のための適切な骨粗鬆症治療介入が重要である．

骨粗鬆症性椎体骨折が社会に及ぼすインパクト

骨粗鬆症による脆弱性骨折は世界中で年間約 890 万件発生しているとされ，骨粗鬆症は高齢化社会における公衆衛生上の最重要課題の一つである．とりわけ骨粗鬆症性椎体骨折（osteoporotic vertebral body fracture：OVF）は脆弱性骨折の中でもきわめて頻度の高い骨折であり，本邦における発生数は年間で 420 万人（男性 220 万人，女性 200 万人）と推定されている[1]．OVF はこれまで保存加療が奏効する予後良好な骨折であると考えられてきたが，一定の割合で癒合が遷延する予後不良例が存在する．骨癒合が得られない場合，骨折椎体内の不安定性から終板損傷，椎間板機能不全をもたらし，椎体間の不安定性を呈するようになる．また，後壁や下壁が脊柱管や椎間孔に突出することにより，遅発性の神経障害を及ぼす．さらに圧潰変形が進行すると後側弯症をきたし，冠状面や矢状面での脊柱アライメント不良を引き起こす．すなわち，予後

1) Horii C, Iidaka T, Muraki S et al：The cumulative incidence of and risk factors for morphometric severe vertebral fractures in Japanese men and women：the ROAD study third and fourth surveys. Osteoporos Int 33：889-899, 2022

2434-9992/22/¥100/頁/JCOPY

不良例は腰背部痛による quality of life（QOL）の低下のみならず，身長の低下，脊柱変形，肺機能の低下，胃内容物の制限・逆流，運動能力の低下などの多彩な身体障害を呈することになる．これらの障害は要介護率や死亡率の増加を引き起こし，年間医療費の甚大なる増加を招き，社会に大きなインパクトを及ぼしている．

OVF を診断するための臨床所見

骨粗鬆症には明確な臨床症状がなく，四肢や椎体の骨折を受傷することではじめて認識される．OVF は主に体動時の腰背部痛を呈する．診断は胸腰椎 X 線で上下終板の変形や椎体壁の突出・陥凹・圧潰などを評価して行う．座位や立位での荷重時と仰臥位の X 線における椎体の形態を比較し，骨折椎体内の不安定性を評価することも診断に有用である．しかし受傷時に明らかな変形を認めるとは限らず，すでに脊椎アライメントや椎体に異常がある例や，既存骨折が複数存在している例では X 線単独での診断は困難であり，受傷早期の OVF はしばしば誤診される．それゆえに，疑い例には MRI を用いた診断精度の向上が求められる．Jin らは OVF 疑い例をスクリーニングするために，骨粗鬆症がある腰痛患者 510 名を対象とした前向き観察研究を行い，仰臥位・寝返り・座位の 3 つの動作を含む身体検査テスト（Back Pain-Inducing Test：BPIT）を考案した[2]．これらの動作のいずれかで腰背部痛が誘発される例を BPIT 陽性とし，OVF 疑いとして MRI の撮像を推奨している．BPIT を用いて OVF の有病を推定した場合の感度は 99.1%，特異度は 67.9% であり，陽性適中率と陰性適中率はそれぞれ 86.6% と 97.4% であった．OVF は安静臥床時に腰背部痛が改善するため，体動による誘発痛の所見を得ることが重要であり，体動時痛があれば OVF の存在を念頭に置き，積極的に MRI での画像診断を行うべきである．その際の撮像範囲は OVF の可能性がある椎体高位となるが，日常診療においてしばしば腰背部痛の部位と OVF 椎体が一致しないことが経験される．撮像範囲が不適切であった場合は，診断の見落としや医療資源の浪費につながる．MRI の撮像範囲の選択について，Jin らはさらに MRI で診断した有痛性 OVF 患者 358 名を対象とし，主要な臨床症状部位 2ヵ所（患者申告による背部痛および放散痛の部位）と主要な身体所見 2ヵ所（椎体の圧痛点および叩打痛点）を収集し，MRI で確定診断された OVF の高位との整合性を前方視的に検討した[3]．背部痛の部位や圧痛点と OVF の高位との整合性は低く，叩打痛や放散痛は整合性が高いことを報告した．このように，患者申告の部位や圧痛点での所見では OVF の局在を判定することは困難であり，MRI 検査を行う場合は胸腰椎全体を撮像範囲とすることが重要である．

2) Jin H, Ma X, Liu Y et al：Back Pain-Inducing Test, a novel and sensitive screening test for painful osteoporotic vertebral fractures：a prospective clinical study. J Bone Miner Res 35：488-497, 2020

3) Jin H, Ma X, Liu Y et al：Back pain from painful osteoporotic vertebral fractures：discrepancy between the actual fracture location and the location suggested by patient-reported pain or physical examination findings. Osteoporos Int 31：1721-1732, 2020

OVFの遷延性骨癒合を予測するMRI所見

前述の通り，OVFには予後良好例と不良例が存在する．骨癒合が得られない場合，椎体内不安定性，椎体間不安定性，遅発性神経障害，脊柱アライメント不良に伴う諸症状が問題となる．時期が経過するにつれ，病態が複雑となり，外科治療の侵襲が増す．よってOVF診断時に遷延性骨癒合のリスクを予測することが重要な課題である．これまでにMRI T2強調画像における限局性高信号変化は，遷延性骨癒合と高い感度と特異性を有すると報告されてきた．Ahmadiらは，OVF 153例を追跡した多施設共同前向き研究で遷延性骨癒合のリスク因子について検討し，ベースラインのMRI T2強調画像における高信号変化と既存椎体骨折の存在が6ヵ月時点での遺残腰痛の独立した危険因子であることを報告している[4]．Scheyererらは，臨床放射線学的所見に関する最新の24文献をレビューし，MRI T1強調画像におけるびまん性低信号変化，およびT2強調画像における限局性高信号変化またはびまん性低信号変化がOVF偽関節の危険因子であったと報告した[5]．これらのMRI所見を有する症例に対しては，遷延癒合に陥るリスクに留意して慎重な経過観察を行うべきであり，テリパラチド製剤の投与，運動療法併用などの追加治療オプションや，外科的治療を考慮する必要がある．

4) Ahmadi SA, Takahashi S, Hoshino M et al：Association between MRI findings and back pain after osteoporotic vertebral fractures：a multicenter prospective cohort study. Spine J 19：1186-1193. 2019
5) Scheyerer MJ, Spiegl UJA, Grueninger S et al：Risk factors for failure in conservatively treated osteoporotic vertebral fractures：a systematic review. Global Spine J 12：289-297, 2022

OVF発症時期に基づく治療戦略

装具外固定について

受傷急性期はOVFの病態は概ね椎体内の不安定性のみで，通常は装具外固定による保存加療を行うが，装具の種類や固定期間についての報告は限定的である．本邦においてKatoらは，65歳から85歳の急性期OVF 1椎体の女性患者284名を対象に，12週間の軟性装具外固定と硬性装具外固定の治療効果を比較する多施設ランダム化試験を行った．結果，主要エンドポイントである48週時点ではいずれの群においても腰痛とQOLは改善し群間差は認められず，効果は同等であると結論づけられた．一方で，12週目において軟性装具と比して硬性装具の脊椎変形の予防効果が高く，続発性椎体骨折の発症が少ないことが報告されている[6]．

6) Kato T, Inose H, Ichimura S et al：Comparison of rigid and soft-brace treatments for acute osteoporotic vertebral compression fracture：a prospective, randomized, multicenter study. J Clin Med 8：198, 2019

椎体形成術について

予後不良が予測される症例や，適切な保存加療下においても疼痛の管理不良等によるactivity of daily living（ADL）障害が持続する症例においては，椎体形成術が治療選択肢となる．これまでに椎体形成術の治療効果を疑問視する報告がなされてきたため，米国骨代謝学会は2019年にタスクフォースを設置し，椎体形成術の有効性と安全性を調査した[7]．結果として，椎体形成術を支持する十分なエビデンスはなく，標準治療とすることは推奨されないものの，有害なものとして排除することはできないとの結論に達し，椎体形成術を行う際は患者にその効果と代替治療の選択肢を十分に提示することを勧告している．Beallらは米国の24施設で多施設前向き研究を行い，有痛性OVFに対してballoon kyphoplasty（BKP）を施行した260例を12ヵ月追跡した結果を報告している[8]．対象は高齢・複数の既存OVF・骨粗鬆症治療未介入など新規椎体骨折や術後隣接椎体骨折リスクが高いコホートに設定され，疼痛・身体機能・QOLの改善についてBKPの効果を支持する結果であった．Hoshinoらは予後不良因子（MRI T2強調画像矢状面における限局性高信号変化またはびまん性低信号変化）を有するOVF患者を対象に，受傷後2ヵ月以内にBKPを施行した患者106名と，保存加療を施行した対照患者群116名を比較する多施設前向き研究を行った[9]．骨折後6ヵ月時点でのADL低下者の割合はBKP群5.6％に対して保存療法群25.6％であり，QOL・疼痛・椎体の楔状角いずれも保存群に比してBKP群で高い改善が観察された．これらの報告からも，予後不良が予測される急性期OVFにおいては，早期の椎体形成術の施行により治療成績が向上する可能性がある．

椎体形成術後の隣接椎間骨折について

椎体形成術は即時的な痛みの軽減をもたらし，ADLの低下を防ぐことができる反面，術後早期に比較的高率（10～38％）に隣接椎体骨折（adjacent vertebral fracture：AVF）が発生することが報告されてきた．これまでにAVF発生のリスク因子は数多く報告されてきたものの，AVFリスクを推定する妥当な方法はなかった．そこでTakahashiらは2015年から2017年にかけて，10病院で施行したBKP 109名の患者を対象に多施設前向き研究を行い[10]，術前因子と術中因子を用いて術後6ヵ月までのAVF発生を予測する予測スコアを開発した．AVFは32例（29％）に発生し，①胸椎もしくは胸腰椎移行部での骨折（2点），②既存椎体骨折の存在（1点），③術前の椎体局所角が25度以上（1点），④BKPでの矯正が10度以上（2点）の4項目で構成される予測スコア（6点満点，5点以上がAVF高リスク）が報告された．Hijikataらは術前の意思決定段階でのAVFリスク推定を行うために，2012年から2018年に6病院で1椎体の椎体形成術が施行されたOVF患者377名を後方視的に検討し，術前因子のみで術後1ヵ月以内のAVF発生を予測する予測スコアを開発した[11]．AVFは58例（15％）に発生し，①椎体内不安定性5 mm以上（1点），②局所後弯角10度以上（1点），③発症から30日以上（1点），④椎体内クレフトあり（1点），⑤既存椎体骨折あり（1点）の5項目で構成されるAVAスコア（5点満点，1点以下がAVF低リスク（予測確率

7) Ebeling PR, Akesson K, Bauer DC et al：The efficacy and safety of vertebral augmentation：a second ASBMR Task Force report. J Bone Miner Res 34：3-21, 2019

8) Beall DP, Chambers MR, Thomas S et al：Prospective and multicenter evaluation of outcomes for quality of life and activities of daily living for balloon kyphoplasty in the treatment of vertebral compression fractures：the EVOLVE trial. Neurosurgery 84：169-178, 2019

9) Hoshino M, Takahashi S, Yasuda H et al：Balloon kyphoplasty versus conservative treatment for acute osteoporotic vertebral fractures with poor prognostic factors. Spine（Phila Pa 1976）44：110-117, 2019

10) Takahashi S, Hoshino M, Yasuda H et al：Development of a scoring system for predicting adjacent vertebral fracture after balloon kyphoplasty. Spine J 19：1194-1201, 2019

11) Hijikata Y, Kamitani T, Nakahara M et al：Development and internal validation of a clinical prediction model for acute adjacent vertebral fracture after vertebral augmentation：the AVA score. Bone Joint J 104-B：97-102, 2022

3%），4点以上がAVF高リスク（予測確率57%））が報告された．いずれの予測スコアも臨床応用のためには外的検証を要するが，AVF発生リスク推定が可能となれば，ハイリスク症例に対し椎体形成術単独ではなく，骨修飾剤やインプラントの併用などの治療オプションを検討する余地が生まれる．

神経障害を有する症例やアライメント不良症例に対する手術療法について

予後不良症例は時期が経過するにつれ，椎体内不安定のみならず椎体間不安定を呈するようになり，後側弯症などの脊柱アライメント不良に発展し，状況が著しく悪化する．この時期での手術治療の目標は，疼痛の適切なコントロールのみならず，神経減圧による神経障害の改善，椎間固定による脊柱の安定化，変形矯正による適正な脊椎アライメントの獲得など多岐に及ぶことにより，手術侵襲がきわめて高くなる．手術法には，脊椎後側方（除圧）固定術，椎体形成術の併用の有無，後方椎間体固定術，脊椎骨切り短縮術，前方脊椎固定術，前方後方合併手術などがあるが，個々の症例で病態が異なるため，最適な手術法についてはいまだ十分なコンセンサスは形成されていない．OVF癒合不全が前方支柱の破綻であることを鑑みると前方後方合併手術は，前方支柱再建，後方インストゥルメンテーションによる脊椎固定およびアライメントの矯正が可能で，もっとも理に適った手術療法であるが，他の手術療法よりも手術時間が長く，術中出血量も多いため，OVFが高齢者であることを考慮すると一般的には行われていないのが現状である．OVF後に椎体圧潰の進行または癒合不全により遅発性神経障害を呈し，脊椎固定術を受けた403例を対象としたHosoganeらの多施設共同研究の報告[12]では，手術アプローチは86.6%が後方アプローチ単独で圧倒的に多かった．次いで前方後方合併手術8.7%，前方アプローチ単独4.7%であった．手術加療により疼痛および神経障害の改善は十分得られるものの，骨折椎体を含む脊椎固定範囲は平均4椎体で，手術時間は平均257分，出血量は平均676 gと非常に高侵襲であった．周術期の合併症発生は18.1%，インプラントに関連する問題は実に41.2%発生したと報告されているように，高齢者OVF予後不良症例の手術侵襲および合併症の問題は決して看過できるものではない．Fukudaらは，神経障害を呈したOVFの脊柱管狭窄症例に対して，oblique lumbar interbody fusion（OLIF）アプローチで前方椎体置換を行わず，圧潰した椎体の形態に適合するケージを用いた椎体間固定による前方支柱再建と後方脊椎固定を併用する前方後方合併手術を提唱し，良好な治療成績を報告した[13]．このように，今後も可能な限り侵襲を減じ最大限の効果と安全性が期待できる術式の開発が求められる．一方で何より重要なことは，患者やその家族に苦渋の選択を迫る状況をできるだけ回避することであり，脊椎外科医にはOVFを過小評価することなく早期に適切に診断し，早期に予後不良リスクを推定して，早期に適切な治療介入判断を行うこ

12) Hosogane N, Nojiri K, Suzuki S et al：Surgical treatment of osteoporotic vertebral fracture with neurological deficit -a nationwide multicenter study in Japan. Spine Surg Relat Res 3：361-367, 2019

13) Fukuda K, Katoh H, Takahashi Y et al：Minimally invasive anteroposterior combined surgery using lateral lumbar interbody fusion without corpectomy for treatment of lumbar spinal canal stenosis associated with osteoporotic vertebral collapse. J Neurosurg Spine doi：10.3171/2020.10.SPINE201293, 2021 [online ahead of print]

とが切実に求められている．

OVFの続発骨折予防の重要性

骨粗鬆症性脆弱性骨折を発症した55歳から90歳の女性35,146名，平均年齢73.8歳を対象としたスウェーデンの大規模観察研究では[14]，OVF後の続発性椎体骨折の累積発生率は12ヵ月後で10.7%，24ヵ月後で17.6%と非常に高いものであった．Leeらは韓国国民健康保険研究データベースを用いて，2002年から2013年の間に脆弱性骨折を受傷した60歳以上の患者24,756名のコホートデータを分析し，続発骨折回数と死亡の関連を評価した[15]．死亡リスクと続発骨折回数は正の相関を示し，続発骨折なしを基準とした続発骨折の死亡ハザード比（HR）は，男性で1回1.63，2回1.75，3回以上2.46，女性で1回1.42，2回2.03，3回以上1.92と報告した．股関節骨折のサブグループに注目した解析では，女性における単発の股関節骨折を基準としたOVF後の股関節骨折の死亡HRが2.90ともっとも高値であった．OVF診断後は骨折椎体の治療介入と同時に続発骨折予防のための適切な骨粗鬆症治療介入が重要である．

14) Toth E, Banefelt J, Åkesson K et al：History of previous fracture and imminent fracture risk in Swedish women aged 55 to 90 years presenting with a fragility fracture. J Bone Miner Res 35：861-868, 2020

15) Lee SB, Park Y, Kim DW et al：Association between mortality risk and the number, location, and sequence of subsequent fractures in the elderly. Osteoporos Int 32：233-241, 2021

謝　辞
本論文執筆にご協力いただいた北須磨病院脊椎・腰痛センター／京都大学大学院医学研究科地域医療システム学講座臨床疫学グループの土方保和氏に深謝申し上げます．

37. FESS (full-endoscopic spine surgery)

中島康博（なかじまやすひろ）
宏潤会大同病院 脳外科・脊椎センター

最近の動向

- 直径 1 cm にも満たない working canula と極小のスコープを用い，生理食塩水灌流下に行う経皮内視鏡下腰椎椎間板摘出術（percutaneous endoscopic lumbar discectomy：PELD）の呼称は，手術手技の特徴を明確化し，他の内視鏡手術との差別化を図るために 2018 年頃より国際的に全内視鏡脊椎手術（full endoscopic spine surgery：FESS）に変更されている．
- 各種のシステマティックレビューでは，FESS は顕微鏡手術症例や tubular retractor を利用した microendoscopic discectomy（MED）症例と比較して，合併症発生率においては有意差がないものの，小さな皮膚切開，少ない出血量，短い在院日数といった優位性をもつと報告している．また，MED 症例では硬膜損傷やヘルニア再発が多いとの報告が多い．低侵襲性においては FESS に優位性があるといえるであろうが，FESS 症例におけるヘルニア再発のリスクファクターとして早期歩行開始が報告されており，早期離床については再考が必要かもしれない．
- 本邦においてはまだ保険適応となっていないが，膝の関節鏡手術のように 2 本のポートを利用する unilateral biportal endoscopic discectomy（UBE）は，東アジア諸国を中心に近年飛躍的に症例数が増えている．まだ関連文献が少ないこともあるが，手術時間，術中出血量，在院日数，入院コストなどにおいて，FESS に優位性があるとする報告が散見される．
- FESS システムを用い，解剖学的に安全三角や Kambin’s triangle と称されるスペースから椎間板郭清と cage や移植骨を挿入する腰椎後方椎体間固定術 full-endoscopic trans-Kambin triangle LIF（KLIF）の症例も増えてきており，今後の症例の蓄積および臨床データの解析が待たれる．

AOSpine consensus paper による full endoscopic spine surgery (FESS) への名称統一

AOSpine consensus paper[1] は，極小の working-channel endoscope やその周辺機器およびこれらを使用する手術手技の進歩を受け，full endoscopic spine surgery（FESS）という手術手技の呼称を国際的に統一することを提言した．また，頚椎，胸椎，腰椎に対する FESS を分類した．全内視鏡下減圧術のうち，頚椎後方からの椎間孔拡大術は posterior endoscopic cervical

1) Hofstetter CP, Ahn Y, Choi G et al：AOSpine consensus paper on nomenclature for working-channel endoscopic spinal procedures. Global Spine J 10 (2 Suppl)：111S-121S, 2020

2434-9992/22/¥100/頁/JCOPY

foraminotomy（PECF）とした．胸椎の経椎間孔的椎間板摘出術は transforaminal endoscopic thoracic discectomy（TETD），腰椎の経椎間孔的椎間板摘出術は transforaminal endoscopic lumbar discectomy（TELD）とした．腰椎の経椎間孔的椎間孔拡大術は transforaminal endoscopic lumbar foraminotomy（TELF）とし，腰椎の経椎弓間スペース椎間板摘出術は interlaminar endoscopic lumbar discectomy（IELD），腰椎の経椎弓間スペース外側陥凹減圧術は interlaminar endoscopic lateral recess decompression（IE-LRD）とし，腰椎の片側侵入両側除圧術は lumbar endoscopic unilateral laminotomy for bilateral decompression（LE-ULBD）といった呼称，分類を提示している．

他の術式に対する FESS の優位性

Li ら[2]は，症候性腰椎椎間板ヘルニア 2,258 症例についてのシステマティックレビューを報告している．Full-endoscopic discectomy（FED，論文中では PELD と記載）症例群は，MED システム下での椎間板摘出術や顕微鏡下椎間板摘出術を受けた症例群に対して，疼痛や機能面の回復では有意差はなかったが，手術時間は有意に短かった．再手術率や合併症の発生率は各群で有意差はなかった．術中，術後出血の少なさ，術中組織ダメージの少なさは，FED が他の術式より優れているといえる結果になっている．

また，Xu ら[3]は，FED と MED の優劣について，術後 2 年間でのメタ解析を報告している．術後 2 年の時点において FED は MED と比較して合併症発生率，ヘルニア再発率，再手術率に有意差はなかったが，下肢痛 VAS スコアや ODI スコア，術後患者評価での excellent and good 獲得率においては有意差をもって優っていた．

これらのように，FESS は他の術式と比較して，術中，術直後の低侵襲性のみならず，中期的にも良好な結果を期待できる術式と考えてよいだろう．

FED の早期ヘルニア再発

Kim ら[4]は，FED 術後の早期ヘルニア再発のリスクファクターについて報告している．早期ヘルニア再発の定義は，術後少なくとも 2 週間は十分な除痛が得られ，術後 MRI でも完全なヘルニアの摘出がなされているにもかかわらず，ヘルニアの再発が術後 6ヵ月以内に確認されたものとしている．彼らは FED 症例 300 例を transforaminal inside-out approach 群，transforaminal outside-in approach 群，interlaminar approach 群にそれぞれ 100 例ずつに割り振り，RCT を報告している．再発率は 9.33％で，各群の再発率はそれぞれ 11％，10％，7％で有意差はなかった．再発までの期間は平均で 3.26ヵ月であった．BMI では，obese：17.57％（13/74），overweight：11.6％（9/77），

2) Li WS, Yan Q, Cong L et al：Comparison of endoscopic discectomy versus non-endoscopic discectomy for symptomatic lumbar disc herniation：a systematic review and meta-analysis. Global Spine J 12：1012-1026, 2022

3) Xu J, Li Y, Wang B et al：Minimum 2-year efficacy of percutaneous endoscopic lumbar discectomy versus microendoscopic discectomy：a meta-analysis. World Neurosurg 138：19-26, 2020

4) Kim HS, You JD, Ju CI et al：Predictive scoring and risk factors of early recurrence after percutaneous endoscopic lumbar discectomy. Biomed Res Int 2019：6492675, 2019

underweight：6.35％（4/63），normal weight：2.33％（2/86）と，BMI 25 kg/m^{2}以上のoverweight群とobese群では有意に再発率が高かった．Pfirrmannら[5]の提言しているMRI上の腰椎椎間板の変性スコアであるdisc degeneration scaleでは，grades 1〜2：2％（1/50），grade 3：7.4％（10/135），grades 4〜5：14.8％（17/115）と椎間板に変性が強いほど有意に再発率が高かった．その他，多椎間に併発するヘルニアでは，1 level：3.9％（5/128），2 levels：10.4％（13/125），3 levels：18.9％（7/37），4 levels：30％（3/10）と，多椎間にヘルニアを併発しているほど再発率が有意に高くなった．罹患椎間レベルでは，L1〜L2/L2〜L3/L3〜L4：3.95％（3/76）に対し，L4〜L5：14.6％（18/123）とL4/5レベルのヘルニアは有意に再発率が高かった．また，術後2日目以前の歩行開始群と術後3日目以上の臥床群では，ヘルニア再発率はそれぞれ16.42％（23/140）と3.13％（5/160）となり，早期歩行開始群では有意に再発率が高くなった．その他，術前，術後のVASや性別，年齢，Modic changeのタイプ分類，ヘルニアの位置，ヘルニア脱出のタイプ分類や術後のコルセットの有無などでは，有意差はなかった．

これまでは，その低侵襲性から早期離床や早期退院がFESSの最大のメリットの一つと考えられていたが，早期離床，早期退院の是非については再考が必要な時期に差し掛かっているのかもしれない．

Unilateral bipotal endscopic spine surgery (UBE) / bilateral endoscopic spine surgery (BESS)

UBEまたはBESSと呼ばれる本術式は，2013年にSoliman[6]が初めて報告したとされる．本邦においては，膝の手術などに使用される関節鏡の脊椎への応用が保険適応となっていないため，まだ普及していないが，韓国や中国を中心とした東アジア諸国で急速に普及してきている．この術式は生理食塩水灌流下にカメラポータルとワーキングポータルを独立させて行う内視鏡手術で，single portalで行うFESSと比較し，手術手技がより簡便となると考えられている．今後はbiportal専用の手術機器の販売も予定されるなど，本邦でも広がりをみせる可能性がある．

Zhuら[7]は，59本の関連論文を基に，単椎間手術に限定したFED群95症例とUBE群89症例について比較したシステマティックレビューを報告している．FED群はUBE群と比較し，手術時間が有意に短く（MD 35.36，95％ CI 4.67-66.04，p = 0.02），術後3日目の腰痛VASも有意に小さかった（MD 0.62，95％ CI 0.04-1.19，p = 0.04）．しかし，手術合併症や術後30日目の腰痛VAS，術後3日目と30日目の下肢痛VAS，術後30日目のODIは両群で有意差はなかった．また，Jiangら[8]もFED群30症例とUBE群24症例の比較検

5) Pfirrmann CW, Metzdorf A, Zanetti M et al：Magnetic resonance classification of lumbar intervertebral disc degeneration. Spine（Phila Pa 1976）26：1873-1878, 2001

6) Soliman HM：Irrigation endoscopic discectomy a novel percutaneous approach for lumbar disc prolapse. Eur Spine J 22：1037-1044, 2013

7) Zhu W, Yao Y, Hao J et al：Short-term postoperative pain and function of unilateral biportal endoscopic discectomy versus percutaneous endoscopic lumbar discectomy for single-segment lumbar disc herniation：a systematic review and meta-analysis. Appl Bionics Biomech 2022：5360277, 2022

8) Jiang HW, Chen CD, Zhan BS et al：Unilateral biportal endoscopic discectomy versus percutaneous endoscopic lumbar discectomy in the treatment of lumbar disc herniation：a retrospective study. J Orthop Surg Res 17：30, 2022

討をしている．合併症発生率や術後の VAS，ODI は両群で有意差はなかったが，UBE 群が周術期出血量や術中出血量の多さや手術時間の長さ，在院日数の長さ，入院コストの高さで FED 群より有意差をもって劣っていた．

UBE，BESS はまだ新しい手技であるために，関連文献は少ない．今後の症例の集積とデータの分析が必要と考える．

Uniportal endoscopic lumbar interbody fusion

Uniportal 全内視鏡下に椎間孔拡大と椎間板郭清，椎間板腔への cage 挿入と骨移植を行うこの術式については，まだ呼称が統一されていない．Kim ら[9～12]は，内視鏡下 posterolateral route にて上下の関節突起切除を伴う foraminoplasty を行った後に lumbar interbody fusion を行う手技を endo-TLIF または ETLIF と呼び，顕微鏡を使用した MIS-TLIF と比較しても治療効果や骨癒合率は遜色ないことを示した．また，内視鏡下 transforaminal route にて主に上関節突起切除のみを行った後に Kambin's triangle からの lumbar interbody fusion を行う手技は，KLIF（Trans-Kambin triangle lumbar interbody fusion）と呼ばれ，Wang ら[13]や Kolcun ら[14]は，局所麻酔と沈静下での KLIF 実施例を報告している．Kim ら[15]は，Kambin's triangle は解剖的に小さい症例もあるため，endo-TLIF に比べ KLIF では小さな幅広い footprint cage が使われることが多いと指摘している．Morgenstern ら[16]は，椎間板腔が狭小化した症例に対して expandable interbody spacer を用い，後方椎体固定術を内視鏡的に施行したことを 2011 年にすでに報告している．近年でも KLIF への expandable cage の利用例が増えている．Ishihama ら[17]は，全内視鏡下に Kambin's triangle からの lumbar interbody fusion を行う術式全般の呼称を KLIF に統一することを提言している．Kim, Sairyo ら[18]は，endo-TLIF と KLIF の優劣はないとしながら，KLIF に特有の合併症として，exiting nerve root injury と cage subsidence を挙げている．金属製の working cannula による神経圧迫によって exiting nerve root injury は発生しやすく，post-operative dysesthesia の原因となる．これを予防するには十分な foraminoplasty を追加し，広い working space を確保することを推奨している．また，全身麻酔下での適切な術中神経モニタリングや沈静を加えた局所麻酔下に KLIF を行うことも推奨している．KLIF における cage subsidence は，狭い Kambin's triangle からの椎間板操作，cage 挿入となるために椎間板の郭清時の終板損傷や小さすぎる footprint cage の使用，expandable cage の過度な拡張による終板損傷，移植骨の不足などが原因と考えられる．

また，椎間関節を切除する endo-TLIF 特有の合併症としては，外側陥凹付近での traversing nerve injury や硬膜損傷が挙げられる．適正な大きさの

9) Kim HS, Wu PH, Kim JY et al：Retrospective case control study：clinical and computer tomographic fusion and subsidence evaluation for single level uniportal endoscopic posterolateral approach transforaminal lumbar interbody fusion versus microscopic minimally invasive transforaminal interbody fusion. Global Spine J doi：10.1177/2192568221994796，2022［online ahead of print］
10) Kim HS, Wu PH, Jang I-T et al：Technical note on uniportal full endoscopic posterolateral approach transforaminal lumbar interbody fusion with reduction for grade 2 spondylolisthesis. Interdiscip Neurosurg 21：100712, 2020
11) Wu PH, Kim HS, Lee YJ et al：Uniportal full endoscopic posterolateral transforaminal lumbar interbody fusion with endoscopic disc drilling preparation technique for symptomatic foraminal stenosis secondary to severe collapsed disc space：a clinical and computer tomographic study with technical note. Brain Sci 10：373, 2020
12) Kim HS, Wu PH, Lee YJ et al：Technical considerations of uniportal endoscopic posterolateral lumbar interbody fusion：a review of its early clinical results in application in adult degenerative scoliosis. World Neurosurg 145：682–692, 2021
13) Wang MY, Grossman J：Endoscopic minimally invasive transforaminal interbody fusion without general anesthesia：initial clinical experience with 1-year follow-up. Neurosurg Focus 40：E13, 2016
14) Kolcun JPG, Brusko GD, Basil GW et al：Endoscopic transforaminal lumbar interbody fusion without general anesthesia：operative and clinical outcomes in 100 consecutive patients with a minimum 1-year follow-up. Neurosurg Focus 46：E14, 2019
15) Kim HS, Wu PH, An JW et al：Evaluation of two methods（inside-out/outside-in）inferior articular process resection for uniportal full endoscopic posterolateral transforaminal lumbar interbody fusion：technical note. Brain Sci 11：1169, 2021
16) Morgenstern R, Morgenstern C, Jané R et al：Usefulness of an expandable interbody spacer for the treatment of foraminal stenosis in extremely collapsed disks：preliminary clinical experience with endoscopic posterolateral transforaminal approach. J Spinal Disord Tech 24：485–491, 2011

working cannulaの使用や，Harrison cage sliderのようなendo-TLIF専用のcage sliderの使用などが予防策と考えられる．

慢性腰痛症に関する新しい知見とFESSの応用

Sairyoら[19]は，腰部伸展時に誘発されやすいとされる椎間板由来の慢性腰痛に対するFESSシステムを利用した新しい治療方法を報告している．Aprilら[20]は，椎間板由来の慢性腰痛の患者のMRI画像において，罹患椎間板の後方線維輪にT2WIにて高輝度を示す病変を認めることが多く，これをhigh intensity zone（HIZ）と名付け，HIZは椎間板由来の慢性腰痛のよい指標であることを1992年に報告している．Sairyoらのグループは，HIZを有する腰痛患者に椎間板造影も行い，造影剤が椎間板から線維輪に漏出する所見を発見した．この所見がHIZの原因と推定し，painful annulus tearと名付けている．FESSシステムで罹患椎間板，線維輪を実際に観察すると，このpainful annulus tearに一致する部位に赤く充血した線維輪が観察でき，この部位をラジオ波で焼灼するthermal annuloplastyの治療を行っている．Nakajimaら[21]やManabeら[22]は，このthermal annuloplastyを慢性腰痛に苦しむ一流のアスリートに施行し，良好な成績が得られたことを報告している．

さらにSairyoら[23]は，慢性腰痛を有する患者のMRI画像において，腰椎椎間板の上下の終板に生じるModic changeと呼ばれる信号変化に着目し，FESSシステムを利用した新しい治療方法を報告している．このModic changeというMRIでの画像所見は，1988年にModicら[24,25]が報告している．特にT1WIにて低輝度，T2WIにて高輝度を示すtype1 Modic changeは，炎症所見を示唆することが報告されており，Mannicheら[26]やJhaら[27]のように，type1 Modic changeと*Propionibacterium acnes*（アクネ菌）感染との関連を示唆する報告も散見されるが，いまだcontroversialといえる．Nakajimaら[21]は，FESSシステムにて椎間板内の洗浄，ドレナージをすると同時に，type1 Modic change症例においては，罹患椎間板の上下の骨性終板に血管豊富な繊維性組織が観察されることが多いため，この繊維性組織を凝固することで終板変化を改善できる可能性を提起し，full-endoscopic disc cleaning（FEDC）の有効性を報告している．

保存的治療に抵抗を示す椎間板由来の慢性腰痛やtype1 Modic changeを有する慢性腰痛に対しては，椎体間固定術が第一選択となっていたが，thermal annuloplastyやFEDCの有効性が確立できれば，腰痛治療の低侵襲化が加速していくものと期待している．

FESSの未来

FESSシステムや手術手技の進歩に伴い，FESSを脊椎変性疾患以外に導入

17）Ishihama Y, Morimoto M, Tezuka F et al：Full-Endoscopic Trans-Kambin Triangle Lumbar Interbody Fusion：Surgical Technique and Nomenclature. J Neurol Surg A Cent Eur Neurosurg 83：308-313, 2022
18）Kim HS, Wu PH, Sairyo K et al：A narrative review of uniportal endoscopic lumbar interbody fusion：comparison of uniportal facet-preserving trans-kambin endoscopic fusion and uniportal facet-sacrificing posterolateral transforaminal lumbar interbody fusion. Int J Spine Surg 15（suppl 3）：S72-S83, 2021
19）Sairyo K, Nagamachi A：State-of-the-art management of low back pain in athletes：Instructional lecture. J Orthop Sci 21：263-272, 2016
20）Aprill C, Bogduk N：High-intensity zone：a diagnostic sign of painful lumbar disc on magnetic resonance imaging. Br J Radiol 65：361-369, 1992
21）Nakajima D, Yamashita K, Takeuchi M et al：Full-endoscopic spine surgery for discogenic low back pain with high-intensity zones and modic type 1 change in a professional baseball player. NMC Case Rep J 8：587-593, 2021
22）Manabe H, Yamashita K, Tezuka F et al：Thermal annuloplasty using percutaneous endoscopic discectomy for elite athletes with discogenic low back pain. Neurol Med Chir（Tokyo）59：48-53, 2019
23）Sairyo K, Maeda T, Yamashita K et al：A new surgical strategy for the intractable chronic low back pain due to type 1 Modic change using transforaminal full-endoscopic disc cleaning（FEDC）surgery under the local anesthesia：a case report and literature review. J Med Invest 68：1-5, 2021
24）Modic MT, Masaryk TJ, Ross JS et al：Imaging of degenerative disk disease. Radiology 168：177-186, 1988
25）Modic MT, Steinberg PM, Ross JS et al：Degenerative disk disease：assessment of changes in vertebral body marrow with MR imaging. Radiology 166：193-199, 1988
26）Manniche C, O'Neill S：New insights link low-virulent disc infections to the etiology of severe disc degeneration and Modic changes. Future Sci OA 5：FSO389, 2019
27）Jha SC, Sairyo K：The role of Propionibacterium acnes in and Modic type 1 changes：a literature review. J Med Invest 67：21-26, 2020

している報告も増えてきた．Oharaら[28]は，歯突起後方偽腫瘍，頭蓋底陥入症，C1 assimilationを有する環軸椎亜脱臼の延髄や，高位脊髄の圧迫を伴う頭蓋頚椎移行部病変の3症例を提示しながら，FESSシステムを利用したtranscervical approachにて歯突起先端を切除する内視鏡手術を報告している．これまでは頭蓋頚椎移行部での歯突起切除は，transoralでのopen surgeryが第一選択となっていたが，手術視野やワーキングスペースが狭いうえに，手術野の口腔内細菌叢への曝露による術後感染や上気道狭窄などの手術合併症が多く，なかなか普及はしなかった．その後内視鏡手術の普及とともに，頭蓋頚椎移行部病変に対するtransoral approachやtransnasal approachでの内視鏡下減圧術が報告されるようになった．しかし，transoral approachでは術後感染や術後起動狭窄の問題，transnasal approachでは両外側や軟・硬口蓋以下といった解剖学的な死角の問題などがあり，それぞれのアプローチに適正な病変，病態があるものと考える．Wolinskyら[29]は，transcervical approachを報告しているが，前二者と同様に欠点もあった．近年ではRuettenら[30]がretropharyngeal approachによる術式を報告しているが，このアプローチは，広い視野を得ることができる一方で，C1前弓切除が必要であり，下顎や胸郭による内視鏡の視野の制限があった．Oharaらのアプローチは，Anderson 2型の軸椎歯突起骨折に対するodontoid screwの軌道と同様であり，脊椎外科医には非常に慣れた術野といえる．無菌部位のみを経由し，上位頚椎の力学的構造を大きく破壊せずに歯突起先端に到達できるこの内視鏡的なアプローチの有効性は大きいといえるだろう．

近年では，FESSシステムを利用した手術手技の適応は，脊椎変性疾患のみにとどまらず，腫瘍性病変や先天奇形などに関連する病変にも拡大している．昨今の頭蓋底手術における内視鏡手術の適応拡大はすさまじい勢いがある．FESSにおいても，低侵襲手術の恩恵を少しでも多くの患者に届けられるように研鑽を重ねていきたい．

28) Ohara Y, Nakajima Y, Kimura T et al：Full-endoscopic transcervical ventral decompression for pathologies of craniovertebral junction：case series. Neurospine 17（Suppl 1）：S138-S144, 2020

29) Wolinsky JP, Sciubba DM, Suk I et al：Endoscopic image-guided odontoidectomy for decompression of basilar invagination via a standard anterior cervical approach. Technical note. J Neurosurg Spine 6：184-191, 2007

30) Ruetten S, Hahn P, Oezdemir S et al：The full-endoscopic uniportal technique for decompression of the anterior craniocervical junction using the retropharyngeal approach：an anatomical feasibility study in human cadavers and review of the literature. J Neurosurg Spine 29：615-621, 2018

38. 脊髄・脊椎領域における exoscope

武藤　淳（むとう　じゅん）
藤田医科大学 脳神経外科

最近の動向

● Exosocpe（外視鏡）手術は，術野の外側に設置した高精細カメラで術野を撮影し，大画面モニターに映した術野画像を見ながら行うモニターサージェリーである．

●他科における腹腔鏡・胸腔鏡などの手術と同様，近年のレンズやカメラなどの小型高性能化および 3D 画像技術の発達で使用が増えつつある．脊髄脊椎領域でも外視鏡が使用されつつあり，顕微鏡と同程度であることが多数報告されてきている．

●メリットとしては，①モニターを見ながらの手術である“head-up surgery”は，術者・助手の姿勢が楽であるなどエルゴノミクス的にも優れる，②小さなカメラにより観察方向（角度）の自由度が高く，かつ術者の姿勢を変えずに手術ができる，③カメラの焦点距離が顕微鏡より長く，術野から離れた場所に設置が可能なため広いワーキングスペースが得られる，④広い空間により道具とカメラの干渉が少なく操作の自由度が高い，⑤術者の術野（視野）を大画面かつ 3D で見ることにより，手術スタッフ間の情報共有や医学教育（学生）の質の向上に寄与しうること，が挙げられる．

●一方，デメリットとしては，①焦点距離が長いため顕微鏡より拡大率が劣る，②デジタルズームによる高倍率画像は精細さに欠け，深さ感覚がわかりにくい，③ hand-eye coordination の再学習の必要性，が挙げられる．

外視鏡の歴史と特性

脊髄脊椎外科手術には，より「低侵襲」な手術を実現するため，拡大視は必須である．「低侵襲」とは，単に傷口が小さいだけでなく，余分な骨削除や剥離，露出を避け，手術内容の緻密化を図ることであると考える．肉眼の時代からマイクロルーペ，さらには顕微鏡の導入により術野を拡大し，微細かつ丁寧な操作が行われるようになった．そして近年，新しい拡大視の画像機器として「内視鏡」や「外視鏡」が脊髄脊椎外科手術にも導入されつつある．

いずれも手術操作のための術野拡大を得るシステムであるが，「顕微鏡」はレンズと光学システムを組み合わせて術野を拡大するのに対し，「外視鏡」はレンズおよびデジタルカメラとモニター（＝デジタルシステム）を用いる．ど

2434-9992/22/¥100/頁/JCOPY

ちらも鏡視下手術であるが，前者は肉眼視であるのに対し，後者はモニターサージェリーとなる点が大きく異なる．

外視鏡の先駆けとして，2D で，BrightMatter™ Servo（Synaptive Medical）が発売され，その後，Karl Storz より高解像度外視鏡の VITOM®が発売された．当初は 2D のみだったこともあり，なかなか普及しなかったが，full HD，4K と高解像度化が進み，3D 化により立体視が可能となり，脳神経外科手術に使用されるようになってきた．

「外視鏡」は，内視鏡から，あるいは顕微鏡から発展・開発されたものに分けられる．内視鏡から発展したものとして VITOM®（Karl Storz），EleVision™（Medtronic）（旧 Supervision iii（Visionsense）），また顕微鏡から発展した物として KINEVO® 900（Carl Zeiss），ORBEYE®（Olympus），HawkSight（三鷹光器）などがあり，「外視鏡」は内視鏡と顕微鏡との中間に位置しているように理解されている．また，使用方法からは「外視鏡」は顕微鏡と同様に位置づけられる．モニターを見ながらの手術（モニターサージェリー）であることから，一般に内視鏡外科術者のほうが受け入れやすい印象である．しかし，高画質で 3D 化された現在の外視鏡は顕微鏡よりメリットが多く，顕微鏡からの移行も問題ないと考える．下記に代表的な外視鏡を提示する．

VITOM®（Karl Storz）

外視鏡の先駆けであり，最初は 2D，現在は 3D が販売されている．解像度は 4K，倍率はデジタルズームで約 8～30 倍，フォーカス，ズームは手のみで調節する．鏡筒が小さく，術野とワーキングスペースを広くとれるが，操作性や高倍率時の画質，また 5-ALA/ICG 未対応な点が顕微鏡より劣る．同社の内視鏡との相性がよく，内視鏡と顕微鏡との併用よりも，同社の内視鏡と外視鏡の併用のほうが切り替えもスムーズである．本体とは別にカメラ固定用の機器（アーム）が必要であり，ユニアーム（三鷹光器）がよく使用されているようである．

EleVision™（Medtronic）（旧 Supervision iii（Visionsense））

EleVision™ は昆虫の複眼をコンセプトに多数のマイクロレンズ画像から 3D を構成しており，術者は疲れにくく，3D 酔いしにくいのが特徴である．解像度は Full HD，倍率は光学ズームで 1：2，デジタルズームで 1：10，フォーカス，は手のみで調節（ズームは別途フット・スイッチで対応可）．蛍光はインドシアニングリーン（ICG）のみだが，明視野での観察と蛍光強度の記録が可能で，明視野下で手技もできる点が特筆される．

KINEVO®900（Carl Zeiss）

KINEVO®900は顕微鏡としては勿論，鏡筒を搭載したまま，もしくは，鏡筒を取り外すことで外視鏡としても使えるように設計されている．焦点距離は220〜625 mmで，解像度は4K，倍率は光学ズームで1：6（約2〜16倍），フォーカス，ズームは手または足で調節可能．焦点距離が625 mmと長く，術者の頭上にカメラ（顕微鏡）を設置してモニターサージェリーが可能である．また，ある焦点を中心としたカメラの弧状移動ができる「ポイントロック機能」や登録位置にボタン1つで戻すことができる制御機構「ポジションメモリー機能」や血流分析が可能な「Flow 800」，ナビゲーションとの連動など，他にない機能を有する．外視鏡手術中にいつでもすぐに顕微鏡に戻ることができるのは，顕微鏡に慣れた術者には安心材料である．ただし，顕微鏡と同じサイズで機器が大きいこと，また，基本的に光学ズームであるため，焦点距離が長い外視鏡使用時の最大倍率が顕微鏡より劣ることが難点であるが，脊髄脊椎外科手術では問題ない．

ORBEYE®（Olympus）

ORBEYE®は形状から内視鏡型と思われているが，顕微鏡発展型である．焦点距離は220〜550 mmで，解像度は4K，倍率は光学ズームで1：6，デジタルズームで1：2，フォーカス，ズーム，光量の上下はボタンに割り付け可能で，顕微鏡と同様の操作ができるとともに，フット・スイッチでも調節可能となっている．カメラヘッドが小さくワーキングスペースを広くとることができ，さまざまな角度から観察可能で，エンドアームの技術を発展させたアームは動きが自在で取り回しがよい利点がある．ワンタッチオートフォーカスを搭載しており，フットスイッチでも対応可能である．いずれも他機種と同様，55型4Kの高画質大画面モニターでの観察で高い没入感を得ることができる．ナビゲーションとの連動がないこと，アームが短いこと，フットスイッチによる電動視野移動のバリエーションが少ない点が，やや劣る点である．

Hawk Sight（三鷹光器）

Hawk Sightは，長い焦点距離・高い拡大倍率・速いズーム・フォーカスが特記すべき特徴である．焦点距離は200〜1,000 mmで，解像度は4K，倍率は光学ズームで1：8，デジタルズームで1：2.5，フォーカス，ズームは手と足で調節可能となっている．顕微鏡同様にフットペダルでもカメラ操作，術野での微妙な調整が可能であり，ストレスが少ない．また，ICGの画像が鮮明で，明視野にoverlayして操作も可能である点，そしてZ軸方向の回転運動が大きい点も特筆される．5-ALA，fluoresceinの蛍光観察にも対応している．

外視鏡手術のメリット・デメリット

外視鏡のメリットとしては，①モニターを見ながらの手術である所謂“head-up surgery”は術者・助手の姿勢が楽であるなどエルゴノミクス的にも優れる，②小さなカメラにより観察方向（角度）の自由度が高く，かつ術者の姿勢を変えずできる，③カメラの焦点距離が顕微鏡より長く，術野から離れた場所に設置が可能なため広いワーキングスペースを得る，④広い空間により道具とカメラの干渉が少なく操作の自由度が高い，また，⑤術者の術野（視野）を大画面かつ3Dで見ることにより，手術スタッフ間の情報共有や医学教育（学生）の質の向上に寄与しうることなどが挙げられる．

脊髄脊椎外科手術において，特にメリットとなるのは，画像の精度が高いこと，焦点が広範囲でピントが合う範囲が広く観察しやすいこと，骨削除の際に椎体全体と限られた削除部位の両者を把握しやすいことである．実際に広い焦点領域はピントが合う深度の広さにもつながり，頻回のリポジショニング，フォーカス，ズームが不要で立体的な位置把握が容易となる利点がある．フォーカス，ズームなどカメラコントロールは術者の大事な操作だが，一度手術の手を止めて調節しなくてはならず，視軸の変化の多い脊髄脊椎外科手術では特に細かな調整が必要であり，頻回の操作中断は負担である．その点，外視鏡は負担を軽減しうると考える．また，チームとして成熟すれば，助手がスコーパー（scoper）となって，適宜，術者の見たいところにカメラのフォーカスとズームをもっていくことも可能になり，手術操作が止まることなく手術を進めることができるようになる．術者の姿勢に関しては，エルゴノミクス的に優れているとされる．外視鏡手術では，カメラヘッドを動かすだけで，術者助手の姿勢は変える必要がなく，体への負担が軽減される．顕微鏡手術では，左右方向からの視軸は患者ベッドを傾けることで何とか対応できるものの，頭尾側方向からの視軸は顕微鏡を傾ける必要があるため，術者や助手の姿勢への負担が大きく，大差がある．また，ルーペよりも拡大率と精細度が高く，かつ，奥まで光が届くためによく見え，出血点がしっかり確認できる[1]．

機種別では特にカメラヘッドが小さいORBEYE®などでは，より広いワーキングスペースを得る点もメリットと思われる．一方，HawkSightやKINEVO® 900は顕微鏡と同様のフットペダルにより，繊細なカメラワークが可能である．

一方，デメリットとしては，全体的に顕微鏡より拡大率が劣ること，それを補うデジタルズームによる高倍率画像は精細さが欠け，深さの感覚がわかりにくいことが挙げられる[2]．当初は，EleVision™やVITOM® 3Dではフォーカスやズームが手動であることや，ORBEYE®では繊細なカメラワークが難しいという課題が報告された．カメラヘッドが軽いため，視野の微調整がしにくい

1) Bai LL, Wang WT, Wang JF et al：Anterior cervical discectomy and fusion combined with foraminotomy assisted by high-definition 3-dimensional exoscope in the treatment of cervical spondylotic radiculopathy secondary to bony foraminal stenosis. Orthop Surg 13：2318-2326, 2021

2) Rösler J, Georgiev S, Roethe AL et al：Clinical implementation of a 3D4K-exoscope（Orbeye）in microneurosurgery. Neurosurg Rev 45：627-635, 2022

という点もいわれているが，外視鏡そのものというよりも固定アームや慣れの問題であり，次第に改善されてきている．また顕微鏡とは異なったhand-eye coordinationが必要であり，新たに学習曲線が必要である点も挙げられている．それに加えてカメラの角度とhand-eye coordinationに有意差があるという報告がある[3]．しかし，元々，顕微鏡自体も直視手術ではないことから，この問題も比較的短期間に解決されると考える．

実際の運用では，外視鏡は基本的にデジタル変換されたモニター画像を見て手術を行うため，デジタル変換やデータ転送に時間がかかりタイムラグが生じる可能性があることを認識しておく必要がある．しかし，この点について，筆者は実際の手術で問題を感じたことはない．また，デジタルズームを採用している機種では上述のように微細構造の精細さにかけることもあり，結合織の視認などの繊細な評価は顕微鏡には及ばないとされる．しかし，高倍率を使用しない脊髄脊椎手術では問題なく，大画面で高精細画像を詳細に観察ができるのは大きな利点である．

その他，KINEVO® 900やHawkSightのような大型外視鏡では，脊髄脊椎手術で使用するCアームとの配置調整が必要である．顕微鏡型に関しては，視軸と操作軸は顕微鏡同様であるため，カメラの前に手を出すと視野の妨げになるのは変わらないので操作に注意が必要である．また，脊髄脊椎手術は対面であるため，3D対応のモニターが2つ必要となる．助手のモニターは180度回転させることで対応できる．元々3D画像が苦手な人には向かず，長時間の手術では3D酔いを起こすことも指摘されている．手術途中で顕微鏡に戻す理由としては，明るさ不足や組織の視認不良，蛍光照射が必要であったなどの報告があるので，術前の準備・セッティングが大切である[4]．

部位・疾患別　外視鏡手術

頭蓋頚椎移行部病変

Visocchiらは，頭蓋頚椎移行部の病変に対する経口アプローチによるC0〜C3の減圧とC0〜C2後方固定を，O-Armを併用して外視鏡で施行した報告をしている[5,6]．内視鏡手術より自由度が高いこと，3Dで拡大率がよいこと，術中にO-Armで減圧範囲を確認することで十分な範囲を減圧できることをメリットとして挙げている．ただし，C1 lateral massへのスクリューをナビゲーション下で行うのは難しく，また，3Dから2Dへのナビゲーション対応も難しいため，従来のシステムより時間がかかることがわかった．さらには，習熟するのに時間がかかることもデメリットとしている．

3) Roethe AL, Landgraf P, Schröder T et al : Monitor-based exoscopic 3D4k neurosurgical interventions : a two-phase prospective-randomized clinical evaluation of a novel hybrid device. Acta Neurochir (Wien) 162 : 2949-2961, 2020

4) Burkhardt BW, Csokonay A, Oertel JM : 3D-exoscopic visualization using the VITOM-3D in cranial and spinal neurosurgery. What are the limitations? Clin Neurol Neurosurg 198 : 106101, 2020

5) Visocchi M, Mattogno PP, Ciappetta P et al : Combined transoral exoscope and OArm-assisted approach for craniovertebral junction surgery : light and shadows in single-center experience with improving technologies. J Craniovertebr Junction Spine 11 : 293-299, 2020

6) Visocchi M, Mattogno PP, Signorelli F : Exoscope and OArm : what we can learn in craniovertebral junction surgery. J Neurosurg Sci 65 : 616-617, 2021

頚椎病変

頚椎前方除圧固定術に対して，通常の顕微鏡手術と外視鏡手術とを比較した報告がある[1, 7]．手術時間，出血量，入院期間，術後症状改善や手術関連合併症には差がなく，道具の操作性も同等で，顕微鏡と外視鏡は同等であるとしている[1, 7]．なかには，外視鏡手術の方が手術時間が短く，手術関連合併症も少ないとする報告[8]や，画質や明るさは優れるという報告[9, 10]，教育や手術トレーニングに優れるとする報告がある[2, 4, 8, 10]．その一方，外視鏡の劣っている点は，深さの感覚，画質，明るさともされており[4, 7]，まだ評価は定まっていない．

胸椎病変

胸椎椎間板ヘルニアに対して使用し，明るい術野が得られ顕微鏡と変わらず使用できたという報告や[11]，腰椎後方椎体間固定術（transforaminal lumbar interbody fusion：TLIF）も問題なくできたとの報告がある[4]．

腰椎病変

ORBEYE®を用いた腰椎後方除圧術が多数報告されている[2, 4, 7, 12]．ORBEYE を使用した経椎間孔腰椎椎間板摘出術では，術中 X 線透視とナビゲーションの併用とチューブリトラクターの使用により，狭い術野ではあるが視軸と操作軸をずらして視野を得ることで，関節面の破壊を避け，椎間板ヘルニア摘出が可能であったと報告している[13]．VITOM® 3D を使用した腰椎前方椎体間固定術（anterior lumbar interbody fusion：ALIF）9 例の報告では，視認性が良好，道具のワーキングディスタンスがとれる，エルゴノミクス的配慮が利点とされ，内視鏡より優れ顕微鏡同等であると評価している．また，手術操作に 3D は必須であると報告している[2, 7, 14]．さらに使用当初は手術時間がかかるが，学習曲線を経るにつれて，手術時間が短縮されることも示されている[15]．

血管障害

VITOM® 3D での報告になるが，硬膜動静脈瘻も ICG を併用して問題なく治療が可能であった．ただ，操作と解剖構造の認識には劣ると報告されている[2]．

腫瘍性病変

VITOM® 3D を用いた，硬膜内髄外腫瘍に対する手術治療が報告がされている．高画質で明るい術野が得られ，合併症なく手術が施行できたこと，エルゴノミクスに配慮されており手術姿勢が楽であること，そして教育にもよいと

7) Siller S, Zoellner C, Fuetsch M et al：A high-definition 3D exoscope as an alternative to the operating microscope in spinal microsurgery. J Neurosurg Spine doi：10.3171/2020.4.SPINE20374, 2020［online ahead of print］
8) Yao Y, Xiong C, Wei T et al：Three-dimensional high-definition exoscope（Kestrel View Ⅱ）in anterior cervical discectomy and fusion：a valid alternative to operative microscope-assisted surgery. Acta Neurochir（Wien）163：3287-3296, 2021
9) Lin H, Chen F, Mo J et al：Cervical spine microsurgery with the high-definition 3D exoscope：advantages and disadvantages. World Neurosurg 161：e1-e7, 2022
10) Barbagallo GMV, Certo F：Three-dimensional, high-definition exoscopic anterior cervical discectomy and fusion：a valid alternative to microscope-assisted surgery. World Neurosurg 130：e244-e250, 2019
11) Kim M, Wainwright J, Stein A et al：Posterior transdural approach for a calcified thoracic intradural disc herniation using a 3-dimensional exoscope：2-dimensional operative video. Oper Neurosurg（Hagerstown）21：E44-E45, 2021
12) Murai Y, Sato S, Yui K et al：Preliminary clinical microneurosurgical experience with the 4K3-dimensional microvideoscope（ORBEYE）system for microneurological surgery：observation study. Oper Neurosurg（Hagerstown）16：707-716, 2019
13) Oren J, Kwan K, Schneider J et al：Minimally invasive navigated foraminal discectomy via contralateral approach using a 3-dimensional 4K high-definition exoscope：2-dimensional operative video. Oper Neurosurg（Hagerstown）19：E188, 2020
14) D'Ercole M, Serchi E, Zanello M et al：Clinical application of a high definition three-dimensional exoscope in anterior lumbar interbody fusion：technical note. Int J Spine Surg 14：1003-1008, 2020
15) Teo THL, Tan BJ, Loo WL et al：Utility of a high-definition 3D digital exoscope for spinal surgery during the COVID-19 pandemic. Bone Jt Open 1：359-363, 2020

いう結論であった[16]．またORBEYE®を用いた転移性腫瘍や神経鞘腫の報告では，途中で顕微鏡に変更する症例が最初の半年では90％に達していたが，後半の半年では52％に減少したと記載されている．変更理由は深部感覚把握およびhand-eye coordinationが困難なためであった[2]．

まとめ

脊髄脊椎外科手術にも外視鏡が導入されつつある．低侵襲という観点から考えると，顕微鏡手術と変わらないように感じられる．しかし，深部が明るくよく見えるとともに全体像を把握できるなど，術者の視認性が改善され，広い操作空間と術者と患者の身体的負担の減少で操作性が上がることで，骨削除など操作の正確性向上に寄与し，頻回の位置調整が減り，手術時間短縮となる可能性がある．今後，外視鏡が本分野の手術に拡大していくことが示唆される．

16）De Divitiis O, D'avella E, Denaro L et al：Vitom 3D：preliminary experience with intradural extramedullary spinal tumors. J Neurosurg Sci doi：10.23736/S0390-5616.19.04666-6, 2019［online ahead of print］

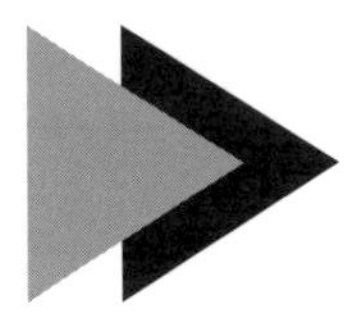

39. 脊髄・脊椎の画像診断

岩﨑素之（いわさき もとゆき）
北海道大学病院 脳神経外科

最近の動向

- MRI を用いた CSF flow study も Chiari 奇形や脊髄空洞症の研究で発展してきており，脊髄空洞内の流速の定量評価が病態解明に寄与している．
- また，MRI では diffusion tensor imaging（DTI）による tractography を用いた定量評価が試みられており，頚椎症性脊髄症などの予後予測因子の解析が進められている．
- DSA は主に脊髄動静脈奇形（arteriovenous malformation：AVM）に対して施行され，その所見から type 分類されるが，歴史的な type 分類の変遷があるため，それを把握し治療戦略を考慮することが重要である．また，より詳細で正確な画像所見の読影が必要で，dural AVF と誤認しやすい病態として radicular AVF および epidural AVF with intradural drainage があり，いずれも血管内治療より直達遮断が望まれる．
- PET または PET/CT に関する報告では，正常脊髄内での uptake の差があることが明らかになり，椎体では T8～11 にピークがあるが，脊髄は T11～12 がもっとも高い．PET と MRI を組み合わせることで，腫瘍摘出後の残存病変もしくは反応性変化に対する評価が可能になってきている．
- 術中支援画像としては，ultrasoundgraphy（US），contrast-enhanced US，indocyanine green videoangiography，navigation system などがさらに有効に活用されている．Navigation system はさらに robotic surgery と連動しており，将来的な発展性がある．また，deep learning の技術を応用して脊髄腫瘍の成分（実質，嚢胞など）を認識させる試みも始まっており，将来的には AI による診断が可能となると考えられる．

CSF flow study

Cine phase-contrast 法

Chiari 奇形における脊髄空洞の形成機序はいまだに多くの仮説が説かれ，一定の見解を得るに至っていない．この 20 年ほどで静的な評価から動的な評価へと shift が起きており，cine-phase contrast MRI が用いられるようになってきたが，脊髄空洞への直接の評価は行われてこなかった．世界的な標準評価法としてはHollyらが“Chiari malformation and syringomyelia”でまとめているように，tonsillar descentの程度（静的），foramen magnumでの脳幹の圧迫の程度（静的），そしてtonsil後面でのcardiac-gated CSF flowの研究（動的）が代表といえるだろう[1]．しかし，撮像法の工夫によっては脊髄空洞内に心拍と一致するような拍動性のjet flowがあるという印象が経験的にあり，定量的評価が待たれていた．

Luzziらは，Chiari malformation type Ⅰ患者の脊髄空洞において，cine phase-contrast MRIにより二相性の収縮期－拡張期のCSF拍動パターンが検出されたことを報告した[2]．**空洞内にはjet流が認められ**，空洞，脊髄前面，後面，foramen magnum（FM）でregion of interest（ROI）を設定してpeak velocity（cm/s）を定量評価すると，空洞内velocityは平均1.23（収縮期）～0.72（拡張期）cm/sであったが，FM decompressionの術後には空洞の縮小とともに収縮期および拡張期のflow velocityがほぼ消失した．他のすべてのROIでvelocityが術後減少することも確認された．また，premedullary cisternでのpeak systolic velocityの減少は術直後に起こり，失調や肝機能障害，頭痛の改善に関する予後予測因子になりうるとしている．著者らはこの事実がChiari奇形における脊髄空洞形成の機序として，OldfieldとHeissが唱えた“transmedullary” theory（FMの閉塞とherniated tonsilによるピストン効果がVirchow-Robin perivascular spaceを通じて髄液を髄内に移送させるとする説）に合致すると考えた．

4D flow image

iNPHの研究ではあるが，YamadaらはCSF dynamicsを4-dimensional imagingで解析し，iNPH患者のaqueductにかかるshear stressの増大およびMagendie孔の径に強い相関があったという事実から，Magendie孔がCSFのbackflowの第一関門ではないかと推察している[3]．このような研究が現在では可能であるため，Chiari奇形でも応用がなされれば，さらに病態解明に寄与できると想像される．

全脊髄レベルにCSFの4D flow MRIを従来の方法で行うと，10分程度要する．このことがCSF動態研究の阻害要因となっている可能性がある．しかし，近年広まってきたcompressed SENSE法を用いると40％程度の時間短縮が可能とする報告がある[4]．このようなさまざまな撮像法を組み合わせる工夫が必要かもしれない．

1）Holly LT, Batzdorf U：Chiari malformation and syringomyelia. J Neurosurg Spine 31：619-628, 2019

2）Luzzi S, Giotta Lucifero A, Elsawaf Y et al：Pulsatile cerebrospinal fluid dynamics in Chiari I malformation syringomyelia：predictive value in posterior fossa decompression and insights into the syringogenesis. J Craniovertebr Junction Spine 12：15-25, 2021

3）Yamada S, Ishikawa M, Ito H et al：Cerebrospinal fluid dynamics in idiopathic normal pressure hydrocephalus on four-dimensional flow imaging. Eur Radiol 30：4454-4465, 2020

4）Jaeger E, Sonnabend K, Schaarschmidt F et al：Compressed-sensing accelerated 4D flow MRI of cerebrospinal fluid dynamics. Fluids Barriers CNS 17：43, 2020

DTI

Diffusion tensor image（DTI）の動向

近年，3 Tesla MRI を用いた DTI の報告が増えてきており，以前の 1.5 Tesla での研究と比較すると ROI を囲む作業の際に使用する axial plane での拡散強調画像（diffusion weighted image：DWI）の空間分解能が格段に上昇し，精度が向上していると考えられる．さらに field-of-view（FOV）の低減を可能にした Zoom DTI などの撮像法により，より分解能を高められている．これらによる頚髄 MRI 撮像により，fractional anisotropy（FA），apparent diffusion coefficient（ADC）が従来と比較して高精度に算出され，各病態の把握や予後解析に役立てられる状況となってきている．

健常者の DTI

Zoom DTI による解析で，健常者において頚髄の FA 値は C2/3 から C6/7 と尾側へ向かうにつれ，肺尖部の air artifact や motion artifact により減少する．ADC はその逆である．健常の高齢者で頚椎変性のために軽度の脊髄圧迫があっても，この FA 値や ADC の動向は若年者と差がない．

頚椎変性疾患の DTI

上記の結果を踏まえて，Iwasaki らは Zoom DTI を用いて頚椎症性脊髄症患者 28 人に対し術前，術後 1 週，術後 6ヵ月の 3 点で FA および ADC 値を測定した．その結果，術前の FA 値は健常群と比較して有意差がなく，術後 1 週で FA 値は有意に低下するという従来の幾多の報告とは反対の所見が示された．また，1 週後の FA 値は術前と 6ヵ月後の JOA score と有意に相関していたことから，術前の FA 値は，変性疾患であるため周囲からの脊髄圧迫により（軸索の損傷が強くなければ）**“aligned fiber effect（軸索整列効果）”**により軽度の上昇効果で相殺されていると考えられた．そのため，術後の脊髄圧迫が解消されている状態が真の軸索の状態を反映しているので予後予測因子となり得たと思われる[5)]．このように，DTI は ROI を囲む際に手作業となるため，元になる axial plane の DWI 画像の空間分解度が低いと，周囲の髄液腔を多分に取り込み FA 値を低下させてしまうエラーが起きやすいことに注意しなければならない．

5) Iwasaki M, Yokohama T, Oura D et al：Decreased value of highly accurate fractional anisotropy using 3-Tesla ZOOM diffusion tensor imaging after decompressive surgery in patients with cervical spondylotic myelopathy：aligned fibers effect. World Neurosurg X 4：100056, 2019

脊髄腫瘍における DTI

脊髄腫瘍における DTI の使用報告は，その病気の希少性から，変性疾患や脳腫瘍と比較して多くはない．概ね，硬膜外あるいは硬膜内髄外による脊髄圧迫を反映するtractographyについての記述が多い．髄内腫瘍に関しては，境界不明瞭なastrocytomaなどは腫瘍内を軸索のtractが走行する描出となり，境界明瞭なependymomaのような腫瘍では，tractは髄内の辺縁に押しやられる描出となる．

Ogunladeらは，primary spinal astrocytoma（WHO grade ⅠまたはⅡ）に対し，epidemiology，画像，risk factorや予後について文献的レビューを行った[6]．その結果，通常のMRIでは腫瘍は頚髄49％，胸髄67％の分布で，その描出はT1WI hypointense，T2WI hyperintenseであり，Gd-DTPA造影ではheterogeneousにある程度の増強があるが，約3分の1は増強がみられない．嚢胞病変はよくみられる所見である．脊髄実質からの発生のため57％はeccentricに位置し，局所的な脊髄腫大をきたしている．DTIの役割については手術によるmorbidityへの影響を減少させるための手術プラン作成に有用であるが，限定的としている．この論文中ではZhaoらによるastrocytomaのtype分類を紹介している．すなわち，typeⅠ：infiltrating type，typeⅡ：displacement type，とした[7]．このtype分類はそもそも腫瘍の鑑別に基本的には役立つが，上記の変性疾患での理論と同様，FAなどの定量値に差が出ることが予想される．また，得られた定量値からは脊髄軸索の破壊の程度が予想され，病態解析や予後予測に役立つと思われる．

6) Ogunlade J, Wiginton JG 4th, Elia C et al：Primary spinal astrocytomas：a literature review. Cureus 11：e5247, 2019

7) Zhao M, Shi B, Chen T et al：Axial MR diffusion tensor imaging and tractography in clinical diagnosed and pathology confirmed cervical spinal cord astrocytoma. J Neurol Sci 375：43-51, 2017

Digital subtraction angiography（DSA）

Spinal arteriovenous shunts（SAVS）の病型分類

Spinal arteriovenous shunts（SAVS）は，DSAから得られた情報からその病型が分類される．歴史的に7つの分類が存在していたが，より実践的な観点からTakaiらはASVSの存在範囲からdural/intradural/extradural，そしてAVSのtypeから動静脈瘻（arteriovenous fistula：AVF）/動静脈奇形（arteriovenous malformation：AVM）と分類することで，この複雑な歴史的変遷を伴う分類をより明瞭に理解し，実践に役立てることを提案している[8]．すなわち，このtype分類によりmicrosurgeryまたはendovascular interventionのどちらが治療選択として適しているかを判定しやすいとしている．

8) Takai K, Komori T, Kurita H et al：Intradural radicular arteriovenous fistula that mimics dural arteriovenous fistula：report of three cases. Neuroradiology 61：1203-1208, 2019

特殊な病型：radicular/filum AVF

その分類の中でも稀な病態として，dural AVFと誤認されやすい**radicular AVF**の3例について別に報告している[8]．3例はすべてcevical regionであり，dural AVFのcommon regionであるthoracolumbarにはなかった．すべて一見してcervical dural AVFと類似するDSA画像所見を呈したが，椎骨動脈撮影の詳細な観察では，硬膜内の異常拡張したdraining veinは各症例の

C1/3/5 radicular artery と anterior spinal artery（ASA）の枝から feed されていた．このため，endovascular treatment は ASA 閉塞の risk から選択されず，すべて direct surgery が行われたとしている．頚椎高位では，常に ASA の関与を疑いながら詳細に DSA を検討する必要がある．

また，filum terminale に存在する AVF（**filum AVFs**）があるが，tethered spinal cord（lipoma）に関連する 3 例と関連しない 4 例について報告している．Filum AVFs は Adamkiewicz artery から栄養される anterior spinal artery の遠位から feed され，ascending filum vein に drain される．Lipoma が関連しない場合，主に Adamkiewicz artery は thoracic segmental artery からなるが，lipoma 関連の場合は低位円錐のため Adamkiewicz が腰動脈や仙骨動脈から originate していたという．治療の際には Adamkiewicz artery が低位にある脊髄を栄養しているため，fistula の高位の同定に特に気をつけるべきであると述べている[9]．

9）Takai K, Komori T, Taniguchi M：Angioarchitecture of filum terminale arteriovenous fistulas：relationship with a tethered spinal cord. World Neurosurg 122：e795-e804, 2019

Epidural AVF with intradural drainage：multicenter study

そして，画像診断の進歩により近年よく報告されるようになった epidural AVF の中でも，提唱される **type Va に当たる "with intradural drainage"** は，dural AVF と誤診されやすく，概念をよく理解して詳細な画像評価を行う必要がある．Takai，Endo，Yasuhara らがまとめた日本脊髄外科学会主導の multicenter study[10] は，epidural AVF に対する世界最多の cohort に対する研究であり，きわめて重要である．Epidural AVF with intradural drainage は複数の segmental artery から栄養され，epidural space で拡張した静脈叢を介し，intradural venous drainage へと通じるものと定義される．当研究では全国から 280 症例の dural または epidural AVF の DSA 画像が集められ，3 名の reviewer により詳細に検討され最終診断がなされた結果，36％の epidural AVF が dural AVF と誤診されていた．臨床上の特徴は両疾患ともに類似しており，60 歳代男性に多く，congestive myelopathy を生じ，1～2 年の長い経過で治療にたどり着いていた．過去の治療歴に関しては，興味深いことに dural AVF は fistula の存在高位より laminectomy や骨折高位は離れていたが，epidural AVF の全例で fistula は隣接高位であった．治療がなされた 81 の epidural AVF の内訳は 42 例が microsurgery，36 例が endovascular，3 名が combined treatment であった．Endovascular は initial treatment failure が有意に高かった．ほぼ transarterial に NBCA により行われていたが，31％が追加治療を要した．Venous plexus まで閉塞していれば AVF が完治したが，failure の多くは複数の feeder をもち，feeder occlusion に終わっていた．Microsurgery では 7.5％が failure であり，複数の intradural venous drainer が存在していた．

10）Takai K, Endo T, Yasuhara T et al：Microsurgical versus endovascular treatment of spinal epidural arteriovenous fistulas with intradural venous drainage：a multicenter study of 81 patients. J Neurosurg Spine　doi：10.3171/2020.2.SPINE191432, 2020［online ahead of print］

Feeding artery 本数の定量評価の試み

Spinal arteriovenous malformation（SAVM）に対する術前の詳細な評価が可能になってきている．一般的にSAVMはmultiple feederであることはしばしばであるが，DSAそのものの画像だけから確実に処置するべき複数のfeederを見逃さずにすべて同定するのは時に困難である．Takamiyaらは SAVMをretrospectiveに検討し，3D-DSAのデータ抽出可能な9人の患者のfeeding arteryとdraining veinのCT値を計測し，そのCT値-feeder/CT値-drainerの比（F/D ratio）を算出した[11]．その結果，feederの本数は平均2.3本であり，これは得られたF/D ratioと強い相関を示した．つまり，術前にfeeding arteryの数を正確に把握する補助的な示数となり得ることを初めて報告している．

Positron emission tomography（PET）

FDG-PET/CTの体内動態

Metastatic diseaseの三番目の好発部位が脊椎であることから，PETは非常に重要な検査であり，発展してきた．高頻度で使用されるのが^{18}F FDG-PETであり，転移の脊椎を同定することに使われる．Patelらは現在までのFDG-PETに関する報告をレビューした[12]．^{18}F FDG uptakeは細胞内糖代謝を反映しており，正常脊髄内においてもT11〜12 levelで，またそれより弱いがC4 levelで相対的に上昇している．椎体ではT8〜11にpeakがあるが，骨髄の活動度に連動するため，高齢では減少する．放射線加療を行った直後には炎症が惹起されているため^{18}F FDG uptakeが上昇するので，通常は治療評価目的のFDG-PETは放射線終了後8〜12週で施行すべきである．

PETとCTのfused imageは転移病変検索のgolden standardとなっているが，転移病変がosteolyticかosteoblasticにかかわらずuptakeは上昇する．非転移性病変に関して，外傷と年齢による椎体の変性は椎体転移病変との鑑別にもっとも考慮すべきことである．転移病変はnodular patternで，骨折はH型やlinear patternのuptakeとなることが鑑別点であり，骨折は2〜3ヵ月でuptakeが消失する．年齢による変性の場合，椎体終板や関節のuptakeが上昇することは特徴的だが，同部位に発生したosteoblastic/lyticな転移病変との鑑別は困難である．

FET-PETによる残存病変同定の試み

PET/MRIに関連する報告として，Marnerらが22人の小児脳脊髄腫瘍に対して^{18}F FET-PETを用いて解析している[13]．MRI単独では腫瘍摘出後の撮像

11）Takamiya S, Osanai T, Seki T et al：Estimation of the number of feeding arteries of spinal arteriovenous malformations by using three-dimensional digital subtraction angiography. Eur Spine J 28：842-848, 2019

12）Patel PY, Dalal I, Griffith B：[^{18}F] FDG-PET evaluation of spinal pathology in patients in oncology：pearls and pitfalls for the neuroradiologist. AJNR Am J Neuroradiol 43：332-340, 2022

13）Marner L, Nysom K, Sehested A et al：Early Postoperative ^{18}F-FET PET/MRI for Pediatric Brain and Spinal Cord Tumors. J Nucl Med 60：1053-1058, 2019

で病変の遺残の有無を正確に判定することは難しいが，^{18}F FET-PETと癒合することで残存病変同定の特異度が1.00となり，MRI単独時の0.75より有意に検出できたという．術後の反応性変化（reactive change）であっても^{18}F FET uptakeは52％と高頻度に認められたが，術後24時間以内に^{18}F FET-PETを撮像することで31％（それ以後の時間では71％）に抑えられた．

術中支援画像

Intraoperative ultrasonography（US）

脊髄腫瘍手術における術中支援画像の一つとして，超音波画像（US）がある．主に椎弓切除されたのちに導入され，脊髄内の腫瘍の局在と大きさを同定し，椎弓切除範囲が適切であるか確認することが一番の目的である．Hanらは術中USの支援のおかげで，他医では同定できなかった髄内腫瘍の局在を正確に認知し，全摘出可能であった例を含む全14例の髄内腫瘍について報告した[14]．そして，routineとして脊髄腫瘍手術で行うべきと考察しているが，日本国内ではすでに汎用されていると思われる．ただし，この中で頚胸髄レベルのependymomaに対し，contrast enhanced USの術中使用にて造影されるものは腫瘍辺縁が明瞭となると報告していることについては比較的新しい知見である．

14）Han B, Wu D, Jia W et al：Intraoperative ultrasound and contrast-enhanced ultrasound in surgical treatment of intramedullary spinal tumors. World Neurosurg 137：e570-e576, 2020

Indocyanine green（ICG）videoangiography

術中のICG血管造影に関する報告は2010年代から増加し，spinal surgeryでは主にarteriovenous malformationの直達遮断術で頻用されている．

Intramedullary tumorに対しては，主にhighly vascularized tumorであるhemangioblastomaに使用されている．Feeding arteryの遮断前に腫瘍本体に切り込むと出血多量となる問題があるため，ICGの使用により明瞭にfeeding arteryとdraining veinを同定することは有益である．Timoninらのレビュー[15]の中で，Takamiらは14例にICGを使用し，subtraction angiographyよりも明瞭に脊髄動脈を同定でき，術後の脊髄静脈への血液還流も明瞭になると述べている．大半のhemangioblastomaでは脊髄背側の表面に存在するのでこのように有用であるが，他の報告では腹側の局在の場合は困難になるとしている．ICGでのblood flowの定量化は，渉猟した限り脊髄関連では見当たらなかったが，脳のAVMにてKatoらが術後にFLOW®800を用いて行っており[16]，feeder, nidus, drainerによって流量の有意差は認めなかったものの，3 cm以上の大きいものでは有意にfeederのflow indexが大きかったとしている．

15）Timonin SY, Konovalov NA：Surgical treatment of intramedullary hemangioblastomas：current state of problem（review）. Sovrem Tekhnologii Med 13：83-94, 2021

16）Kato N, Prinz V, Dengler J et al：Blood flow assessment of arteriovenous malformations using intraoperative indocyanine green videoangiography. Stroke Res Treat 2019：7292304, 2019

Intraoperative navigation system

脊椎固定術におけるscrew misplacementはいまだに一定の確率で発生する

が，その克服のための最近の術中支援画像として navigation system の進化が著しい．従来の CT-based navigation は術前の CT であるため，可動域をもつ広い範囲の脊椎固定には体位などにより accuracy が低下する欠点があり術中の撮像による navigation へと shift し始めている．Banat らは C-arm（Arcadis Orbic 3D）+navigation（Brainlab, Munich, Germany）および O-arm（Medtroinic, Minnesota, USA）+ navigation（S7 Stealth Station）を使用して 1,614 本の screw について評価し，C-arm 使用群では 3.0%，O-arm 使用群では 3.5% に内側または概則の再挿入すべき breach を認めた．この結果から，術中 C-arm または O-arm navigation は有用であることが示されている[17]．

また，このような navigation system は脊椎腫瘍（primary/metastasis）の切除範囲の同定と確認に使用される[18]．

最近では robotic surgery と併用され，遠隔治療を行ったり，術中の surgeon が決めた trajectory などのプランに沿って robot arm がスクリューの穿刺を行うタイプのものもある．Robotics を使用して同様に screw placement の accuracy が向上したとの報告がある[19]．

Deep learning

脊椎腫瘍や脳腫瘍において deep learning（DL）の応用がなされてきていたが，直近では髄内腫瘍に対しての研究が報告され始めている[20]．脊椎腫瘍では metastasis や chordoma の自動抽出を行ったり，脳腫瘍では実質，嚢胞，浮腫の segmentation への試みが行われている．しかし，髄内腫瘍では独自の困難さがあり，脊椎腫瘍の手法はそのまま応用できない．すなわち，脊椎腫瘍モデルは腫瘍の区画が 1 つに設定されており，multiple component をもつ髄内腫瘍とは構造的に異なることが多い．また，周囲の組織も骨と脊髄というように異なっている．脳腫瘍モデルとの差異はその小さな size と空間の広がり方（anisotropic dimension），周囲の脳脊髄液の存在の有無，呼吸および循環が影響する motion artifact の大きな影響などが挙げられる．これらを脊髄の長軸（centerline）を同定して周囲 30 mm を切り取り（crop），腫瘍，嚢胞，浮腫に segmentation するという段階的な手法により克服を目指した（cascaded architecture）．これらを ependymoma，astrocytoma，hemangioblastoma に対して行った結果，脊髄の localization にはほぼ成功した．髄内腫瘍に関しては T2WI にて中等度の hyperintensity area は浮腫と，あるいは高度の hyperintensity area は嚢胞や空洞と誤認が生じたりするなど，腫瘍本体の分画の同定より Dice score が低値であったが，crop しない方法と比較してすべて，特に浮腫の同定精度が改善した．

17) Banat M, Wach J, Salemdawod A et al：The role of intraoperative image guidance systems (three-dimensional C-arm versus O-arm) in spinal surgery：results of a single-center study. World Neurosurg 146：e817-e821, 2021
18) Kelly PD, Zuckerman SL, Yamada Y et al：Image guidance in spine tumor surgery. Neurosurg Rev 43：1007-1017, 2020
19) Kochanski RB, Lombardi JM, Laratta JL et al：Image-guided navigation and robotics in spine surgery. Neurosurgery 84：1179-1189, 2019
20) Lemay A, Gros C, Zhuo Z et al：Automatic multiclass intramedullary spinal cord tumor segmentation on MRI with deep learning. Neuroimage Clin 31：102766, 2021

Ⅶ章　水頭症

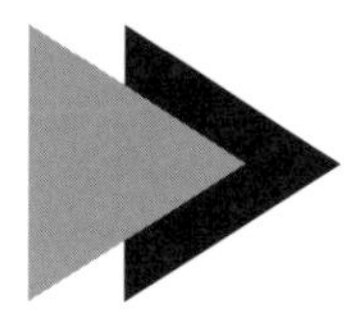

40. 正常圧水頭症 診断と治療

中島　円
順天堂大学医学部 脳神経外科学講座

最近の動向

- 脳脊髄液（CSF）は，脳活動で産生された老廃物を洗浄する役割があり，正常圧水頭症の病態下では，CSF のクリアランスの停滞が，さまざまな特徴的症候発現に寄与する．
- 特発性正常圧水頭症の診断では，特徴的症候を捉えたうえで，画像所見が重要となり，高位円蓋部および正中部で狭小化，シルビウス裂や脳底槽で拡大したくも膜下腔の不均衡性が，“DESH 所見”として，CSF シャント介入の決定に大きく寄与する．
- 治療は CSF シャントに唯一エビデンスがあるが，その効果にばらつきがあり，術前に併存する神経変性疾患を鑑別し，正確な予後予測を行い，患者に情報提供していくことが今後の課題となる．

診　断

正常圧水頭症の分類

本稿で扱う正常圧水頭症（normal pressure hydrocephalus：NPH）は，成人慢性水頭症と同義である．「**特発性正常圧水頭症診療ガイドライン 第３版**」では，くも膜下出血や髄膜炎など先行する疾患が明らかで，NPH 症候を発現する二次性正常圧水頭症（secondary NPH），先天性水頭症の症状遅発例，遺伝子異常を明らかとした家族性，特発性正常圧水頭症（idiopathic normal pressure hydrocephalus：iNPH）に分類される[1]．さらに iNPH は，脳解剖学的な変容－高位円蓋部・正中部の狭小化した脳溝所見などを有した disproportionately enlarged subarachnoid space hydrocephalus（DESH）型と非典型例の non-DESH 型に分類される．iNPH の診断技術の向上から，近年の疫学調査では 70 歳代の発症頻度が 2.1％であり，さらに 80 歳代以降では 8.9％と，加齢に伴い増加する高齢者疾患として認識され[2]，的確に診断，治療介入が行われれば，高齢者の日常生活の活動性が改善できる疾患として，社会の高齢化とともに重要性を増している．本稿では，いまだ発症原因が不明であり，鑑別方法などで議論される iNPH の診断と治療を中心に述べる．

1) Nakajima M, Yamada S, Miyajima M et al：Guidelines for management of idiopathic normal pressure hydrocephalus（third edition）：endorsed by the Japanese Society of Normal Pressure Hydrocephalus. Neurol Med Chir（Tokyo）61：63-97, 2021

2) Andersson J, Rosell M, Kockum K et al：Prevalence of idiopathic normal pressure hydrocephalus：A prospective, population-based study. PLoS One 14：e0217705, 2019

2434-9992/22/¥100/頁/JCOPY

iNPHの診断

iNPHは，加齢に伴う脳脊髄液（cerebrospinal fluid：CSF）の排泄障害を基盤とする病態であり，脳室拡大と，三徴と呼ばれる特徴的な歩行障害，排尿障害，認知機能障害，さらにはアパシーを主とした行動・心理症状（behavioral and psychological symptoms of dementia：BPSD）を伴う症候群である．iNPHの診断は，①症候（歩行障害，認知機能障害，排尿障害etc.），②脳形態/神経画像検査（MRIまたはCT），③CSF検査（CSFサンプル，ドレナージテスト）によって，suspected iNPH→possible iNPH→probable iNPHと，段階ごとに診断を進め，CSFシャント介入によりdefinite iNPHの診断に至る[1]．診断アルゴリズムの中で，典型的な開脚小刻みすり足歩行を認め，かつ脳形態でDESH所見を有した場合は，CSF排除試験（タップテスト）をスキップし得る[3]．しかしながら，タップテストは特徴的な症候が認められるにもかかわらずnon-DESH型である慢性水頭症患者を，probable iNPHとして診断するために必須の検査であり，またiNPHシャント治療の歩行障害，認知機能障害の改善を予測する検査として，有用である[4,5]．

iNPHの症候

「歩行障害」，「認知機能障害」，「排尿障害」はiNPH症候の三徴と呼ばれる．神経学的には口とがらし反射，眉間反射，パラトニア，手掌おとがい反射などの前頭葉障害が認められ，パーキンソン病に類似した運動機能低下や寡動がみられる．

「歩行動作」は，小さく緩慢になり，開脚歩行（broad-based gait），歩幅の減少（small- step gait），足の挙上低下（magnetic gait）が歩容の変化として特徴的である．歩行速度は低下し，特に方向転換時に不安定になることから，3 m Timed Up & Go Test（TUG）による時間，歩数が定量評価として多く用いられる．歩行障害の出現はiNPHを診断するうえで，ほぼ必要条件とされていることから，タップテストの陽性判定においても，TUG，10 m直進歩行検査が用いられる．

「認知機能障害」は，軽症でも精神運動速度が低下し，注意機能，ワーキングメモリーが障害を受けやすい．総じてiNPHでは，前頭葉と関係する認知機能が障害されやすい．神経心理検査は，ミニメンタルステート検査（Mini Mental State Examination：MMSE）が全般的な認知機能を評価し，広く使用されている．欧州重症度分類で使用されるRey Auditory Verbal Learning Test（RAVLT），Grooved Pegboard test，選択的注意や抑制を評価できるStroop color-naming testとinterference testを組み合わせた評価は，iNPHに併存する他の認知症神経変性疾患を鑑別し得た[6]．認知症に伴うBPSDは，ア

3) Vibha D, Tripathi M：Normal-pressure hydrocephalus-patient evaluation and decision-making. Neurol India 69（Supplement）：S406-S412, 2021

4) Griffa A, Bommarito G, Assal F et al：CSF tap test in idiopathic normal pressure hydrocephalus：still a necessary prognostic test? J Neurol doi：10.1007/s00415-022-11168-x, 2022［online ahead of print］

5) Nakajima M, Yamada S, Miyajima M et al：Tap test can predict cognitive improvement in patients with iNPH-results from the multicenter prospective studies SINPHONI-1 and -2. Front Neurol 12：769216, 2021

6) Kamohara C, Nakajima M, Kawamura K et al：Neuropsychological tests are useful for predicting comorbidities of idiopathic normal pressure hydrocephalus. Acta Neurol Scand 142：623-631, 2020

ルツハイマー病と比較すると頻度は少ないが，その中では意欲の低下（アパシー）がもっとも多く認められる．

「排尿障害」は，最初は尿意切迫や夜間頻尿などの症状が現れ，過活動膀胱に伴う切迫性尿失禁へ進行する．ウロダイナミクス検査による評価では，最大膀胱容積は健常者よりも小さく，シャント術後に87％のiNPH患者に改善が認められた．排尿障害の評価方法は，定量化されたエビデンスレベルの高い検査がなく，実際の臨床では患者および家族，介護者からの聞き取り評価となる．

iNPHの脳形態／神経画像所見

DESHは，脳室拡大に加え，高位円蓋部および正中部のくも膜下腔が狭小化する一方で，シルビウス裂や脳底槽が拡大するという，くも膜下腔の不均等性に着目した成人慢性水頭症にみられる画像所見である．画像評価によりDESH所見を有した慢性水頭症は，シャント治療により症状改善が期待できることから，iNPH患者を抽出するバイオマーカーとなった．DESH所見を中心とした総合的かつ段階的な評価で画像所見をスコア化したRadscaleが提唱されている．DESH所見を①脳室拡大（Evans Index：EI＞0.3），②シルビウス裂開大，③高位円蓋部・正中部くも膜下腔狭小化，④脳梁角の狭小化，⑤脳溝の局所拡大（CSFのプーリング現象），⑥側脳室下角の幅の拡大，⑦脳室周囲低吸収域（periventricular hypodensities：PVH）の7項目計12点で評価したRadscaleは，iNPH症候の重症度と相関が示されている．健常高齢者とiNPHを区別し[7]，さらにiNPHと脳血管性認知症，進行性核上性麻痺，多系統萎縮症との鑑別診断に有用であると報告されている[8]．Radscaleの①から⑤項目までが重複してスコアリングされているDESHスコアでは，シャント後の日常生活動作の改善と相関することが示されたのに対し，⑥側脳室下角幅の開大，⑦PVH項目の加わるRadscaleは，タップテストの反応性との関連は薄く，逆に側脳室下角の幅は小さいほうがよい反応性を示す[9]．これは側脳室下角幅の開大が，多大に海馬の萎縮性変化が反映されるため，アルツハイマー病などの萎縮性変化を伴う神経変性疾患の併存が影響したものと推察される．

DESH型には症候を示さないiNPHのプレクリニカルステージがある．無症候性の状態はasymptomatic ventriculomegaly with features of iNPH on MRI（AVIM）と呼ばれる．AVIMを3年間追跡調査した結果，半数以上に新たに症候を示すようになり，17％／年でiNPHに至ると報告された[10]．また，Miyazakiらは，DESH所見の中でも高位円蓋部・正中部くも膜下腔狭小化が最初の変容であり，iNPH病態の誘因としての重要性を指摘している[11]．

水頭症の脳環境では，脳形態だけでなく，拍動運動・ダイナミクスにも変化

7) **Kockum K, Virhammar J, Riklund K et al：Diagnostic accuracy of the iNPH Radscale in idiopathic normal pressure hydrocephalus. PLoS One 15：e0232275, 2020**

8) Fällmar D, Andersson O, Kilander L et al：Imaging features associated with idiopathic normal pressure hydrocephalus have high specificity even when comparing with vascular dementia and atypical parkinsonism. Fluids Barriers CNS 18：35, 2021

9) Laticevschi T, Lingenberg A, Armand S et al：Can the radiological scale "iNPH Radscale" predict tap test response in idiopathic normal pressure hydrocephalus? J Neurol Sci 420：117239, 2021

10) **Kimihira L, Iseki C, Takahashi Y et al：A multi-center, prospective study on the progression rate of asymptomatic ventriculomegaly with features of idiopathic normal pressure hydrocephalus on magnetic resonance imaging to idiopathic normal pressure hydrocephalus. J Neurol Sci 419：117166, 2020**

11) Miyazaki K, Ishii K, Hanaoka K et al：The tight medial and high convexity subarachnoid spaces is the first finding of idiopathic normal pressure hydrocephalus at the preclinical stage. Neurol Med Chir（Tokyo）59：436-443, 2019

があり，解剖学的特徴変化を説明する可能性が提起されている．CSF 動態では，呼吸や心拍による速い運動と，排泄経路を捉えたクリアランスの動きがあり，これらは別々に考察する必要がある．前者では Yamada らが，4D flow MRI という三次元空間での CSF の動きと脳室壁にかかる剪断応力（shear stress）を計測し，iNPH 患者は中脳水道での拍動運動と逆流率および壁の shear stress が大きいことを報告している[12]．また，Martinoni らは，iNPH との鑑別診断上重要である，late-onset idiopathic aqueductal stenosis（LIAS）を前向きに評価した[13]．LIAS は iNPH と同様の症状を呈するが，治療はシャントではなく，神経内視鏡的第三脳室底開窓術（endoscopic third ventriculostomy：ETV）が選択される．診断は，膜様構造物を識別し，中脳水道の解剖構造が鍵となる．術後の認知機能の改善は，主に注意力・遂行機能，視覚・空間記憶，言語遂行機能，行動・感情領域で認められた．病態生理学的な洞察により，iNPH の CSF 動態メカニズムの理解にも役立ち，鑑別診断に貢献している．一方後者では，MRI の拡散テンソル画像（diffusion tensor imaging：DTI）を用いて，拡散係数（apparent diffusion coefficient：ADC）や拡散異方性度（fractional anisotropy：FA）を算出し，脳白質線維の状態を評価する報告が散見される．iNPH 病態では，脳室周囲白質において間質液の水分子の運動が大きくなっており，脳梁や内包前脚，皮質脊髄路などにおいて，健常者と比較し神経線維の障害が示唆される．Keong らは，DTI の「プロファイル」に含まれる組織の特徴をマッピングすることで，軽度外傷性脳損傷，NPH，アルツハイマー病患者の脳傷害パターンの違いによって疾患の特徴づけを行い，異なる疾患を区別することに成功している[14]．

脳内老廃物の蓄積と認知機能障害の関係が注目されるようになり，特に睡眠中は CSF が脳実質内に入りやすくなり，間質液空間が拡大するため，覚醒時に比べて脳内の老廃物が効率的に排出されることが明らかになっている．CSF 量の増加は，水拡散率の増加を引き起こすとの考えから，MRI を用いて脳内の水分を ADC の変化として捉えようとする試みがなされた．結果，特に小脳において，ADC の変化が観察され，睡眠中に CSF 量が増加する可能性が示唆された[15]．また iNPH 患者において DTI analysis along the perivascular space（DTI-ALPS）を用いて，CSF，脳代謝産物の排泄経路として有力な仮説となったグリンパティックシステムを評価しようとする試みもある[16]．Akiyama らが報告したプロトン核磁気共鳴スペクトロスコピー（magnetic resonance spectroscopy：MRS）を用いた高分子（macromolecules：MMs）と脂質を含む脳内代謝物の評価では，iNPH 病態では健常者と比較しこれらの物質が有意に増加しており，CSF の停滞とともに脳代謝産物の排泄経路の障害が示唆された[17]．また Aso らは，単一光子放射断層撮影（single photon emission computed tomography：SPECT）により，静脈排出能の障害を評価

12) Yamada S, Ito H, Ishikawa M et al：Quantification of oscillatory shear stress from reciprocating CSF motion on 4D flow imaging. AJNR Am J Neuroradiol 42：479-486, 2021
13) Martinoni M, Miccoli G, Riccioli LA et al：Idiopathic aqueductal stenosis：late neurocognitive outcome in ETV operated adult patients. Front Neurol 13：806885, 2022
14) Keong NC, Lock C, Soon S et al：Diffusion tensor imaging profiles can distinguish diffusivity and neural properties of white matter injury in hydrocephalus vs. non-hydrocephalus using a strategy of a periodic table of DTI elements. Front Neurol 13：868026, 2022
15) Demiral SB, Tomasi D, Sarlls J et al：Apparent diffusion coefficient changes in human brain during sleep - Does it inform on the existence of a glymphatic system? Neuroimage 185：263-273, 2019
16) Kikuta J, Kamagata K, Taoka T et al：Water diffusivity changes along the perivascular space after lumboperitoneal shunt surgery in idiopathic normal pressure hydrocephalus. Front Neurol 13：843883, 2022
17) Akiyama Y, Yokoyama R, Takashima H et al：Accumulation of macromolecules in idiopathic normal pressure hydrocephalus. Neurol Med Chir (Tokyo) 61：211-218, 2021

する perfusion lag-mapping という手法を報告し，iNPH における脳室拡大の機序として，静脈排泄能の障害を仮説として挙げている[18]．

iNPH の CSF 所見

iNPH 診断で possible iNPH から probable iNPH へ進むためには，腰椎穿刺による CSF 検査を必要とする．頭蓋内圧は 20 cmH_2O 以下で，かつ CSF の性状（細胞数，蛋白濃度）は正常である必要があり，二次性正常圧水頭症（secondary NPH）を除外する役割をもつ．CSF 中に含まれる蛋白やペプチドの測定報告がされるようになり，病態解明に貢献している．これらの多くの報告は，βアミロイド（$A\beta_{42}$）や総タウ（t-tau），リン酸化タウ濃度（p-tau）に関するもので，いずれもアルツハイマー病の病理変化を反映するバイオマーカーであり，健常者とアルツハイマー病，iNPH の鑑別に有効である．iNPH では総じて，$A\beta_{42}$ は低下しており，t-tau，p-tau は，健常高齢者よりは高値，あるいは変化なしであるが，アルツハイマー病よりも低値であるとされる．iNPH 患者の髄液中 $A\beta_{42}/A\beta_{40}$ 比の低下，t-tau，p-tau の増加は，iNPH とアルツハイマー病の併存を示唆していると考えられており，シャント介入による症状の改善が乏しいと報告される[19,20]．

Jeppsson らは，iNPH と皮質下小血管障害の患者を対象にバイオマーカーの比較研究を行った[21]．病態生理学的な類似点と相違点を探るため，皮質下の損傷とリモデリングについては amyloid precursor protein（APP）代謝，皮質下の神経変性についてはニューロフィラメントライト蛋白質（neurofilament light chain L：NfL），アストログリア反応についてはグリア線維性酸性蛋白質（glial fibrillary acidic protein：GFAP），脱髄についてはミエリン塩基性蛋白質（myelin basic protein：MBP），皮質下の組織の再モデリングについてはマトリックスメタロプロテイナーゼ（matrix metalloproteinases：MMP）を選択した．iNPH と subcortical small-vessel disease（SSVD）の患者および健常対照者を調査した結果，iNPH と SSVD の CSF バイオマーカーのパターンは類似しており，健常対照者とは異なった．iNPH と SSVD の病態生理には共通した特徴を示し，両者の病態の相互関係より，iNPH 病態が「特発性」ではなく，「血管に関連した」病態である可能性が示された．

病態生理を探求するうえで，シャント治療後のバイオマーカーの変化に着目した報告も散見される．アルツハイマー病関連蛋白の中でも，神経毒性の高い Aβ重合体（Aβオリゴマー，AβO）濃度は，iNPH 病態ではアルツハイマー病群とは有意差がないものの，パーキンソン病，進行性核上性麻痺，健常高齢者よりも高値となる．特に 9 量体以上の $A\beta O^{10\text{-}20}$ が，シャント治療後に CSF 中の濃度が低下した iNPH 群では，長期予後で認知機能の改善が認められた[22]．iNPH 病態下での CSF クリアランスの停滞が，シャント治療後に改善

18) Aso T, Sugihara G, Murai T et al：A venous mechanism of ventriculomegaly shared between traumatic brain injury and normal ageing. Brain 143：1843-1856, 2020

19) Kanemoto H, Mori E, Tanaka T et al：Cerebrospinal fluid amyloid beta and response of cognition to a tap test in idiopathic normal pressure hydrocephalus：a case-control study. Int Psychogeriatr doi：10.1017/S1041610221000661, 2021［online ahead of print］

20) Hua R, Liu C, Liu X et al：Predictive value of cerebrospinal fluid biomarkers for tap test responsiveness in patients with suspected idiopathic normal pressure hydrocephalus. Front Aging Neurosci 13：665878, 2021

21) Jeppsson A, Bjerke M, Hellström P et al：Shared CSF biomarker profile in idiopathic normal pressure hydrocephalus and subcortical small vessel disease. Front Neurol 13：839307, 2022

22) Kawamura K, Miyajima M, Nakajima M et al：Cerebrospinal fluid amyloid-beta oligomer levels in patients with idiopathic normal pressure hydrocephalus. J Alzheimers Dis 83：179-190, 2021

したことを反映したものと考察されている.

その他, iNPH 診断に有用なバイオマーカーとして, leucine-rich alpha-2-glycoprotein (LRG)[23], protein tyrosine phosphatase receptor type Q (PTPRQ)[24], 脳型トランスフェリンが報告されている. これらはiNPHのCSFを網羅的にプロテオーム解析し, 変動が認められたバイオマーカーである. 特にLRG, PTPRQは, 本邦とフィンランドの多国間で評価され, iNPH患者で健常高齢者より高値を示し, 疾患鑑別に有用とされている. ただし, LRGは慢性炎症に反応性に発現し, 加齢とともに増加することが知られ, その後の研究で, 進行性核上性麻痺やレビー小体型認知症 (dementia with Lewy bodies : DLB) などの神経変性疾患でも増加することが示された. またPTPRQは, 脈絡叢, 脳室上衣細胞由来で, より脳室サイズの大きな先天性水頭症の症状遅発例では, iNPHよりもさらに高値となると報告されており, 髄液中のPTPRQ濃度は, 脳室の拡大による脳室壁のダメージを反映していると考察されている[24].

23) Vanninen A, Nakajima M, Miyajima M et al : Elevated CSF LRG and decreased Alzheimer's disease biomarkers in idiopathic normal pressure hydrocephalus. J Clin Med. 10 : 1105, 2021
24) Nakajima M, Rauramaa T, Mäkinen PM et al : Protein tyrosine phosphatase receptor type Q in cerebrospinal fluid reflects ependymal cell dysfunction and is a potential biomarker for adult chronic hydrocephalus. Eur J Neurol 28 : 389-400, 2021

iNPHの併存疾患・鑑別診断

iNPHと診断されたが, 術後転帰が不良となる患者では, まずシャントシステムが機能しているか, 適正量ドレナージが行われているかを確認すべきである. しかし, シャントシステムに問題がない場合, 特に長期経過では, iNPH病態に他の神経変性疾患が併存する可能性も考慮しなければならない. 先述のようにiNPH病態には, 多くの併存する神経変性疾患があるにもかかわらず, 「特発性正常圧水頭症診療ガイドライン第3版」においても, 診断アルゴリズムにはiNPHの症状, 所見に類似する疾患との鑑別プロセスが含まれておらず, 併存疾患の有無によって手術適応を判断するには至っていない. iNPH患者に変性疾患が併存していても, タップテストでの症状改善という条件をクリアした場合, シャント術による改善効果は短期では認められる. ただし, シャント効果の持続性は, 限定的であるとする意見が多い.

手術適応の診断を行う際に, 脳血流シンチグラフィやドパミントランスポーターによる評価 (dopamine transporter scintigraphy : DAT シンチグラフィ) などの核医学による画像診断[25]や髄液バイオマーカー診断などで, これらの併存疾患まで特定することが理想である. その併存により, 運動症状に影響を与えるパーキンソン病, DLBは, αシヌクレイン異常症という包括的な疾患概念で捉えられる. iNPH患者でも, 62%にDATシンチグラフィで線条体に集積低下が認められると報告される. ただし, パーキンソン病関連疾患と異なり, 左右差がなく, 尾状核に優位であることが特徴として挙げられている[26,27].

一方, アルツハイマー病は, 認知症状をきたすiNPHに併存するもっとも多

25) Ishii K : Diagnostic imaging of dementia with Lewy bodies, frontotemporal lobar degeneration, and normal pressure hydrocephalus. Jpn J Radiol 38 : 64-76, 2020
26) Pozzi NG, Brumberg J, Todisco M et al : Striatal dopamine deficit and motor impairment in idiopathic normal pressure hydrocephalus. Mov Disord 36 : 124-132, 2021
27) Sakurai A, Tsunemi T, Ishiguro Y et al : Comorbid alpha synucleinopathies in idiopathic normal pressure hydrocephalus. J Neurol 269 : 2022-2029, 2022

い神経変性疾患である．脳実質に沈着したAβを反映するAβ陽電子放出断層撮影（positron emission tomography：PET）やCSF所見などにより，鑑別する手法が数多く報告されている．しかし，iNPHにおける脳生検組織診の結果，約半数にアミロイドプラークが確認されたとも報告されており，アルツハイマー病理像を合併するiNPH患者は，相当な割合で存在すると推察されている．iNPHの精神神経症状について理解が深まり，神経心理検査によりiNPHの特徴を捉え，併存する神経変性疾患で型別する試みが報告される．iNPHでは認知機能障害やアパシーが強く認められる特徴があるが[28]，アルツハイマー病の併存をアミロイドPET，あるいはCSFのp-tau濃度，$A\beta_{42}$などで診断した患者では，アルツハイマー病を併存すると有意に遂行機能の悪化も認められる[29]．アルツハイマー病併存iNPHでは，シャント治療後も遂行機能は改善に乏しいことも報告されており，シャント治療介入に際しては留意が必要である．

マレーシア，シンガポール，英国（エディンバラ，オックスフォード）の多国籍チームは，併存疾患の影響に注目し，NPHと神経変性疾患を併存するコホートにおいて脳室腹腔（ventriculo peritoneal：VP）シャント後の臨床反応を評価している[30]．彼らはiNPH患者をClassicとComplex（パーキンソン病，アルツハイマー病，血管性認知症を合併）の2つのカテゴリーに分類し，1年以上追跡調査した．併存疾患の程度をiNPHの可能性が高いか低いかの基準で層別化し，併存疾患をさらに定義することで，患者に対してより専門的な治療プロトコールを提供することができると結論づけた．iNPHに併存する変性疾患の有無は，長期予後に影響するため，主治医はシャント術の介入を決定する前に併存神経変性疾患を同定し，患者および家族に，術後予想される成果と経過の情報を提示する必要がある．

iNPHとアルツハイマー病は，アミロイド沈着，t-tauおよびp-tauの制御異常など，共通する病態を有し，治療の分子標的として類似した特徴がある．ともに睡眠障害，脳内代謝老廃物，Aβプラークの蓄積，血管周囲の反応性アストログリア症，アストロサイトのアクアポリン-4（AQP4）の誤局在などの症状を示し，グリンパティックシステムの機能低下が示唆されている[31]．Torrettaらは，スフィンゴ脂質の定量的評価を行い，iNPH疾患発症時は，いくつかの因子が細胞のホメオスタシスの維持に寄与しており，超長鎖スフィンゴ糖脂質には保護的役割があり，Aβなどの神経毒性蛋白質の過剰発現を抑制していると報告した[32]．特定の超長鎖スフィンゴ糖脂質をモニタリングすることで，iNPHを早期診断し得る．恒常的な脳代謝とCSF動態を回復させることにより，脳の健康状態を改善する新たな治療戦略につながる可能性がある．

28) Macki M, Mahajan A, Shatz R et al：Prevalence of alternative diagnoses and implications for management in idiopathic normal pressure hydrocephalus patients. Neurosurgery 87：999-1007, 2020
29) Niermeyer M, Gaudet C, Malloy P et al：Frontal behavior syndromes in idiopathic normal pressure hydrocephalus as a function of Alzheimer's disease biomarker status. J Int Neuropsychol Soc 26：883-893, 2020
30) Goh ET, Lock C, Tan AJL et al：Clinical outcomes after ventriculo-peritoneal shunting in patients with Classic vs. Complex NPH. Front Neurol 13：868000, 2022
31) Reeves BC, Karimy JK, Kundishora AJ et al：Glymphatic system impairment in Alzheimer's disease and idiopathic normal pressure hydrocephalus. Trends Mol Med 26：285-295, 2020
32) Torretta E, Arosio B, Barbacini P et al：Novel insight in idiopathic normal pressure hydrocephalus（iNPH）biomarker discovery in CSF. Int J Mol Sci 22：8034, 2021

治　療

シャント手術

iNPHの治療として，CSFのシャント手術がゴールドスタンダードで，いまだその他の治療には，確固たるエビデンスはない．シャント手術法には，VPシャント，脳室心房（ventriculo atrial：VA）シャント，腰部くも膜下腔腹腔（lumbo peritoneal：LP）シャントが主に行われる．各手術法には一長一短があり，また術後の成績に大きな有意差は認められていない．バルブの種類は，現在は圧可変式バルブが主流であるが，最近では流量調節型バルブもiNPH治療に有用であると報告されるようになってきた[33]．

アルツハイマー病やパーキンソン病など併存疾患を有したiNPHに対するシャント介入も，長期予後では併存疾患のないiNPHより劣るものの，近年，治療効果が証明され始めた．αシヌクレイン異常症が併存する場合でも，日常生活自立度（modified Rankin Scale：mRS），パーキンソン病の障害評価（Hoehn and Yahr scale）だけでなく，生命予後を改善させた[34]．

iNPH典型例に対するシャント治療の介入は，2年以上改善を維持することで，介護負担費を軽減し，医療経済的にも黒字化し，推奨すべき治療法となる[35]．

シャント治療の展望

シャント治療により，もっとも治療効果が得られるシャント圧調整，CSFの排出量は明らかにされていない．脳萎縮性変化を含め，経時的な脳環境の変化があり，またこの変化は個々の患者で異なることから，疾患病態に対応する適正なバルブ圧の調整が必要であると考えられる．また著しい体重変化でシャント機能不全が生じることも報告されている．体重増加ではアンダードレナージ，体重減少ではオーバードレナージになる．Kamoらは，体重によるシャント機能不全の5症例で，シャント機能不全の前，後の圧力環境評価を行ったところ，アンダードレナージの4例は平均体重増加6.8 kgで歩行障害が悪化しており，オーバードレナージの1例は体重減少10 kgで無症状の慢性硬膜下血腫が発生していた[36]．体重増加に伴い，頭蓋内圧が8.8 mmHg，腹腔内圧が4.8 mmHg上昇し，体重減少の患者では頭蓋内圧，腹腔内圧ともに5 mmHg低下していた．シャント術後早期に最適な弁圧設定を行い，初期に改善がみられた場合でも，数年後に再び残存症状が悪化することがあり，バルブ圧の再調整が必要である．Yamadaらは，シャント術後および長期的な最適な圧力の調整を検討し，症状改善を最大にするためにはシャント後6ヵ月から1年後に弁圧を1段階（2〜4 cmH_2O）下げ，1ヵ月後に頭部CTスキャンを行う管理方法

33）Wetzel C, Goertz L, Noé P et al：Flow-regulated versus differential pressure valves for idiopathic normal pressure hydrocephalus：comparison of overdrainage rates and neurological outcome. Acta Neurochir（Wien）162：15-21, 2020

34）Sakurai A, Tsunemi T, Shimada T et al：Effect of comorbid Parkinson's disease and Parkinson's disease dementia on the course of idiopathic normal pressure hydrocephalus. J Neurosurg doi：10.3171/2022.1.JNS212282, 2022［online ahead of print］

35）Tinelli M, Guldemond N, Kehler U：Idiopathic normal-pressure hydrocephalus：the cost-effectiveness of delivering timely and adequate treatment in Germany. Eur J Neurol 28：681-690, 2021

36）Kamo M, Kajimoto Y, Ohmura T et al：Weight and abdominal pressure-induced shunt trouble in patients with shunted normal pressure hydrocephalus：a comprehensive study on pressure environment of shunt system. Front Neurol 13：882757, 2022

を推奨している[37]．前述したCSFクリアランスの正常化の観点からは，脳老廃物を最大量排泄することがシャント治療の目標となるが，オーバードレナージは，頭痛や慢性硬膜下血腫などシャント合併症を惹起し，圧調整にあたっては過剰排泄による症状が出現しないように，十分注意を払う必要がある．サイフォンガードシステムや重力デバイスなど，過剰排出防止デバイスの併用が合併症を減少させる効果があるものの，硬膜下血腫のように徐々に血腫が増大する場合は，シャントシステムはCSF排出により頭蓋内圧を一定に保ち続けるため，圧迫による血腫増大の抑止力が働かない．シャント流を体動の静水圧格差を動力とする現行のシャントシステムは，体内留置後のデバイスから直接情報が得られず，慢性硬膜下血腫などの過剰排出による合併症を完全に防ぐことは，原理的に困難である．手術後合併症を防ぐために，細心の注意を払って患者の外来診察期間を短期間とし，診察頻度を増やすことが必要となっている．将来は，体内埋め込み型デバイスから，エレクトロニクス技術を活用して生体情報を収集でき，シャント機能不全や最適流量を個々の患者で予測するような発展を期待したい．

37）Yamada S, Ishikawa M, Nakajima M et al：Reconsidering ventriculoperitoneal shunt surgery and postoperative shunt valve pressure adjustment：our approaches learned from past challenges and failures. Front Neurol 12：798488, 2022

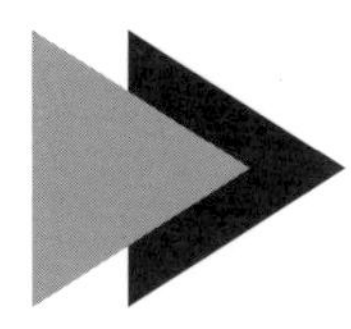

41．小児の水頭症

室井　愛（むろい　あい）
筑波大学医学医療系 脳神経外科

最近の動向

- 小児において水頭症の原因は先天性，脳室内出血，髄膜炎，腫瘍などさまざまであるが，次世代シークエンサーを用いたゲノム解析により先天性水頭症の発症に関与する遺伝子が同定されており，今後発症機序の解明や新たな治療法の開発が期待される．
- 脳室内出血に対する内視鏡洗浄を含む血腫除去を積極的に行うことで，長期的に脳室腹腔シャントを回避したり，神経学的予後の改善に有用である可能性が示されている．
- 神経内視鏡的第三脳室底開窓術（ETV）や ETV＋脈絡叢焼灼術（ETV/CPC）とシャントについてはさまざまな比較が行われており，ETV もしくは ETV/CPC のほうが合併症が少ないとする報告が多い．しかし，最近のメタアナリシスでは有効性や合併症の発生率に有意な差は明らかとなっていない．小児の水頭症の原因は多様であるため，症例ごとに適切な治療を選択する必要がある．

先天性水頭症のゲノム解析

水頭症の原因は先天的，後天的とさまざまだが，遺伝的要素があるものは約40%とされている．これまで明らかになっている水頭症と関連する遺伝子異常には *L1CAM* や *MPDZ* などがあるが，いまだ不明な点も多い．Jin らは 381 人の孤発性の先天性水頭症（脊髄髄膜瘤や二次性水頭症は除外）で，次世代シークエンサーによるゲノム解析を行った[1]．**17%の症例で *de novo* mutation があり，なかでも *TRIM71, PTEN, SMARCC1, FOXJ1, PIK3CA* の 5 つの遺伝子は複数の蛋白産生に影響を及ぼしており，水頭症発症との関連が高いと考えられた．**同じ研究グループによりその中でも *TRIM71* が神経上皮系の細胞に特異的に発現しており，*TRIM71* 遺伝子異常により神経上皮細胞への分化が障害される．先天性水頭症の原因は従来いわれてきた髄液循環不全ではなく，皮質形成不全などによる二次的なものであることが示された[2]．改めてゲノムの解析から中枢神経系の発生について検証することにより，先天性水頭症の病態解明がさらに進み，新たな治療法が開発されることが期待される．

1）Jin SC, Dong W, Kundishora AJ et al：Exome sequencing implicates genetic disruption of prenatal neuro-gliogenesis in sporadic congenital hydrocephalus. Nat Med 26：1754-1765, 2020

2）Duy PQ, Weise SC, Marini C et al：Impaired neurogenesis alters brain biomechanics in a neuroprogenitor-based genetic subtype of congenital hydrocephalus. Nat Neurosci 25：458-473, 2022

2434-9992/22/¥100/頁/JCOPY

脳室内出血に対する内視鏡洗浄術

新生児，特に低出生体重児，における脳室内出血は水頭症の原因として稀ではない．水頭症により頭囲拡大を呈しても脳室腹腔シャントを行うには体重が不十分な場合，脳室帽状腱膜下シャント（ventriculo subgaleal shunt：VSgS）や脳室ドレナージ，髄液リザーバー留置などを行い，体重増加を待ってシャントを行うことが多い．**脳室内の血腫をより積極的に除去することで髄液の交通性を改善させるだけでなく，炎症性変化を押さえることでシャントが必要な水頭症の発生を減らし，multiloculated hydrocephalus や高次脳機能障害の予防に有用とする報告が近年増えている．**Park らはウロキナーゼを脳室内に投与し，血腫を溶解させてドレナージを併用することで，86％でシャントは不要だったと報告しており，早期の血腫除去がシャントの回避に重要であると強調している[3]．

Frassanito らは脳室内出血後水頭症後に VSgS のみを行っていたが，大きな血腫を伴う症例では内視鏡洗浄を併用するプロトコールにしてからの治療成績を報告した[4]．63 例中 14 例で内視鏡洗浄を併用し，生存した 58 例中 51 例で最終的にシャントが必要になっている．58 例中 14 例で multiloculated hydrocephalus となっていたが，内視鏡洗浄を併用した症例では 1 例のみだった．従来の治療に内視鏡洗浄を組み合わせることで，より複雑な水頭症病態になるのを防ぐのに有効であることが示唆されている．Tirado-Caballero らも脳室内出血後水頭症の 46 例の新生児（平均出生週数 30.04 週，平均出生時体重 1,671.86 g）に対して，内視鏡洗浄を行っている[5]．この研究では髄液リザーバーや脳室ドレナージなどは留置していないが，洗浄後シャントを要したのは 58.7％で，シャントの 1 年生存率は 50％だった．同一施設の過去の症例と比較すると，高次脳機能や運動機能などが良好である可能性が示唆されていた．Schaumann らも 80 例の脳室内出血後水頭症に対する内視鏡治療について報告している[6]が，ここでも内視鏡洗浄を初期治療として行われ，うち 41.2％で最終的にシャントを要しなかった．感染（4.9％），髄液漏，硬膜下水腫などの合併症がみられたが，治療による死亡はなかった．Honeyman らの報告でも 26 例中 17 例でシャントが必要だったが，髄液漏や感染，再出血などの合併症がみられた[7]．これらの報告では脳室内出血に対する積極的な内視鏡洗浄術の使用は有用だが，低出生体重児，特に水頭症症例では頭囲拡大により頭皮が薄く髄液圧が高いため，合併症に対して十分対策をすることが必要である．

内視鏡洗浄や血栓溶解療法を含む血腫除去の報告に対するメタアナリシスでは，脳室ドレナージ，血栓溶解薬の投与，灌流による血腫溶解，神経内視鏡による洗浄術などを比較しているが，シャントが必要な率や合併症には有意な差はなかった[8]．低出生体重児の脳室内出血後水頭症に対する内視鏡洗浄術は

3）Park YS, Kotani Y, Kim TK et al：Efficacy and safety of intraventricular fibrinolytic therapy for post-intraventricular hemorrhagic hydrocephalus in extreme low birth weight infants：a preliminary clinical study. Childs Nerv Syst 37：69-79, 2021
4）Frassanito P, Serrao F, Gallini F et al：Ventriculosubgaleal shunt and neuroendoscopic lavage：refining the treatment algorithm of neonatal post-hemorrhagic hydrocephalus. Childs Nerv Syst 37：3531-3540, 2021
5）Tirado-Caballero J, Rivero-Garvia M, Arteaga-Romero F et al：Neuroendoscopic lavage for the management of posthemorrhagic hydrocephalus in preterm infants: safety, effectivity, and lessons learned. J Neurosurg Pediatr 26：237-246, 2020
6）Schaumann A, Bührer C, Schulz M et al：Neuroendoscopic surgery in neonates–indication and results over a 10-year practice. Childs Nerv Syst 37：3541-3548, 2021
7）Honeyman SI, Boukas A, Jayamohan J et al：Neuroendoscopic lavage for the management of neonatal post-haemorrhagic hydrocephalus：a retrospective series. Childs Nerv Syst 38：115-121, 2022
8）Kandula V, Mohammad LM, Thirunavu V et al：The role of blood product removal in intraventricular hemorrhage of prematurity：a meta-analysis of the clinical evidence. Childs Nerv Syst 38：239-252, 2022

シャントを回避するためには有効な治療法かもしれないが，ランダム化比較試験（RCT）などによる検証が必要である．現在，脳室内出血後の脳室ドレナージや内視鏡洗浄などの治療の有効性を検証するために多国籍多施設の前向き観察研究であるTROPHY registryが開始されている[9]．

シャント手術

シャント手術は水頭症の原因にかかわらず長期的にみるとシャント機能不全を起こし，複数回のシャント再建が必要となることが問題となる．北米の水頭症研究グループHydrocephalus Clinical Research Network（HCRN）は術後早期（30日以内，10.5%）・超早期（7日以内，6.6%）のシャント機能不全について検討している[10]．機能不全をきたしやすい要因としてはシャント機能不全の既往（$p = 0.011$），水頭症の原因（出血後，$p = 0.005$）などが挙げられ，特に超早期の機能不全には手術時の年齢が関連していた（$p = 0.042$）．一方で，一般的に脳室がスリットだと機能不全を起こしやすいとされているが，本研究では機能不全の有意な要因ではなかった．

もっともよく行われているシャント手術は脳室腹腔（ventriculo peritoneal：VP）シャントだが，脳室心房（ventriculo atrial：VA）シャント，脳室胸腔（ventriculo pleural：VP l）シャントなどさまざまな手技があり，それぞれについて長期成績の報告がある．Rymarczukらは単一施設で水頭症に対してシャントを行った連続544例について，VPシャント（459例，平均2.3歳）とVAシャント（85例，平均7.8歳）の予後を比較した[11]．VPシャントで感染が有意に多く（4.0% vs 0.01%，$p < 0.05$），Kaplan-Meyer生存曲線を用いたシャント生存期間比較ではVPシャントのほうが有意に生存期間が長く（1,991日 vs. 940日，$p = 0.01$），この傾向は7歳未満の小児で特に顕著だった．生存期間の中央値はVPシャントが5.5年に対し，VAシャントは2.6年だった．これは成長に伴うVAシャント延長も再手術に数えていることに留意する必要があり，これらの症例を除外するとVPシャントとVAシャントの生存期間に有意差はみられなかった．Gmeinerらも VAシャントの長期予後について解析している[12]．対象症例のうち初回手術としてVAシャントを行ったのが69%で，手術時日齢は91日（中央値）だった．フォロー期間中の手術の回数は，初回VAシャント群で初回VPシャント群より少なかった（5回 vs 10回，$p = 0.04$）．初回VAシャントの61例のうち，最終的には62%がVPシャントに25%がVAシャントとなっていた．YamashitaらもVAシャントを行った28小児例について報告しているが，うち27例（96.4%）で再建術が必要であり，もっとも多い原因は遠位側の閉塞だった[13]．VAシャントは有用であるが小児においては成長に伴う閉塞や計画的な再建術が必要であることが多く，VPシャントとの選択は個々の症例において検討する必要がある．

9) Thomale UW, Auer C, Spennato P et al：TROPHY registry-status report. Childs Nerv Syst 37：3549-3554, 2021

10) Hauptman JS, Kestle J, Riva-Cambrin J et al：Predictors of fast and ultrafast shunt failure in pediatric hydrocephalus：a Hydrocephalus Clinical Research Network study. J Neurosurg Pediatr 27：277-286, 2020

11) Rymarczuk GN, Keating RF, Coughlin DJ et al：A comparison of ventriculoperitoneal and ventriculoatrial shunts in a population of 544 consecutive pediatric patients. Neurosurgery 87：80-85, 2020

12) Gmeiner M, Wagner H, van Ouwerkerk WJR et al：Long-term outcomes in ventriculoatrial shunt surgery in patients with pediatric hydrocephalus：retrospective single-center study. World Neurosurg 138：e112-e118, 2020

13) Yamashita S, Kimiwada T, Hayashi T et al：Reconversion to ventriculoperitoneal shunt following ventriculoatrial shunt malfunction in children. Childs Nerv Syst 37：2207-2213, 2021

VA シャントの報告に対して VP l シャントの報告は少ないが，Christian らはシャント感染や腹部の手術歴などがあり VP シャントの代替として VP l シャントを行った 170 例の長期成績について検討している[14]．43％で再建術を要し，再建術を行うまでの期間は平均 1.5 年だった．そのうち 30％は治療を要する胸水貯留を合併し，10 歳未満でより頻度が高かった．VP l シャントの 5 年生存率は 54％で，同施設の VP/VA シャントと比較しても劣らなかった．

VA シャント，VPl シャントともに VP シャントが腹部の合併症などで施行できない場合に選択されることが多いが，成長に伴う変化や年齢ごとに起こりうる合併症について注意して症例を選んで実施すべきである．

神経内視鏡的第三脳室底開窓術（endoscopic third ventriculostomy：ETV）

ETV は水頭症に対する治療としてすでに確立されているといってよいが，基本的には非交通性水頭症に対して適応となる．交通性水頭症の場合 ETV の有効率が低いため，ETV を行う場合，脈絡叢焼灼術（choroid plexus cauterization：CPC）を同時に行う ETV/CPC として施行することがある．ETV 治療効果の予測には，手術時年齢，水頭症の原因，シャントの既往をスコア化した ETV Success Score（ETVSS）が広く用いられているが，若年で出血や感染が原因の場合 ETVSS は低くなるため，髄膜炎に起因する新生児の水頭症などに対して ETV を行う場合は CPC を併せて行うことが多い．ETVSS の他には術中橋前槽で脳底動脈を直視できることなども予測因子として有用とされているが，Tsuda と Ihara は術前 MRI で脳室周囲の T2 強調画像で高信号域がみられること（transependymal flow：TEE）が ETV success の有意な予測因子であることを示した（オッズ比（OR）13.57）[15]．

腫瘍による非交通性水頭症の場合，感染や腹腔内播種のリスクが低い ETV を用いることも多い．Sherrod らは，腫瘍が原因の水頭症に対して ETV を行った文献のシステマティックレビューを行い[16]，腫瘍の種類や摘出前後などの患者背景は統一されていないが，ETV の感染リスクは低く，failure rate（追加治療が必要になる割合）は 6〜38.6％で，シャントと同等であることを示した．

ETV vs シャント

小児に限らず水頭症に対する治療としてはシャントか ETV を用いることが多く，それぞれに注意すべき点があることは前述の通りである．これまでにも **ETV（もしくは ETV/CPC）とシャントとのランダム化比較試験なども行われており，有効性に差がないことが示されてきた**．このように ETV の有効性が示され手技も標準化されてきたこともあり，ETV を行う頻度が増えてきてい

14) Christian EA, Quezada JJ, Melamed EF et al：Ventriculopleural shunts in a pediatric population：a review of 170 consecutive patients. J Neurosurg Pediatr 28：450-457, 2021

15) Tsuda K, Ihara S：Transependymal edema as a predictor of endoscopic third ventriculostomy success in pediatric hydrocephalus. World Neurosurg 156：e215-e221, 2021

16) Sherrod BA, Iyer RR, Kestle JRW：Endoscopic third ventriculostomy for pediatric tumor-associated hydrocephalus. Neurosurg Focus 48：E5, 2020

る[17]．治療が必要な水頭症の全体の症例数は減っているものの，ETVの割合は増加している（年12.5%）．しかしながらシャント再建の必要な例が減少している一方でETVの再治療（re-ETV）は増加しており（年13.4%），これが手術適応の問題なのか手技の問題なのかをよく検討する必要がある．

ETVもしくはETV/CPCとシャントの比較をした研究がいくつか追加で報告されている．Reynoldsらはザンビアでの小児水頭症治療の成績について後方視的に検討している[18]．378例（年齢中央値5.5ヵ月）で髄膜炎後水頭症が65%でもっとも多く，その他先天性，脊髄髄膜瘤，脳腫瘍など原因はさまざまだった．75%でシャント，15%はETV/CPCを行っている．合併症の発生率は20%と高く，感染がもっとも多かった．シャントのほうがETV/CPCよりも有意に合併症が多かった（OR 2.45，$p = 0.005$）．Polisらの報告はポーランドからのもので，髄膜炎後水頭症の101例で67例がシャント，34例でETVを初期治療として行っており，神経学的な長期予後について比較している[19]．ETVのみで有効だったのは14.7%のみで，他は最終的にシャントが必要だった．治療法による神経学的予後に差はなかった．北米の小児水頭症の研究グループHCRNは，手術方法による手術回数や入院期間の違いについて比較検討している[20]．術後1年の時点ではETV/CPCはETV単独やシャント単独と比較して有意に手術回数が多かった（$p = 0.005$）．さらに長期のフォローアップではETV/CPCのデータはないものの，ETV単独はシャントに比較して平均入院期間が短かった．手術回数も少ない傾向はあるものの（0.8 ± 1.3回（ETV単独），1.4 ± 2.6回（シャント）），有意な差はなかった．

ETVとシャントの2つの手技を比較した研究が多く報告されてきており，いくつかのシステマティックレビューも行われている．Texakalidisらは，ETVとシャントの合併症や早期成績についてメタアナリシスを行った[21]．14文献を用いて解析を行ったところ，**ETVは感染の発生率は低かったが，髄液漏や追加治療が必要な率に有意差はなかった**．これとは別に，Pandeらは5つのRCTを含む23文献で，非交通性水頭症に対するETVまたはETV/CPCとシャントの治療成績についてメタアナリシスを行っているが[22]，前述の報告と同様にfailureの発生率に有意差はなかった．またETVのほうが合併症が少ない傾向はあるものの，こちらも有意差は示されなかった．この報告では手術時年齢，国，性別などのサブグループ解析も行っているが，有意な要因は指摘できなかった．2つのシステマティックレビューにおいてETV（またはETV/CPC）とシャントには統計学的に明らかな差はない結果となった．今後の展望としては，**どのような水頭症がどちらの治療に適しているのか，さらに長期の観察により生涯で必要な治療回数の違いなどを明らかにしていく必要がある．**

水頭症治療後のフォローアップについて北米のHCRNが39施設の138人の

17) Tamber MS, Kestle JRW, Reeder RW et al：Temporal trends in surgical procedures for pediatric hydrocephalus：an analysis of the Hydrocephalus Clinical Research Network Core Data Project. J Neurosurg Pediatr 27：269-276, 2020

18) Reynolds RA, Bhebhe A, Garcia RM et al：Pediatric hydrocephalus outcomes in Lusaka, Zambia. J Neurosurg Pediatr 26：624-635, 2020

19) Polis B, Polis L, Nowosławska E：Surgical treatment of post-inflammatory hydrocephalus. Analysis of 101 cases. Childs Nerv Syst 35：237-243, 2019

20) Pindrik J, Riva-Cambrin J, Kulkarni AV et al：Surgical resource utilization after initial treatment of infant hydrocephalus：comparing ETV, early experience of ETV with choroid plexus cauterization, and shunt insertion in the Hydrocephalus Clinical Research Network. J Neurosurg Pediatr 26：337-345, 2020

21) Texakalidis P, Tora MS, Wetzel JS et al：Endoscopic third ventriculostomy versus shunt for pediatric hydrocephalus：a systematic literature review and meta-analysis. Childs Nerv Syst 35：1283-1293, 2019

22) Pande A, Lamba N, Mammi M et al：Endoscopic third ventriculostomy versus ventriculoperitoneal shunt in pediatric and adult population：a systematic review and meta-analysis. Neurosurg Rev 44：1227-1241, 2021

小児神経外科医にアンケート調査を行っているが，そこではシャント手術を受けた患者では生涯通院を勧めるのが83％だったのに対して，ETVでは56％のみだった．全体では67％で無症状であっても画像検査をするという回答だった．水頭症治療後のフォローアップに関しては小児神経外科医によっても方針が異なるが，治療方針だけでなくフォローアップの方法についても統一したプロトコールを確立していく必要がある[23]．

23) Hersh DS, Kumar R, Klimo P et al：Hydrocephalus surveillance following shunt placement or endoscopic third ventriculostomy：a survey of surgeons in the Hydrocephalus Clinical Research Networks. J Neurosurg Pediatr doi：10.3171/2020.12.PEDS20830, 2021［online ahead of print］

Ⅷ章　感染症

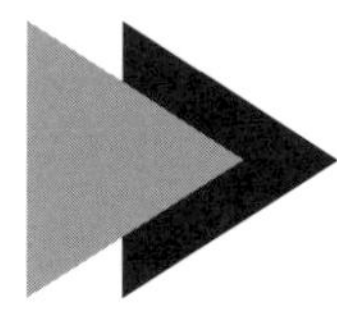

42. 脳炎・髄膜炎

種井隆文（たねい たかふみ）
名古屋大学医学部附属病院 脳神経外科

最近の動向

●脳室炎や髄膜炎は，髄液排液のために留置した脳室ドレーンなどに関連して発生することが多く，発生率は 2～22%，死亡率は 15～23%と報告されている．ガイドラインでは，術前と術後 24～48 時間の抗生剤使用が標準治療である．予防的なドレーンの交換は推奨されていない．抗生剤の髄液中への投与は，十分な抗生剤治療を行っても改善しない，もしくは難治性になった場合に提案されている．

●髄液排出ドレーンに関連した脳室炎や髄膜炎の起因菌は，黄色ブドウ球菌であることが多い．特に，メチシリン耐性黄色ブドウ球菌（MRSA）は，術後感染率，院内感染率，死亡率が高い．MRSA 感染の予防法は，手指衛生，鼻腔スワブによるサーベイランス，術前予防投与の 3 つが重要である．中枢神経系の MRSA 感染に対する抗生剤は，バンコマイシン，リネゾリドが first line である．

● Coronavirus disease 2019（COVID-19）は，味覚異常，めまい，頭痛などの神経症状を呈することがある．感染者の約 10%に脳卒中，けいれん，髄膜炎，脳炎などの重篤な神経症状を認める．重篤な神経症状を認めた患者は，年齢が高く，慢性疾患の併存が多い．稀に出血性脳炎を合併することがあり，重度な低酸素症，全身炎症，ウイルスの直接的な作用，過凝固などが原因と考えられている．

脳室炎・髄膜炎

脳室炎・髄膜炎

脳室炎や髄膜炎（ventriculitis and meningitis：VM）は，脳神経外科手術，外傷，中枢神経系に留置したデバイスなどに発生しやすい．VM の発生率は 2～22%，死亡率は 15～23%と報告されている．臨床現場でもっとも遭遇する VM は，髄液排液のために留置した脳室もしくは脳槽ドレーンなどに関連した感染である [1)]．

Hersh らは，2010 年から 2016 年の期間で，242 人の脳室ドレーン感染に関して後方視的に検討している．脳室ドレーンの感染率は 9.9%（24 例）であった．ドレーン感染群は，ドレーン留置期間が 19 日と非感染群の 9 日よりも有意に長かった．また，集中治療室滞在期間もドレーン感染群は 30 日と非感染

1）Karvouniaris M, Brotis A, Tsiakos K et al：Current perspectives on the diagnosis and management of healthcare-associated ventriculitis and meningitis. Infect Drug Resist 15：697-721, 2022

群の13日より長く，医療費も増加させた[2)].

VMを診断するために髄液検査は必須であるが，脳室ドレーンから採取した髄液は，腰椎穿刺で採取した髄液よりも感染の検出感度が低いことに注意が必要である．Fingerらは，2016年から2019年の期間で，脳室ドレーンが留置されていて感染徴候を示した患者の髄液を脳室ドレーンと腰椎穿刺の両方から髄液採取する前向き研究を実施している．感染兆候を示した患者は108人であり，脳室ドレーンと腰椎穿刺からそれぞれ141検体，合計282検体の髄液を採取した．そのうち髄液感染が証明されたのは，腰椎穿刺は70検体，脳室ドレーンは32検体であった．感染所見を示した腰椎穿刺70検体のうち，同時に脳室ドレーンから採取した髄液も感染所見を示したのは25検体であり，残りの45検体は感染所見を示さなかった．つまり45例は髄膜炎，25例は脳室・髄膜炎と診断された．腰椎からの髄液所見が陰性で，脳室ドレーン検体のみ髄液感染が証明された7検体は，脳室炎と診断された．脳室ドレーンから採取した髄液のみの検査は，髄液感染の検出感度が低く，偽陰性となりやすい．一方，腰椎穿刺の髄液検体は，脳室ドレーン検体の約2倍の感染検出感度がある[3)].

髄液感染に対する予防と治療

最近のInfectious Diseases Society of America（IDSA）ガイドラインでは，VMを回避するための予防的な抗生剤投与は，髄液シャントもしくは脳室ドレーンを入れる場合，術前と術後24～48時間の抗生剤使用が標準治療である[4)]．VMが発生した場合の抗生剤使用期間は，コアグラーゼ陰性ブドウ球菌もしくは*Cutibacterium acnes*には10～14日間，黄色ブドウ球菌かグラム陰性菌には21日以上を使用する．培養が陽性の場合は，菌が検出されてから10～14日間は治療継続する．抗生剤の終了時期として，髄液中から菌が消失してから2～3日が推奨されている．

髄液中に挿入するドレーンチューブが感染しないように，抗菌剤が浸透させてあるカテーテルが開発されている．浸透させた抗生剤は主にリファンピシン，ミノサイクリン/クリンダマイシンの合剤である．銀を浸透させているカテーテルもある．留置カテーテルのコロニー形成率の低下に有効であり，通常のカテーテルよりも髄液シャントおよび脳室ドレーンともに術後感染率を減少させる．

脳室ドレナージは7日目にしばしば細菌コロニーを形成する．7～10日間の留置で感染リスク上昇する．定期的な脳室ドレーンの入れ替え術が，感染率を下げるのかどうかという点は，議論が分かれるところであった．Wongらは，脳室ドレーンを5日ごとに入れ替える群と入れ替えない群に分けて，感染率の違いを検討している．髄液に感染所見がなく，5日間以上脳室ドレーンの留置が必要な103例が登録された．髄液感染率は，非交換群3.8%に対して交換群

2) Hersh EH, Yaeger KA, Neifert SN et al：Patterns of health care costs due to external ventricular drain infections. World Neurosurg 128：e31-e37, 2019

3) Finger G, Worm PV, Dos Santos SC et al：Cerebrospinal fluid collected by lumbar puncture has a higher diagnostic accuracy than collected by ventriculostomy. World Neurosurg 138：e683-e689, 2020

4) Tunkel AR, Hasbun R, Bhimraj A et al：2017 Infectious Diseases Society of America's clinical practice guidelines for healthcare-associated ventriculitis and meningitis. Clin Infect Dis 64：e34-e65, 2017

7.8%とむしろ高かったが，有意差は認めなかった．また入院期間，clinical outcomeにも違いを認めなかった[5]．したがって，現在は予防的な脳室ドレナージの交換は推奨されていない．

髄液中への薬剤注入

静脈から投与した抗生剤が髄液や脳実質に到達するためには，脳血管関門を通過する必要がある．髄液中に抗生剤を十分量到達させるために脳室内もしくは髄腔内に投与する方法は，新しい概念ではないが，その有効性ははっきりしていない．また，脳室内と髄腔内では濃度勾配があるため，脳室内投与と髄腔内投与では，感染巣への抗生剤の到達に違いが生じる．脳室内（もしくは髄腔内）投与する抗生剤は，バンコマイシン，polymyxinB，colistin，アミノグリコシド，最近ではdaptomycinやtigecyclineなどが用いられる[6]．IDSAガイドラインにおいて脳室内（もしくは髄腔内）投与は，十分な抗生剤治療を行っても改善しない，もしくは難治性になった場合などに提案されている[4]．

Lewinらは，2003年から2013年の期間で，脳室内に抗生剤を投与した105人を後方視的に検討している．すでに十分な抗生剤治療が行われている症例に，脳室内投与を追加した．脳室内投与した薬剤は，バンコマイシン（使用率52.4%，平均投与量12.2 mg/day，平均投与期間5日），アミノグリコシド（使用率47.5%，平均投与量6.7 mg/day，平均投与期間6日）であった．アミノグリコシドは，単独もしくはバンコマイシンと併用であった．全症例の死亡率は18.1%であった．併用期間は1週間以内で，髄液中の菌消失率は88.4%と高かった．再発もしくは耐性化は9.5%で認めている[7]．

脳神経外科手術の手術部位感染

脳神経外科の手術は，緊急でない限り無菌の術野のため，腹部領域手術よりも感染率は低い．Adapaらは，2012年から2019年の期間で，9,620例の脳外科手術の手術部位感染に関して後方視的に検討している．手術部位感染が発生したのは147例（1.5%）であった．その内訳は，開頭術87例（59.2%），脊椎手術36例（24.5%），脳室シャント術24例（16.3%）であった．術後に髄膜炎が発生した場合，死亡率が14.9%と高かった．創部表層感染と比べて再手術率が高くなる因子は，創部深層感染（91.2% vs 38.9%），頭蓋内感染（90.9% vs 38.9%）であった．また，頭蓋内感染（57.6% vs 16.7%）は，再入院率を高くした[8]．

黄色ブドウ球菌感染

脳外科手術と黄色ブドウ球菌感染

黄色ブドウ球菌の中枢神経系への主な感染経路は，近隣臓器からの伝播，血

5) Wong GK, Poon WS, Wai S et al：Failure of regular external ventricular drain exchange to reduce cerebrospinal fluid infection：result of a randomised controlled trial. J Neurol Neurosurg Psychiatry 73：759-761, 2002

6) Nau R, Blei C, Eiffert H：Intrathecal antibacterial and antifungal therapies. Clin Microbiol Rev 33：e00190-19, 2020

7) Lewin JJ 3rd, Cook AM, Gonzales C et al：Current practices of intraventricular antibiotic therapy in the treatment of meningitis and ventriculitis：results from a multicenter retrospective cohort study. Neurocrit Care 30：609-616, 2019

8) Adapa AR, Linzey JR, Moriguchi F et al：Risk factors and morbidity associated with surgical site infection subtypes following adult neurosurgical procedures. Br J Neurosurg 29：1-7, 2021

行性播種（敗血症，心臓弁感染など），外科的手技の3つである．感染リスクの高い外科的手技は，眼科や耳鼻科手術，術後の髄液漏の存在，脳室ドレナージ，緊急手術などが挙げられる．一旦感染した場合，脳血管関門により抗生剤が病変部に到達しづらいため，治療が難しい．特に，メチシリン耐性黄色ブドウ球菌（meticillin-resistant *Staphylococcus aureus*：MRSA）は，治療が難しく予後が悪い[9]．

髄液排出ドレーンに関連したVMの起因菌は，黄色ブドウ球菌であることが多い．2021年のレビューでは，髄膜炎の1～7%が黄色ブドウ球菌とされ，脳外科手術と免疫不全が大きな危険因子である．有効な予防法は，手指衛生，鼻腔スワブによるサーベイランス，術前予防投与の3つが重要としている．培養結果が出るまでは髄液移行性のよい抗MRSA薬を使用し，MRSAが除外できた時点で抗生剤を変更する[9]．

9) Antonello RM, Riccardi N：How we deal with *Staphylococcus aureus*（MSSA, MRSA）central nervous system infections. Front Biosci（Schol Ed）14：1, 2022

Pintadoらは，1981年から2015年の期間で，黄色ブドウ球菌による髄膜炎を発症した患者を後方視的に検討している．黄色ブドウ球菌による髄膜炎を発症したのは350人で，原因菌はMRSAが118人（34%），meticillin-sensitive *Staphylococcus aureus*（MSSA）が232人（66%）であった．MRSAはMSSAと比べて，術後感染率（93% vs 73%）と院内感染率（93% vs 74%）が有意に高かった．30日後の死亡率は23%であった．死亡率の増加と関連する因子は，重症敗血症，自然発生した髄膜炎，MRSA感染，昏睡であった．術後感染例では，留置したデバイスの保留と関連した[10]．

10) Pintado V, Pazos R, Jiménez-Mejías ME et al：Staphylococcus aureus meningitis in adults：a comparative cohort study of infections caused by meticillin-resistant and meticillin-susceptible strains. J Hosp Infect 102：108-115, 2019

MRSA感染の予防

成人の30～50%がMRSAの不顕性保有者と推定されている．そのため予定手術の患者では，鼻腔や手指のスクリーニングを行い，MRSA感染のリスクを事前に同定しておくことが重要である．緊急手術ではスクリーニングができないため，感染リスクが高い．感染予防として，皮膚切開の30～60分前に予防的に抗生剤を使用し，24時間以内に終了することが勧められている[9]．

頭蓋底内視鏡手術は清潔と不潔が混在する手術であるが，術前予防法に関してガイドラインでまだ定まっていない．Ceraudoらは，2015年から2019年の期間で，頭蓋底内視鏡手術を受けた120人を，鼻腔検査式プロトコール60人，病院標準式プロトコール60人に分けて感染率を後方視的に検討している．鼻腔検査式プロトコールは，術前の鼻腔検査で正常菌もしくはMSSAが検出された場合は，セファロスポリン（セファゾリン2 g）を使用する．MRSAが検出もしくはセファロスポリン/ペニシリンにアレルギーがある人には，バンコマイシン1 gを使用する．一方，標準式プロトコールは，初回セファゾリン2 g＋メトロニダゾール500 mgを投与し，180分ごとにセファゾリン2 g投与を繰り返した．鼻腔検査で検出されたのは，正常菌70%（42人），MSSA

28.3%（17人），MRSA 1.6%（1人）であった．術後，鼻腔検査式プロトコール群には感染はなかったが，病院標準式プロトコール群では2人（1人：副鼻腔炎，1人：髄膜炎）の感染を認めた．鼻腔検査式プロトコールは，安価で有効な方法であると報告している[11]．

MRSA感染の治療

中枢神経系のMRSA感染に対するfirst lineは，バンコマイシン15～20 mg/kg持続点滴と12時間ごとのリネゾリド600 mg点滴である．バンコマイシンは腎機能によって，トラフ値が15～20 μg/mLを目標に調整する．リネゾリドは髄液と脳実質への移行性がよい薬剤であり，MRSAに有効とされる．Chenらは，2006年から2016年の期間で，20歳以上の中枢神経系MRSA感染に対してリネゾリドを24時間以上使用した患者を後方視的に検討している．中枢神経系MRSA感染者は66人，平均年齢は53.3歳で，その内訳は，脳膿瘍19人（28.8%），脊髄硬膜外膿瘍18人（27.3%），髄膜炎単独12人（18.2%），髄膜炎と硬膜外膿瘍9人（13.6%），脊髄デバイス関連感染5人（7.6%）であった．リネゾリドの使用理由は，グリコペプチド治療無効（51.5%），グリコペプチドのアレルギー（48.5%）であった．リネゾリドを14日間以上投与したのは全体の91%，死亡率13.6%，再発率16.7%であった．副作用は27.3%に出現し，血球減少が主な症状であり，致命的な副作用は認めなかった[12]．

院内感染の危険因子

近年，院内感染（nosocomial infection）という用語は，医療関連感染（healthcare-associated infection）へ変更されている．耐性グラム陰性菌によるVMは死亡率が高いと報告される．Sharmaらは，2014年から2018年の期間で，脳外科手術後にアシネトバクターを原因とする医療関連感染でVMを発症した72例を死亡群と生存群に分けて，後方視的に検討している．死亡群は29例（40.3%），14日での死亡率15.3%，30日での死亡率25%であった．一方，生存群は43例（59.7%），平均入院期間は44 ± 4日，退院時Glasgow Outcome Scale-Extended scoreは平均6点であった．死亡率と関連する因子は，40歳以上，Glasgow Coma Scale（GCS）≦8，敗血症の併存，脳室ドレーンの存在，髄液中WBC ＞ 200 cells/mm³，併存症の存在（糖尿病，高血圧）であった．カルバマゼピン耐性は死亡率と関連しなかった[13]．

COVID-19と脳炎・髄膜炎

Coronavirus disease 2019（COVID-19）による急性の呼吸器症状は，severe acute respiratory syndrome coronavirus 2（SARS-CoV-2）と呼ばれる．COVID-19はSARS-CoV-2だけでなく，味覚異常，めまい，頭痛，意識障害，

11）Ceraudo M, Prior A, Balestrino A et al：Ultra-short antibiotic prophylaxis guided by preoperative microbiological nasal swabs in endoscopic endonasal skull base surgery. Acta Neurochir（Wien）163：369-382, 2021

12）Chen HA, Yang CJ, Tsai MS et al：Linezolid as salvage therapy for central nervous system infections due to methicillin-resistant Staphylococcus aureus at two medical centers in Taiwan. J Microbiol Immunol Infect 53：909-915, 2020

13）Sharma R, Goda R, Borkar SA et al：Outcome following postneurosurgical Acinetobacter meningitis：an institutional experience of 72 cases. Neurosurg Focus 47：E8, 2019

けいれん，失調などの神経症状を呈することがある．初期に中国の武漢でCOVID-19に感染した人の観察では，36.4％に神経症状を呈し，5.1％は無嗅覚症状であった．神経変性，脳浮腫，脳炎などの報告もある．髄液や脳組織からCOVID-19が陽性となった報告もあり，神経系にも感染することが示唆されている[14]．

2022年に24ヵ国で179病院が参加した前向き観察研究によると，COVID-19に感染した16,225人のうち，2,092人（12.9％）が重篤な神経症状を認めた．1,656人（10.2％）は入院時に脳症を呈していた．入院時もしくは入院中に神経疾患を発症したのは，脳卒中331人（2.0％），けいれん243人（1.5％），髄膜炎・脳炎73人（0.5％）であった．重篤な神経症状を認めた患者は，年齢が高く，慢性疾患の併存が多く，ICU入院，ECMO必要性，腎代替療法をより必要とした[15]．

出血性脳炎は稀であるが，COVID-19の深刻な合併症である．重度な低酸素症，全身炎症，ウイルスの直接的な作用，過凝固などの影響が原因と考えられている．COVID-19関連出血性脳炎の程度は，白質脳症に伴う微小出血，急性壊死性出血性脳炎，出血性posterior reversible encephalopathy syndromeまで多岐にわたる．Sharmaらは，3例のCOVID-19関連出血性脳炎を報告している．1，2例目は既往歴のない40歳代の男性で，側頭葉に小さい出血を認めている．けいれん発作に対して急性期は抗てんかん薬を使用している．明らかな後遺症を残さず自宅退院できているが頭痛が残存した．3例目は52歳の男性，糖尿病，高血圧などの既往歴がある．側頭葉の先端部に小さい出血を発症した．ムコール菌症とEBウイルス感染を併発したが，自宅に退院できるまで改善した[16]．

14) Wan D, Du T, Hong W et al：Neurological complications and infection mechanism of SARS-COV-2. Signal Transduct Target Ther 6：406, 2021

15) Cervantes-Arslanian AM, Venkata C, Anand P et al：Neurologic manifestations of severe acute respiratory syndrome coronavirus 2 infection in hospitalized patients during the first year of the COVID-19 pandemic. Crit Care Explor 4：e0686, 2022

16) Sharma R, Nalleballe K, Shah V et al：Spectrum of hemorrhagic encephalitis in COVID-19 patients：a case series and review. Diagnostics (Basel) 12：924, 2022

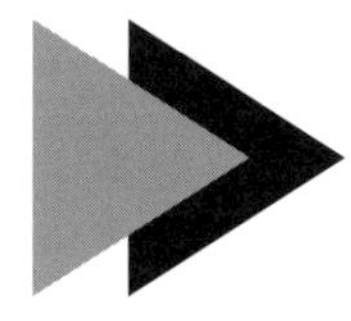

43. 脳膿瘍

百武佑理（ひゃくたけ ゆり）
北里大学メディカルセンター 脳神経外科

最近の動向

- 脳膿瘍は，抗生物質や画像診断の進歩，脳神経外科技術の発展に伴い，予後は改善されつつあるが，依然として死亡率の高い疾患の一つである．患者数が少ないため報告はいずれも小規模な臨床治験にとどまり，診断・治療のためのガイドラインはいまだ存在しない．
- 一般に 2.5 cm 以上の脳膿瘍は外科的治療の適応とされる．2.5 cm 未満の膿瘍でも，脳室内穿破のリスクが高い脳室周囲病変の場合，および治療抵抗性の細菌性脳膿瘍や真菌性脳膿瘍の場合にも外科的治療を考慮されるべきである．
- 予後不良因子として，診断の遅れ，複数病変，深部病変，脳室内穿破，診断時の意識障害，真菌性膿瘍，高齢者等が挙げられる．
- 画像診断では，DWI，PET-CT，拡散テンソルイメージング，DSC-MRI 等，脳腫瘍と脳膿瘍を鑑別する方法に関して数々の報告が挙げられている．しかし，いずれも特殊な検査であり，使用できる施設は限られる．
- 治療はメトロニダゾールと第三世代セファロスポリンの 6 週間投与が多くの施設で標準治療となりつつある．ステロイドの使用に関しては賛否両論があるが，最低限の使用にとどめるべきだろう．
- 本稿では 2019 年から 2022 年に発表された論文を基に，診断と現在行われる標準治療の傾向を中心に解説する．

診断上の注意

血液検査所見

脳膿瘍は診断に難渋することがあり，診断の遅れが永久的神経障害につながりうるため，早期診断は重要である．比較的稀な疾患であることから，小規模な検討は散見されるが，結果は一定せず，大規模な RCT の不足が指摘される．

診断に苦慮する原因として，脳膿瘍は感染症であるにもかかわらず，炎症反応の上昇を認めることが比較的少ないという点がある．Huang らは，自施設

2434-9992/22/¥100/頁/JCOPY

の患者を後方視的に比較し，脳膿瘍患者57例のうち27例（47%）に検査上の炎症反応上昇が認められなかったと報告している[1]．また，Sonnevilleらは脳膿瘍の過去の文献を総括し，血液検査で白血球増多および血清CRP上昇は約40%の患者でみられないことを報告している[2]．一方，XiangらはCRP高値を認める場合，膿瘍を複数有する症例や，治療抵抗性であり繰り返し手術が必要になる症例が多い傾向にあることを報告した[3]．血液培養での原因菌陽性率は文献により差はあるが，直近のデータではおおよそ19.8〜28%との記載が多い[4, 5]．

Zhangらは，マサチューセッツ総合病院で脳膿瘍と診断された患者88例の血液検査結果を後方視的に解析した．その結果，脳膿瘍患者において単球数低下（$< 4\%$），低ナトリウム血症（< 135 nmol/L），BUN上昇（> 25 mg/dL），クレアチニン上昇（> 1.5 mg/dL），高血糖（> 110 mg/dL）を認める症例で有意に死亡率の増加を示した[6]．van Gijnらは水頭症患者のコホート研究で低ナトリウム血症を有する患者における死亡率の増加を報告しており，ナトリウムの低下は脳ヘルニア，呼吸不全，脳浮腫の進行の結果である可能性が高い[7]．腎機能障害の指標であるBUNの上昇は，心臓病患者の死亡率の予測因子でもあることが示されている[8, 9]．高血糖は，特に敗血症の場合で疾患の重症度および死亡率の増加の指標となる．これは，重症患者でみられる生体内サイトカイン産生および糖代謝の変化を反映している可能性が高い[10]．単球は感染部位でマクロファージに分化して，原因菌を殺し損傷した組織の修復を促進する．単球の減少は過度な侵襲を示唆しており，単球減少がみられる症例では，その後サイトカインストームが惹起され多臓器不全に陥る報告がされている．

髄液診断

Huangらは，自施設の脳膿瘍患者57例を後方視的に検討したが，腰椎穿刺を行った18例のうち17例（94.44%）で髄液細胞数の増加が認められ，17例（94.44%）で髄液蛋白濃度の上昇，4例（25%）で髄液培養から起因菌が同定された[1]．髄液検査は間違いなく頭蓋内病変を同定する一助となる．しかし，腰椎穿刺は脳ヘルニアの潜在的なリスクであり，一部の著者は脳膿瘍が疑われる場合，腰椎穿刺は禁忌であると述べている．髄液培養は膿瘍が脳室内に穿破しないか，髄膜炎が併存しない限り通常陰性である．

以上より，脳膿瘍患者において血液検査上，炎症反応の上昇を認めない場合でも，脳膿瘍を否定する要因とはならないことに留意する必要がある．また，起因菌の同定の手段として血液培養は感度・特異度の高い検査である．髄液検査は必ずしも必須ではなく，適応に関しては病態に合わせた慎重な判断が必要である．

1) Huang J, Wu H, Huang H et al：Clinical characteristics and outcome of primary brain abscess：a retrospective analysis. BMC Infect Dis 21：1245, 2021
2) Sonneville R, Ruimy R, Benzonana N et al：An update on bacterial brain abscess in immunocompetent patients. Clin Microbiol Infect 23：614-620, 2017
3) Xiang Q, Jiang C, Wen J et al：Unusual presentation of brain abscess in a 23-month-old infant. Childs Nerv Syst 37：305-309, 2021
4) Corsini Campioli C, Castillo Almeida NE, O'Horo JC et al：Bacterial brain abscess：an outline for diagnosis and management. Am J Med 134：1210-1217.e2, 2021
5) Toh CH, Siow TY, Wong AM et al：Brain abscess apparent diffusion coefficient is associated with microbial culture yields. J Magn Reson Imaging 54：598-606, 2021
6) Zhang F, Hsu G, Das S et al：Independent risk factors associated with higher mortality rates and recurrence of brain abscesses from head and neck sources. Oral Surg Oral Med Oral Pathol Oral Radiol 131：173-179, 2021
7) van Gijn J, Hijdra A, Wijdicks EF et al：Acute hydrocephalus after aneurysmal subarachnoid hemorrhage. J Neurosurg 63：355-362, 1985
8) Rizas KD, McNitt S, Hamm W et al：Prediction of sudden and non-sudden cardiac death in post-infarction patients with reduced left ventricular ejection fraction by periodic repolarization dynamics：MADIT-II substudy. Eur Heart J 38：2110-2118, 2017
9) Angraal S, Mortazavi BJ, Gupta A et al：Machine learning prediction of mortality and hospitalization in heart failure with preserved ejection fraction. JACC Heart Fail 8：12-21, 2020
10) Rueda AM, Ormond M, Gore M et al：Hyperglycemia in diabetics and non-diabetics：effect on the risk for and severity of pneumococcal pneumonia. J Infect 60：99-105, 2010

画像診断

膠芽腫と脳膿瘍はしばしば鑑別が困難とされる．Zengらは，リング状増強効果を示す膠芽腫患者29例と脳膿瘍患者21例の造影MRI画像を後方視的に比較検討した[11]．彼らは造影される病変にROIをおき腫瘍体積を計算したが，結果として，脳膿瘍は膠芽腫に比べ体積が有意に大きかった（脳膿瘍47.2 ± 7.4 mm^3 vs 膠芽腫20.7 ± 1.5 mm^3）．これらのカットオフ値は24.9 mm^3だった．また，彼らはこの報告の中で，膠芽腫は脳膿瘍に比べ非球面の傾向が強いことを指摘した．興味深いことに，Xiaoらは同年に相反する結果を報告している．彼らは膠芽腫患者86例，脳膿瘍患者32例において造影MRI画像での腫瘍体積，FLAIR画像での腫瘍周囲浮腫の体積を比較した[12]．結果，腫瘍体積は脳膿瘍患者に比べ膠芽腫患者で有意に大きく（脳膿瘍28.50 mL vs 膠芽腫46.38 mL，p = 0.03），T2強調像およびFLAIR画像で計算した腫瘍周囲浮腫の体積は逆に脳膿瘍患者において膠芽腫患者より有意に大きかった（脳膿瘍102.74 mL vs 膠芽腫74.41 mL，p = 0.03）．

脳膿瘍が周囲に強い浮腫を伴うことは明白だが，腫瘍体積の比較検討に関してはいずれも小規模な検討であり，結果は一定しない．脳膿瘍の場合の浮腫は，アルブミンおよび血漿成分が間質へ漏出し，細胞外腔の浸透圧が亢進することで起こる．それに対し，膠芽腫の場合は免疫細胞および腫瘍細胞の周囲組織への浸潤が浮腫の主な原因とされる．これらの機序の違いが脳膿瘍において，より広範な浮腫をもたらすと思われる．近年ではDWI，PET-CT，拡散テンソルイメージング，dynamic susceptibility contrast（DSC）MRI等，種々の診断ツールを用いて脳膿瘍と脳腫瘍の鑑別診断が報告されているが，いずれも高価であり，どの施設でも行えるわけではない．より簡便に行える画像診断法の確立が今後の課題である．

一方で，Tohらは2009年から2019年の間に，111人の脳膿瘍患者におけるMRI画像を後方視的に解析し，MRI画像の拡散係数と微生物培養の菌量との相関性を報告した[5]．彼らの報告では，培養陽性膿瘍のapparent diffusion coefficient（ADR）値は，培養陰性膿瘍のADC値に比べ有意に低かった．彼らの結果は，膿瘍におけるADCが低いほど，生菌の量が多いことを示している．この報告は手術を計画する際に大いに役立つと思われ，複数の膿瘍を認める場合，ADCがもっとも低いものを手術の標的とすべきである．

病態と治療

原因微生物

Corsiniらは，2009年から2020年までにミネソタ州のMayo Clinicで治療さ

11）Zeng T, Xu Z, Yan J：The value of asphericity derived from T1-weighted MR in differentiating intraparenchymal ring-enhancing lesions-comparison of glioblastomas and brain abscesses. Neurol Sci 42：5171-5175, 2021

12）Xiao D, Wang J, Wang X et al：Distinguishing brain abscess from necrotic glioblastoma using MRI-based intranodular radiomic features and peritumoral edema/tumor volume ratio. J Integr Neurosci 20：623-634, 2021

れた18歳以上の脳膿瘍患者247例を対象とし，後方視的に検討した[4]．このうち，202例（81.8%）において手術で得られた膿瘍内容物の培養で起因菌が同定されており，起因菌は27.5%がブドウ球菌属（17.4%の黄色ブドウ球菌，7.7%のメチシリン耐性黄色ブドウ球菌を含む）であり，*Streptococcus*属（27.1%），放線菌（16.2%），およびグラム陰性菌（15.4%）が続いた．真菌，寄生虫，マイコバクテリアなどの珍しい病原体は全症例の2%未満であった．137例（55.5%）が2種類以上の細菌による混合感染を呈していた．一方，Darlowらは英国において後ろ向きの多施設共同研究を行い，4年間で74例の脳膿瘍患者を検証した[13]．彼らの報告では*Streptococcus*属，特に*Streptococcus milleri*がブドウ球菌属よりも多く認められた．また，ブドウ球菌属による脳膿瘍患者が近年減少傾向であることを示した．Brouwerらの行ったシステマティックレビューとメタアナリシスでは，小児の脳膿瘍症例の起因菌は36%が*Streptococcus*属であり，ブドウ球菌属（18%），グラム陰性腸内細菌（*Proteus*属，*Klebsiella pneumoniae*，*Escherichia coli*，*Enterobacteriaceae*）が16%と続いた[14]．1960年以前はブドウ球菌属がもっとも一般的な原因菌であり症例の3分の1以上を占めていたが，ここ数十年でブドウ球菌性脳膿瘍の発生率は低下し，連鎖球菌属が増加している傾向がある．連鎖球菌属は一般に，歯原性感染，副鼻腔炎，中耳炎の起因菌として知られる．Laulajainenらは過去40年間における後方視的研究で，歯原性感染症の割合が増加傾向であることを指摘している[15]．脳膿瘍で同定される起因菌の分布は，大陸全体で比較的類似していることがわかる．

Kruthikaらは，ベンガルールのNational Institute of Mental Health and Neurosciences（NIMHANS）における38年間のデータから，29例の真菌性脳膿瘍症例を抽出し，後方視的に検討した[16]．彼らの研究では，死亡率は62%（18人）に上った．真菌性脳膿瘍は，糖尿病，結核，慢性アルコール依存症，薬剤（副腎皮質ステロイド薬や免疫抑制薬，抗悪性腫瘍薬），慢性腎不全等，免疫不全の素因をもつ患者のみに認められた．原因菌としては*Cladophialophora bantiana*が44.8%であり，続いて*Aspergillus*属（20.6%），*Rhizopus*属（10.3%），*Candida albicans*（6.8%），*Cryptococcus*属（6.8%）であった．*C. bantiana*は免疫低下がないものでもみられる可能性があり，世界中，特に温帯地域に蔓延している．死亡した症例では半数が抗真菌薬の治療を開始する前に死亡した．真菌性脳膿瘍は死亡率が高いが，一方でこの結果は抗真菌薬の有効性も実証している．真菌性脳膿瘍に関しては早期診断と迅速な抗真菌薬の開始が転帰に直結する．

内科的治療

抗生物質は，転帰を改善するために手術前から使用されることが多いが，手

13) Darlow CA, McGlashan N, Kerr R et al：Microbial aetiology of brain abscess in a UK cohort：prominent role of Streptococcus intermedius. J Infect 80：623-629, 2020

14) Brouwer MC, Coutinho JM, van de Beek D：Clinical characteristics and outcome of brain abscess：systematic review and meta-analysis. Neurology 82：806-813, 2014

15) Laulajainen-Hongisto A, Lempinen L, Färkkilä E et al：Intracranial abscesses over the last four decades；changes in aetiology, diagnostics, treatment and outcome. Infect Dis（Lond）48：310-316, 2016

16) Kruthika P, Raj P, Jabeen S et al：Clinicomycological overview of brain abscess in a tertiary care center：a 38 year retrospection：fungal brain abscess. J Mycol Med 31：101156, 2021

術前に抗生物質を開始した場合，術中検体から培養検出が困難になるリスクが指摘されている．手術での起因菌同定を目的とする場合，抗生物質の投与は手術後，もしくは手術前3日以内に始めるよう，多くの施設やガイドラインで勧告されている．抗生物質の投与は経験的治療を開始後，培養結果に従って修正されるべきである．

Corsiniらは単施設後方視的検討の中で，メトロニダゾールと第三世代のセファロスポリンを，脳膿瘍のほとんどの場合において初期抗生物質のレジメンとして選択した[4]．黄色ブドウ球菌属，特にメチシリン耐性黄色ブドウ球菌が懸念される場合は，バンコマイシンを追加した．Myrianthefsらは髄膜炎を有する患者において，リネゾリドが優れた脳脊髄液移行性を有することを実証しており，今日，リネゾリドは一般的に*Nocardia*属によって引き起こされる脳膿瘍では優先して使用されている[17]．Mameliらは小児の脳膿瘍に関する最近の文献を総括したが，彼らの報告も前述と同様の傾向を示しており，小児脳膿瘍患者で使用される抗生物質のもっとも一般的な組み合わせは，メトロニダゾールおよび状況に応じてバンコマイシンと第三世代セファロスポリンであった[18]．Udayakumaranらは，小児患者においてもリネゾリドの治療有効性を示した[19]．

以上より，メトロニダゾールと第三世代セファロスポリンの組み合わせが脳膿瘍の治療として多く選択されるが，この治療はマイコプラズマには活性がないことに留意すべきである．また，多くの専門家は脳膿瘍の治療において嫌気性菌が検出されなかった場合でも，嫌気性菌のカバーを継続することを推奨しているが，メトロニダゾールの6週間投与による神経毒性を過小評価してはならない．

Kruthikaらは真菌性脳膿瘍患者の後方視的検討において，アムホテリシンBがもっとも使用されており，これと併用してフルシトシンが投与された．フルシトシンは主にカンジダとクリプトコッカスによって引き起こされる感染症の治療に使用されるが，アムホテリシンBと組み合わされることで単独よりも優れた活性を示すことが知られている[16]．

多数の文献で抗生物質は平均6週間投与されているが，抗生物質の投与期間や経口療法への切り替えに関する明確なコンセンサスや勧告は存在しない．Shovlinらは，外科的治療を受けた患者には術後4～6週間の抗生物質治療が，外科的治療を行わなかった患者または複雑な脳膿瘍患者には6～8週間の点滴による抗生物質治療が適切であると述べた[20]．また，Bankらは，免疫不全の素因をもつ小児の場合，8週間よりさらに長期の抗生物質治療を推奨している[21]．

脳膿瘍の治療におけるステロイドの使用は賛否両論がある．ステロイドは膿瘍周囲の浮腫の軽減に有効であり，通常，頭蓋内圧亢進が示唆される患者に投

17) Myrianthefs P, Markantonis SL, Vlachos K et al：Serum and cerebrospinal fluid concentrations of linezolid in neurosurgical patients. Antimicrob Agents Chemother 50：3971-3976, 2006

18) Mameli C, Genoni T, Madia C et al：Brain abscess in pediatric age：a review. Childs Nerv Syst 35：1117-1128, 2019

19) Udayakumaran S, Onyia CU, Kumar RK：Forgotten? Not yet. Cardiogenic brain abscess in children：a case series-based review. World Neurosurg 107：124-129, 2017

20) Shovlin CL, Condliffe R, Donaldson JW et al：British Thoracic Society：British thoracic society clinical statement on pulmonary arteriovenous malformations. Thorax 72：1154-1163, 2017

21) Bank DE, Carolan PL：Cerebral abscess formation following ocular trauma：a hazard associated with common wooden toys. Pediatr Emerg Care 9：285-288, 1993

与される．しかし，ステロイドはcapsule formationに至る膿瘍の形成過程の進行を阻害し，結果としてcerebritisによる脳の壊死巣の増大を招くため，生命を脅かす頭蓋内圧亢進がない患者では原則として禁忌である．一部の著者はステロイドの使用が転帰に関与しなかったと報告しているが，ステロイドの使用が予後によりよい影響を与えたとする報告も散見される．

Corsiniらはステロイドの使用量，投与期間に関して自施設のプロトコールを報告しているが，彼らの施設では28.7%の患者で中央値用量4 mgのデキサメタゾンを中央値10日間使用した[4]．Kanuらはナイジェリアの3施設の後方視的多施設共同研究にて，89例の小児脳膿瘍患者を比較している[22]．この研究の中で，デキサメタゾンは診断時もしくは周術期において，midline shiftを伴うかなりの浮腫を有する患者のみに3～5日間投与されたが，7日を超えて使用された症例はなかった．

最近の抗生物質選択の傾向，ステロイドの使用の傾向を報告したが，脳膿瘍は珍しいゆえに，国際的または国内においても治療プロトコールが確立していない．上記の結果は治療を行う際に役立つと思われる．

脳膿瘍治療後の長期予後

未治療の耳鼻咽喉科感染症や先天性心疾患の減少，抗生物質の発展や画像の進歩，脳神経外科技術の進歩に伴い，脳膿瘍の罹患率は減少し，治療成績は以前に比べ向上している．しかし，文献により異なるものの，脳膿瘍は死亡率24%といまだきわめて重篤な疾患である．

Bodilsenらは，デンマークで治療を受けた20歳未満の脳膿瘍患者155例を，前向きに15年間（中間値）追跡調査を行った[23]．彼らは周術期，および感染後最大5年間において，脳膿瘍患者の死亡率の上昇を示した．これらは発症前に健康であった患者でも一貫していた．また，新規てんかんの発生率も，比較対照（コントロール）群が1%であるのに対し28%と，大幅に上昇した．これは感染後15～20年にかけて認められた．その他の神経学的後遺症として水頭症（5.9%），運動麻痺（9.7%），視覚障害（7.7%）が認められた．Corsiniらは成人症例においても，神経学的後遺症を残さず退院した患者は43.3%にとどまったと報告している[4]．

以上，脳膿瘍は非常に予後の悪い疾患の一つであり，歯科ケアや，先天性心疾患を有する患者で積極的治療を行う等の予防を怠ってはならない．

22）Kanu OO, Ojo O, Esezobor C et al：Pediatric brain abscess - etiology, management challenges and outcome in Lagos Nigeria. Surg Neurol Int 12：592, 2021

23）Bodilsen J, Dalager-Pedersen M, Nielsen H：Long-term mortality and risk of epilepsy in children and young adults with brain abscess. Pediatr Infect Dis J 39：877-882, 2020

謝　辞
本稿を執筆するに当たり，北里大学医学部脳神経外科学 教授・北里大学メディカルセンター統括副院長の岡　秀宏先生に深謝いたします．

Ⅸ章　神経科学

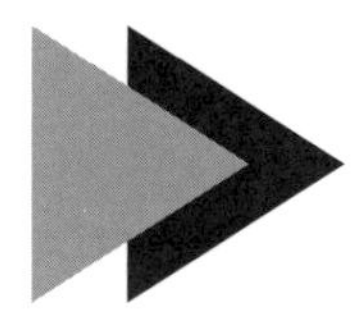

44. 多能性幹細胞を用いた神経再生医療

土井大輔（どい だいすけ）
京都大学 iPS 細胞研究所 臨床応用研究部門 神経再生研究分野

最近の動向

- 多能性幹細胞には ES 細胞（embryonic stem cells）や iPS 細胞（induced pluripotent stem cells）があるが，iPS 細胞は ES 細胞で問題となる倫理上の問題をクリアできるため，臨床応用が進められている．本邦では，human leukocyte antigen（HLA）適合他家移植のための医療用 iPS 細胞ストックの構築が進められている．また，CRISPR-Cas9 などの遺伝子編集技術により，免疫拒絶反応のリスクを小さくした iPS 細胞株の作製が試みられている．
- ヒトの多能性幹細胞を使用した細胞製剤を用いて，神経系では網膜色素変性症，パーキンソン病，脊髄損傷などで臨床試験が進行している．多能性幹細胞の移植治療では腫瘍化のリスクが懸念されるため，非臨床試験では移植細胞に残存する未分化 iPS 細胞や未熟な神経幹細胞の評価が *in vitro* で行われ，動物実験でこれらのリスクが否定されている．
- 細胞移植治療と遺伝子治療，リハビリテーションとの併用によって細胞移植治療の効果が高まる結果が基礎研究で報告され，今後の臨床応用が期待される．また，進行中の臨床試験で生じた新たな問題を基礎研究で解決するリバース・トランスレーショナルが今後重要となる．

多能性幹細胞を用いた神経再生医療

多能性幹細胞（multipotent stem cells）とは，成体を構成するすべての胚葉の細胞に分化する能力（多能性）をもつ増殖力の高い細胞を指し，具体的には受精卵の内部細胞塊から作製される ES 細胞（embryonic stem cells），体細胞から作製される iPS 細胞（induced pluripotent stem cells）を指す．ヒト ES 細胞は 1998 年に James Thomson らによって樹立され，ヒト iPS 細胞は 2007 年に山中伸弥らにより樹立された．ヒト iPS 細胞は ES 細胞を使用する際に問題となっていた生命倫理上の問題をクリアでき，自己の iPS 細胞を目的とする体細胞に分化した後に自分に移植する自家移植が可能であることから，神経再生医療の細胞ソースとして注目され研究が進められてきた．神経系の再生医療の対象疾患として網膜色素変性症，パーキンソン病，脊髄損傷，脳梗塞などが挙げられるが，それぞれヒト多能性幹細胞を用いた神経再生医療の臨床試

2434-9992/22/¥100/頁/JCOPY

験が開始されており，臨床の扉が開きつつある．

iPS 細胞の自家移植と他家移植

iPS 細胞の登場により，自己の細胞で疾病を治療する自家移植が可能となった．自家移植は免疫拒絶反応が起こり得ず理想的ではあるが，患者ごとに iPS 細胞を作製し，目的とする細胞に分化誘導する必要があるため，現時点では多大な費用と時間を要する．対して他人の iPS 細胞を使用する他家移植では感染症の伝播や免疫拒絶反応を生じるリスクがあるが，1 種類の iPS 細胞株で複数の患者の治療に必要な細胞を供給できる利点がある．京都大学 iPS 細胞研究財団では，細胞移植治療に使用するための医療用 iPS 細胞ストックの構築を行っている．iPS 細胞ストックでは免疫拒絶反応に主に関与する *HLA-A, B, DR* の 3 座をホモ接合体でもつボランティアドナーから末梢血の提供を受け，iPS 細胞株を樹立し保存している．日本人の最頻度 3 座 HLA ホモ接合体の iPS 細胞株 1 株で，およそ 17％の HLA 適合移植が可能である[1]．2020 年時点で 4 種類の HLA 型の iPS 細胞株を作製しており，日本人の約 40％に HLA 適合移植が可能となっている．さらに，CRISPR-Cas9 などのゲノム編集技術を用いて *HLA-A, B* 遺伝子と *HLA-C* 遺伝子の片アリルをノックアウトし，NK 細胞からの攻撃を回避して免疫拒絶反応のリスクを小さくした iPS 細胞株の作製が試みられている．この株の利点は，HLA ホモ接合体株よりも少ない細胞株で多くの人口をカバーできることであり，7 株で日本人の約 95％を，12 株で世界人口の 90％以上をカバーできる試算である[2]．

以下に疾患ごとの神経再生医療の現状について述べる．

網膜色素変性症に対する網膜組織移植

世界初のヒト iPS 細胞由来の細胞移植は 2014 年に本邦で行われた．網膜色素変性症の患者に対し自家 iPS 細胞由来網膜色素上皮細胞シートの移植が神戸で行われ[3]，4 年後のフォローアップでも移植細胞が生着して機能していることが確認されている[4]．最近では同じく網膜色素変性症に対して，iPS 細胞由来網膜色素上皮細胞を用いた他家移植の臨床研究や，視細胞を含む神経網膜組織シートの他家移植の臨床研究も行われている．最近の基礎研究では，双極細胞の分化にかかわる *Islet-1* 遺伝子を欠失したヒト ES 細胞由来の視細胞を含む網膜組織を網膜変性モデルラットに移植すると，移植後に成熟した網膜では機能再生効率を悪くする移植側の双極細胞が減少し，宿主側の双極細胞と移植視細胞がシナプスを形成して機能的に再生することが確認されている[5]．この研究は，遺伝子編集技術と細胞移植を組み合わせることで細胞移植治療の効果が高まる可能性を示している．

1) Umekage M, Sato Y, Takasu N：Overview：an iPS cell stock at CiRA. Inflamm Regen 39：17, 2019

2) Xu H, Wang B, Ono M et al：Targeted disruption of HLA genes via CRISPR-Cas9 generates iPSCs with enhanced immune compatibility. Cell Stem Cell 24：566-578. e7, 2019

3) Mandai M, Watanabe A, Kurimoto Y et al：Autologous induced stem-cell-derived retinal cells for macular degeneration. N Engl J Med 376：1038-1046, 2017

4) Takagi S, Mandai M, Gocho K et al：Evaluation of transplanted autologous induced pluripotent stem cell-derived retinal pigment epithelium in exudative age-related macular degeneration. Ophthalmology Retina 3：850-859, 2019

5) Yamasaki S, Tu HY, Matsuyama T et al：A Genetic modification that reduces ON-bipolar cells in hESC-derived retinas enhances functional integration after transplantation. iScience 25：103657, 2021

パーキンソン病に対するドパミン神経前駆細胞移植

パーキンソン病に対する細胞移植治療は，変性脱落したドパミン神経細胞を移植によって補充し，運動機能の改善を目的とする．ドパミンレベルの低下した線条体に移植されたドパミン神経前駆細胞は，局所でドパミン神経に分化し，ドパミン合成，分泌および機能ネットワークを構築することが期待され，L-dopaなどの薬剤をドパミンに代謝し薬効を維持することで，薬物治療の底上げ効果が期待できる．パーキンソン病では以前に臨床研究が行われていた胎児中脳細胞に代わる細胞供給源として，多能性幹細胞を用いた細胞移植治療の研究が行われてきた．げっ歯類や霊長類のパーキンソン病モデルを使用して，ES細胞やiPS細胞由来のドパミン神経が脳内で生着して機能することが確認され[6,7]，臨床試験が世界中で行われている．

オーストラリアや中国ではそれぞれ2016年，2017年からヒト単為生殖幹細胞や単為生殖ES細胞由来の神経前駆細胞を使用した細胞移植治療の臨床試験が実施されている（NCT02452723，NCT03119636）[8]が，これらはドパミン神経の補充ではなく，より未分化な神経幹細胞の移植であり，移植後に一部の細胞はドパミン神経に分化するが，主に神経栄養因子の補充による治療効果を期待するものと考えられる．

米国では2017年にヒトiPS細胞由来ドパミン神経前駆細胞の自家移植が1例に行われており，その結果が報告されている[9]．報告によると，皮膚から採取した線維芽細胞からiPS細胞が樹立され，分化誘導されたドパミン神経前駆細胞がMRIガイド下の定位脳手術によって片側400万細胞ずつ両側被殻に投与された．ヒトへの投与前に同じiPS細胞株から分化誘導した細胞を用いて，未分化iPS細胞の残存評価など*in vitro*の解析，および動物に移植し腫瘍形成がないことを確認した後で移植を行っており，さらに規制当局（Food and Drug Administration：FDA）からの要請で片側投与後6ヵ月空けて反対側を移植している．細胞移植後24ヵ月の観察期間では重篤な有害事象は認められず，ドパミン合成の指標となる^{18}F-DOPA PETでは移植部位の信号がわずかに上昇し，運動機能を評価するMDS-UPDRS partⅢは移植前後でほぼ不変，QOLを評価するPDQ-39は移植後より著明に改善した．ヒトiPS細胞由来のドパミン神経細胞製剤の安全性を示したことは大きな一歩であるが，この臨床試験はFDAのcompassionate use（人道的使用）のカテゴリーで1例のみ承認されており，治療として承認されるにはさらに時間を要するものと思われる．

本邦では，京都大学iPS細胞研究所で作製された上述のHLAホモ接合体ドナー由来のiPS細胞株から作製されたドパミン神経前駆細胞を使用し，パーキンソン病に対する細胞移植治療の安全性と有効性を検討する医師主導治験

6）Kikuchi T, Morizane A, Doi D et al：Human iPS cell-derived dopaminergic neurons function in a primate Parkinson's disease model. Nature 548：592-596, 2017
7）Kim TW, Piao J, Koo SY et al：Biphasic activation of WNT signaling facilitates the derivation of midbrain dopamine neurons from hESCs for translational use. Cell Stem Cell 28：343-355.e5, 2021
8）Garitaonandia I, Gonzalez R, Sherman G et al：Novel approach to stem cell therapy in Parkinson's disease. Stem Cells Dev 27：951-957, 2018
9）Schweitzer JS, Song B, Herrington TM et al：Personalized iPSC-derived dopamine progenitor cells for Parkinson's disease. N Engl J Med 382：1926-1932, 2020

（Ⅰ/Ⅱ相，UMIN000033564）が2018年8月から開始された[10]．500〜1,000万細胞を両側被殻に定位脳手術で投与し，移植後2年間の観察期間でMRI，^{18}F-DOPA PET，運動機能評価などを行い，安全性と有効性を検証する計画である．2021年には予定された7例の患者に細胞移植を完了し，経過観察中である．また米国でも，ヒトES細胞由来のドパミン神経前駆細胞を使用した細胞移植治療の臨床試験（NCT04802733）が2021年より開始された．これらの臨床試験の結果が待たれるが，臨床試験に入るための非臨床試験の結果がそれぞれ報告されている[11, 12]．いずれも多能性幹細胞由来の細胞製剤であることから，残存未分化iPS細胞による腫瘍化や未熟な神経幹細胞の増殖による腫瘍形成がリスクとして認識され，安全性の確認には*in vitro*での未分化iPS細胞または神経幹細胞の残存評価やゲノム解析に加えて免疫不全動物を使用した移植後の長期観察が行われ，多能性幹細胞由来の細胞製剤に特有の懸念点が否定されている．有効性の検証には古典的なモデルである6-OHDAを片側線条体に投与してドパミン神経を脱落させた片側パーキンソン病モデルラットが使用され，それぞれ有効性が確認されている．

欧州でもヒトES細胞を用いた細胞移植の臨床試験が計画されているが，その前段階として胎児細胞移植の有効性を検証するTRANSEURO試験が実施されている．これは，今後予定されているヒトES細胞移植の適応となる症例の自然歴を調べるとともに，以前の二重盲検試験で有効性が示されなかった胎児細胞移植の問題点（胎児細胞の採取方法や保管方法，投与方法など）を改善し，細胞移植治療の有効性を再検証しようとするものである[13]．11例に細胞移植が行われ3年間の経過観察期間が終了しており，結果が待たれる．

基礎研究では細胞移植治療と他治療の併用に関する研究が進められている．細胞移植と遺伝子治療の併用として，ヒトiPS細胞由来のドパミン神経前駆細胞移植後にアデノ随伴ウイルスベクターの脳内投与によってグリア細胞株由来神経栄養因子（glial cell line-derived neurotrophic factor：GDNF）をパーキンソン病モデルラットの線条体の神経に発現させたところ，移植片に含まれる成熟したドパミン神経細胞の割合が増加し，移植片から線条体のGDNF発現部位に伸びる神経突起が増加し，運動機能の改善が得られた[14]．また細胞移植とリハビリテーションの組み合わせとして，ラットへの細胞移植後にトレッドミルによる歩行訓練を行い，ドパミン神経細胞の生着が改善し，移植細胞由来の神経突起の線条体への伸長が増加した[15]．これらの報告では，細胞移植治療と他治療の相乗効果が示されている．

脊髄損傷に対する神経前駆細胞移植

脊髄損傷に対する細胞移植治療は，損傷された脊髄に多能性幹細胞由来の神経幹細胞などの移植を行い，神経細胞による神経回路の修復，移植細胞由来の

10) Takahashi J：iPS cell-based therapy for Parkinson's disease：a Kyoto trial. Regen Ther 13：18-22, 2020

11) Doi D, Magotani H, Kikuchi T et al：Preclinical study of induced pluripotent stem cell-derived dopaminergic progenitor cells for Parkinson's disease. Nat Commun 11：3369, 2020

12) Piao J, Zabierowski S, Dubose BN et al：Preclinical efficacy and safety of a human embryonic stem cell-derived midbrain dopamine progenitor product, MSK-DA01. Cell Stem Cell 28：217-229.e7, 2021

13) Barker RA, TRANSEURO consortium：Designing stem-cell-based dopamine cell replacement trials for Parkinson's disease. Nat Med 25：1045-1053, 2019

14) Gantner CW, de Luzy IR, Kauhausen JA et al：Viral delivery of GDNF promotes functional integration of human stem cell grafts in Parkinson's disease. Cell Stem Cell 26：511-526.e5, 2020

15) Torikoshi S, Morizane A, Shimogawa T et al：Exercise promotes neurite extensions from grafted dopaminergic neurons in the direction of the dorsolateral striatum in Parkinson's disease model rats. J Parkinsons Dis 10：511-521, 2020

栄養因子による神経保護効果，髄鞘形成による神経伝導の改善により神経機能の改善を目指す治療である．動物モデルを使用した数多くの非臨床研究が行われ，細胞移植治療の効果が示されてきたが，これまでに臨床応用された例は少ない．2010年にGeron社が開発したヒトES細胞由来オリゴデンドロサイト前駆細胞（GRNOPC1）を移植する臨床試験が開始され，4人の患者に投与されたが，経済的理由で試験は中止された．その後もヒトES細胞由来オリゴデンドロサイト前駆細胞は製品名や会社を変えて開発が続けられ，文献の発表はないもののAsteria社のヒトES細胞由来オリゴデンドロサイト前駆細胞（AST-OPC1）を使用したdose-escalation studyが25例，観察期間12ヵ月で実施されている．また，損傷後7〜14日後に200万個のGRNOPC1を投与した胸髄損傷の5例を，10年間追跡した結果が報告された[16]．10年間で予期しない有害事象は認められず，神経症状の悪化や腫瘍の形成，脊髄のさらなる損傷，空洞形成は認められなかった．またMRI上5例中4例で損傷部位に組織の形成を示すT2信号変化が認められ，脱落した神経組織が移植細胞により置換されたことがうかがわれた．この報告は，多能性幹細胞を用いた細胞移植治療の観察としては現時点でもっとも長いものである．

本邦では慶應義塾大学などのチームで開発された，ヒトiPS細胞由来神経前駆細胞を用いた亜急性期脊髄損傷に対する細胞移植治療の臨床研究が開始された（UMIN000035074）[17]．臨床研究では，材料となるiPS細胞は京都大学iPS細胞研究財団の医療用iPS細胞ストックを用い，大阪医療センターで神経前駆細胞に分化誘導し凍結保存される．脊髄損傷患者が登録されると細胞を融解し，神経分化を促進するγセクレターゼ阻害剤処理などを行い，約200万個の細胞を頚胸髄の損傷中心部実質に移植する．移植後は1年間の観察期間で安全性，有効性を確認する計画である．2021年12月に1例目の投与が行われ，続く3例の移植が計画されている．この臨床試験に関連して，慶應義塾大学のグループでは抑制型の人工受容体（DREADDs）の遺伝子を導入した神経前駆細胞を移植したところ，移植細胞より分化した神経細胞の活動を特異的に制御すると運動機能が低下することを確認し，移植細胞由来の神経細胞が損傷脊髄の運動機能改善に寄与していることを直接的に示した[18]．

脳血管障害（脳梗塞）や頭部外傷に対する細胞移植

脳梗塞や頭部外傷による脳損傷に対しては，骨髄や脂肪から採取した間葉系幹細胞を用いた細胞移植治療が主流である．間葉系幹細胞は神経細胞に分化するほかにサイトカイン，ケモカイン，エクソソームなどの神経栄養因子を分泌し，損傷後の細胞死の抑制や抗炎症効果を発揮すると考えられ，多数の臨床試験が行われている[19]．一方で障害された神経回路を再構築する目的で，ヒト多能性幹細胞から分化誘導した神経細胞を移植する試みも行われているが，現

16）McKenna SL, Ehsanian R, Liu CY et al：Ten-year safety of pluripotent stem cell transplantation in acute thoracic spinal cord injury. J Neurosurg Spine doi：10.3171/2021.12.SPINE21622, 2022［online ahead of print］

17）Sugai K, Sumida M, Shofuda T et al：First-in-human clinical trial of transplantation of iPSC-derived NS/PCs in subacute complete spinal cord injury：study protocol. Regen Ther 18：321-333, 2021

18）Kitagawa T, Nagoshi N, Kamata Y et al：Modulation by DREADD reveals the therapeutic effect of human iPSC-derived neuronal activity on functional recovery after spinal cord injury. Stem Cell Reports 17：127-142, 2022

19）Kawabori M, Shichinohe H, Kuroda S et al：Clinical trials of stem cell therapy for cerebral ischemic stroke. Int J Mol Sci 21：7380, 2020

時点では基礎研究にとどまる．マウス胎仔の大脳皮質細胞を皮質損傷モデルマウスに移植し，生着した移植細胞が皮質脊髄路に沿って軸索を伸ばして運動機能が改善したという報告[20]や，ヒトiPS細胞由来の神経細胞を脳梗塞モデルに移植し，生着した移植細胞が対側の宿主皮質細胞に接続することや，視床からの入力を受けることが報告されている[21]．われわれのグループでは，ヒト多能性幹細胞から発生を模倣し大脳皮質の層構造を再現した大脳オルガノイドを分化誘導し，脳損傷モデルマウスに対して細胞移植を行い，皮質脊髄路に沿った神経突起の伸長を確認している[22]．今後は移植細胞の分化誘導条件の最適化や脳梗塞モデルにおける機能改善，神経回路形成の確認などの課題が残されている．

おわりに

疾患ごとの多能性幹細胞を用いた神経再生医療の現状についてまとめた．臨床の論文は現時点では少ないものの，臨床研究が多数進行中であり結果報告が待たれる．今後は細胞移植治療と他治療の併用を臨床応用していくことや，臨床試験において新たに発見された問題を基礎研究にフィードバックして問題解決を図るリバース・トランスレーションが重要になると考えられる．

20）Péron S, Droguerre M, Debarbieux F et al：A delay between motor cortex lesions and neuronal transplantation enhances graft integration and improves repair and recovery. J Neurosci 37：1820-1834, 2017
21）Palma-Tortosa S, Tornero D, Grønning Hansen M et al：Activity in grafted human iPS cell-derived cortical neurons integrated in stroke-injured rat brain regulates motor behavior. Proc Natl Acad Sci U S A 117：9094-9100, 2020
22）Kitahara T, Sakaguchi H, Morizane A et al：Axonal extensions along corticospinal tracts from transplanted human cerebral organoids. Stem Cell Reports 15：467-481, 2020

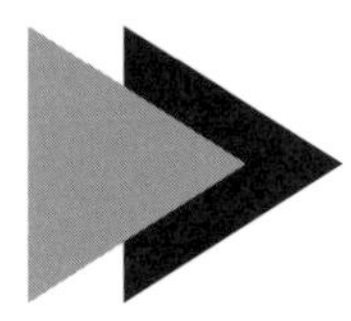

45. 神経疾患に対する細胞療法

さ さ き まさのり
佐々木祐典
札幌医科大学医学部附属フロンティア医学研究所 神経再生医療学部門

最近の動向

●最近は，脳卒中や脊髄損傷をはじめとする神経疾患に対する細胞療法による臨床試験の結果が発表されつつあり，安全性と治療効果の報告がなされている．

●細胞療法に用いられるドナー細胞として，間葉系幹細胞，神経幹細胞，胚性幹細胞，iPS 細胞などが検討されている．本稿においては世界中で最も用いられている間葉系幹細胞を用いた臨床試験の概要と結果を紹介し，さらに，本邦においても研究が進んでいる骨髄由来の間葉系幹細胞を用いた，基礎研究の最新の結果について概説する．

細胞療法のドナー細胞としての間葉系幹細胞

神経疾患に対する細胞を用いた新しい治療法の開発への期待は高く，世界中でさまざまな細胞をドナー細胞とする精力的な研究が進められている．特に最近では，間葉系幹細胞（mesenchymal stem cell：MSC）をはじめとする種々の細胞を用いた脳卒中や脊髄損傷などの神経疾患に対する臨床試験の結果が報告されつつある．

脳卒中に対する臨床試験

2019 年からの 3 年間で結果が報告されたのは，主に以下の臨床試験である．

フランスの ISIS-HERMES Study Group の Jaillard[1] らは，自家骨髄から 10％ウシ胎児血清を用いて培養したヒト MSC を発症 6 週間以内の中等度から重症脳梗塞患者に経静脈的に投与した評価者盲検ランダム化試験（NCT00875654）の結果を報告している．2 年間の観察期間を終了した 31 例（そのうち 16 人が MSC の投与を受けた）を解析した結果，motor-National Institute of Health Stroke Scale，Fugl-Meyer motor score，task-related fMRI において統計学的に有意な改善を認めたが，Barthel Index，National Institute of Health Stroke Scale，modified Rankin Scale は有意な変化は認めなかった．

米国スタンフォード大学の Steinberg[2] らは，ヒト *Notch1* 遺伝子の細胞内ド

1）Jaillard A, Hommel M, Moisan A et al：Autologous mesenchymal stem cells improve motor recovery in subacute ischemic stroke：a randomized clinical trial. Transl Stroke Res 11：910-923, 2020

2）Steinberg GK, Kondziolka D, Wechsler LR et al：Two-year safety and clinical outcomes in chronic ischemic stroke patients after implantation of modified bone marrow-derived mesenchymal stem cells (SB623)：a phase 1/2a study. J Neurosurg doi：10.3171/2018.5.JNS173147, 2018 [online ahead of print]

2434-9992/22/¥100/頁/JCOPY

メインをプラスミドを用いて一過性に導入した他家骨髄由来ヒトMSC（SB623：SanBio社）を，慢性期脳梗塞患者の脳梗塞周囲に定位的に移植した第Ⅰ/Ⅱa相単群試験（NCT01287936）を実施した結果を報告している．2年間の観察期間を終了した16例を解析した結果，European Stroke Scale，National Institute of Health Stroke Scale，Fugl-Meyer total score，Fugl-Meyer motor scoreでは統計学的な有意差を認めたが，modified Rankin Scaleの改善には至らなかった．治療効果は1年でプラトーに達し，以後の変化はなかった．

米国カリフォルニア大学サンディエゴ校のLevy[3]らは，5％の低酸素下で培養し虚血耐性を有する他家骨髄由来ヒトMSC（Stemedica Cell Technologies社）を慢性期脳梗塞患者に経静脈的に投与した第Ⅰ相（Part 1）および第Ⅱ相（Part 2）単群試験（NCT01297413）を実施した結果を報告している．Part 1では用量漸増試験を行い安全性の確認をした．Part 2では，Part 1で安全性を確認した細胞量（150万個/kg・体重）を投与し，1年間の観察期間を終了した21例を解析した結果，Mini-Mental Status Exam score，National Institute of Health Stroke Scale，Geriatric depression scale，Barthel Indexにおいて統計学的に有意な改善を認めた．

3) Levy ML, Crawford JR, Dib N et al：Phase Ⅰ/Ⅱ study of safety and preliminary efficacy of intravenous allogeneic mesenchymal stem cells in chronic stroke. Stroke 50：2835-2841, 2019

脊髄損傷に対する臨床試験

札幌医科大学のHonmou[4]らは，自己血清を用いて培養された自家骨髄由来ヒトMSC（STR01）をAmerican Spinal Injury Association Impairment（ASIA）ScaleのグレードAからCの亜急性期脊髄損傷患者に経静脈的に投与した第Ⅱ相単群試験（JMA-IIA00154）の結果を報告している．6ヵ月間の観察期間を終了した13例を解析した結果，13人中12人の患者にASIAグレードに基づく神経学的改善がみられた．MSC投与前にASIA Aと診断された6人の患者のうち5人がASIA B（3/6）またはASIA C（2/6）に改善し，2人のASIA B患者がASIA C（1/2）またはASIA D（1/2）に，5人のASIA C患者全員がASIA Dの機能状態に改善した（5/5）．注目すべきは，ASIA CからASIA Dへの改善が，5人の患者すべてにおいて，MSC投与翌日に観察されたことである．詳細な神経学スコアであるISCSCI-92および脊髄障害自立度評価スコアであるSCIM-Ⅲにおいても，投与後6ヵ月で，全患者において投与前と比較して機能的改善が確認された．本論文では13例の詳細な臨床経過を（症例によっては最長526日までのデータも含む）記載している．この医師主導治験の結果は，過去の報告における脊髄損傷の自然回復よりも期待が高いことを受け，STR01は，厚生労働省から，2018年12月に脊髄損傷を対象とした条件および期限付き承認を受けた．2022年現在，本邦において再生医療等製品「ステミラック®注（一般的名称：ヒト（自己）骨髄由来

4) Honmou O, Yamashita T, Morita T et al：Intravenous infusion of auto serum-expanded autologous mesenchymal stem cells in spinal cord injury patients：13 case series. Clin Neurol Neurosurg 203：106565, 2021

間葉系幹細胞)」として受傷後31日以内を目安に骨髄液採取を実施することが可能な受傷から間もない脊髄損傷の患者を対象として使用されている（https://web.sapmed.ac.jp/hospital/topics/news/stemirac.html）.

MSCを用いた基礎研究 〜血管内治療をめぐるトピックス〜

血栓回収デバイスの発展に伴い再開通療法の成績が向上しているが，転帰が不良な症例も今なお存在する．Kiyose[5]らは，実験的にMSC投与前の運動機能と脳梗塞体積を同じに揃えたラット中大脳動脈永久閉塞モデルと一過性中大脳動脈閉塞モデルを作製し，再開通療法後に対するMSCの経静脈的投与の治療効果の検討した結果，両方で運動機能の改善を認めたが，一過性閉塞モデルではより強い治療効果が得られたことを報告した．一過性閉塞モデルにMSC治療を行った群の局所脳血流量の上昇，毛細血管の修復があることをMRI ASL法や組織学手法を用いて明らかにしている．このことは，MSC投与により再開通療法の治療効果を高めたと考えられた．

また，ステント治療とMSC治療との関連を検討するために，Nakazaki[6]らは，ミニブタを用いたヒトの頚動脈のモデルとして，ミニブタの頚動脈にCarotid WALLSTENTを留置，ヒトのMCAのモデルとして，浅頚動脈に心臓用のベアメタルステントを留置し，MSCを経静脈的に投与した結果を報告した．投与28日後の血管の狭窄はMSC投与群で抑制されることを，血管造影，血管内超音波，組織学的手法を用いて示した．以上のことから，MSCの経静脈的投与は，ステントを留置した動脈において，内膜の過形成を抑制し，ステント留置後の脳虚血イベントを抑制する可能性があることが示唆された．

MSCを用いた基礎研究 〜慢性期脳梗塞に対するMSCの複数回投与〜

これまでに行われた実験的脳梗塞に対するMSCの治療効果を示した研究は，単回投与がほとんどである．しかし，さらなる治療効果を得るためには複数回投与に期待が集まる．Takemura[7]らは，中大脳動脈永久閉塞による脳梗塞モデル作製後8週目の慢性期脳梗塞にMSCを毎週1回経静脈的に投与し（最多3回），治療効果を検証した結果，MSC複数回投与群は，MSC単回投与群，vehicle群に比べて，動物用MRIによる脳梗塞巣の体積に違いはないものの運動機能の改善が得られることを報告した．この治療効果を生じるメカニズムとして，神経可塑性の亢進があることを，脳梁の厚さの測定やMRI diffusion tensor imagingにより示している．したがって，MSCの複数回投与は，単回投与に比べてより強い治療効果を発揮する可能性があることがわかった．

5) Kiyose R, Sasaki M, Kataoka-Sasaki Y et al：Intravenous infusion of mesenchymal stem cells enhances therapeutic efficacy of reperfusion therapy in cerebral ischemia. World Neurosurg 149：e160-e169, 2021

6) Nakazaki M, Oka S, Sasaki M et al：Prevention of neointimal hyperplasia induced by an endovascular stent via intravenous infusion of mesenchymal stem cells. J Neurosurg doi：10.3171/2019.7.JNS19575, 2019 [online ahead of print]

7) Takemura M, Sasaki M, Kataoka-Sasaki Y et al：Repeated intravenous infusion of mesenchymal stem cells for enhanced functional recovery in a rat model of chronic cerebral ischemia. J Neurosurg doi：10.3171/2021.8.JNS21687, 2021

MSCを用いた基礎研究 〜脊髄損傷後に大脳皮質運動野に惹起される遺伝子の変化〜

これまでは脊髄損傷に対するMSCの静脈内投与による機能回復後に生じる局所の変化に注目が集まっていたが，脳の反応を調べた研究は少ない．Oshigiri[8]らは，実験的脊髄損傷ラットにMSCの経静脈的投与を行い，大脳皮質運動野の網羅的遺伝子発現解析を行った．脊髄損傷モデルはSD雄ラットに対して第9胸髄に圧挫損傷で作製した．損傷翌日にMSCを経静脈的に投与，投与3日目に大脳皮質運動野の脳組織からtotal RNAを抽出し，マイクロアレイによる網羅的遺伝子解析を行った結果，38個の発現量に変化のあった遺伝子（differentially expressed genes：DEGs）が抽出され，そのうちcoding遺伝子は15個であったことを報告した．DEGのリアルタイムPCRによる発現定量解析とBBB scoreの相関分析の結果，7個のcoding遺伝子で正の相関を認め，MSC投与後早期の運動機能回復に関与していることが示唆された．さらに，投与3日目で変化を認めたDEGの発現量は7日目で正常化しており，一過性の変化であることがわかった．本研究では，脊髄損傷に対するMSCの経静脈的投与は，脳における遺伝子の発現を一過性に変化させ，運動機能の回復に貢献していることが示唆された．

8) Oshigiri T, Sasaki T, Sasaki M et al：Intravenous infusion of mesenchymal stem cells alters motor cortex gene expression in a rat model of acute spinal cord injury. J Neurotrauma 36：411-420, 2019

MSCを用いた基礎研究 〜虚血性脊髄障害に対するMSCの治療効果〜

胸部および胸腹部大動脈瘤に対する手術の合併症として虚血性脊髄障害がある．これまでも，虚血性脊髄障害に対するさまざまな治療法が試みられてきたが，有効な治療法はない．Yasuda[9]らは，ラットを麻酔下に左開胸し大動脈を一時的に遮断して脊髄虚血を誘導したあと，術後1日目にMSCを経静脈的に投与した結果，MSC投与群はvehicle群と比較し有意な運動機能の回復を認めたことを報告した．*in vivo* MRIによる観察ではMSC群はvehicle群に比較し脊髄のボリュームが有意に保たれていた．観察期間後の組織学的解析においても，脊髄の断面積，ニューロンおよびグリア細胞の数，正常神経軸索数，微小血管長が有意に保たれていた．またEvans blueの静脈投与による血管外漏出量の検討では，MSC群では有意に漏出量が少なかった．以上のことから，虚血性脊髄障害モデルラットに対するMSCの経静脈的投与によって運動機能の回復が得られ，治療メカニズムとして，脊髄白質・灰白質の神経保護および血液脊髄関門の安定化が関与していると考えられた．

9) Yasuda N, Sasaki M, Kataoka-Sasaki Y et al：Intravenous delivery of mesenchymal stem cells protects both white and gray matter in spinal cord ischemia. Brain Res 1747：147040, 2020

MSCを用いた基礎研究 ～筋萎縮性側索硬化症に対するMSCの治療効果～

筋萎縮性側索硬化症（amyotrophic lateral sclerosis：ALS）は進行性の神経変性疾患であり，有効な治療法は確立されていない．しかし近年，ALS患者およびモデルラットに共通した病態として血液脳・脊髄関門の破綻が注目されている．一方，MSCの経静脈的投与は破綻した血液脳・脊髄関門を修復する作用を有することが報告されているが，ALSに対する治療効果の検討は少ない．Magota[10]らは，ALSモデルラット（SOD1G93A）にMSCを経静脈的投与した結果，MSC投与群ではvehicle群に比べて，有意に病状の進行を抑制する（運動機能低下の抑制，脊髄運動神経細胞の減少，血液脊髄関門の破綻が抑制）ことを報告した．さらにMSC投与群は神経栄養因子であるNeurturinのmRNAの発現量が高かった．これらの結果から，投与したMSCは血液脊髄関門を安定化し，神経栄養因子を分泌することで運動神経細胞に対する保護作用を呈して，ALSに対して治療効果を発揮すると推察された．さらに，MSCを毎週1回（最多3回）投与して，治療効果を検証した結果，MSC複数回投与群は，MSC単回投与群，vehicle群に比べて，病状の進行がさらに抑制され，生存期間が延長することも報告した[11]．したがって，MSCの複数回投与は，ALSに対しても単回投与に比べてより強い治療効果を発揮する可能性があることがわかった．

10）Magota H, Sasaki M, Kataoka-Sasaki Y et al：Intravenous infusion of mesenchymal stem cells delays disease progression in the SOD1G93A transgenic amyotrophic lateral sclerosis rat model. Brain Res 1757：147296, 2021

11）Magota H, Sasaki M, Kataoka-Sasaki Y et al：Repeated infusion of mesenchymal stem cells maintain the condition to inhibit deteriorated motor function, leading to an extended lifespan in the SOD1G93A rat model of amyotrophic lateral sclerosis. Mol Brain 14：76, 2021

MSCを用いた基礎研究　～MSCによる寿命延伸～

微小脳血管病を呈するspontaneously hypertensive rat（stroke prone）モデルにおいては，先行研究で，MSCの経静脈的投与は血液脳関門の安定化に寄与し，運動・認知機能の低下を抑制する可能性があることを報告した[12]．Nakazaki[13]らは，上記モデルラットの21週齢時にMSCを投与し，42日間（26週齢）観察した結果，投与後42日目における生存率は，vehicle群は30.7％であったのに対し，MSC投与群では70.6％であったことを報告した．Kaplan-Meier解析では，MSC投与群の平均生存期間は，vehicle群より有意に長いことが示された．これらの結果は，MSCの静脈内投与が，本モデルにおいて寿命を延長することを示した．MSC投与7日目に腎臓・脳・心臓・肝臓から組織を採取後に，各臓器における遺伝子発現解析を行った結果，MSC治療群において長寿に関与する遺伝子であるforkhead box O1（*FOXO1*）の上昇が認められた．また，Transforming Growth Factor-β（TGF-β）と，TGF-β受容体サブファミリーであるALK5およびTGF-βスーパーファミリーに対する受容体からのシグナルの主要な伝達因子である*SMAD3*の発現も有意に増加していた．また，MSC投与42日目の血清尿素窒素と血清クレアチニン

12）Nakazaki M, Sasaki M, Kataoka-Sasaki Y et al：Intravenous infusion of mesenchymal stem cells improves impaired cognitive function in a cerebral small vessel disease model. Neuroscience 408：361-377, 2019

13）Nakazaki M, Oka S, Sasaki M et al：Prolonged lifespan in a spontaneously hypertensive rat（stroke prone）model following intravenous infusion of mesenchymal stem cells. Heliyon 6：e05833, 2020

は，vehicle 群では上昇を認めたが，MSC 治療群では正常ラットと同様の値であった．したがって，MSC による同モデルラットに対する MSC の経静脈的投与による寿命が延伸するメカニズムとして，TGF-β-SMAD3 パスウェイの活性化により，全身の微小血管系のリモデリングが惹起されること，また，長寿に関与する遺伝子である ***FOXO1*** の活性が上昇することにより，生体の細胞増殖にかかわるプロセスが制御される可能性があることが示唆された．

以上より，MSC は神経疾患に対する細胞療法におけるもっとも有力なドナー細胞として広く注目を集めており，今後の研究の展開に益々期待が高まっている．

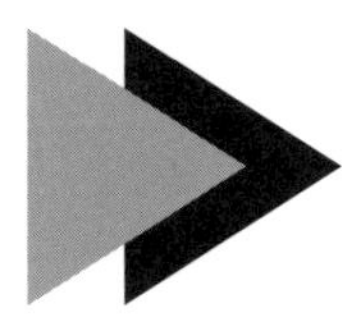

46. グリオーマに対する新規分子標的薬

大岡史治（おおおか ふみはる）
名古屋大学大学院医学系研究科 脳神経外科学

最近の動向

- グリオーマはこれまでに全世界で多くの分子標的薬の臨床試験が行われてきたが，有用性を証明できた治療薬は乏しく，ベバシズマブの登場以降本邦で広く使用できる新規分子標的薬は導入されていない.
- 大規模な分子解析研究によりグリオーマは多くの性質の異なる腫瘍群から構成されることが明らかになり，それぞれの腫瘍群における重要な分子異常が同定されつつある．重要な分子異常は分子診断に有用であるのみではなく，有用な新規治療標的となる可能性があり，その分子異常に対する治療法の開発が進んでいる.
- 多くのがん種で共通にみられる分子異常は，一部共通したシグナル異常を誘導していると考えられ，原発巣によらずバイオロジーに基づいて固形がんのすべてで使用できる臓器横断治療薬が登場している．特定の分子異常を有すればグリオーマでも臓器横断治療薬を使用可能であり，治療の選択肢が増えている．また，平行してグリオーマに特異性の高い分子異常に対する新規治療薬の開発も進みつつある.

グリオーマの新規治療標的となりうる分子異常

グリオーマは脳腫瘍の中でもっとも頻度が高い腫瘍の一つであり，さまざまな生物学的性質をもつ腫瘍群が混在している．近年の網羅的分子解析研究の結果から多くの知見が得られ，グリオーマは従来の病理組織所見に加えて分子異常により，詳細に細分化されることが明らかになった．グリオーマの分子異常にはゲノム異常である遺伝子変異や遺伝子融合異常，遺伝子コピー数異常等がみられ，またエピゲノム異常であるDNAメチル化異常等，多彩な異常が同定されている．いくつかの腫瘍群では，特に腫瘍形成に重要な役割を果たしていると考えられる分子異常が特定されつつある．2021年に刊行されたWHO分類第5版では診断名に多くの分子異常名が記され，脳腫瘍分類において分子異常の同定がきわめて重要であることが広く認識されている．グリオーマは大きくdiffuse typeとcircumscribed typeに分けられ，diffuse typeはさらに成人

2434-9992/22/¥100/頁/JCOPY

型と小児型に分けられた．成人型（Adult-type diffuse glioma）はIDH変異，1p/19q共欠失等の有無により，Astrocytoma, IDH-mutant, Oligodendroglioma, IDH-mutant and 1p/19-codeleted, Glioblastoma, IDH-wildtypeの3つに分けられる．小児型グリオーマ（Pediatric-type diffuse glioma）は低悪性度と高悪性度に分けられ，低悪性度群ではMAPキナーゼ経路の異常が多いこと，高悪性度群ではヒストンをコードする*H3F3A*遺伝子等の遺伝子変異が多いことが明らかになった．また小児高悪性度腫瘍であるInfant-type hemispheric gliomaでは*NTRK*遺伝子，*ROS1*遺伝子等の異常がみられることが明らかになっている．Circumscribed typeでは，Pilocytic astrocytoma, pleomorphic xanthoastrocytoma（PXA）では*BRAF*遺伝子異常が多く，Astroblastomaでは*MN-1*遺伝子異常が多いことも明らかになっている[1)]．

1）Louis DN, Perry A, Wesseling P et al：The 2021 WHO Classification of Tumors of the Central Nervous System：a summary. Neuro Oncol 23：1231-1251, 2021

上記のようにグリオーマは近年急速に診断開発が進んでおり，今後はそれぞれの分子異常を標的としたプレシジョンメディシンを目指した新規治療開発が進んでいくことが予想される．本稿では，現在本邦で一部のグリオーマに使用できる新規分子標的薬と，近い将来使用可能になることが期待されるグリオーマの分子異常を標的とした新規治療法についての知見を紹介する．

現在本邦で一部のグリオーマ症例に使用可能な新規分子標的薬

臓器横断的治療（tumor-agnostic therapy）

さまざまながん種で網羅的な分子解析が進んだことで，がん種を超えて臓器横断的に共通にみられる重要な遺伝子異常が存在することが明らかになった．これらの重要な遺伝子異常は一部共通のシグナル異常を介して，がんのバイオロジーに重要な役割を果たしている可能性がある．この点に着目したがん治療の概念として，臓器横断的治療が広まりつつある．臓器横断的治療は原発巣やがん種を超えてバイオロジーに基づいて薬剤選択を行う治療である．2018年12月に本邦において，進行・再発dMMR（ミスマッチ修復機能欠損）固形がんに対して免疫チェックポイント阻害薬である抗PD-1抗体薬ペムブロリズマブが薬事承認された．ペムブロリズマブは国内初の臓器横断的治療薬である．また*NTRK*融合遺伝子陽性固形がんに対するTRK阻害薬の有効性が示されたことで，本邦では2019年6月にエヌトレクチニブ，2021年3月にラロトレクチニブが承認された．これらの詳細については後述するが，ペムブロリズマブの適応となる高頻度マイクロサテライト不安定性（MSI-High）を有するグリオーマはきわめて頻度が少ないことが報告されている．また*NTRK*融合遺伝子は小児型グリオーマで比較的多くみられることが明らかになっており，WHO分類第5版でもInfant-type hemispheric gliomaと定義され，その有効性が期待されているが，成人型グリオーマでは*NTRK*融合遺伝子の頻度はきわめて少ない．このように，グリオーマで頻度の低い分子異常を有する腫瘍群のみが対象となっていることは現在の問題点ではあるが，全体でも比較的頻度が少ない腫瘍であるグリオーマの治療開発を目指すうえで，臓器横断的治療薬の登場は有望である．

免疫チェックポイント阻害薬

がん細胞は細胞表面にPD-L1を発現しており，CD8陽性T細胞のPD-1と結合することでT細胞の活性化を抑制し，免疫機能を抑制する免疫逃避機構をもっている．PD-1やPD-L1は免疫チェックポイント分子と呼ばれ，これらの分子を阻害しT細胞を再び活性化することでがん細胞を攻撃する治療薬が免疫チェックポイント阻害薬である．抗PD-1抗体であるニボルマブは2014年に悪性黒色腫に対して承認され，翌年には切除不能な進行・再発の非小細胞肺がんに対して承認された．現在は治癒切除不能な進行・再発胃がんや根治切除不能または転移性の腎細胞がん等多くのがん種で承認がなされている．再発膠芽腫に対しても，ニボルマブ治療の有効性を検証する第Ⅲ相試験が行われ，369例の再発膠芽腫症例がニボルマブもしくはベバシズマブで治療されたが，overall survival（OS），progression free survival（PFS）いずれにおいてもニボルマブの有用性は証明できなかった[2]．一般的にDNA変異数が多いがん細胞は，がんに対する免疫抑制機能を解除する免疫チェックポイント阻害薬が有効であることが多いと考えられている．抗PD-1抗体であるペムブロリズマブは，高頻度マイクロサテライト不安定性を有する直腸・結腸癌以外の固形がんを対象とした第Ⅱ相試験である，KEYNOTE-158試験で有効性が示された[3]．マイクロサテライトとはゲノム上の短い塩基配列（しばしば1bp-4bp）の反復配列の名称であり，マイクロサテライト配列が正常と異なる回数の反復を示すことを高頻度マイクロサテライト不安定性（microsatellite instability-high：MSI-High）と呼ぶ．従来増加したマイクロサテライト配列はDNA配列の異常であるため，これらを修復するミスマッチ修復機構により取り除かれる．MSI-Highはミスマッチ修復遺伝子異常を示すリンチ症候群で高頻度にみられるが，散発性の胃がんや大腸がんの10～15％にみられることも明らかになっている．一方で膠芽腫においてはMSI-Highの症例はきわめて少なく，頻度は1％以下と考えられる[4]．腫瘍遺伝子変異量（tumor mutation burden：TMB）は腫瘍ゲノムにおける体細胞変異の総量であり，高い腫瘍遺伝子変異量（TMB-High）では免疫応答を誘導する腫瘍特異抗原（ネオアンチゲン）が多く産生されると考えられる．TMB-Highは免疫チェックポイント阻害薬の治療効果を予測するバイオマーカーであることも報告されている．多施設共同非ランダム化非盲検試験であるKEYNOTE-158試験でTMB-Highを有すると判

2) Reardon DA, Brandes AA, Omuro A et al：Effect of nivolumab vs bevacizumab in patients with recurrent glioblastoma：the checkMate 143 phase 3 randomized clinical trial. JAMA Oncol 6：1003-1010, 2020

3) Marabelle A, Fakih M, Lopez J et al：Association of tumour mutational burden with outcomes in patients with advanced solid tumours treated with pembrolizumab：prospective biomarker analysis of the multicohort, open-label, phase 2 KEYNOTE-158 study. Lancet Oncol 21：1353-1365, 2020

4) Natsume A, Aoki K, Ohka F et al：Genetic analysis in patients with newly diagnosed glioblastomas treated with interferon-beta plus temozolomide in comparison with temozolomide alone. J Neurooncol 148：17-27, 2020

定された102例の解析結果を受けて，2022年にTMB-Highを要する進行・再発固形がんに対してもペムブロリズマブが承認された．膠芽腫におけるTMB-High症例はMSI-High症例と比べると頻度は高いものの，5%ほどという報告もあり，実際にペムブロリズマブを使用できる膠芽腫症例は限られる．膠芽腫の標準治療薬であるテモゾロミドはDNAのミスマッチを誘導して抗腫瘍効果を発揮するアルキル化薬であるため，テモゾロミド使用後再発症例ではhypermutationがみられることがある．そのため，膠芽腫ではTMB-Highであっても免疫チェックポイント阻害薬は有効ではない可能性も報告されており，今後の検討が待たれる[5)]．

TRK阻害薬

トロポミオシン受容体キナーゼ（TRK）は*NTRK*遺伝子よりコードされる．受容体キナーゼであるTRKは神経栄養因子（NGF，BDNF等）がリガンドとなり，神経細胞の分化および生存維持にかかわっている．*NTRK*遺伝子には*NTRK1/2/3*が存在し，それぞれの遺伝子がさまざまな遺伝子と異常融合することが報告されている．融合型*NTRK*遺伝子では，チロシンキナーゼが恒常的活性化型となることで下流のMAPK経路，PI3K経路等を異常活性化し，腫瘍の増殖異常等に寄与している．TRK阻害薬はTRK融合蛋白質のリン酸化やTRKシグナルの下流に位置するシグナル伝達分子のリン酸化を阻害することで，異常細胞増殖を抑制すると考えられている．エヌトレクチニブでは3つの臨床試験が行われ[6)]，ラロトレクチニブは3つの臨床試験（LOXO-TRK-14001試験：第Ⅰ相，SCOUT試験：第Ⅰ/Ⅱ相，NAVIGATE試験：第Ⅱ相）の結果がまとめて報告され，*NTRK*融合異常を示すさまざまな腫瘍を含む55症例に対して全奏効率は75%ほどであった[7)]．これらの結果を受けて，本邦ではペムブロリズマブに続く臓器横断的治療薬として2019年6月にエヌトレクチニブ，2021年3月にラロトレクチニブが承認された．*NTRK*融合異常がみられる頻度は成人グリオーマでは2%ほどとの報告もあるが，小児悪性グリオーマでは脳幹グリオーマで4%ほど，脳幹部以外の悪性グリオーマでは10〜40%ほどで融合異常がみられるとの報告もある．まだグリオーマについてのまとまった治療成績の報告は少ないが，奏効した脳腫瘍症例の報告もあることから期待されている治療薬である[8)]．

今後期待される新規分子標的薬

IDH阻害薬

IDH変異はWHO分類の中でもきわめて重要な遺伝子異常の一つである．IDHはイソクエン酸脱水素酵素の一つであり，TCAサイクルの中でイソクエ

5) Touat M, Li YY, Boynton AN et al：Mechanisms and therapeutic implications of hypermutation in gliomas. Nature 580：517-523, 2020
6) Doebele RC, Drilon A, Paz-Ares L et al：Entrectinib in patients with advanced or metastatic NTRK fusion-positive solid tumours：integrated analysis of three phase 1-2 trials. Lancet Oncol 21：271-282, 2020
7) Drilon A, Laetsch TW, Kummar S et al：Efficacy of larotrectinib in TRK fusion-positive cancers in adults and children. N Engl J Med 378：731-739, 2018
8) Boyer J, Birzu C, Bielle F et al：Dramatic response of STRN-NTRK-fused malignant glioneuronal tumor to larotrectinib in adult. Neuro Oncol 23：1200-1202, 2021

ン酸をαケトグルタル酸に変換する役割をもつ．変異型IDHはαケトグルタル酸を2-ヒドロキシグルタル酸（2-HG）に変換する機能をもつことでさまざまなエピゲノム異常を誘導し，遺伝子プロモーター部のDNA高メチル化異常を引き起こす（G-CIMP）．すなわちIDH変異は代謝異常を介して腫瘍形成に重要な役割を果たしており，変異型IDHを阻害することは代謝異常を標的とした新規治療戦略となることが期待されている．イボシデニブ（AG-120）は66人のIDH変異陽性グリオーマ症例に対して投与され，造影病変に対しての奏効率は45.2％ほどであったが，非造影病変に対しては高い奏効率（85.7％）を示すことが明らかになった[9]．ボラシデニブ（AG-881）は変異型IDH1，変異型IDH2の両方に作用する阻害薬である．52名のグリオーマ症例に対して投与され，第Ⅰ相試験ではあるもののイボシデニブと同様に非造影病変に対する有効性がみられた[10]．これらの結果からは，IDH変異は腫瘍形成早期にそのメカニズムに大きく寄与しており，腫瘍形成後の維持や悪性化には寄与が少ないことが考えられる．現在手術のみしか治療を行っておらず，非造影病変の再発，再増大がみられる低悪性度グリオーマ症例に対する第Ⅲ相試験が進行中であり，その結果が待たれる．本邦でもDS-1001を用いた第Ⅰ相試験が行われ，同様の結果が報告されている[11]．また別のアプローチとして蓄積したDNAメチル化異常を標的としてDNAメチル化阻害薬であるアザシチジン，デシタビンを再発低悪性度グリオーマ症例に対して投与する第Ⅱ相試験も進んでおり，こちらも結果が待たれるところである．IDH変異腫瘍では腫瘍浸潤リンパ球（tumor infiltrating lymphocytes：TIL）が野生型腫瘍と比較して少ないことが明らかになっている[12]．また2-HGはTILの活性化を抑制していることも明らかになった[13]．これらの知見より，免疫治療の観点からIDH変異型腫瘍に対してイボシデニブとニボルマブを併用した第Ⅱ相試験も進行している．

BRAF阻害薬

BRAFはMAPK経路においてMEKやERKの上流に位置し，細胞増殖を含む細胞機能の調節に関与している．*BRAF* V600E変異によりそのキナーゼ活性は上昇し，異常細胞増殖に寄与していると考えられている．*BRAF* V600EはPXAやGanglioglioma等の悪性度の低いグリオーマに多くみられ（5～15％），膠芽腫では3％ほどである．*BRAF* V600E症例の治療戦略として，これまでに悪性黒色腫や非小細胞肺がんではBRAF阻害薬であるダブラフェニブとMEK阻害薬であるトラメチニブの併用が標準的に使用されている．グリオーマにおいても，BRAF阻害薬単剤では治療抵抗性の獲得がみられることが報告されている[14]．*BRAF* V600E変異を有する進行・再発グリオーマに対してダブラフェニブとトラメチニブを用いた第Ⅱ相試験の結果が報告された．悪性グリオーマ45例中3例でCR，12例でPRが得られており，低悪性度グ

9）Mellinghoff IK, Ellingson BM, Touat M et al：Ivosidenib in isocitrate dehydrogenase 1-mutated advanced glioma. J Clin Oncol 38：3398-3406, 2020

10）Mellinghoff IK, Penas-Prado M, Peters KB et al：Vorasidenib, a dual inhibitor of mutant IDH1/2, in recurrent or progressive glioma；results of a first-in-human phase I trial. Clin Cancer Res 27：4491-4499, 2021

11）Natsume A, Arakawa Y, Narita Y et al：The first-in-human phase I study of a brain penetrant mutant IDH1 inhibitor DS-1001 in patients with recurrent or progressive IDH1-mutant gliomas. Neuro Oncol doi：10.1093/neuonc/noac155, 2022［online ahead of print］

12）Amankulor NM, Kim Y, Arora S et al：Mutant IDH1 regulates the tumor-associated immune system in gliomas. Genes Dev 31：774-786, 2017

13）Bunse L, Pusch S, Bunse T et al：Suppression of antitumor T cell immunity by the oncometabolite (*R*)-2-hydroxyglutarate. Nat Med 24：1192-1203, 2018

14）Kaley T, Touat M, Subbiah V et al：BRAF inhibition in *BRAF*V600-mutant gliomas：results from the VE-BASKET study. J Clin Oncol 36：3477-3484, 2018

リオーマ13例中1例でCR，6例でPRが得られている[15]．低悪性度グリオーマ群にはGanglioglioma等，これまでに確立された化学療法が存在しない腫瘍も含まれており，これらの腫瘍群でも多くの奏効例があることは有用な結果と考える．

FGFR阻害薬

*FGFR*遺伝子はMAPK経路に関与する遺伝子である．WHO分類第5版で新しく作られたサブタイプであるDiffuse low-grade glioma, MAPK pathway-alteredにおいて，*FGFR*遺伝子異常は*BRAF*遺伝子異常ともに高頻度にみられる．*FGFR*遺伝子異常は他のがん種でもよくみられる遺伝子異常であり，全固形がんの約7%の症例にみられる．グリオーマでよくみられる*FGFR*遺伝子異常は，*FGFR3-TACC3*融合異常もしくは*FGFR1 N546, K656*遺伝子変異である．*FGFR3-TACC3*融合異常については膠芽腫の約3%にみられ[16]，*FGFR1*変異については正中部グリオーマ（diffuse midline glioma）の18%ほどにみられるといった報告もある[17]．これらの遺伝子異常に対するFGFR阻害薬の臨床試験も進んでいる[18]．欧米では*FGFR3-TACC3*融合異常もしくは*FGFR1*変異を有する膠芽腫に対してAZD4547（NCT02824133），TAS120（NCT02052778）を用いた臨床試験が進行しており，その結果が期待される．

結　語

グリオーマに対しては，臓器横断的治療の観点からの治療開発と，グリオーマ特有の重要な分子異常を攻撃する治療を探す観点からの開発が同時に進んでいる．これまでグリオーマ全体を対象とした臨床試験で多くの受容体型チロシンキナーゼ（RTK）阻害薬等の分子標的薬がその有効性を示すことができなかったことを考慮すると，グリオーマはそれぞれ重要な分子異常が異なる腫瘍群から構成されていることを意識し，丹念にそれぞれの腫瘍群に対する有望な分子標的薬を検討していくことが重要と考える．分子分類が進み細分化されることで，症例数も細分化され臨床試験の実施が難しくなる可能性もあるが，詳細な細分化はプレシジョンメディシンの現実化のチャンスでもある．今後もグリオーマのプレシジョンメディシンの実現を目指す努力が必要と考える．

15) Wen PY, Stein A, van den Bent M et al：Dabrafenib plus trametinib in patients with BRAF^{V600E}-mutant low-grade and high-grade glioma（ROAR）：a multicentre, open-label, single-arm, phase 2, basket trial. Lancet Oncol 23：53-64, 2022

16) Di Stefano AL, Picca A, Saragoussi E et al：Clinical, molecular, and radiomic profile of gliomas with FGFR3-TACC3 fusions. Neuro Oncol 22：1614-1624, 2020

17) Picca A, Berzero G, Bielle F et al：*FGFR1* actionable mutations, molecular specificities, and outcome of adult midline gliomas. Neurology 90：e2086-e2094, 2018

18) Lassman AB, Sepúlveda-Sánchez JM, Cloughesy TF et al：Infigratinib in patients with recurrent gliomas and FGFR alterations：a multicenter phase Ⅱ study. Clin Cancer Res 28：2270-2277, 2022

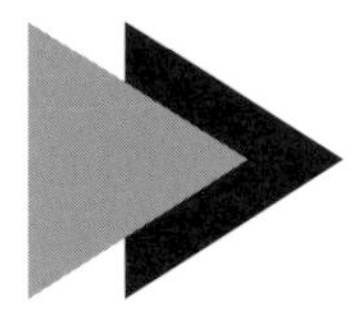

47. 鏡視下手術の展望

竹内和人（たけうち かずひと）
名古屋大学医学部附属病院 脳神経外科

最近の動向

- 頭蓋底手術：内視鏡技術，解剖学的理解の拡大により機能性下垂体腺腫の成績向上につながっている．最大の問題点である髄液漏についても，さまざまな手術法，デバイスが開発され解決しつつある．
- 脳出血：本邦では以前より行われている内視鏡下血腫除去術であるが，世界的にもその利用が拡大してきている．適切な症例選択のため前向き研究が期待される．
- 水頭症：内視鏡治療が威力を発揮する領域である．第三脳室底開窓術の有用性についての再確認がされている．複雑性水頭症は内視鏡利用が有効な疾患の一つであり，ステント挿入術など新たな治療法が開発されている．
- 脊髄疾患：低侵襲手術として内視鏡手術が認知されている．外視鏡の利用が広がってきており，今後の発展が期待される．
- 脳腫瘍：深部病変に対するシリンダーを利用した低侵襲手術が拡大している．本手術では内視鏡ではなく，外視鏡の利用が主となっている．今後は複数の光学デバイスとの併用が期待される．

内視鏡下経鼻頭蓋底手術

経鼻内視鏡手術は，光学技術の発展，専用器械の充実，手術手技の熟達により，すでに下垂体病変に対するスタンダードな治療法といえる．深部病変であっても広角な視野が得られる内視鏡のメリットを生かした神経内視鏡手術の発展は，下垂体手術の発展なしに語ることは不可能である．その一方で，大型下垂体腺腫への対応，機能性下垂体腺腫の寛解率，術後髄液漏をはじめとする合併症，高齢者への適応など，依然としてさまざまな未解決問題があることも確かである．

成熟期を迎えつつある経鼻下垂体手術にあって，下垂体腺腫の新たな摘出法を報告する論文は少ない．被膜外摘出が機能性下垂体腺腫の寛解率向上に寄与することは既報の文献から，またわれわれの経験上も明らかであるが，偽性被膜の欠如や脆弱性の問題から被膜外摘出が完遂できない例も存在し，機能性腺腫手術の寛解率低下の一因となっている．そのような観点から，被膜外摘出が

2434-9992/22/¥100/頁/JCOPY

完遂できない症例において，腺腫が接する下垂体前葉の表面を薄く peel-off して摘出する方法が，機能性腺腫の寛解率向上に寄与する可能性があることが報告されている[1]．被膜外摘出が達成できない例では，およそ58％の確率で隣接する前葉表面に腫瘍細胞が存在することが病理学的に示されており，また前葉表面を薄く剥いで摘出することによる下垂体前葉機能への影響も最低限であるとされている．手術手技の向上の目覚ましい近年にあってもいまだ challenging な手技として，海綿静脈洞内へのアプローチが存在する．その理由は，海綿静脈洞へのアクセスには強い静脈性出血を伴いうること，内頚動脈や動眼・外転神経など重要構造物が存在し，大きな術後合併症を惹起する可能性があるためである．新規薬物療法の出現や放射線療法の有用性が確立する中で，海綿静脈洞内へ進展した腫瘍を摘出すべきかどうかにはこれまでもさまざまな議論がなされてきた．その中で Fernandez-Miranda らのグループは，豊富な cadaver 研究から海綿静脈洞内側壁を anchoring する ligament を4つのグループに分類し，この解剖学的見地から海綿静脈洞内側壁を摘出する方法を報告している[2, 3]．一方でこの手技によって8％の症例で一過性外眼筋麻痺が出現したことも報告しており，熟練した頭蓋底経鼻内視鏡チームのみが行うべき手技であることも強調している．

経鼻内視鏡手術は近年，頭蓋咽頭腫や髄膜腫，脊索腫など，下垂体腺腫以外の傍鞍部腫瘍性病変に対しても，その有用性を拡大している．ここで，Schwartz らの報告を紹介したい[4]．著者らは開頭術もしくは経鼻術による傍鞍部腫瘍の治療成績を，2012 年以前と 2012〜2017 年の2期に分けて，主に全摘率，術後髄液漏発生率，視機能改善率の観点から比較している．これによれば，頭蓋咽頭腫についてはすでに前期において全摘率，視機能改善率ともに経鼻術が優位であり，後期ではさらにその優位性が高まったとしている．脊索腫についても同様に経鼻術の優位性を示しており，強い側方 / 下方進展を伴う一部の腫瘍に開頭術が重要であると述べている．一方で，蝶形骨平面 / 鞍結節髄膜腫については前期では全摘率，髄液漏発生率ともに開頭術が有利で，視機能改善率には有意差を認めなかったのに対し，後期では全摘率は同等で，視機能改善率に関しては経鼻術が有利になったことを示している．また，前期において経鼻術で有意に多かった術後髄液漏の発生率も，後期では大きく改善し，経鼻術の成績向上を示した．時代の変遷によって経鼻内視鏡手術の有用性が向上したことをよく表す報告といえよう．ただし，近年では，開頭術といっても内視鏡下 keyhole 手術など新規手術法の発展も著しいため，前述した傾向も今後さらに変遷していく可能性があることは付記しておく．

頭蓋底内視鏡手術の発展は，鞍底および頭蓋底再建法の発展なしに語ることはできない．これまで多層再建法，硬膜縫合法をはじめとして多種多様な再建法が報告され，著しい術後髄液漏発生率低減を達成してきた．本邦では，ウシ

1) Nagata Y, Takeuchi K, Yamamoto T et al：Peel-off resection of the pituitary gland for functional pituitary adenomas：pathological significance and impact on pituitary function. Pituitary 22：507–513, 2019

2) Truong HQ, Lieber S, Najera E et al：The medial wall of the cavernous sinus. Part 1：Surgical anatomy, ligaments, and surgical technique for its mobilization and/or resection. J Neurosurg 131：122–130, 2018
3) Cohen-Cohen S, Gardner PA, Alves-Belo JT et al：The medial wall of the cavernous sinus. Part 2：Selective medial wall resection in 50 pituitary adenoma patients. J Neurosurg 131：131–140, 2018
4) Schwartz TH, Morgenstern PF, Anand VK：Lessons learned in the evolution of endoscopic skull base surgery. J Neurosurg 130：337–346, 2019

アキレス腱由来のコラーゲン製吸収性人工硬膜が2019年に保険収載された．これまでは主に脂肪や筋膜などの自家組織を用いて行ってきた鞍底再建であるが，吸収性人工硬膜に硬膜縫合および多層再建法を組み合わせた再建法が提案されている[5]．自家組織採取が不要となり，より低侵襲な鞍底再建につながる可能性を秘めている．しかし，吸収性人工硬膜を用いた鞍底再建法の大規模かつ長期成績を記した報告は存在せず，今後のデータ蓄積が課題である．硬膜縫合は本邦で広く利用されている非常に強固な再建法の一つといえるが，長いラーニングカーブが存在し，習熟したとしても手術時間の延長につながる可能性がある．そうした中，田原らのグループからは非貫通型のクリップを用いて有利筋膜と硬膜との固定する鞍底再建法が報告されている[6]．このような新規デバイスは利便性が高く，技術の均てん化につながるものである．このような新規デバイスの開発が，より安全で確実な頭蓋底再建につながり，ひいては頭蓋底内視鏡手術の発展に貢献すると期待される．

脳出血に対する鏡視下手術

これまで脳出血に対する血腫除去術は多くの研究がなされてきた．MISTIE Ⅲ trialのサブ解析では，残存血腫量15 mL以下を達成が転帰良好の因子と報告された．低侵襲，確実な血腫除去法であればテント上脳出血に対する治療の有効性が期待できると考えられ，内視鏡下血腫除去術に関する検討が多く行われるようになっている．Aliらは90例の脳内出血に対する内視鏡下血腫除去術について，良好な転帰となる因子について検討を行っている[7]．著者らは主に水中操作を施行しており，術前平均血腫量41 mLに対して術後血腫量は1.2 mLと非常に良好な除去率を達成している．その結果，転帰良好例（mRS score 0～2）は24例（27％）であり，死亡は8例（9％）であった．術後ADL自立の注目すべき因子として，発症から手術までの時間を挙げている．発症24時間以内の血腫除去術をEarly群，24～48時間をInterrim群，48時間以降をLate群に分け検証し，Early群では他の群に比較して有意に死亡率が低く，6ヵ月後のADL自立率はEarly群でLate群の18倍高いことがわかった．一方でEarly群では術中出血との遭遇率が高いとされた．過去の顕微鏡下における血腫除去手術では，超早期の血腫除去は再出血や死亡リスクとなるとされていたが，著者らは内視鏡下では腔内の観察が容易であり，全例で十分な止血対応が可能であったと主張している．血腫の除去率も各群間で差は認められず，早期手術によるデメリットは内視鏡を用いた手術法では認められないとしている．高い血腫除去率，低侵襲性，安全性（止血性）を兼ね備えた本術式の有効性が示された報告といえよう．

現在，欧米を中心に複数の脳出血に対する内視鏡を用いた超急性期治療の前向きランダム化試験が進行しており，その結果が待たれる．しかし，脳出血に

5）Nagata Y，Takeuchi K，Sasaki H et al：Mordified shoelace dural closure with collagen matrix in extended transsphenoidal surgery. Neurol Med Chir（Tokyo）62：203-208, 2022

6）Teramoto S，Tahara S，Hattori Y et al：Skull base dural closure using a modified nonpenetrating clip device via an endoscopic endonasal approach：technical note. Neurol Med Chir（Tokyo）60：514-519, 2020

7）Ali M，Zhang X，Ascanio LC et al：Long-term functional independence after minimally invasive endoscopic intracerebral hemorrhage evacuation. J Neurosurg doi：10.3171/2022.3.JNS22286，2022［online ahead of print］

対する内視鏡治療は本邦が先進的に行ってきた歴史がある．また，欧米に比較して発症早期の治療介入を行いやすい医療背景もある．内視鏡を用いた超早期治療介入の優位性など，国内発の前向き研究が切望される．

水頭症に対する鏡視下手術

閉塞性水頭症に対する内視鏡手術はすでに確立された手技の一つといってよい．嚢胞開窓，透明中隔開窓などさまざまな手技があるが，内視鏡下第三脳室底開窓術（ETV）はもっとも多く利用されている手技といえる．

Lu らは閉塞性水頭症に対する ETV と脳室腹腔シャント術（VPS）に関する 4 編の randomised controlled trial を解析した[8)]．ETV 128 例，VPS 122 例の比較がなされた．治療有効性は両群間で有意差を認めないものの，死亡例は VPS 群のみであり，術後感染，血腫形成，閉塞率は ETV 群で有意に少ない結果となった．予想し得た結果といえるが，閉塞性水頭症に対して ETV が安全かつ有効な治療法と証明された．Pande らは交通性を含めた水頭症に対する ETV と VPS を比較している[9)]．閉塞性水頭症については Lu らの報告を支持するものであったが，交通性水頭症については VPS が ETV に比較して有利であるとする十分なエビデンスはないとしており，非常に興味深い結果といえる．交通性水頭症に対する ETV について，効果を示す論理的解析も含めて検討が必要であろう．

感染後水頭症についてはどうであろうか．Legaspi らは結核性髄膜炎後水頭症に対する ETV 8 編，174 症例のレビューを行っている[10)]．ETV 成功率は 59%であり，既報の非交通性水頭症に対する ETV 成功率に比較して低く，交通性水頭症に対する ETV 成功率と同等のものであった．結核性髄膜炎後水頭症の多くは画像上も交通性水頭症を示すものであり，本結果は頷けるものである．この中で，画像上閉塞起点を認めることが ETV 成功の因子として挙げられており，感染性水頭症においても術前画像検討により症例を選択することで効果が期待できることが示唆された．

内視鏡手術は水頭症の中でも特に複雑性水頭症治療に有効である．複数の閉塞点を有し複雑な形状となった脳室に対して，内視鏡観察下に閉塞起点を減らし，シャント本数を減らす試みはこれまでさまざまな病態に対して試みられてきた．Guida らは，孤立性第四脳室治療に対する内視鏡下中脳水道ステンティング術についての報告をしている[11)]．17 例に対して stenting を施行し，59%で追加治療を要さず，それ以外の症例においてもその後の水頭症治療の回数を減らすことに寄与したとしている．Yamamoto らは，6 例の孤立性側脳室に対して脈絡裂を鏡視下に穿刺することで，側脳室下角と脳底槽に交通を設け，全例で有効であったとしている[12)]．同部位は本来の髄液流路ではないため，閉塞リスク回避のためにステンティングが有効であると報告した．

8) Lu L, Chen H, Weng S et al：Endoscopic third ventriculostomy versus ventriculoperitoneal shunt in patients with obstructive hydrocephalus：meta-analysis of randomized controlled trials. World Neurosurg 129：334-340, 2019

9) Pande A, Lamba N, Mammi M et al：Endoscopic third ventriculostomy versus ventriculoperitoneal shunt in pediatric and adult population: a systematic review and meta-analysis. Neurosurg Rev 44：1227-1241, 2021

10) Legaspi GD, Espiritu AI, Omar AT 2nd：Success and complication rates of endoscopic third ventriculostomy for tuberculous meningitis：a systematic review and meta-analysis. Neurosurg Rev 44：2201-2209, 2021

11) Guida L, Beccaria K, Benichi S et al：Endoscopic aqueductal stenting in the management of pediatric hydrocephalus. J Neurosurg Pediatr 26：346-352, 2020

12) Yamamoto T, Takeuchi K, Nagata Y et al：A novel endoscopic ventriculocisternostomy and stenting technique with a transparent acryl puncture needle for a trapped temporal horn：a technical report and literature review. Neurosurg Rev 45：1783-1789, 2022

いずれも内視鏡手技やステント留置に関連する合併症は認められておらず，複雑性水頭症における内視鏡下ステンティングの有効性，安全性が示されている．

脊椎病変に対する鏡視下手術

内視鏡を用いた脊髄手術 full endoscopic spine surgery（FESS）は近年利用が拡大している術式である．従来法に比較して皮膚切開や傍脊柱筋への剥離，圧排操作を低減でき，低侵襲であると考えられている．Kang らは腰椎狭窄病変における FESS と顕微鏡下手術（MSS）を比較した 11 編をレビューし，FESS 群 665 例，MSS 群 537 例を対象としたメタアナリシスを行った[13]．FESS 群は術後疼痛に有利であると考えられたが，本検討では術後背部痛（VAS scale）について有意差は認められなかった．しかし，FESS 群で入院期間が有意に短かった．麻酔法を含めた手術全体の侵襲性が影響した可能性がある．一方で，合併症発生率について両群間で差は認められなかったが，FESS 群で利用される水中下手技に関連する頭痛や頚部痛を訴える症例が存在することが明らかとなった．腰椎狭窄病変に関していえば，現時点ではいずれの術式も十分に低侵襲性，安全性が確保されていると考えられ，患者ニーズに合わせた選択を行うことが望ましいと考えられる．いずれの手技もデバイスの進化による発展がめざましく認められており，今後もさらなる低侵襲化が進むものと予測される．さらに，FESS の利用は腰椎疾患だけにとどまらず，現在では全脊椎に適応が拡大しつつある．言うまでもなく本疾患は機能的疾患であり，生命予後が長い．手術法の違いによる長期合併症や再発率の検討を行い，どの治療法が生涯を通じて患者ニーズに答えるものか検討が必要であろう．

13) Kang KB, Shin YS, Seo EM：Endoscopic spinal surgery (BESS and UESS) versus microscopic surgery in lumbar spinal stenosis：systematic review and meta-analysis. Global Spine J doi：10.1177/21925682221083271, 2022 [online ahead of print]

脊髄外科における外視鏡の利用の報告は，いまだ少数の case series あるいは症例報告のみではあるが，徐々にその報告数が増加している．Siller らは，3D 外視鏡である VITOM 3D®と顕微鏡下手術を比較し報告している[14]．本研究に先駆けて著者らは 2 週間の外視鏡訓練を受けたのみであるが，外視鏡手術による合併症増加は認められず，新規手術機器使用時にしばしば認められるラーニングカーブはなかったとしている．外視鏡の利点として，良好な術者体位による疲労感の軽減，術野情報共有による教育面の利点を挙げている．一方で，深部術野における立体感や外視鏡固定具の操作性については，顕微鏡に劣るとしている．これらの欠点は，技術進歩に伴い操作性，立体感ともに解決に向かうことが期待できる．Orbeye®をはじめとした固定具一体型の外視鏡もすでに入手可能であり，操作性は顕微鏡にも劣らない．鏡視下手術の波は脊髄外科治療にも打ち寄せている．

14) Siller S, Zoellner C, Fuetsch M et al：A high-definition 3D exoscope as an alternative to the operating microscope in spinal microsurgery. J Neurosurg Spine doi：10.3171/2020.4.SPINE20374, 2020 [online ahead of print]

脳内腫瘍性病変に対する鏡視下手術

深部脳腫瘍に対する治療において，手前に存在する脳の損傷を抑えた病変の摘出が求められる．深部病変へのアプローチルート確保には，病変手前に存在する正常脳の圧排が必要となる．一般的な脳ヘラは一方向性の圧排であり，リトラクション圧による脳損傷のリスクが存在する．これに対し，円筒形リトラクター（以下，シリンダー）はリトラクション圧をシリンダー周囲に分散させることが可能であり，脳損傷リスクを低減させることが可能と考えられてきた．現在では，脳病変手術専用のシリンダーが発売され，利用が拡大してきている．Eichbergらは，米国4施設においてViewsite®あるいはBrainPath®を用いて摘出術が施行された113例を用いて検討を行っている[15]．肉眼的全摘出は71.7％で得られ，永続的な合併症は4.4％と，深部病変を対象とした手術としては良好といえる成績を報告している．著者らは，視野確保に顕微鏡あるいはexoscopeを用いており，内視鏡の利用は行っていなかった．Marenco-Hillembrandらは，シリンダーを用いた手術についてメタアナリシスを報告している[16]．肉眼的全摘出は76.4％で得られ，合併症率は9％で認められたが，利用されたシリンダーによる違いは認められなかったとしている．シリンダー手術による侵襲の低減により，術後感染症が認められなかった点についても言及している．引用された論文を紐解くと，初期には術野視野確保に顕微鏡，内視鏡の報告が多いのに対して，徐々に外視鏡による報告が増加しているのがわかる．シリンダー内の視野確保について内視鏡の利点は認めるものの，操作性の低下，立体視の不足が欠点として重要視された結果といえる．

このように，海外におけるシリンダー手術は顕微鏡あるいは外視鏡によるシリンダー外からの視野確保が主となっている．日本国内では内視鏡を用いた発表が多くを占めており，内視鏡下血腫除去を背景に独自の進化を遂げているといえる．水中での視野確保は内視鏡の大きな利点の一つであり，さまざまな利点が存在する[17]．シリンダーを利用した脳外科手術は一定の成績をあげつつあり，今後，深部腫瘍に対するスタンダードとなり得る．視野確保については，1つのデバイスにこだわる必要はない．本術式の今後の発展のためには，複数のデバイスを適切に切り替えて利用することが必要であろう．その中で外視鏡と内視鏡の切り替えは，切り替えのハードルが低く，次世代に提案できるデバイス選択となり得るのではないだろうか．

15) Eichberg DG, Di L, Shah AH et al：Minimally invasive resection of intracranial lesions using tubular retractors：a large, multi-surgeon, multi-institutional series. J Neurooncol 149：35-44, 2020

16) Marenco-Hillembrand L, Prevatt C, Suarez-Meade P et al：Minimally invasive surgical outcomes for deep-seated brain lesions treated with different tubular retraction systems：a systematic review and meta-analysis. World Neurosurg 143：537-545.e3, 2020

17) Ishikawa T, Takeuchi K, Yamamoto T et al：Importance of hydrostatic pressure and irrigation for hemostasis in neuroendoscopic surgery. Neurol Med Chir（Tokyo）61：117-123, 2021

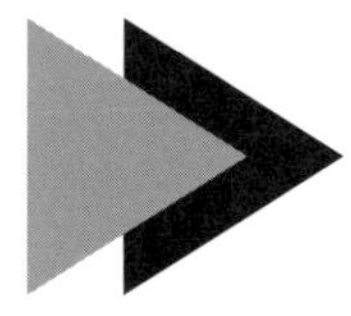

48. 脳機能解析

貴島晴彦（きしまはるひこ）
大阪大学大学院医学系研究科 脳神経外科

最近の動向

- ●脳機能解析の方法は，直接脳を電気で刺激し脳活動を誘発する方法と 脳活動を抑制することで機能を観察する方法（direct electrical stimulation：DES）が代表的である．DES は主に脳表を刺激対象としており，脳表の神経機能の解析で成果が報告されている．
- ●脳活動を誘発する方法は運動機能解析として用いられることが多く，抑制する方法は言語機能の解析に用いられることが多い．近年，stereoelectroencephalography（SEEG）の電極を用いた DES や覚醒下手術時の白質刺激による機能解析の研究が進み，島回などの深部構造や白質の機能の解明も進んでいる．
- ●これらとは別の方法として，被験者に課題を負荷し，そのときの脳活動の変化を取り出して機能解析を行う方法（passive mapping）がある．これは，functional MRI（fMRI）や脳磁図を使った解析に用いられてきた．侵襲的な方法として，高い信号－ノイズ比で電位の変化を収集できる頭蓋内電極を用いた解析にも応用されている．課題を負荷した際に生じるガンマ帯域（70～110 Hz 程度）の高周波帯域の脳電気活動を用いた，脳情報の解読（デコーディング）技術が発展している．運動や言語だけでなく，感情，意思，行動といったより複雑な情報をデコーディングできるようになっている．
- ●デコーディングと機械をつなげることで，Brain Machine Interface（BMI）の開発が進められている．特に，頭蓋内脳波から言語や意思を読み取る BMI の開発が進められており，社会の注目度も高い．

脳機能の解析の方法

脳機能の測定には，画像検査を用いて解剖学的な違いを解析する方法と，脳神経活動を波形として計測し解析する方法がある．前者は主に magnetic resonance imaging（MRI）を用いて行われ，形態的な脳皮質の厚みや海馬などでは層構造や大きさなどの違い，diffusion tensor imaging（DTI）を用いた白質線維の構造や性状の違いなどが用いられる．また，DTI の解析に加え，低侵襲である経頭蓋磁気刺激を用いてマッピングを施行し，失語症を呈するグリオーマのメカニズム解析が報告されている[1]．一方，後者は，脳電気活動を記録した脳波（electroencephalography：EEG），脳電気活動に伴い生じる磁場を記録した脳磁図（magnetoencephalography：MEG），さらには脳神経活

1）Zhang H, Ille S, Sogerer L et al：Elucidating the structural-functional connectome of language in glioma-induced aphasia using nTMS and DTI. Hum Brain Mapp 43：1836-1849, 2022

2434-9992/22/¥100/頁/JCOPY

動に伴い生じる脳血流の変化である blood-oxygen-level dependent（BOLD）信号の変化を調べる functional MRI（fMRI）などが挙げられる．fMRI は脳深部や頭蓋底に接する脳も解析できるという利点がある．この特性を活かした fMRI を用いた最近の報告では，深部構造である扁桃体が光（明刺激）により活動を抑制され，扁桃体と腹内側前頭前野の間の機能的結合が増強することから，光による気分高揚のメカニズムの一部を明らかにしている[2]．これらの検査は非侵襲的に行われるが，脳波は時間分解能がよいものの空間分解能が乏しい点，反対に fMRI は空間分解能がよいものの時間分解能が悪いといった検査方法による特徴がある．その他に，侵襲性のある検査としては覚醒下手術や，頭蓋内電極留置での脳の直接刺激による解析が挙げられる．頭蓋内脳波は，空間分解能の限界があるものの，頭皮脳波や脳磁図と比べると高い時間分解能をもつ．

頭蓋内電極を用いる検査では，上述したような DES と，passive mapping がある．頭蓋内電極を用いることは，ノイズの少ないシグナルを長時間収集できることから，passive mapping の手法での高周波帯域成分の解析に有利である．これらの特性を活かし，頭蓋内電極を留置した被験者を用いて，睡眠中にタスクを行うことなく，ガンマ帯域のパワーやコヒーレンス，エントロピーから中心溝を推定するという報告がなされている[3]．

Direct electrical stimulation（DES）を用いた脳機能解析

DES は，術中に双極あるいは単極電極で直接脳刺激を行う方法と，主に測定を目的として留置されている硬膜下電極や深部電極を利用して，これらの電極を選択し刺激を行う方法の 2 つに分けることができる．前者は，主に脳腫瘍摘出時に最近よく行われている覚醒下手術で用いられている．Eloquent area 近傍の病変摘出に際し，覚醒下手術で脳表マッピングを行ってから摘出したり，運動や言語などのタスクを行いながら摘出したりすることで，術後の神経脱落症状を最小限にとどめることを目的とする．特に言語機能の評価は，島回病変，側頭葉病変に対する手術アプローチの際に弁蓋部や眼窩部，上側頭回などの切除を判断する場面において非常に重要である．2020 年に Lu らは，4 つの施設，計 598 人の患者に対して術中覚醒下に脳表刺激を行い，speech arrest と anomia を評価した結果を後ろ向きにまとめ，英語やフランス語，中国語の複数の言語で共通する言語機能マップを作成した[4]．Speech arrest が生じた部位の分布は ventral precentral gyrus において言語間を跨ぐもっとも高い相関（Spearman's rank correlation coefficient，相関係数の範囲：0.37-0.80）を認めた．同部位を中心とした ventral precentral gyrus, postcentral gyrus, pars opercularis, pars triangularis にもっとも大きな cluster が形成されることを示し，これにより，古典的な Broca 野よりも後方に言語に共通した発語関連領

2）McGlashan EM, Poudel GR, Jamadar SD et al：Afraid of the dark：light acutely suppresses activity in the human amygdala. Plos One 16：e0252350, 2021

3）Alkawadri R, Zaveri HP, Sheth KN et al：Passive localization of the central sulcus during sleep based on intracranial EEG. Cereb Cortex doi：10.1093/cercor/bhab443, 2021［online ahead of print］

4）Lu J, Zhao Z, Zhang J et al：Functional maps of direct electrical stimulation-induced speech arrest and anomia：a multicentre retrospective study. Brain 144：2541-2553, 2021

域があることが示唆された．一方でanomiaが生じた部位の分布としては，posterior supratemporal gyrus, pars triangularisとpars opercularisで2つのclusterが形成され，多言語に共通するanomiaに関連する領域が示唆された．また，機能解析が困難とされていた高次な機能である感情についても，脳機能解析が行われるようになってきている．Nakajimaらは術中覚醒下でDESを用い，基本的感情に関する機能マッピングの有用性について報告している[5]．これによると，DESにより前頭前野の後部と運動前野が単一ではなく，さまざまな種類の基本的情動に関係することが明らかになった．手術中にマッピング部位が陽性である領域が温存されると，術後にその感情は一過性に低下するものの，基本的情動機能は維持されると報告している．最近では皮質だけでなく，白質線維の刺激による機能解析も行われている．白質刺激により覚醒下手術でのDESをもとに脳皮質，脳皮質下アトラスの作成を試みた報告がなされている[6]．この論文では覚醒下手術を受けたWHOグレードⅡのlow-grade gliomasの患者256名を対象に，皮質1,162箇所，皮質下659箇所のDESを行い，その反応を記録した．それをもとに運動や感覚，言語，眼球運動，視覚，精神症状など16種類のタスクに対する各機能領域の確率マップを作成している．また，覚醒下手術による脳機能の可塑性についても調べられている．Diffuse low-grade gliomaに対して脳機能を保存し，最大限摘出した際の術前後の認知機能の評価を行った．68名の患者で術後の高次脳機能の低下を認めず，さらに10%の患者で高次脳機能の回復がみられたことを報告している[7]．

慢性電極留置術後の刺激評価は，主にてんかん患者で焦点の探索や脳表の機能解明のために行われる．これまで頭蓋内脳波を用いた脳機能解析は，脳表を覆う硬膜下電極による脳表マッピングがゴールドスタンダードとされてきた．しかしながら，近年欧米を中心にてんかん焦点をてんかんネットワークとして考え，定位的に頭蓋内電極を留置し脳波を測定する方法（stereo-electroencephalography：SEEG）が多用されている．この方法は本邦でも広く臨床で用いられるようになってきている．これにより，SEEGを用いた脳機能マッピングも行われる機会が増えている．これはシート状の硬膜下電極と異なり，通常7〜14本のSEEG専用の電極をロボットやフレームを用いて定位的に穿刺し留置するものである．言語のマッピングは，passive mappingでもDESでも，従来の硬膜下電極と同様にSEEGでもマッピングができることが報告されている[8]．SEEGは，これまでには留置が困難であった島回や帯状回に電極を留置できる．これにより局所的な脳活動の評価だけでなく，脳のネットワークの解析が可能となった．Grandeらは2020年にSEEGと硬膜下電極による脳機能マッピングの違いについてまとめている[9]．SEEGは，硬膜下電極と比べ，脳表の電極密度は比較的疎になる欠点があるが，脳溝や深部構造，白質線維の機能を調べることができる．例えば言語マッピングでは，naming errorは

5) Nakajima R, Kinoshita M, Okita H et al：Preserving right pre-motor and posterior prefrontal cortices contribute to maintaining overall basic emotion. Front Hum Neurosci 15：612890, 2021

6) Sarubbo S, Tate M, Benedictis AD et al：Mapping critical cortical hubs and white matter pathways by direct electrical stimulation：an original functional atlas of the human brain. Neuroimage 205：116237, 2020

7) Lemaitre AL, Herbet G, Ng S et al：Cognitive preservation following awake mapping-based neurosurgery for low-grade gliomas：a longitudinal, within-patient design study. Neuro Oncol 24：781-793, 2022

8) Cuisenier P, Testud B, Minotti L et al：Relationship between direct cortical stimulation and induced high-frequency activity for language mapping during SEEG recording. J Neurosurg 134：1251-1261, 2020

9) Grande KM, Ihnen SKZ, Arya R：Electrical stimulation mapping of brain function：a comparison of subdural electrodes and stereo-EEG. Front Hum Neurosci 14：611291, 2020

従来知られているsuperior temporal gyrus, inferior frontal gyrus, middle temporal gyrusの他にtransverse temporal gyrusといった深部構造でもみられ，言語ネットワークの一部であることが報告されている[10]．これらは，解剖学的に硬膜下電極では記録が難しい部位とされている．同様に，島回はてんかん発作時にさまざまな症状を呈し非常に注目されている領域であるものの，従来の硬膜下電極では機能マッピングが困難であった．Mazzolaは島回に注目し，1997年から2016年に行われたSEEGによるDESの結果を報告している[11]．島回の機能マッピングでは，感覚症状を呈す領域は島回の上後方を中心に広範囲に位置し，嘔気などの消化器症状を呈す領域はやや前方でみられた．その他，味覚の症状は中央，めまいの症状は後方など，部位によりさまざまな症状を誘発し，島回の機能分布が明らかになっている．この機能マッピングの結果は，これまでの島回の多彩なてんかん発作症状の報告とも合致するとされている[12]．

依然として，緻密な機能マッピングができる点において硬膜下電極による脳表のマッピングがゴールドスタンダードではあるが，今後SEEGを用いた脳溝内や深部構造の機能局在の解明にも期待したい．

Passive mappingを用いた脳機能解析

タスクを行った際に発生する脳電気活動の変化を用いて脳機能局在を評価する方法は，能動的に刺激するDESと違い，受動的に脳の電気活動を記録し解析を行うため，一般にpassive mappingと呼ばれる．運動タスクであれば運動野，言語タスクであれば言語野といったタスクに関連した領域で，70～110 Hzのhigh gamma帯域の脳波活動がみられる．DESと異なり，脳表を刺激しないためてんかん発作を誘発することがなく，また記録している全電極の反応を同時に取得することができるため，短時間でマッピングを行えるという利点がある．負荷するタスクに工夫を加えることで，長時間の刺激マッピングが困難な年少者に適しているといえる．また，言語のpassive mappingで検出される部位はDES陽性の領域を非常に高い特異度で含むため（特異度92.4%），DESの刺激部位数の事前選択に有用と考えられている[8]．Passive mappingの焦点切除術時の機能温存の有用性は，2022年に発表されたランダム化試験で報告されている[13]．彼らは電極留置術を行った難治性の焦点性てんかん患者65名に対して，auditory taskとpicture naming taskの際のhigh gamma帯域の高い活動がみられた部位を調べ，模擬的に脳を切除した際の術後の言語機能低下を高精度（80%）に予測するモデルを作成した．脳表の直接刺激を必要とせず，passive mappingのみで術後の言語機能低下を予測することが可能となれば，検査時間なども含めた患者への負担が軽減され，非常に有用と思われる．また，タスクを工夫することにより，DESでは解析できないような，高次の脳機能の解明が期待される．

10）Arya R, Ervin B, Dudley J et al：Electrical stimulation mapping of language with stereo-EEG. Epilepsy Behav 99：106395, 2019

11）Mazzola L, Mauguière F, Isnard J：Functional mapping of the human insula：data from electrical stimulations. Rev Neurol（Paris）175：150-156, 2019

12）Singh R, Principe A, Tadel F et al：Mapping the insula with stereo-electroencephalography：the emergence of semiology in insula lobe seizures. Ann Neurol 88：477-488, 2020

13）Sonoda M, Rothermel R, Carlson A et al：Naming-related spectral responses predict neuropsychological outcome after epilepsy surgery. Brain 145：517-530, 2022

脳機能解析の応用

近年，このようなタスクを行った際の脳活動からの情報の解読（デコーディング）は，Brain Machine Interface（BMI）に応用されている．Passive mappingはタスク時の脳活動を予測するというエンコーディングが行われているが，BMIでは逆に，脳活動の情報から行動，感覚認知，思考，感情などの情報を推定するデコーディングを行う．そして，脳活動と機械とをつなぐことで，神経疾患の治療につなげようと試みられている．

このBMIが非常に注目を集める理由として，機械学習や人工知能の発展とそれに伴うデコーディング技術の発展が挙げられる．感覚運動野や言語野からの運動，言語のデコーディングだけでなく，より複雑なデコーディングが可能となってきている．Alasfourらは入院中の自然な行動（安静，会話，電子機器の使用，テレビの視聴）を脳波から73％の高い精度でデコーディングができたことを報告した[14]．また，Bijanzadehらは11人の患者で記録した頭蓋内脳波から，感情を伴う行動か感情を伴わない行動かどうかを，93％の精度でデコーディングできることを報告している[15]．実際にBMIへの臨床応用も行われている．2021年のNatureには，運動野の神経活動から手書き動作をデコーディングし，毎分90文字，オンラインで94.1％の精度でタイピングできることが報告された[16]．特に言語についてのBMIの発展は著しく，頭蓋内脳波から言語の再構成を行う試みがなされている．Angrickらは，覚醒下手術中にventral motor cortex, premotor cortex, pars opercularisといった言語にかかわる領域に硬膜下電極を留置し，まず発語のタスクを行い，そのときの脳波を用いた深層学習から発語の再構成を行ったところ，元の発語と再構成した言語の相関係数rが0.69という高い値で可能であったことを報告した[17]．さらにAnumanchipalliらは，言語野ではなく，声帯にかかわる感覚運動野の高周波帯域の脳波を用いてデコーディングし，相関係数が0.8と非常に高精度に聞いた言葉を再現することが可能であったことを報告した[18]．また，Mosesらは実際に重度の構音障害と痙性四肢麻痺のある脳幹梗塞の患者に対して，声帯にかかわる感覚運動野に高密度の硬膜下電極を埋め込み，50語の単語それぞれの発声を試みた際の皮質活動を22時間記録した．記録された皮質活動のパターンから単語のデコーディングを行い，その単語を画面に表示したところ，毎分15.2単語（中央値）の表示が可能であった[19]．さらにFukumaらは，画像認識時の脳活動を利用し，自分が思い浮かべた画像をモニター上に提示した．自らの視覚フィードバックを利用しそれを修正することで，より正確な画像を提示できる可能性を報告している[20]．このように，脳機能解析を利用した応用は広がってきており，これらを基盤とした脳機能の解明や，神経疾患の新たな治療法となる可能性を秘めている．

14) Alasfour A, Gabriel P, Jiang X et al：Coarse behavioral context decoding. J Neural Eng 16：016021, 2019
15) Bijanzadeh M, Khambhati AN, Desai M et al：Decoding naturalistic affective behaviour from spectro-spatial features in multiday human iEEG. Nat Hum Behav 6：823-836, 2022
16) Willett FR, Avansino DT, Hochberg LR et al：High-performance brain-to-text communication via handwriting. Nature 593：249-254, 2021
17) Angrick M, Herff C, Mugler E et al：Speech synthesis from ECoG using densely connected 3D convolutional neural networks. J Neural Eng 16：036019, 2019
18) Anumanchipalli GK, Chartier J, Chang EF：Speech synthesis from neural decoding of spoken sentences. Nature 568：493-498, 2019
19) Moses DA, Metzger SL, Liu JR et al：Neuroprosthesis for decoding speech in a paralyzed person with anarthria. N Engl J Med 385：217-227, 2021
20) Fukuma R, Yanagisawa T, Nishimoto S et al：Voluntary control of semantic neural representations by imagery with conflicting visual stimulation. Commun Biol 5：214, 2022

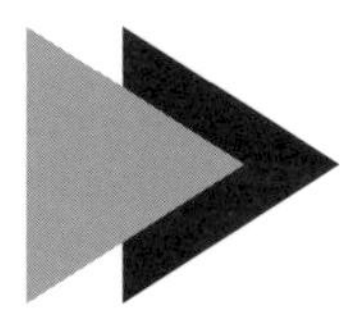

49. 遺伝子治療

伊藤博崇（いとうひろたか）
東京大学医科学研究所附属病院 脳腫瘍外科

最近の動向

- 遺伝子治療とは，病気を治すために遺伝子の発現を改変または操作する治療技術である．その治療メカニズムは，①病原遺伝子を健常な遺伝子と置換する，②病原遺伝子を不活化する，③新たな遺伝子を導入して疾患を治療する，の 3 つに大別される．
- 治療ベクターとしては，これまでプラスミド DNA，ウイルスベクター，細菌ベクターが用いられてきたが，近年では，遺伝子編集技術や患者由来細胞を用いた遺伝子治療などの研究開発も活発に進められている．
- 約 30 年前に研究が始まったがんに対するウイルス療法の臨床試験結果がようやく出始め，2021 年には世界で初めて悪性脳腫瘍に対して本邦で実用化された．
- AI と遺伝子治療の融合によって，遺伝子治療における治療デザインから製造工程開発に至る幅広い範囲で研究開発が加速している．長年，脳神経外科領域において生命・機能予後の改善がみられなかった多くの疾患において，近い将来，遺伝子治療が大きな変化をもたらすことが期待される．

脳腫瘍に対する遺伝子治療

脳腫瘍に対する遺伝子治療は，その作用機序によって，①自殺遺伝子治療（プロドラッグ活性化酵素をエンコードする遺伝子の導入），②腫瘍抑制遺伝子治療（腫瘍抑制遺伝子の導入），③免疫修飾遺伝子治療（免疫刺激因子をエンコードする遺伝子導入による抗腫瘍免疫の賦活化），④腫瘍溶解性ウイルス治療（複製型ウイルスを用いた免疫療法），⑤遺伝子編集治療（特定のヌクレオチドの編集）に大別される．遺伝子治療のうち，疾患の原因となる遺伝子異常を置き換えたり，補う方法については，その治療の precise さゆえに，単一遺伝子を原因とした腫瘍には低い副作用と高い治療効果が期待される反面，グリオーマに代表されるように，多くの遺伝子変異が複雑に絡み合って腫瘍が形成されるがん腫に対する実用化に向けては，今後さらなる検討が必要である．

自殺遺伝子導入による遺伝子治療のうち，5-fluorocytosine（FC）とシトシンデアミナーゼ遺伝子を組み合わせたものについては，シトシンデアミナーゼ

2434-9992/22/¥100/頁/JCOPY

遺伝子発現複製型レトロウイルスであるvocimagene amiretrorepvec（Toca 511）・5-FCによる悪性神経膠腫を対象とした第Ⅰ相臨床試験（NCT01470794）で完全寛解した症例がみられたことから，その治療効果が期待されていた．しかしながら2020年に第Ⅱ/Ⅲ相ランダム化比較試験の結果が示され，ロムスチン，テモゾロミドまたはベバシズマブによる標準治療群との比較では優位性を示すには至らなかった[1]．腫瘍溶解ウイルスを用いたウイルス療法については，2018年に遺伝子組換えポリオウイルスによる再発膠芽腫に対する第Ⅰ相臨床試験の結果が報告され，ヒストリカルコントロールと比べて優位に高い生存率を認めた（21% vs 4%）[2]．また，世界に先駆けて本邦で行われた，遺伝子組換え単純ヘルペスウイルスⅠ型（HSV-1）であるG47Δを用いた再発膠芽腫に対する第Ⅱ相臨床試験では，ヒストリカルコントロールに比べて，1年生存率の有意な改善（84% vs 15%）を認め，2021年6月には世界初の悪性脳腫瘍を適応症としたウイルス療法製剤として実用化された．さらに，別の遺伝子組換えHSV-1であるG207については，小児のテント上悪性神経膠腫を対象とした第Ⅰ相試験（NCT04482933）において高い安全性と有効性を示唆する結果が得られ，放射線治療との併用による第Ⅱ相試験の実施が予定されている[3]．その他，induced pluripotent stem（iPS）細胞由来神経幹細胞/前駆細胞（neural stem/progenitor cells：NS/PCs）がグリオーマ細胞に対して高い遊走・指向性をもつことを利用して，iPS細胞へのテトラサイクリン遺伝子発現誘導システムを用いた単純ヘルペスウイルス由来チミジンキナーゼ（HSVtk）の導入による新規治療法の開発についての報告もあり，新規の遺伝子細胞療法として期待される[4]．

1）Cloughesy TF, Petrecca K, Walbert T et al：Effect of vocimagene amiretrorepvec in combination with flucytosine vs standard of care on survival following tumor resection in patients with recurrent high-grade glioma：a randomized clinical trial. JAMA Oncol 6：1939-1946, 2020
2）Desjardins A, Gromeier M, Herndon JE 2nd et al：Recurrent glioblastoma treated with recombinant poliovirus. N Engl J Med 379：150-161, 2018
3）Friedman GK, Johnston JM, Bag AK et al：Oncolytic HSV-1 G207 immunovirotherapy for pediatric high-grade gliomas. N Engl J Med 384：1613-1622, 2021
4）Tamura R, Miyoshi H, Morimoto Y et al：Gene therapy using neural stem/progenitor cells derived from human induced pluripotent stem cells：visualization of migration and bystander killing effect. Hum Gene Ther 31：352-366, 2020

脳梗塞に対する遺伝子治療

今日では，脳梗塞に対する血栓除去の適応は発症6時間以内であるが，2018年に報告された大規模試験の結果，特定の画像診断基準等を満たす脳梗塞に対しては治療適応を24時間まで延長できる可能性が示され，2019年からは保険適応となっている．従来治療適応とならなかった虚血性脳卒中に対する治療の開発が進んでいるものの，治療適応は一部の患者に限られ，または治療を受けたとしても後遺症によるADL低下が問題となる症例も多いのが実情である．このような状況において，失われた神経の再生を主目的とする遺伝子治療は魅力的な治療法であり，研究開発が精力的に行われている．これまで，成人哺乳類においては海馬やsubventricular zone（SVZ）においては神経再生がみられることに着目し，神経再生を目的としてさまざまな神経栄養因子を用いた研究が進められてきた．一方で，神経前駆細胞（NPC）や脳室下帯で見出される神経幹細胞（NSC）を梗塞領域に移植する試みが行われているが，免疫反応や腫瘍原性など，解決すべき問題点も多い．転写因子NeuroD1によってグリア細胞からニューロンへの変換が起こるという報告に基づいて，2020年には，マウスモデルにおいて梗塞部位の反応性アストロサイトにAAVを用いて特異的にNeuroD1を発現させることで，失われた神経細胞の30〜40%を回復したという報告に続いて，成年霊長類についても同様の報告がなされた[5]．また，他の研究グループは脳梗塞エリアの近傍に高発現するtripartite motif（TRIM）であるTRIM9が低下している老年マウスや，TRIM9ノックアウト若年マウスにおいて梗塞後の神経炎症を助長することに着目し，AAVベクターを用いたTRIM9の導入によって，脳梗塞後の神経炎症を軽減し，神経の回復を促すことが示された[6]．

パーキンソン病（PD）に対する遺伝子治療

PDはアルツハイマー病に次ぐ罹患率をもつ神経変性疾患であり，60歳以上の人口の約1%が罹患する．現在の治療は薬剤や脳深部刺激療法による症状緩和が主なものであり，新規治療法のひとつとして遺伝子治療の開発が進められている．PDに対する遺伝子治療はドパミン産生細胞の変性の阻害，tyrosine hydroxylase/aromatic amino acid decarboxylase/guanosine-5'-tri-phosphate cyclohydrolase-1などの導入による，線条体でのドパミン産生細胞の修復がこれまで行われてきた[7]．PDに対する遺伝子治療は当初レトロウイルスを用いた*ex vivo*での遺伝子導入で始まった後，アデノウイルスやHSV，レンチウイルスベクターを用いた*in vivo*での遺伝子導入の実証を経て，近年ではもっぱらアデノ随伴ウイルス（AAV）ベクターが用いられている．AAVを用いた臨床試験はこれまでに241件を数えるが，そのうちの15件がPDを対象としたものであり，被験者は400名を超える[8]．AAVを用いた遺伝子治療の実用化に向けて，近年では遺伝子導入効率の向上を目的として標的細胞に対する特異性を向上するために，AIを駆使したcapsid engineeringが盛んに行われている[9]．またAAVは一般的に免疫原性が低いが，AAVを投与された患者の大部分はAAVに対する免疫が惹起され，繰り返しの治療における効果の低下が報告されていることから[10]，AAVに対する免疫惹起を回避するさまざまな試みも行われている[11, 12]．その他に，世界初のiPS細胞由来ドパミンNPCを用いた遺伝子治療の臨床試験が2018年から京都大学医学部附属病院で実施され，2021年度までに予定被験者7例に対する細胞移植手術が完了した．2年間の経過観察で安全性と有効性の評価が行われる予定であるが，従来の遺伝子治療とは異なり，ドパミン産生細胞そのものを移植するものであり，その結果に期待される[13]．

てんかんに対する遺伝子治療

てんかん患者数は全世界で6,000万人に達し，その30%が薬剤抵抗性といわ

5) Ge LJ, Yang FH, Li W et al：***In vivo*** Neuroregeneration to treat ischemic stroke through NeuroD1 AAV-based gene therapy in adult non-human primates. Front Cell Dev Biol 8：590008, 2020

6) Zeng J, Wang Y, Luo Z et al：TRIM9-mediated resolution of neuroinflammation confers neuroprotection upon ischemic stroke in mice. Cell Rep 27：549-560, 2019

7) Rosenblad C, Li Q, Pioli EY et al：Vector-mediated l-3,4-dihydroxyphenylalanine delivery reverses motor impairments in a primate model of Parkinson's disease. Brain 142：2402-2416, 2019

8) Nutt JG, Curtze C, Hiller A et al：Aromatic L-amino acid decarboxylase gene therapy enhances levodopa response in Parkinson's disease. Mov Disord 35：851-858, 2020

9) Ogden PJ, Kelsic ED, Sinai S et al：Comprehensive AAV capsid fitness landscape reveals a viral gene and enables machine-guided design. Science 366：1139-1143, 2019

10) Verdera HC, Kuranda K, Mingozzi F：AAV vector immunogenicity in humans：a long journey to successful gene transfer. Mol Ther 28：723-746, 2020

11) Chan YK, Wang SK, Chu CJ et al：Engineering adeno-associated viral vectors to evade innate immune and inflammatory responses. Sci Transl Med 13：eabd3438, 2021

12) Barnes C, Scheideler O, Schaffer D：Engineering the AAV capsid to evade immune responses. Curr Opin Biotechnol 60：99-103, 2019

13) Takahashi J：iPS cell-based therapy for Parkinson's disease：a Kyoto trial. Regen Ther 13：18-22, 2020

れている．薬剤抵抗性に対する手術は非常に有効な治療法であるものの，残存発作や合併症のリスクもあり，依然として新規治療法が必要とされる領域である．ここ数十年で一部のてんかんにおいてはその原因となる遺伝子が同定され，その多くがイオンチャンネルやシナプス受容体，輸送蛋白における変異に関連していることが示されてきた．しかしながら，その他大多数のてんかんにおいてはその発現型が多岐にわたることから，近年進歩が著しいシーケンス技術をもってしても特定の遺伝子変異の特定は難しい[14]．これまでにてんかんに対する遺伝子治療は，Neuropeptideなどの抑制性ペプチドの導入，神経栄養因子の導入による損傷部位の修復，イオンチャンネルやシナプス受容体の修飾を主なストラテジーとして，さまざまな前臨床研究が進められてきた．さらに近年では特定の光感受性蛋白や人工受容体を病変に導入し，optogenicsやchemogenicsを駆使した治療技術のてんかんへの応用が盛んに進められている[15]．てんかんに対する遺伝子治療の多くが前臨床研究の段階である中で，英国において，2023年1月から難治性てんかんに対するレンチウイルスを用いたengineered potassium channel（EKC）遺伝子治療を行うFIH試験（NCT04601974）の開始が予定されており，本分野における遺伝子治療の臨床応用が進むことが期待される．

脊髄末梢神経障害に対する遺伝子治療

脊髄末梢神経障害における機能修復技術は20年以上前から報告されているが，その機能回復はいまだ実用域には遠く，今後の発展が期待される分野である．Charcot-Marie-Tooth病は遺伝性ニューロパチーの中で運動および感覚神経が障害されるニューロパチーであり，さまざまな遺伝子治療の研究が進められている．さまざまな病型がある中で，Gap junction蛋白であるconnexin32（Cx32）をエンコードする*GJB1*遺伝子変異が病因であるCMTX1に対しては，AAV9を用いて*GJB1/Cx32*遺伝子をシュワン細胞に導入することで，末梢神経における炎症を減少した報告がある[16]．また安全性が高く，すでに臨床試験で使用されているmuscle specific truncated creatine kinase（tMCK）プロモーター下にneurotrophin3（NT-3）を発現させたAAV1を用いることで，神経再生を促したという研究報告もある[17]．神経根の引き抜き損傷に対する遺伝子治療も試みられている．これまでの研究で運動神経再生における強力な成長因子であることが判明しているglial cell line-derived neurotrophic factor（GDNF）を用いた遺伝子の有効性が報告されてきたが，シュワン細胞の基底膜のフラグメント化や，神経束におけるコンドロイチン硫酸プロテオグリカン（chondroitin sulfate proteoglycan：CSPG）などのinhibitory matrix分子の蓄積による神経再生の阻害についての解明が進んでおり，神経再生をより効率的に促す研究が進められている[18]．脊髄損傷は，交通事故による受傷

14) Heinzen EL, Depondt C, Cavalleri GL et al：Exome sequencing followed by large-scale genotyping fails to identify single rare variants of large effect in idiopathic generalized epilepsy. Am J Hum Genet 91：293-302, 2012

15) Walker MC, Kullmann DM：Optogenetic and chemogenetic therapies for epilepsy. Neuropharmacology 168：107751, 2020

16) Kagiava A, Karaiskos C, Richter J et al：AAV9-mediated Schwann cell-targeted gene therapy rescues a model of demyelinating neuropathy. Gene Ther 28：659-675, 2021

17) Sahenk Z, Ozes B：Gene therapy to promote regeneration in Charcot-Marie-Tooth disease. Brain Res 1727：146533, 2020

18) Eggers R, de Winter F, Tannemaat MR et al：GDNF gene therapy to repair the injured peripheral nerve. Front Bioeng Biotechnol 8：583184, 2020

の割合が減る一方で，高齢化に伴って，起立歩行時の転倒による受傷の割合が増加しており，国内に15万人の患者が存在し，毎年5,000人の新規患者が発生している．脊髄損傷ブタモデルに対して，AAVを用いて臍帯血細胞にvascular endothelial growth factor（VEGF），GDNF，neural cell adhesion molecule（NCAM）発現遺伝子を導入し，さらに硬膜外電気刺激を併用することによって，運動機能の回復が大幅に改善した報告がある[19]．大脳皮質の神経細胞に対するAAVを用いたhyper-IL-6の導入によって，治療のアクセスが難しい脳幹部まで軸索を通じてhIL-6がデリバリーされ，機能回復を示したことが報告されている[20]．神経前駆幹細胞の分化・増殖を制御するさまざまな因子のうち，genomic screened homeobox 1（Gsx1）を半側脊椎損傷マウスモデルの損傷部位にレンチウイルスを用いて導入することによって，神経前駆幹細胞の増殖と，グルタミン酸作動性コリン作動性介在ニューロンを増やし，慢性期におけるGABA作動性介在ニューロンを減らして，脊髄損傷からの回復を示したことが報告されている[21]．

糖尿病性神経障害に対しては，2種類のhepatocyte growth factor（HGF）アイソフォームを発現するプラスミドDNAであるVM202を用いた第Ⅲ相試験が行われたが，第Ⅲ相内で相反する結果が得られ，今後さらなる検討が必要である[22]．

19）Islamov R, Bashirov F, Fadeev F et al：Epidural stimulation combined with triple gene therapy for spinal cord injury treatment. Int J Mol Sci 21：8896, 2020

20）Leibinger M, Zeitler C, Gobrecht P et al：Transneuronal delivery of hyper-interleukin-6 enables functional recovery after severe spinal cord injury in mice. Nat Commun 12：391, 2021

21）Patel M, Li Y, Anderson J et al：Gsx1 promotes locomotor functional recovery after spinal cord injury. Mol Ther 29：2469-2482, 2021

22）Kessler JA, Shaibani A, Sang CN et al：Gene therapy for diabetic peripheral neuropathy：A randomized, placebo-controlled phase Ⅲ study of VM202, a plasmid DNA encoding human hepatocyte growth factor. Clin Transl Sci 14：1176-1184, 2021

X章　手術・手技

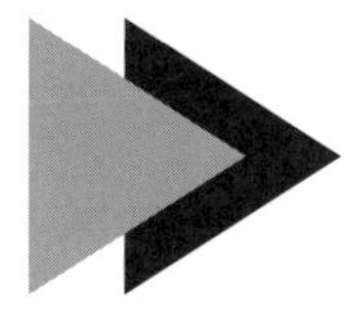

50. 神経内視鏡

黒住和彦（くろずみ かずひこ）
浜松医科大学 脳神経外科

最近の動向

●下垂体部手術における顕微鏡手術と神経内視鏡手術を比較するシステマティックレビューでは，神経内視鏡手術の有効性と安全性を述べる論文が増えている．

●内視鏡下経鼻的経蝶形骨洞手術における合併症の一つである遅発性症候性低ナトリウム血症は，術後早期対応，水分制限，高齢者の管理などが必要となるが，臨床現場では個々の患者に応じた対応となる．

●内視鏡下経鼻的経蝶形骨洞アプローチによる頭蓋内動脈瘤クリッピング術は，解剖学的には可能ではあるが，合併症リスクがあり，動脈瘤に対する治療としては経頭蓋クリッピングと血管内治療が選択される．

●小児水頭症における神経内視鏡手術では，硬性鏡と軟性鏡については，優劣がついておらず，脳室内病変の治療を行う場合，どちらも使用できるようにしておくのがよい．

●最近では 4K 神経内視鏡が普及してきており，他領域では 8K 内視鏡の使用も試みられている．鏡視下手術における robotic surgery については，前臨床試験では，経鼻的アプローチと経口的アプローチの両方でダヴィンチ外科システムの実証実験が行われている．さらに，robotic surgery のモダリティーの一つである robotics navigation を使用した報告もある．

神経内視鏡 vs 顕微鏡：有効性と安全性

経蝶形骨洞手術（transsphenoidal surgery：TSS）について神経内視鏡手術と顕微鏡手術とを比較した論文が散見されるが，最近では神経内視鏡手術の有用性を述べている論文が増えている．

Guo ら[1]は非機能性と機能性下垂体腺腫治療において，神経内視鏡手術および顕微鏡手術を比較したシステマティックレビューを行った．16 研究，下垂体腺腫患者 1,003 症例を分析したところ，非機能性，機能性下垂体腺腫どちらにおいても，神経内視鏡手術は顕微鏡手術と比べて，gross-total resection の症例が多かった．また機能性下垂体腺腫において，神経内視鏡手術は顕微鏡手術よりも視機能が改善し，髄膜炎の割合が低下していた．これらは，斜視鏡

1）Guo S, Wang Z, Kang X et al：A meta-analysis of endoscopic vs. microscopic transsphenoidal surgery for non-functioning and functioning pituitary adenomas：comparisons of efficacy and safety. Front Neurol 12：614382, 2021

2434-9992/22/¥100/頁/JCOPY

によりパノラマビューが得られることにより摘出率が上がり，正常構造などが視認しやすくなったためと思われる．

20歳以下の下垂体腺腫症例に関して，Dhandapaniら[2]が神経内視鏡および顕微鏡手術の比較研究とメタアナリシスを報告している．文献のプール分析では，良好なアウトカム（それぞれ74% vs 48%，p = 0.02）と再治療率（それぞれ8% vs 37%，p = 0.004）のどちらにおいても，神経内視鏡手術のほうが有意に優れていた．

2) Dhandapani S, Narayanan R, Jayant SS et al：Endonasal endoscopic versus microscopic transsphenoidal surgery in pituitary tumors among the young：a comparative study & meta-analysis. Clin Neurol Neurosurg 200：106411, 2021

上記2つの論文のように，**最近では下垂体腺腫症例については内視鏡手術の有意性が報告されている．特にハイボリュームセンターでは神経内視鏡単独で手術を行っている施設が多い**．

一方で，Daiら[3]による神経内視鏡および顕微鏡手術のシステマティックレビューでは，内視鏡下経鼻的経蝶形骨洞手術（endoscopic endonasal transsphenoidal surgery：ETES），口唇下経蝶形骨洞顕微鏡手術（sublabial transsphenoidal microsurgery：STMS），および経鼻的経蝶形骨洞顕微鏡手術（endonasal transsphenoidal microsurgery：ETMS）において有効性と安全性の比較を定量的に解析したところ（2,618名の患者を対象とした27件の研究が含まれていた），有効性については，ETES，STMS，ETMSを含む3つの手術法の間に統計的差異は認めなかった．一方，安全性に関しては，STMSの合併症の発生率がETESよりも有意に高く，ETMSの尿崩症の発生率はETESの発生率よりも有意に高かった．

3) Dai W, Zhuang Z, Ling H et al：Systematic review and network meta-analysis assess the comparative efficacy and safety of transsphenoidal surgery for pituitary tumor. Neurosurg Rev 44：515-527, 2021

さらに，Chenら[4]も内視鏡的アプローチと顕微鏡的アプローチとを比較し，有効性と安全性を評価している．5,591名の患者を含む37研究が対象となったが，2つのグループ間で全摘出とホルモン寛解率に有意差を認めなかった（p = 0.05）．内視鏡的アプローチは他の合併症の発生率を上げることなく，尿崩症，甲状腺機能低下症および中隔穿孔の発生率を減らすことができる．

4) Chen J, Liu H, Man S et al：Endoscopic vs. microscopic transsphenoidal surgery for the treatment of pituitary adenoma：a meta-analysis. Front Surg 8：806855, 2021

いまだに他のアプローチと比較して，内視鏡的アプローチの有効性においては差異がないとの報告もあるが，やはり**安全面においては特に尿崩症発現率の低減について内視鏡的アプローチに分がある**．

一方で，Liら[5]は13論文によりメタ解析を行った．内視鏡的アプローチと顕微鏡的アプローチは，同様の効果と合併症の発生率であった．ただ，内視鏡的アプローチと比較した場合，顕微鏡的アプローチのほうが入院期間がはるかに長かった．

5) Li K, Zhang J, Wang XS et al：A systematic review of effects and complications after transsphenoidal pituitary surgery：endoscopic versus microscopic approach. Minim Invasive Ther Allied Technol 29：317-325, 2020

脊索腫手術については，Cannizzaroら[6]が神経内視鏡手術と開頭顕微鏡手術とを比較，分析しているが，再発率は神経内視鏡手術（23.7%）よりも開頭顕微鏡手術（45.5%）で高かった．全摘後の再発率は開頭顕微鏡手術31.8%（99% CI 14-52.8），神経内視鏡手術19.4%（99% CI 5.4-39.2）であった．髄液漏発生率は神経内視鏡手術が10.3%（99% CI 5-17.3），顕微鏡手術が9.5%

6) Cannizzaro D, Tropeano MP, Milani D et al：Microsurgical versus endoscopic trans-sphenoidal approaches for clivus chordoma：a pooled and meta-analysis. Neurosurg Rev 44：1217-1225, 2021

(99% CI 1.2-24.6) であった．脊索腫手術は正中病変のため，経鼻的内視鏡下手術でのアプローチが行いやすい．さらに，最近の髄液漏発生率の低減については，頭蓋底再建，髄液漏防止の手技の向上によるものが大きい．

内視鏡下経鼻的経蝶形骨洞手術における遅発性低ナトリウム血症

下垂体手術において，遅発性低ナトリウム血症 (delayed postoperative hyponatremia：DPH) は一定の頻度で生じ得る合併症である．遅発性症候性低ナトリウム血症 (delayed symptomatic hyponatremia：DSH) に関して，Yu ら[7]は，経蝶形骨洞手術における発生率と水分制限による予防のシステマティックレビューとメタアナリシスを行っている．23 論文から，5,870 名の患者よりメタアナリシスが実施された．ナトリウムスクリーニング後の DSH の割合を調べた 19 の研究 (n = 4,488 名の患者) のうち，DSH の全体的な割合は 5.60%であった．また，経蝶形骨下垂体手術後の水分制限の有用性が示された．ただ，すべて水制限でよいかどうかは，血中，尿中ナトリウム，尿比重，水分量，尿素窒素，体重などのデータの評価がその都度必要である．

Lee らも[8]は術後 DPH の発生率と予測因子は研究によって異なり，これは体系的に見直す必要があると述べている．DPH の発生率は 10.5%であった．評価された予測因子の中で，高齢者は DPH の増加に関連する唯一の有意な要因であった (オッズ比 (OR) 1.16，95% CI 1.04-1.29，p = 0.006)．この高齢者のリスクは，他の論文でも述べられている．

Tomita ら[9]は，下垂体腺腫に対して DPH のある患者と DPH を伴わない患者とを比較した．ナトリウム値の早期減少を防止すれば，DPH のリスクを減らすことができると結論づけている．また，高齢者の入院期間の延長を述べている．

臨床現場では，個々の患者に応じた対応が必要となってくるが，術後早期対応，水分制限，高齢者の管理などが必要となる．将来，前向きおよび多施設共同研究を実施する必要がある．

内視鏡下鼻腔内頭蓋内動脈瘤クリッピングの解剖学的実現可能性

下垂体病変にて，脳動脈瘤合併例に遭遇することがある．また近年，経鼻的内視鏡手術によるクリッピング術の症例報告なども散見され，安全性などについてのレビューがみられる．Shah ら[10]は頭蓋内動脈瘤について内視鏡下経鼻的手術 (endoscopic endonasal approach：EEA) で可能かどうかについて検討している．動脈瘤モデルでは，前方循環は標本の 90%以上でアクセス可能であったが，クリッピング成功率が低かった．前方循環動脈瘤は，クリップの

7) Yu S, Taghvaei M, Reyes M et al：Delayed symptomatic hyponatremia in transsphenoidal surgery：Systematic review and meta-analysis of its incidence and prevention with water restriction. Clin Neurol Neurosurg 214：107166, 2022

8) Lee CC, Wang YC, Liu YT et al：Incidence and factors associated with postoperative delayed hyponatremia after transsphenoidal pituitary surgery：a meta-analysis and systematic review. Int J Endocrinol 2021：6659152, 2021

9) Tomita Y, Kurozumi K, Inagaki K et al：Delayed postoperative hyponatremia after endoscopic transsphenoidal surgery for pituitary adenoma. Acta Neurochir (Wien) 161：707-715, 2019

10) Shah VS, Martinez-Perez R, Kreatsoulas D et al：Anatomic feasibility of endoscopic endonasal intracranial aneurysm clipping：a systematic review of anatomical studies. Neurosurg Rev 44：2381-2389, 2021

配置および近位と遠位血管のコントロールが困難であることを考えると，EEAによる治療は難しい可能性がある．後方循環動脈瘤のクリッピングは技術的な観点から可能ではあるが，適応症例であるかどうか，血管内治療の適応ではないかなどを考える必要がある．安全性と有効性の観点から，その実行可能性を評価するにはさらに臨床経験が必要である．

Martinez-Perezら[11]も，内視鏡下経鼻的アプローチによる頭蓋内動脈瘤クリッピングの安全性と有効性について検討している．27名の患者（男性8名，女性19名）を対象とした9件の研究，35個の動脈瘤において，全体的な治療の成功率は86％であった．合併症は7名の患者（26％）で発生し，5名の患者（18％）で髄液漏，4名（15％）で虚血性合併症が発生した．報告された症例の中で，合併症は前循環動脈瘤と比較して後循環動脈瘤でより頻繁に発生した（10.5 vs 62.5％）．実行可能ではあるが，内視鏡下経鼻的アプローチは合併症の重大なリスクと関連していた．開頭クリッピング術または血管内治療よりも合併症率は高かった．

以上の論文から，**内視鏡下経鼻的アプローチによるクリッピング術自体は可能ではあるが，リスクを考慮すると経頭蓋クリッピング術と血管内治療が依然として頭蓋内動脈瘤を治療するための主要な治療である．**

11) Martinez-Perez R, Hardesty DA, Silveira-Bertazzo G et al：Safety and effectiveness of endoscopic endonasal intracranial aneurysm clipping：a systematic review. Neurosurg Rev 44：889-896, 2021

脳出血に対する神経内視鏡手術について

脳出血に対する神経内視鏡手術も開頭手術と比較されているが，内視鏡手術の有用性が述べられている論文が多い．Sunら[12]は，テント上高血圧性脳内出血（hypertensive intracerebral hemorrhage：HICH）に対する神経内視鏡手術と開頭術について検討している．テント上HICHの1,859名の患者を含む15研究において，神経内視鏡手術は良好な機能的転帰（$p < 0.0003$）であり，血腫除去率が増加しており，死亡率，失血，手術時間，入院，および集中治療室滞在を減らすことができた．さらに，神経内視鏡手術は術後感染（$p < 0.00001$）および総合併症（$p < 0.00001$）の予防にもプラスの効果をもたらした．ただし，術後の再出血発生率（$p = 0.12$）では2つのグループ間に明らかな違いはなかった．HICH患者の治療において，神経内視鏡手術は開頭術よりも安全で効果的な外科的方法である．

12) Sun S, Li Y, Zhang H et al：Neuroendoscopic surgery versus craniotomy for supratentorial hypertensive intracerebral hemorrhage：a systematic review and meta-analysis. World Neurosurg 134：477-488, 2020

Guoら[13]は，テント上特発性脳内出血に対する4つの介入試験を検討している．内視鏡手術（endoscopic surgery：ES），穿刺吸引術（minimally invasive puncture surgery：MIPS），開頭手術（conventional craniotomy：CC），および経過観察（conservative medical treatment：CMT）を調査するランダム化比較試験（RCT）を検索した．20件のRCTが含まれており，3,603名の患者を対象とした．CMTと比較してESおよびMIPSにて，機能的転帰はより高い割合で良好であった．ESとMIPSの両者において，CMTと比較して神経

13) Guo G, Pan C, Guo W et al：Efficacy and safety of four interventions for spontaneous supratentorial intracerebral hemorrhage：a network meta-analysis. J Neurointerv Surg 12：598-604, 2020

機能が大幅に改善し，死亡のリスクが低減したが，ESとMIPSの間に有意差はなかった．統計学的にESにより機能的転帰が改善し，死亡を防ぐための最適な介入である可能性があった．このように，レビューでは**テント上の脳内出血は，内視鏡手術が第一選択といえる**が，実際の現場では，すべての脳神経外科医師が内視鏡を使用できる，というわけではない．今後さらに内視鏡治療医を増やしていく必要がある．

脳室内病変に対する神経内視鏡手術

脳室内病変に対する神経内視鏡手術についての論文が散見される．Liら[14]は，小児水頭症の管理のための内視鏡的第三脳室開窓術について，軟性鏡と硬性鏡の比較を検討している．水頭症の硬性または軟性内視鏡検査を使用して第三脳室底開窓術（endoscopic third ventriculostomy：ETV）±脈絡叢焼灼術（choroid plexus cauterization：CPC）を受けた2歳以下の患者を対象とした．累積560名の患者が硬性鏡ETV±CPCを受け，661名の患者が軟性鏡ETV±CPCを受けた．軟性鏡コホートは手技時の平均年齢が有意に低く（0.33 vs 0.53歳，p = 0.001），術前に予測されたETV成功スコアが低かった（中央値40，IQR 32.5-57.5 vs 中央値62.5，IQR 50-70，p = 0.033）．硬性鏡グループと軟性鏡グループの平均ETV成功率はそれぞれ54.98％と59.65％（p = 0.63）であり，ETV関連の合併症の発生率は，軟性鏡グループで0.63％，硬性鏡グループで3.46％と，有意差はなかった（p = 0.30）．硬性鏡と軟性鏡については，優劣がついていないのは年齢に関するバイアスのためかもしれない．脳室内病変の治療を行う場合，本邦ではどちらも使用できるので，硬性鏡と軟性鏡どちらも準備しておく必要があるだろう．

Solemanら[15]は脳室内神経内視鏡手術後の高次機能障害について検討している．主に健忘症につながる可能性があり，患者の生活の質に重大な影響を与える可能性がある．スクリーニングされた1,216論文のうち，46論文がこのレビューに含まれていた．認知合併症は1.04％（n = 28）で，合併症の多くは記憶障害であり，次に精神症状（精神症候群），認知障害であった．脳室内神経内視鏡手術後の高次脳機能障害は過小評価されている可能性があり，さらなる研究が必要である．

4K神経内視鏡，8K内視鏡

近年，高精細，高色域，立体感などの特徴をもった高解像度4K内視鏡が普及している．D'alessandrisら[16]は，下垂体手術における4K超高精細（UHD）内視鏡の有用性について述べている．4 mm 0度，オリンパス4K UHD内視鏡（OTV-S400-VISERA 4K UHD®）を使用した経鼻的経蝶形骨洞アプローチについて検討した．4K（n = 97）または高精細（HD）（n = 102）内視鏡を交互

14) Li D, Ravindra VM, Lam SK：Rigid versus flexible neuroendoscopy：a systematic review and meta-analysis of endoscopic third ventriculostomy for the management of pediatric hydrocephalus. J Neurosurg Pediatr 28：439-449, 2021

15) Soleman J, Guzman R：Neurocognitive complications after ventricular neuroendoscopy：a systematic review. Behav Neurol 2020：2536319, 2020

16) D'alessandris QG, Rigante M, Mattogno PP et al：Impact of 4K ultra-high definition endoscope in pituitary surgery：analysis of a comparative institutional case series. J Neurosurg Sci doi：10.23736/S0390-5616.20.04875-4, 2020［online ahead of print］

に使用し，経蝶形骨洞下垂体腺腫手術199例を分析した．亜全摘と全摘出の率は4KグループとHDグループの間で同等であった（それぞれ91.5% vs 86.3%および64.9% vs 56.9%）．多変量解析では，全摘に関する唯一の独立した予後因子は海綿静脈洞浸潤であった．4K内視鏡は切除範囲に関して，術中判断の信頼性を高め，残存腫瘍を大幅に減らした（4K 12.8% vs HD 33.3%）．**4K内視鏡により没入感が得られ，正常と腫瘍との境界を視認でき，摘出率が向上した．**

現在，8K内視鏡はまだ開発段階であるが，他の領域ではいくつか報告がみられる．Tsukamotoら[17]は2K high-definition（HD, 1,920 × 1,080 pixels）の16倍の高画質である8K ultra-high-definition（UHD, 7,680 × 4,320 pixels）を使用した腹腔鏡手術を行っている．National Cancer Center Hospital，Olympus CorporationおよびNHK Engineering System Inc.は最近，高解像度，広色域，高フレームレートの画像を提供する8K UHDカメラを備えた新しい腹腔鏡システムを開発した．8K UHDカメラシステム（8K UHDシステム）を用いた腹腔鏡システムの有効性と安全性を検討することを目的とした第Ⅱ相試験では，8K UHDシステムを使用した腹腔鏡下結腸切除術による根治的切除が適応とされた結腸癌または直腸S状結腸癌の23名の患者が登録された．主要評価項目は術中の失血が30 mL以上の患者の割合とされた．23名の患者のうち，22名が8K UHDシステムで腹腔鏡手術を完遂した．術中失血量の中央値は14 mL（範囲2～71 mL）であった．8K UHDシステムを使用した腹腔鏡手術は，安全かつ効果的であった．ただし，脳神経外科領域で用いるのであれば，カメラヘッドなどがまだ大きいため，使いやすさを向上させるためにさらなる改良が必要である．また，最近では8Kのカメラヘッドを用い，その映像をモニターで見ながら手術する外視鏡的な使い方も試みられている[18]．

鏡視下手術における robotic surgery

Robotic surgeryについては，Soldozyら[19]がロボット工学を用いたトルコ鞍アプローチによる経蝶形骨手術についてレビューしている．前臨床試験では，経鼻的アプローチと経口的アプローチの両方で，ダヴィンチ外科システムの実証実験が行われた．さらに，同心チューブロボットなどのユニークなロボットが作成された．このシステムは，アームが小さくシャフト径が短いため，狭いスペースでの操作性が向上しており，頭蓋底手術用に最適化されている．さらに，ロボット神経手術による遠隔手術が議論されている．**経蝶形骨手術のための外科ロボティクスはまだ初期段階ではあるが有望な新技術である．**

Zappaら[20]は，経鼻頭蓋底手術のためのロボティクスについて述べている．EndoscopeRobot®は経蝶形骨洞のアプローチ，腫瘍摘出，頭蓋底再建を支援するために使用され，3ヵ月間の前向き登録試験が行われた．患者21例（下垂

17) Tsukamoto S, Kuchiba A, Moritani K et al：Laparoscopic surgery using 8 K ultra-high-definition technology：outcomes of a phase Ⅱ study. Asian J Endosc Surg 15：7-14, 2022

18) Yamashita H, Kobayashi E：Mechanism and design of a novel 8K ultra-high-definition video microscope for microsurgery. Heliyon 7：e06244, 2021

19) Soldozy S, Young S, Yağmurlu K et al：Transsphenoidal surgery using robotics to approach the sella turcica：integrative use of artificial intelligence, realistic motion tracking and telesurgery. Clin Neurol Neurosurg 197：106152, 2020

20) Zappa F, Madoglio A, Ferrari M et al：Hybrid robotics for endoscopic transnasal skull base surgery：single-centre case series. Oper Neurosurg（Hagerstown）21：426-435, 2021

体腺腫16例，脊索腫3例，頭蓋咽頭腫1例，クッシング病1例）に対してEndoscopeRobot®を用いた手術を行った．利点としては，動きの滑らかさ，画像の安定性，狭いスペースや角度の付いた内視鏡での操作の改善などがあった．Limitationとしては，EndoscopeRobot®は最初の内視鏡の位置決めが比較的重いように感じた．ロボット手術では内視鏡レンズのクリーニングと，位置の再調整を頻繁に行う必要がなかった．内視鏡下経鼻的手術において，EndoscopeRobot®は特に深くて狭いスペースにおいて，長時間手術に有利である．

最近，ロボティクスが連動するナビゲーションが使用されつつある．Koizumiら[21]は，ロボティクスナビゲーションを用いた鏡視下フェンスポストチューブ留置法について述べているが，外視鏡でロボットを観察しながらロボティクス下にグリオーマなどの手術においてフェンスポストを打つという方法であり，**ロボットの正確性，簡便性を利用した手術手技となる．脳神経外科領域ではこのような取り組みが今後の開発のきっかけとなる．**

21）Koizumi S, Shiraishi Y, Makita I et al：A novel technique for fence-post tube placement in glioma using the robot-guided frameless neuronavigation technique under exoscope surgery：patient series. J Neurosurg Case Lessons 2：CASE21466, 2021

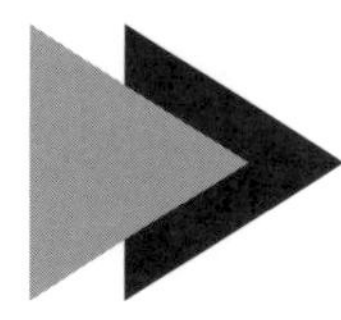

51. 定位放射線治療

周藤　高（しゅうとう　たかし）
横浜労災病院 脳神経外科

最近の動向

●脳動静脈奇形に対する定位放射線治療は有効であるが，10 年以上の経過観察では約 1 割に長期合併症を生じる．また，てんかんを伴う例では定位照射後に約半数で発作消失が期待できる．
●前庭神経鞘腫に対する定位照射は有効であり，脳幹を強く圧排し第四脳室の変位を伴う病変を除けば，長期的にも腫瘍制御が期待し得る．若年者においても有効であり，聴力低下を除いた合併症は稀である．
●定位照射後の放射線誘発性腫瘍発生ないしは良性腫瘍の悪性転化リスクはきわめて低く（2.26/100,000 人年および 6.87/100,000 人年程度），治療方針選択の過程において本リスクを過度に重視する必要はないと思われる．
●従来は転移性脳腫瘍摘出後に全脳照射を行うことが多かったが，認知機能維持の観点から現在では可能な限り全脳照射を避け，摘出腔への照射を考慮することが増えており，非照射例に比して局所制御の向上が期待し得る．一方で，全脳照射を行わないことにより新規脳転移の発生頻度は増えるため，慎重な経過観察が重要となる．また，比較的大きな転移性脳腫瘍に対しては放射線障害リスク軽減のため，分割照射を考慮する必要がある．

脳動静脈奇形に対する定位放射線治療

脳動静脈奇形（arteriovenous malformation：AVM）に対する定位放射線治療（stereotactic irradiation：STI）の一義的な目的は出血予防である．Ding らは 8 施設の共同研究により 2,320 例の AVM に対する stereotactic radiosurgery（SRS）前後の出血リスクを検討し，深部局在，関連脳動脈瘤の合併，SRS に際しての低辺縁線量が SRS 後出血の独立した危険因子と指摘している[1]．出血リスクは SRS 前が 15.4/1,000 人年に対し，SRS 後は 11.9/1,000 人年と低下していた．破裂および未破裂例で，SRS 後の出血率，累積完全閉塞率，合併症発生率に差はなかった．これは深部 AVM の出血リスクが高いことをあらためて示したものであり，深部局在の際には十分な処方線量が重要であることを示唆している．

1) Ding D, Chen CJ, Starke RM et al：Risk of brain arteriovenous malformation hemorrhage before and after stereotactic radiosurgery. Stroke 50：1384-1391, 2019

2434-9992/22/¥100/頁/JCOPY

Hasegawaらもガンマナイフ（gamma knife：GK）治療後1,249例の出血率および合併症リスクを検討している[2]．照射体積中央値2.5 cc，辺縁線量中央値20 Gyで，5，10年後のnidus閉塞率および累積出血率は63，82％と7，10％であった．GK後5年間の年間出血率は1.5％，その後は0.5％に減少した．経過中3％に症候性嚢胞形成／慢性被膜化血腫（symptomatic cyst formation/chronic encapsulated hematoma：CF/CEH）が，0.2％に放射線誘発腫瘍が観察され，10，15年の累積CF/CEH率は，それぞれ3.7，9.4％であった．これは中央値2.5 ccという比較的小さなAVMであれば，長期的には高率にnidusの閉塞が期待し得るとともに，**10年以上の経過観察により約1割に長期合併症が生じる**ことを示している．なお，CF/CEHは手術が必要になることが少なくないが，比較的容易なことが多い．

小児AVMに対するSTIの治療成績について，GKを中心に報告が散見される．Börcekらは1,212人を対象とした20編のメタ解析を行い，SRSによる完全閉塞率を65.9％と報告している[3]．照射後出血や新たな神経障害，および死亡等の合併症リスクは8.0％，SRS後の出血率は4.2％としている．

なお，Chenらは小児AVMの未破裂153例および破裂386例を比較し，累積完全閉塞率は両群間に有意差はないが，症候性放射線障害は未破裂例において約2倍生じたと報告しており[4]，注意が必要である．

また，近年Onyx®による塞栓後のSTI症例が増えている．ChenらはOnyx®による塞栓後にSRSを行った群とSRS単独群53例の傾向スコアマッチングを行い，累積閉塞率は5年で57.5，59.0％と有意差はなく，加えて照射後出血や合併症リスクについても差がなかったことから，Onyx®によりSRS後の治療成績が低下する可能性を否定している[5]．併せて，Onyx®およびOnyx®以外の従来の塞栓物質による塞栓後のSRSの治療成績も解析し，両群に有意な相違はないことも報告している[6]．

出血予防効果に加え，STI後のAVMに伴うてんかんの改善も臨床的に重要である．Mooneyらは2009～2019年にSRSを施行した210例を解析している[7]．このうち経過観察し得た188例中30例にてんかんを伴ったが，うち14例（47％）でSRS後に発作消失が得られた．一方，てんかんを伴わない158例中29例（18％）に新たにてんかんを生じた．SRS後の新規てんかんの危険因子はAVM摘出術の既往，照射後の出血，頭頂葉病変，ステロイド投与ないしは外科的介入を要する放射線障害であった．**AVMに伴うてんかんはSRSにより約半数で発作消失が得られる**ことは重要な知見であるが，SRS後の放射線障害により新たなてんかんを生じうることは注意を要する．

前庭神経鞘腫に対するSTI

前庭神経鞘腫（vestibular schwannoma：VS）に対するSTIの長期治療成

2）Hasegawa T, Kato T, Naito T et al：Long-term risks of hemorrhage and adverse radiation effects of stereotactic radiosurgery for brain arteriovenous malformations. Neurosurgery 90：784-792, 2022

3）Börcek AÖ, Çeltikçi E, Aksoğan Y et al：Clinical outcomes of stereotactic radiosurgery for cerebral arteriovenous malformations in pediatric patients：systematic review and meta-analysis. Neurosurgery 85：E629-E640, 2019

4）Chen CJ, Lee CC, Ding D et al：Stereotactic radiosurgery for unruptured versus ruptured pediatric brain arteriovenous malformations. Stroke 50：2745-2751, 2019

5）Chen CJ, Ding D, Lee CC et al：Stereotactic radiosurgery with versus without prior Onyx embolization for brain arteriovenous malformations. J Neurosurg 135：742-750, 2021

6）Chen CJ, Ding D, Lee CC et al：Embolization of brain arteriovenous malformations with versus without Onyx before Stereotactic radiosurgery. Neurosurgery 88：366-374, 2021

7）Mooney J, Erickson N, Salehani A et al：Seizure rates after stereotactic radiosurgery for cerebral AVMs：a single center study. World Neurosurg doi：10.1016/j.wneu.2021.11.021, 2021［online ahead of print］

績や若年者に放射線治療を行うことの安全性・妥当性についての検討は，十分とはいいがたい．

Hasegawaらは，GKによるSRS後5年以上追跡したVS 615例の長期制御率と晩期有害事象を報告している[8]．腫瘍体積中央値は2.0 cc，辺縁線量中央値は12 Gy，追跡期間中央値は158ヵ月であった．5，10，15年以上の制御率は93，91，89％であり，永続的な顔面神経麻痺はなかった．3.3％に遅発性囊胞形成を，1名（0.2％）で悪性転化を生じた．以上より，脳幹を強く圧排し第4脳室の変位を伴う例を除き，SRSにより長期的な腫瘍制御が期待し得ると結論している．脳幹の圧排を伴う例には議論の余地があるが，辺縁線量10 Gy程度の比較的低線量でも十分な効果が得られることも多く，特に高齢者においては脳幹圧排例においてもSTIが考慮されてよいと思われる．

若年者のVSに対するSTIの妥当性について，Kawashimaらは1990～2017年にGKを行った40歳以下（A群）49例の治療成績を，40歳以上（B群）334例と傾向スコアマッチングにより解析している[9]．平均追跡期間はA，B群で92，83ヵ月，5，10年の腫瘍制御率はA群（90.2％，85.4％）よりもB群（97.7％，93.9％）で高かったが，マッチング後は両群の累積腫瘍制御率は同等であった．聴力維持や他の脳神経合併症に有意差はなく，A群の2例でSRS数年後に悪性転化を生じ，うち1例で組織学的変化を確認し得た．以上より，SRSは若年者と非若年者では同等に有効で聴力低下以外の合併症は稀であるが，一方で悪性転化の可能性は否定し得ないため，長期経過観察の重要性を指摘している．

本邦へのGK導入から30年以上経過し，AVMや良性腫瘍の長期経過例も多くなっている．以下の項でも触れるが，STIの効果を期待し得る病変であれば，若年であることを根拠にSTIを忌避することは適当ではないと思われる．

STI後の悪性腫瘍誘発

STI後の放射線誘発性悪性腫瘍の発生や良性腫瘍悪性化は臨床的に重要である．Wolfらは5施設において1987～2011年に過去に照射歴なくGKが施行された14,168例のうち，5年以上経過観察されたAVM 1,089例，三叉神経痛565例，VS 1,011例，髄膜腫1,490例，下垂体腺腫641例，血管芽腫29例およびその他の神経鞘腫80例の計4,905例を解析した[10]．観察期間中央値8.1年で，良性腫瘍3,251例のうち2例（0.0006％）で悪性転化が疑われ，全4,905例中1例（0.0002％）で放射線誘発性悪性腫瘍が生じたと考えられたことから，良性腫瘍悪性化は6.87/100,000人年，放射線誘発性悪性腫瘍の発生は2.26/100,000人年程度の頻度であると推察し，**STI後の頭蓋内悪性腫瘍発生ないし良性腫瘍悪性転化リスクは，長期経過観察のもとでも非常に低い**とした．これは治療方針選択の過程において，本リスクを過度に重視することは避ける

8）Hasegawa T, Kato T, Naito T et al：Long-term outcomes of sporadic vestibular schwannomas treated with recent stereotactic radiosurgery techniques. Int J Radiat Oncol Biol Phys 108：725-733, 2020

9）Kawashima M, Hasegawa H, Shin M et al：Outcomes of stereotactic radiosurgery in young adults with vestibular schwannomas. J Neurooncol 154：93-100, 2021

10）Wolf A, Naylor K, Tam M et al：Risk of radiation-associated intracranial malignancy after stereotactic radiosurgery：a retrospective, multicentre, cohort study. Lancet Oncol 20：159-164, 2019

べきであることを示唆している．

髄膜腫に対するSTI

髄膜腫は14～16 Gy程度の比較的低線量で腫瘍制御が得られ，その有効性は知られているが，頭蓋内のさまざまな部位に生じるため，本来局在ごとの解析が必要である．

海綿静脈洞部髄膜腫（cavernous sinus meningioma：CSM）は，STIが第一選択となることが多い髄膜腫である．Martinez-Perezらは，観察期間中央値が5年以上の論文7編を解析している[11]．症例数は645例，観察期間中央値は74ヵ月，5，10，15年の無増悪生存期間は93.4，84.9，81.3％であり，36.4％で脳神経症状の改善が得られた一方，11.5％で神経症状の出現ないしは悪化がみられた．画像上の腫瘍縮小は57.8％，増大は8.5％であった．筆者も複視等の訴えが照射後数ヵ月程度で改善することが多いと感じており，腫瘍制御のみならず神経症状改善が期待できる点からも，CSMに対するSTIは有効である．

Umekawaらは91例の髄膜腫を含む131例の海綿静脈洞部の腫瘍に対するGKの長期成績を解析し，髄膜腫の10年後のPFSを87％と報告しており，神経症状の改善は髄膜腫に比して神経鞘腫でさらに良好であったとしている[12]．

なお，CSMに対するSRSの際に，内頚動脈（internal carotid artery：ICA）への相応の照射は避けられない．Graffeoらは，155例のCSMおよび128例の成長ホルモン産生下垂体腺腫（growth hormone-secreting pituitary adenoma：GHPA）に対する，GK後の内頚動脈狭窄について検討している[13]．SRS後の追跡期間中央値は6.6年であった．CSMの進展度はHirschの分類，GHPAの進展度はKnosp分類に拠った．GHPAおよびcategory 1のCSMではICA狭窄・閉塞は生じず，category 2および3のCSMにおけるICA狭窄／閉塞，また，これに伴う虚血性脳卒中の5，10年のリスクは，7.5，12.4％，および1.2，1.2％であった．新規または進行性のICA狭窄／閉塞はCSMのSRS後に一般的であったが，GHPAのSRS後には生じなかったことから，彼らは線量と無関係の腫瘍特異的メカニズムと考察し，SRS前にすでにICAが腫瘍内に埋没している，あるいは狭窄が生じているとICAの狭窄／閉塞のリスクを高めるとしているが，併せて**虚血性合併症のリスクは非常に低い**ことも指摘している．

錐体斜台部髄膜腫も神経学的合併症を生じることなく全摘出することが困難であり，STIの果たす役割は大きい．Bin Alamerらは7編の論文722例を解析している[14]．平均腫瘍体積は6.4 cm^3，平均辺縁線量は13.5 Gyで照射され，腫瘍制御は94.8％で得られ，28.7％で神経症状の改善がみられた一方，10％で悪化をきたしている．本論文は錐体斜台部髄膜腫の手術において，全摘出に拘

11）Martinez-Perez R, Florez-Perdomo W, Freeman L et al：Long-term disease control and treatment outcomes of stereotactic radiosurgery in cavernous sinus meningiomas. J Neurooncol 152：439-449, 2021

12）Umekawa M, Shinya Y, Hasegawa H et al：Long-term outcomes of stereotactic radiosurgery for skull base tumors involving the cavernous sinus. J Neurooncol 156：377-386, 2022

13）Graffeo CS, Link MJ, Stafford SL et al：Risk of internal carotid artery stenosis or occlusion after single-fraction radiosurgery for benign parasellar tumors. J Neurosurg 133：1388-1395, 2020

14）Bin Alamer O, Palmisciano P, Mallela AN et al：Stereotactic radiosurgery in the management of petroclival meningiomas：a systematic review and meta-analysis of treatment outcomes of primary and adjuvant radiosurgery. J Neurooncol 157：207-219, 2022

泥して神経学的合併症をきたすことなく，STIの併用を考慮しつつ合併症を最小限にとどめることの重要性を示唆している．

小脳橋角部髄膜腫（cerebellopontine meningioma：CPM）は多くの例で全摘出が可能であるが，聴力障害や顔面神経障害リスクを鑑みると，特に高齢者においてはSTIも選択肢となってくる．Gendreauらは6編の論文405例を解析・報告している[15]．腫瘍制御は95.6％で得られており，顔面神経麻痺2.4％，三叉神経障害4％，聴力喪失5.9％，水頭症2％，複視2.6％といずれも稀であり，また内耳道内に進展している腫瘍において聴力喪失リスクが必ずしも高くないことも指摘している．

なお，CPMに対するSTI後の聴力温存は重要であり，El-Shehabyらは，VSと比較している[16]．2002～2014年にGKによるSRSを受けた，有効聴力を有したCPM 66例（A群），有効聴力を有したVS 144例（B群）を解析した．処方線量中央値は両群とも12 Gy，A，B群の追跡期間中央値はそれぞれ42，49ヵ月で，最終経過観察時の腫瘍制御率は97，94％であった．両群間の聴力温存率は98，66％，7年間の有効聴力温存率はそれぞれ75，56％であった．以上より，CPMに対するGKにおいては高い腫瘍制御率に加えて，VSに比してより優れた有効聴力維持を期待し得ると結論している．

転移性脳腫瘍に対するSTI

転移性脳腫瘍に対するSTIの有効性は広く知られてきたが，腫瘍径が大きい際には手術摘出が考慮される．従来は摘出術後に全脳照射を行うことが多かったが，認知機能維持の観点から現在では可能な限り全脳照射を避ける傾向にある．一方，転移性脳腫瘍は周囲脳に浸潤していることが多く，手術摘出のみでは術後再発が危惧されるため，摘出腔への照射が考慮される．Redmondらは100例以上の術後脳転移患者を対象とした論文13編をレビューし，International Stereotactic Radiosurgery Society（ISRS）のガイドラインを示している[17]．

全体の局所制御率は中央値80.5％（60.5～91％）であり，摘出腔へのSRSは照射を行わない観察群に比し良好であった（level 1）．また，腫瘍径も局所制御と関連し，摘出前の腫瘍径が2.5～3 cmを超える場合にはSRSよりも分割照射（stereotactic radiotherapy：SRT）を考慮したほうがよいとしている．全体の54％において経過中に新規脳転移を生じ，全脳照射を行わないことによりその発生リスクは上昇するが，高次脳機能温存のために全脳照射を可能な限り避けることは合理的であろう．本ガイドラインでは，摘出腔辺縁には2～3 mmのマージンを加えてPTVとし，α/βが10（肺癌脳転移等）であればEQD_2 30～50 Gyを推奨している．

比較的大きな転移性脳腫瘍に対しては，放射線障害リスク軽減のためSRT

15) Gendreau JL, Sheaffer K, Macdonald N et al：Stereotactic radiosurgery for cerebellopontine meningiomas：a systematic review and meta-analysis. Br J Neurosurg doi：10.1080/02688697.2022.2064425, 2022 [online ahead of print]

16) El-Shehaby AMN, Reda WA, Abdel Karim KM et al：Hearing preservation after Gamma Knife radiosurgery for cerebellopontine angle meningiomas. J Neurosurg 129（Suppl1）：38-46, 2018

17) Redmond KJ, De Salles AAF, Fariselli L et al：Stereotactic radiosurgery for postoperative metastatic surgical cavities：a critical review and International Stereotactic Radiosurgery Society（ISRS）practice guidelines. Int J Radiat Oncol Biol Phys 111：68-80, 2021

を考慮すべきである．Lehrer らは SRS と SRT の腫瘍制御および放射線壊死について，24 編の論文のメタ解析を行っている[18]．腫瘍体積 4～14 cc あるいは腫瘍径 2～3 cm を A 群，腫瘍体積 14 cc 以上あるいは腫瘍径 3 cm 以上を B 群とした．A，B 群の 1 年後の局所制御率は SRS 群で 77.6，77.1%，SRT 群で 92.9，79.2%であった．A,B 群の放射線壊死は SRS 群で 23.1，11.7%，SRT 群で 7.3，6.5%であった．すなわち，4～14 cc の腫瘍では SRT により局所制御において 20%の改善，放射線壊死において 68%の減少が得られ，14 cc 以上の腫瘍では SRT により放射線壊死において 44%の減少が得られたが，局所制御についての改善は得られなかった．本論文では上述の definitive SRS に加え，postoperative SRS についても解析し，同様の結果を得ている．

この点，必ずしも大きくない病変も含めた転移性脳腫瘍に対する SRT の治療成績について，Myrehaug らは，リニアックにより広く行われている 5 分割照射を行った 220 例 334 病変について報告している[19]．腫瘍径中央値は 1.9 cm で 60%が 2 cm 未満であり，辺縁線量中央値は 30 Gy であった．局所再発期間の中央値は 8.5ヵ月，12ヵ月後の累積局所再発率は 23.8%であった．15.6%で放射線障害を認め，9.5%は症候性であった．6，12ヵ月後の局所再発率は，辺縁線量が 30 Gy 以上であった群では 5，19%であったが，30 Gy 未満では 13，33%であった．以上より，5 分割照射においては腫瘍体積や組織型にかかわらず，辺縁線量は 30 Gy 以上での照射を推奨しているが，本邦では多くの場合，5 分割照射での辺縁線量は 35 Gy が選択されていると思われ，腫瘍制御はより良好であると推察される．なお，**周囲脳の放射線障害リスク低減の観点からは，放射線生物学的には腫瘍径によらず分割したほうが望ましいこと**を付記しておく．

18) Lehrer EJ, Peterson JL, Zaorsky NG et al：Single versus multifraction stereotactic radiosurgery for large brain metastases：an international meta-analysis of 24 trials. Int J Radiat Oncol Biol Phys 103：618-630, 2019

19) Myrehaug S, Hudson J, Soliman H et al：Hypofractionated stereotactic radiation therapy for intact brain metastases in 5 daily fractions：effect of dose on treatment response. Int J Radiat Oncol Biol Phys 112：342-350, 2022

52. 手術用顕微鏡と3D外視鏡の進化

松尾孝之（まつお たかゆき）
長崎大学 脳神経外科

最近の動向

- 手術用顕微鏡の，脳神経外科手術を支える重要な機器としての確固たる地位は，現在も変わりない．術野の観察性能以外の付帯機能であるナビゲーションとのリンク機能，術中蛍光標識画像や近赤外光撮影機能などの進歩に加え，その操作性に関する新しい開発も進んでいるが，近年の報告は，外視鏡との比較に関するものが増えている．
- 外視鏡の普及および開発が進み，機器の種類も増え，目的や好みに合ったものも選択できるようになりつつある．近年の報告からは，外視鏡は従来の手術用顕微鏡に置き換わる可能性を十分に秘めている．

手術用顕微鏡

現行の手術用顕微鏡では，手術局面に応じた適切な視野を得るために，術者は両手を使い頻回に顕微鏡の焦点や視軸を変える必要があり，この操作で手術の流れが中断される．これを解決するために音声コマンドやフットペダルなどの工夫が試されているが，使いやすさの問題から広く普及するには至っていない．顕微鏡を用いた手術中の操作の複雑さを解消し，手術の効率を高める試みとして，Khakhar ら[1] は，術者の頭の位置の動きと術者の視線追跡に基づく**ハンズフリーインタラクション導入**について検討している．その結果，従来の方法に比べて視軸の移動操作が容易になることで，術者の負担が軽減されることを示唆した．手術用顕微鏡のさらなる発展のため，本手法の今後の実用化が期待される．手術用顕微鏡の付帯機能開発として CO_2 レーザー[2] 使用への応用や，protoporphyrin Ⅸの有効性を低悪性度の腫瘍まで広げるために fluorescence lifetime imaging[3] の脳外科手術への応用が報告されている．

Exoscope（外視鏡）

近年，3D 外視鏡が手術用顕微鏡のアクセシビリティと人間工学的要求に関する制限を解消する目的で開発され，さらに，脳神経外科領域の顕微鏡手術手

1) Khakhar R, You F, Chakkalakal D et al：Hands-free adjustment of the microscope in microneurosurgery. World Neurosurg 148：e155-e163, 2021

2) Colasanti R, Giannoni L, Dallari S et al：Application of a scanner-assisted carbon dioxide laser system for neurosurgery. World Neurosurg 153：e250-e258, 2021
3) Reichert D, Erkkilae MT, Gesperger J et al：Fluorescence lifetime imaging and spectroscopic co-validation for protoporphyrin Ⅸ-guided tumor visualization in neurosurgery. Front Oncol 11：741303, 2021

2434-9992/22/¥100/頁/JCOPY

順をこなすことができるビデオシステムの導入により，長い間，**外科的視覚化モダリティのゴールドスタンダードであった手術用顕微鏡に置き換わることのできる十分な機能と実用性をもつようになった**．Fianiら[4]は「exoscope」というキーワードを使用してPubMed上で英語公開された脳神経外科用外視鏡およびそのアプリケーションに関する論文をレビューしている．3D外視鏡は，外科医の快適性を高め，リアルタイムの解剖学的構造を理解するために優れたイメージングを提供し，インテリジェントキャリアやロボット手術システムにも組み込まれる可能性をもっており，将来的に脳神経外科手術におけるもっとも効率的な技術的視覚化ツールの一つとなる可能性を述べている．Montemurroら[5]やRicciardiら[6]も同様のレビューを行っており，3D外視鏡は，手術用顕微鏡と比較しても，一般的な脳および脊椎の手術に利用できる安全な機器であるとし，使用が簡単で，実用に十分な3D画像と術野を高倍率で観察できること，術者の同一の術野画像を共有することなどで，脳外科医やスタッフおよび医学生に対する新しい教育手段を提供することなどの利点を挙げている．

各種外視鏡

VITOM® 3D exoscope (KARL STORZ GmbH & Co.KG, Tuttlingen, Germany)

Burkhardtら[7]はVITOM® 3Dを使用した連続34症例の手術を対象とし，手術用顕微鏡とその性能を比較した結果，機器の取り扱いおよび組織識別は，手術用顕微鏡と同等またはそれ以上と評価し，浅い手術野での照明と倍率は，すべての場合でVITOM® 3Dが同等か優れていたが，深部の手術では，60%以上の症例で手術用顕微鏡より劣っていた．これらの結果をもとに，VITOM® 3Dを使用した3D外視鏡による視覚化は，脊椎手術およびextra-axial cranial procedureに最適としている．

Hafezら[8]は，手羽先の血管を用いた血管吻合をVITOM® 3Dと手術用顕微鏡のそれぞれで100サンプルを用いて行い，完成した血管吻合の精度を縫合に要した時間，intima-intima attachment，orifice sizeを基準とし，比較評価している．結果，縫合時間は顕微鏡が優るものの，stitch distributionにおいては外視鏡が優っており，そのほか縫合方法（interrupted vs continuous）も含め両者に差はなく，実験的なバイパス手順では両機器において同等に満足のいく結果が得られた．これらの結果より著者らは，**外視鏡は，よりよい三次元の視覚化を術者へ提供するとともに，術者以外へも視覚情報の共有が可能で，教育面での有効性についても述べている**．

頭頸部外科領域からは，Rubiniら[9]が，lateral skull base surgeryを顕微鏡とVITOM® 3Dを用い，それぞれで12症例の手術を施行し，その有用性を

4) Fiani B, Jarrah R, Griepp DW et al：The role of 3D exoscope systems in neurosurgery：an optical innovation. Cureus 13：e15878, 2021

5) Montemurro N, Scerrati A, Ricciardi L et al：The exoscope in neurosurgery：an overview of the current literature of intraoperative use in brain and spine surgery. J Clin Med 11：223, 2021

6) Ricciardi L, Chaichana KL, Cardia A et al：The exoscope in neurosurgery：an innovative “point of view”. A systematic review of the technical, surgical, and educational aspects. World Neurosurg doi：10.1016/j.wneu.2018.12.202, 2019 [online ahead of print]

7) Burkhardt BW, Csokonay A, Oertel JM：3D-exoscopic visualization using the VITOM-3D in cranial and spinal neurosurgery. What are the limitations? Clin Neurol Neurosurg 198：106101, 2020

8) Hafez A, Elsharkawy A, Schwartz C et al：Comparison of conventional microscopic and exoscopic experimental bypass anastomosis：a technical analysis. World Neurosurg 135：e293-e299, 2020

9) Rubini A, Di Gioia S, Marchioni D：3D exoscopic surgery of lateral skull base. Eur Arch Otorhinolaryngol 277：687-694, 2020

比較検討している．手術時間，顔面神経および聴力の機能温存，術中術後の合併症について評価しているが，いずれの項目においても両者で差はなく，lateral skull surgeryにおいてVITOM® 3Dは有用な機器であることを報告している．

ORBEYE® Exsoscope (Sony Olympus Medical Solusions Inc, Tokyo, Japan)

Rotermundら[10]はORBEYE®を使用して実施した296例の経蝶形骨洞手術と顕微鏡での同手術を比較した結果，手術時間，合併症，切除率に差はなく，機器の大きさ，ポジショニング，外科医の人間工学的利点，学習効率に関してORBEYE®が優ると評価している．さらに光学的評価においては，ORBEYE®は，4K画像解像度と3Dだけでなく，光学ズームとデジタルズームのオプションも備えており，高倍率での使用が可能で手術用顕微鏡と比較して，よりよい奥行き感と柔軟性をもたらすとしている．本報告は経蝶形骨洞手術で手術用顕微鏡との比較を行っているが，本手術では神経内視鏡が主に用いられており，次のステップで内視鏡的経蝶形骨洞手術と比較して評価する必要があると述べている．

10) Rotermund R, Regelsberger J, Osterhage K et al：4K 3-dimensional video microscope system (orbeye) for transsphenoidal pituitary surgery. Acta Neurochir (Wien) 163：2097-2106, 2021

Aesculap Aeos® Three-Demensional Robotic Digital Microscope (Aesculap Inc, Center Valley, Pennsylvania, USA)

近年，臨床利用が始まったAesculap Aeos® Three-Demensional Robotic Digital Microscopeを使用した代表的な報告として，Maurerら[11]は，9週間にわたり実施された19例の脳神経外科手術（開頭12例，脊髄6例，末梢神経1例）について，さまざまなレベルの10名の術者を対象に，機器に対する満足度，術中の取り扱い等について43項目からなる質問票を用いて評価している．その結果，外科的および人間工学的な満足度は高く評価され，78.95％の外科医がこのシステムを頻繁に使用したいと答えている．画質，ズーム機能，被写界深度について，数人の脳神経外科医は最適ではないと評価したが，Aesculap Aeos®の使用は，安全であり，外科的満足度は，高く評価されたと述べている．Haerenら[12]はAesculap Aeos®の光学的機能を手術顕微鏡（OPMI® PENTERO® 900；Carl Zeiss Meditec AG）と比較することで評価している．手術用顕微鏡は，より速い倍率調整と連続的なマウススイッチ制御の焦点調整で優れる．一方，Aesculap Aeos®の利点として，色とコントラストの設定ができることやpivotingの際に両手がフリーになる点での優位性を指摘した．両者は，手術野の同様の高品質な視覚化とスムーズな操作を提供するが，視覚的特徴や操作法は異なり，手術で最適に使用するためには，特定の機能に関する外科医の知識と経験を前提に利用することがもっとも重要であると述べている．

11) Maurer S, Prinz V, Qasem LE et al：Evaluation of a novel three-dimensional robotic digital microscope (Aeos) in neurosurgery. Cancers (Basel) 13：4273, 2021

12) Haeren R, Hafez A, Lehecka M：Visualization and maneuverability features of a robotic arm three-dimensional exoscope and operating microscope for clipping an unruptured intracranial aneurysm：video comparison and technical evaluation. Oper Neurosurg (Hagerstown) 22：28-34, 2022

Hafez ら[13]は，3D 外視鏡（Aesculap Aeos®）と手術用顕微鏡（OPMI® PENTERO® 900）を深さ 9 cm での端々吻合バイパス術を行う設定での手術シミュレーションを行い，タスクの品質だけでなく，3D 効果，視覚化，倍率，照明，および人間工学的な評価を試みている．作業の質に関して，両者の間に大きな違いはみられず，3D 外視鏡での作業には，手術用顕微鏡での作業よりも時間がかかり，深度と焦点の変更についても手術用顕微鏡が優れていた．一方，**外視鏡はより高い倍率での操作が可能で，より優れた人間工学的機能を術者に提供しており，著者らは，今後，外視鏡が顕微鏡にとって代わる可能性も指摘している．**

13）Hafez A, Haeren RHL, Dillmann J et al：Comparison of operating microscope and exoscope in a highly challenging experimental setting. World Neurosurg 147：e468-e475, 2021

RoboticScope®（BHS Technologies, Innsbruk, Austria）

RoboticScope®は，既存の 3D 外視鏡のカメラのポジションやセッティングのわずらわしさの問題点などを補うべく head mount display を使用し，これに映し出させるコントローラーを頭の動きで制御することで，両手を術野から離すことなく手術が継続でき，既存の外視鏡のようにモニターの位置にも縛られないことを特徴としている．ここ数年，脳神経外科以外の領域での報告が散見されるようになっている．Piloni ら[14]は RoboticScope®を使用して，3 例の脳腫瘍摘出術を実施し，画質，操作性，安全性，有効性および外科医の個人的な使用感を評価している．著者らは，**開頭術での顕微手術段階でのワークフローの向上と快適性の向上という点で，驚くべき有効性を指摘**している．術中デジタルイメージングの全体的な品質は，従来の光学顕微鏡の品質に劣らないとし，改善点はあるが，顕微鏡に置き換わる可能性を十分にもったシステムであると述べている．また，Scaglioni[15]らは，lymphovenous anastomosis への利用経験を報告し，微小手術への応用の可能性を述べている．本システムは，現段階では 1 人の術者のみへの対応である点が他機器と異なるが，複数術者への対応ができるよう今後の開発が期待される．脳神経外科分野からの報告はまだ少ないが，今後が期待される 3D 外視鏡システムの一つである．

14）Piloni M, Bailo M, Gagliardi F et al：Resection of intracranial tumors with a robotic-assisted digital microscope：a preliminary experience with robotic scope. World Neurosurg 152：e205-e211, 2021

15）Scaglioni MF, Meroni M, Fritsche E et al：Use of the BHS robotic scope to perform lymphovenous anastomosis. Microsurgery 41：298-299, 2021

その他の外視鏡

Herlan ら[16]は，献体を用いた pterional アプローチで標準的な手術顕微鏡と 3D 外視鏡（Aesculap®；2015 年製造）の試作機を用いて，それぞれの視野，倍率，照明，人間工学，奥行き効果，3D 印象などを比較している．手術に必要な構造を両方のデバイスで明確に視覚化でき，外視鏡はより高倍率へ対応ができるが，画像品質は，より高倍で悪化した．照明，人間工学的事項では外視鏡が優っていた．奥行き効果と 3D 印象は同様の結果を示した．また，外視鏡の使用に不自由を感じることはなく，3D 外視鏡の試作機は，視野，立体視印象，倍率で同等の機能を示し，人間工学的な可能性に関して明らかな利点

16）Herlan S, Marquardt JS, Hirt B et al：3D exoscope system in neurosurgery-comparison of a standard operating microscope with a new 3D exoscope in the cadaver lab. Oper Neurosurg（Hagerstown）17：518-524, 2019

があることを報告している．

Cenzatoら[17]は，発展途上国など手術用顕微鏡が準備できないところでは，スマートフォンを外視鏡として利用するユニークな報告を行っている．最近の**スマートフォンのカメラ機能の向上も目覚ましく，特殊な環境下においては，術野を観察する有用な手法としてわれわれ脳外科医が知っていれば，脳外科医の活躍できる場も増えるかもしれない**．

近年，外視鏡の開発も進んでおり，外視鏡の性能も機器による差があるものの，その欠点とされていた部分の改善も進んでおり，深部手術の際の光量不足の問題や，高倍率での立体認識が劣るなどの欠点は，解消されつつある．また，3D画像は，3D酔いと呼ばれる眼精疲労や全身倦怠感を誘発するが，3D画像に慣れた若い術者にとって問題とはならず，近い将来，手術用顕微鏡に置き換わる機能と実用性を十分にもっている．

17）Cenzato M, Fratianni A, Stefini R：Using a smartphone as an exoscope where an operating microscope is not available. World Neurosurg 132：114-117, 2019

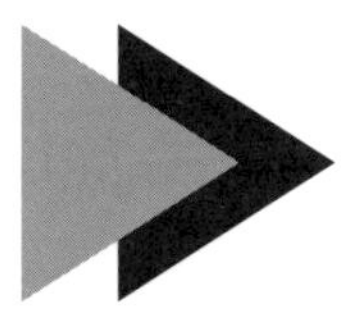

53. 術中蛍光診断技術

くろいわ としひこ
黒岩敏彦
醫生会脳神経外科病院 脳神経外科

最近の動向

- 5-aminolevulinic acid（5-ALA）代謝産物 protoporphyrin Ⅸ（PpⅨ）の蛍光所見は術者の主観的評価でなされていたが，蛍光の定量化，さらには PpⅨ濃度測定に関する報告が増えている．
- Low grade glioma においても，high grade glioma（HGG）と同様に 5-ALA 投与による術中蛍光の有用性が検討されており，PpⅨ濃度測定によって悪性転化領域を検出できる可能性がある．
- 転移性脳腫瘍における 5-ALA 投与による術中蛍光所見が検討されているが，陽性率は 2/3 程度で不均一な蛍光所見が多く，腫瘍蛍光の有無にかかわらず腫瘍周囲脳において蛍光が観察される症例がある．
- HGG に対する fluorescein sodium による術中蛍光診断が継続して検討されており，5-ALA とほぼ同等の結果が報告されているが，evidence level の高い報告が必要である．
- Indocyanine green（ICG）は主に脳血管の術中評価に使用されており，血管豊富な脳腫瘍以外の描出には限界があるといわれていたが，手術 24 時間前に投与する second window ICG と命名された方法で各種脳腫瘍における有用性が報告されている．
- 脳腫瘍術中蛍光診断のための新しい技術（蛍光寿命イメージング，共焦点レーザー内視鏡，ラマン分光法）や，腫瘍特異的な新しい蛍光物質が報告されている．

5-aminolevulinic acid（5-ALA）代謝産物 protoporphyrin Ⅸ（PpⅨ）の定量評価

5-ALA 投与後の PpⅨ腫瘍内濃度（cPpⅨ）とその変遷は，詳細にはわかっていなかった．近年，濃度測定の報告が増えており，Widhalm らは handheld spectroscopic probe により得た spectrum を，PpⅨ・自家蛍光・PpⅨ関連生成物に分解して光学特性を補正し，既知の PpⅨ濃度（μg/mL）の spectrum と比較して glioma の術野で測定した[1]．cPpⅨは，非蛍光組織よりも蛍光組織で有意に高く（0.008 μg/mL vs 0.693 μg/mL），腫瘍細胞密度と有意な相関があり，可視蛍光と比較して腫瘍組織の検出感度と陰性的中率が著しく向上した．

Kaneko らは，high grade glioma（HGG）の術中サンプルを *ex situ* で分析

1）Widhalm G, Olson J, Weller J et al：The value of visible 5-ALA fluorescence and quantitative protoporphyrin Ⅸ analysis for improved surgery of suspected low-grade gliomas. J Neurosurg 133：79-88, 2020

2434-9992/22/¥100/頁/JCOPY

した[2]．Hyperspectral cameraで蛍光を評価して，PpⅨ各濃度による蛍光ファントムで補正して濃度を計算した．その結果，**腫瘍の蛍光強度のピークは5-ALA投与7～8時間後**であり，従来いわれていたよりも少しだけ遅かった．また，共著者のSuero Molinaは蛍光の有無にかかわらず腫瘍サンプルを分析し，術者が視覚的蛍光を検出および識別できるcPpⅨの閾値は0.9 μg/mLであるとした[3]．

cPpⅨ測定により，蛍光強度の評価が客観的なものとなり，HGG周囲の浸潤領域のより詳細な評価が可能になる．

Low grade glioma（LGG）に対する5-ALAの有用性

LGGについても，5-ALAの有用性に関心が寄せられている．Jaberらは，5-ALAによる術中蛍光がLGGの予後予測因子となり得るか，連続74人のLGGを後方視的に検討した[4]．術中蛍光は22％で観察され，MRIでの弱い増強効果（24％）とfluoroethyl-L-tyrosine positron emission tomography（FET-PET）の取り込みが独立して，蛍光と有意に相関していた．分子マーカーとの相関はなかったが，唯一EGFR発現が，有意差はなかったものの蛍光腫瘍で約3倍みられた（同じ施設からの別の報告[5]では，術中蛍光は36％でみられ，MIB1-indexとは相関した）．多変量解析により，蛍光陽性所見は悪性転化のない生存期間とoverall survival（OS）を予測した．蛍光を発するLGGでは悪性転化までの期間も生存期間も短いので，蛍光陽性所見は独立した指標となる可能性がある[4]．5-ALAが腫瘍細胞に至るには血管の透過性亢進が必要であり，EGFR発現による血液脳関門（blood brain barrier：BBB）の透過性亢進を伴った血管新生による術中蛍光は悪性転化を予告している可能性があるため，**術中蛍光陽性のLGGでは積極的な補助療法が正当化される可能性がある**[4]．

Widhalmらは，放射線学的にLGGと診断した症例を対象としたが，症例の2/3がHGGであった[1]．GradeⅡの8例全例で蛍光がみられなかった．しかし，LGG 8例中6例，32サンプル中50％でcPpⅨは有意な増加を示した．5-ALAによる蛍光は腫瘍内悪性転化の局所領域を検出でき，cPpⅨ分析は蛍光だけでは検出されないLGG組織を視覚化するのに有用である[1]．

LGGでの5-ALAによる術中蛍光の肉眼的評価による頻度は報告により異なるので，cPpⅨ分析により悪性転化領域を客観的に検出することが重要になる．

High grade glioma（HGG）における脳室壁のPpⅨ陽性所見

HGGの手術中に脳室壁のPpⅨ蛍光が観察されるとの報告が多く，これが腫瘍細胞の存在を示すのか，MRI所見では予測可能かといった疑問が以前から

2) Kaneko S, Molina ES, Ewelt C et al：Fluorescence-based measurement of real-time kinetics of protoporphyrin Ⅸ after 5-aminolevulinic acid administration in human in situ malignant gliomas. Neurosurgery 85：E739-E746, 2019

3) Suero Molina E, Kaneko S, Black D et al：5-aminolevulinic acid-induced porphyrin contents in various brain tumors：implications regarding imaging device design and their validation. Neurosurgery 89：1132-1140, 2021

4) Jaber M, Ewelt C, Wölfer J et al：Is visible aminolevulinic acid-induced fluorescence an independent biomarker for prognosis in histologically confirmed（World health organization 2016）low-grade gliomas? Neurosurgery 84：1214-1224, 2019

5) Kaneko S, Suero Molina E, Sporns P et al：Fluorescence real-time kinetics of protoporphyrin Ⅸ after 5-ALA administration in low-grade glioma. J Neurosurg 136：9-15, 2021

あった．これに関してMüther, Stummerらが系統的レビューを行った[6]．6論文198 HGG症例の検討から，全体での脳室壁蛍光陽性率は61%（限局性が37%，びまん性が63%），脳室壁蛍光陽性症例の26%がガドリニウムで増強されており，蛍光部位を生検した場合の腫瘍細胞陽性率は55%であった．全症例で脳室壁を開けるわけではないので発生率は不明であり，データはいまだ不十分であるので，前向き研究を行っている．

脳室壁蛍光陽性であっても半数程度しか腫瘍細胞を認めておらず，脳室周囲の腫瘍細胞から排出されたPpIXが脳室壁に至った可能性や，BBBのない脈絡叢から5-ALAやPpIXが脳室内に流出することと関係があるのではないかとも考えられる．

転移性脳腫瘍における5-ALA使用について

Marholdらの154人157病変の検討では，66%で蛍光陽性（strong 34%，vague 32%）で[7]，Husseinらの56人の検討では70%[8]，Merceaらの55人58病変の検討では，62%で陽性（strong 24%，vague 38%）であったが[9]，84%[7]と92%[9]で不均一な蛍光であった．原発巣別では，報告により異なり一定の傾向はみられない．周囲脳の蛍光陽性率は67[7]～76%[9]であった．また，周囲脳の蛍光は，腫瘍が陽性であれば83%で，腫瘍が陰性でも64%でみられた[9]．**腫瘍周囲脳の蛍光は細胞浸潤とは相関していなかったが，血管新生とは有意に相関しており，血管新生は局所進行／再発までの期間，1年生存率と有意に相関していた**．腫瘍周囲脳の蛍光領域にみられる血管新生が予後に影響するので，こういった病変に対する治療が重要な意味をもつ[9]．一方，白色光群と5-ALA群の間には，脳内再発にもOSにも差はなかったとの報告もある[8]．

転移性脳腫瘍での5-ALA陽性率がそれほど高くない理由，不均一な蛍光所見が多い理由，周囲脳だけが蛍光を発するのは周囲脳でPpIXが産生されるからなのか，といったことなどは今後の検討課題である．

High grade gliomaに対するfluorescein sodium（FS）の有用性

Katsevmanらは，初発／再発膠芽腫57症例で，FS使用群と非使用群を後方視的に検討した[10]．FSは，フィルター内蔵顕微鏡使用前は20 mg/kg投与したが，使用後は3～4 mg/kgを手術開始時に静注した．Gross total resection（GTR）率はFS使用群で47%，非使用群で40%であり有意差はないが，98%以上の摘出率では73%と53%で有意差を示した．ただ，median survivalは78週vs 60週と延長したが有意差はなかった[10]．SmithらのHGGを対象にした21論文のメタアナリシスによれば，対照群を有する10論文でのGTR率は

6) Müther M, Stummer W：Ependymal fluorescence in fluorescence-guided resection of malignant glioma：a systematic review. Acta Neurochir（Wien）162：365-372, 2020

7) Marhold F, Mercea PA, Scheichel F et al：Detailed analysis of 5-aminolevulinic acid induced fluorescence in different brain metastases at two specialized neurosurgical centers：experience in 157 cases. J Neurosurg 133：1032-1043, 2019

8) Hussein A, Rohde V, Wolfert C et al：Survival after resection of brain metastases with white light microscopy versus fluorescence-guidence：a matched cohort analysis of the metastasys study data. Oncotarget 11：3026-3034, 2020

9) Mercea PA, Mischkulnig M, Kiesel B et al：Prognostic value of 5-ALA fluorescence, tumor cell infiltration and angiogenesis in the peritumoral brain tissue of brain metastases. Cancers 13：603, 2021

10) Katsevman GA, Turner RC, Urhie O et al：Utility of fluorescein for achieving resection targets in glioblastoma：increased gross- or near-total resections and prolonged survival. J Neurosurg 132：914-920, 2019

FS群で80%，対照群は51%で有意差はあったが，PFSとOSに関しては，交絡因子の変動などのために結論を出せなかった[11]．ただ，この摘出率は5-ALAと同等である．

蛍光ガイド手術の先駆けとなったFSは，安価であらかじめ投与する必要がなくて術中いつでも注射でき，Gdとほぼ同じ動きをし，光線過敏症の問題もないことから，依然としてHGGの手術において興味の対象である．

High grade gliomaにおける5-ALAとfluorescein sodiumの比較

前記したような理由でFSへの興味は根強く，Hansenらは単一施設での後方視的研究で，初発HGG 158例を5-ALAで，51例をFSで手術して，摘出率と予後を検討した[12]．その結果，GTR率は，5-ALA群で64%，FS群では62%で有意差はなく，Gd増強腫瘍における完全摘出率は5-ALA群で30%，FS群で36%であった．PFSは5-ALA群で8.7ヵ月，FS群で9.2ヵ月であり，調整後のCOX回帰分析ではFS群が有意によかった．ただ，観察期間がFS群で短かった．OSは5-ALA群で14.8ヵ月，FS群で19.8ヵ月であったが，有意差はなかった．また，術後神経障害の頻度は，有意差はないが5-ALA群で高かった[12]．

これに対するコメント[13]で，HGGの手術においてFSが5-ALAの代替物となりうることを，費用対効果の面から歓迎する意見が出ている．しかしSuero Molinaら[13]は，この論文におけるGd造影腫瘍の完全摘出率が低いこと，追跡期間が異なること，両群の数が異なることなどから，FSが5-ALAの代替物となる裏付けにはならず，multicenter randomized controlled trial（RCT）のみがこの答えを出せると述べている．この意見を受けてHansenら[13]は，摘出率の算出は手作業で行ったため，残存腫瘍を過大に評価するというバイアスがかかっていると考えられ，PFSとOSに関しては既存のデータと同程度であるので，摘出率は過少評価されていると考えられると反論している．一方で，RCTの必要性には同意している[13]．

Naikらも HGGの手術において，5-ALA，FS，およびiMRIを，これらを用いない群（対照群）と比較して，ネットワークメタアナリシスを行っている[14]．2,643人の患者を対象とした23件の論文を含めた．すべての群が対照群よりもGTR率が優れており，surface-under-the-cumulative ranking分析により，iMRI＋5-ALA，iMRIのみ，続いてFS，そして5-ALAの優位性が明らかになった．**FSは，HGGの全摘出という目的では5-ALAに匹敵し，対照群に比較してOSを改善することに加えて，PFSにおいては5-ALAと同等であるという結果であった**[14]．延命効果，手術時間，および費用の違いを評価するには，さらなる研究が必要である．

11）Smith EJ, Gohil K, Thompson CM et al：Fluorescein-guided resection of high grade gliomas：a meta-analysis. World Neurosurg 155：181-188.e7, 2021

12）Hansen RW, Pederson CB, Halle B et al：Comparison of 5-aminolevulinic acid and sodium fluorescein for intraoperative tumor visualization in patients with high-grade gliomas：a single-center retrospective study. J Neurosurg 133：1324-1331, 2019

13）Neurosurgical Forum：LETTER TO THE EDITOR. J Neurosurg 133：1616-1633, 2020

14）Naik A, Smith EJ, Barreau A et al：Comparison of fluorescein sodium, 5-ALA and intraoperative MRI for resection of high-grade gliomas：a systematic review and network meta-analysis. J Clin Neurosci 98：240-247, 2022

これらの論文は，HGGにおいてFSが5-ALAに勝るとも劣らない結果を示しているが，RCTを行う以外には答えは出ないと思われる．

脳腫瘍に対するindocyanine green（ICG）の使用方法

近年，ICG 2.5～5 mg/kgを手術24時間前に全身投与する，second window ICG（SWIG）techniqueが報告されている．時間をかけて腫瘍組織へのICGの受動的蓄積を期待する方法である．Choらは，初発HGG 36症例を後ろ向きに検討した[15]．全症例が強い近赤外光を発し（信号対バックグラウンド比（signal background ratio：SBR）6.8 ± 2.2），皮質表面の腫瘍は硬膜切開前に100％観察できた．さらに，近赤外画像は，MRIでの術後残存Gd造影を91％の精度で予測し，0.3 cm^3という小さな残留造影を可視化した．摘出後に近赤外光が残っていない患者では，術後MRIでの完全摘出の可能性が有意に高かった．**HGGにおけるSWIGは，腫瘍をリアルタイムに検出して切除率を高める可能性がある．**

同じグループが，転移性脳腫瘍症例（47人，51病巣）にSWIGを行った前向き研究で，術中蛍光所見と転帰を評価した[16]．手術24時間前に5 mg/kgまたは2.5 mg/kgのICGを投与し，近赤外線外視鏡で観察した．転移性脳腫瘍すべてが強い近赤外光を発した（平均SBR 4.9）．皮質表面から深さ10 mm以下の腫瘍のICG 5 mg/kgでの経硬膜の可視性は91％で，2.5 mg/kgの53％より有意に強まった．摘出後の近赤外光の消失は，術後MRIでの増強の消失と密接に相関していた．再発16症例のうち，術後MRIで再発を予測できたのは8症例で，近赤外光では12症例を予測できた．12ヵ月でのPFS率は，術後MRIで残存増強がない患者（29％）よりも残存近赤外光がなかった患者（38％）のほうが高かった．

近赤外光は組織の透過性がよく，周囲の自家蛍光にも影響されないので，腫瘍の描出に適している．以前は血管に富んだ腫瘍しか描出が難しいと考えられたが，SWIGにより新たな展開がみえてきた．

脳腫瘍手術における術中蛍光可視化の新技術

脳腫瘍に対する術中蛍光診断のさらなる発展のために各種蛍光分子を使った新しい蛍光観察方法として，蛍光寿命イメージング（fluorescence lifetime imaging：FLIM）[17～19]，共焦点顕微鏡（confocal microscopy），共焦点レーザー内視鏡（confocal laser endoscopy）[20, 21]，ラマン分光法[22]，などの報告がある．実臨床への応用にはまだ時間が必要であるが，これらのシステムを内蔵した顕微鏡や臨床例での報告も増えている．

FLIMは，蛍光物質によって異なる蛍光の減衰時間を測定して組織を鑑別し

15）Cho SS, Salinas R, De Ravin E et al：Near-infrared imaging with second-window indocyanine green in newly diagnosed high-grade gliomas predicts gadolinium enhancement on postoperative magnetic resonance imaging. Mol Imaging Biol 22：1427-1437, 2020
16）Teng CW, Cho SS, Singh Y et al：Second window ICG predicts gross-total resection and progression-free survival during brain metastasis surgery. J Neurosurg 135：1026-1035, 2021
17）Erkkilä MT, Reichert D, Gesperger J et al：Macroscopic fluorescence-lifetime imaging of NADH and protoporphyrin Ⅸ improves the detection and grading of 5-aminolevulinic acid-stained brain tumors. Sci Rep 10：20492, 2020
18）Alfonso-García A, Zhou X, Bec J et al：First in patient assessment of brain tumor infiltrative margins using simultaneous time-resolved measurements of 5-LA-induced PpⅨ fluorescence and tissue autofluorescence. J Biomed Opt 27：020501, 2022
19）Erkkilä MT, Reichert D, Hecker-Denschlag N et al：Surgical microscope with integrated fluorescence lifetime imaging for 5-aminolevulinic acid fluorescence-guided neurosurgery. J Biomed Opt 25：1-7, 2020
20）Belykh E, Zhao X, Ngo B et al：Intraoperative confocal laser endomicroscopy ex vivo examination of tissue microstructure during fluorescence-guided brain tumor surgery. Front Oncol 10：599250, 2020
21）Höhne J, Schebesch KM, Zoubaa S et al：Intraoperative imaging of brain tumors with fluorescein：confocal laser endoscopy in neurosurgery. Clinical and user experience. Neurosurg Focus 50：E19, 2021
22）Livermore LJ, Isabelle M, Bell IM et al：Raman spectroscopy to differenciate between fresh tissue samples of glioma and normal brain：a comparison with 5-ALA-induced fluorescence-guided surgery. J Neurosurg 135：469-479, 2021

ようとの試みである．検出閾値を下回るPpⅨを検出できる可能性があり，ニコチンアミドアデニンジヌクレオチド（NADH）から代謝情報も取得できる可能性がある．Erkkiläらの LGG，HGG，転移性脳腫瘍組織標本における *ex vivo* の検討では，PpⅨの蛍光寿命は特定の腫瘍組織タイプ間で有意に異なっていたが，NADHの寿命はそれらの間で有意差はなかった[17]．これは，NADH/PpⅨの複合FLIMが，従来検出できなかった脳腫瘍組織を視覚化できることを示している．膠芽腫の実際の手術野において術中FLIMを *in vivo* で測定した報告もあり，外科的補助になり得る[18]．さらに，空間解像度20 μm未満のFLIM測定可能な手術用顕微鏡も開発されている[19]．

共焦点レーザー内視鏡は，各種蛍光色素で標識された組織を，リアルタイムに数百倍の顕微鏡レベルの解像度で観察できる．FSを用いたglioma 32症例の生検の報告では，特異度は94％，陽性予測値は98％であった[20]．微細構造のイメージは全く新しいものであり，従来の病理学的評価との比較検証が今後の課題である[21]．

ラマン分光法は光の吸収ではなくて散乱光を利用するもので，膠芽腫症例における摘出腔周囲のサンプルで，PpⅨ蛍光よりも正確に腫瘍を指摘した[22]．今後，術中に腫瘍を正確に特定する重要な手段になる可能性がある．

脳腫瘍術中蛍光診断のための新規蛍光物質

In vitro で各種神経膠腫への結合が証明されたtozuleristide（BLZ-100）の成人初発／再発神経膠腫17人での，第Ⅰ相臨床試験の結果が報告された[23]．これは，chlorotoxin由来アミノ酸合成ペプチドとICGの複合体である．30 mgまでの静脈内投与では，副作用はみられなかった．*In situ* では35％のみが陽性だったが *ex vivo* ではHGGの89％が陽性で，LGGも50％が陽性であり，今後の発展が期待できる．

Choらは，非機能性下垂体腺腫に葉酸受容体（folate receptor：FR）αが過剰発現することを報告しており，下垂体腺腫症例でOTL38（FRαにICGを付けたもの）群23人とSWIG群16人とで比較した[24]．SWIG群の感度は100％で，特異度は29％であった．OTL38群全体では75％の感度と100％の特異度であったが，FRα発現腺腫では感度，特異度ともに100％であった．

過去に開発したhydroxymethyl rhodamine green（HMRG）を蛍光母核にして種々のアミノ酸を付加して作成した蛍光プローブの中から，膠芽腫での発現が確認されたカルパイン1により分断されることが証明されたプロリン-アルギニン-HMRG（PR-HMRG）が開発された[25]．つまり，手術野にPR-HMRGを局所投与すると，カルパイン1を強発現している膠芽腫細胞が数分で蛍光を発する．投与量は微量で，局所投与なので比較的安全なために，繰り返し投与することが可能となっている．期待できる方法であり，臨床応用が待たれる．

23）Patil CG, Walker DG, Miller DM et al：Phase 1 safety, pharmacokinetics, and fluorescence imaging study of tozuleristide（BLZ-100）in adults with newly diagnosed or recurrent gliomas. Neurosurgery 85：E641-E649, 2019

24）Cho SS, Jeon J, Buch L et al：Intraoperative near-infrared imaging with receptor-specific versus passive delivery of fluorescent agents in pituitary adenomas. J Neurosurg 131：1974-1984, 2018

25）Kitagawa Y, Tanaka S, Kamiya M et al：A novel topical fluorescent probe for detection of glioblastoma. Clin Cancer Res 27：3936-3947, 2021

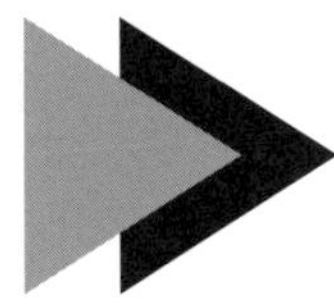

54. ハイブリッド手術室と術中画像診断

村垣善浩(むらがき よしひろ)
東京女子医科大学 先端生命医科学研究所 先端工学外科学分野

最近の動向

- 術中画像診断は，手術達成度の確認による効果向上と合併症同定によるリスク低減に有用と考えられ，出版論文が増加している．
- ハイブリッド手術室（HOR）では，クリッピング時3D-DSAの脳動脈瘤残存評価や内頚動脈閉塞症治療時2治療施行可能なシステム，脊椎固定術に関する有用性，脳動静脈奇形（AVM）摘出時の新規indocyanine green（ICG）動注法等が報告された．
- 術中MRIは多施設研究やレビュー含め急激に出版論文数が増加し，神経膠腫（特に低悪性度）の摘出率向上や無増悪生存期間（PFS）延長，術中画像の限界（偽陰性や偽陽性），下垂体腫瘍摘出や定位電極埋め込み術への応用が示された．
- 拡張現実（AR）ナビや近赤外マッピングやラマン分光組織診断等の新規技術が紹介された．

ハイブリッド手術室(hybrid operating room/suite：HOR)

血管障害手術時にCアーム等移動型透視装置を用いて施行した術中血管撮影を一歩進め，設置型透視装置を備えた，すなわち血管撮影装置をビルトインしたのがHORである．心臓血管外科において経カテーテル大動脈弁治療（transcatheter aortic valve implantation：TAVI）施行の施設基準にHOR設置が要件となり，普及が加速した．脳神経外科では，脳動脈瘤の残存評価における術中three dimension-digital subtraction angiography（3D-DSA）の有用性，AVMの選択的血管撮影時にICGを併用した新規描出技術，内頚動脈閉塞の2法を同じセッションで選択できる治療戦略，脊椎手術，特にspinal instrumentationでの治療結果が報告された．

脳血管障害に対する治療

Marbacherらは，クリッピング術時の残存動脈瘤の同定に，術中3D-DSAの有用性を2報で示している．まず，2D-DSAと3D-DSAを比較し[1]，3D-DSA

1）Marbacher S, Halter M, Vogt DR et al：Value of 3-dimensional digital subtraction angiography for detection and classification of intracranial aneurysm remnants after clipping. Oper Neurosurg（Hagerstown）21：63-72, 2021

2434-9992/22/¥100/頁/JCOPY

は全例残存を同定できたが，2D-DSAは術中で30％（7/23，p＝0.023）術後で39％（14/36，p＜0.001）の症例において，特に2 mm未満の残存症例で，見逃しがあり，術中と術後とも3D-DSAの有用性を示した．

次に，術中（HOR内）と術後ともに3D-DSAを施行した26例32ヵ所（44％は多クリップ）を検討した[2]．残存は15ヵ所あり，9ヵ所（60％）は2 mm未満で，**術中3D-DSAで全箇所描出され，術後3D-DSAと差がなく，術中3D-DSAが術後3D-DSAにとって代わると予測している．**

HORに関連する興味深い報告として，**内視鏡下経鼻下垂体腫瘍摘出時の内頚動脈損傷に対する血管内治療**の成績に関するものがある[3]．**0.55％（20/3,658）に内頚動脈損傷が発生**し，9例はパッキングのみ，残り11例は血管内治療（6例がcovered stent，5例は母動脈閉塞）を行い，1例が死亡した．診断治療アルゴリズムを示すとともに，導入後，内頚動脈の温存率が20％（1/5）から83％（5/6）に上昇した**Willis covered stentの使用と，術中血管撮影が可能なHORでの管理を強く推奨している．**

症候性内頚動脈閉塞症に対して，血管内治療（endovascular therapy：ET）と内膜剥離術（carotid endarterectomy：CEA）を同じ治療セッション内で施行可能なHORで，再開通術を施行した報告がある[4]．軽症はETから，重症はCEAから治療を行い，初回治療（ETかCEA）では36％（15/42）の再開通率であったが，不成功例で別治療を行うことにより83％（35/42）と再開通率が有意に高かった（p＜0.001）．治療後，平均11ヵ月のフォロー中に5％の患者で脳梗塞が発生した．**症候性内頚動脈閉塞症に対して，単独あるいは複合治療を同じセッション内で選択可能なHORでの治療が再開通の成功率を高めると考えられる．**

HORでの3年間の脳血管病変治療に対してリスク便益解析を行った研究がある[5]．手術，ICG，術中DSAにそれぞれ，4時間58分，2分35秒，46分を要し，術中DSAで動脈瘤の4.7％（2/43例）にICGで描出されなかった残存血流を同定でき，AVMの7.7％（1/11例）で残存を同定でき追加摘出を行った．**術中DSAは追加治療を回避できるメリットがあるが，**ICGと比較して1,900ユーロと**高コストであり，複雑な異常をもつ症例に限定すべき**と述べている．

Shimadaらは[6]，HORでAVM（n＝13）に対し，造影剤にICGを加え超選択的動注ビデオ血管撮影を施行しながら，摘出を施行した．ICGのwashout時間も測定でき，feeder，drainer，全血管それぞれ，平均4.4秒，9.2秒，20.9秒であり，剥離によるnidusの流量減少は明確に示された．Feeder，drainer，nidusの同定とnidusの血行動態把握に効果的で，画像ソフト（FLOW®800）を用いると全体像も表示可能である．**HORでの超選択的経動脈ICG撮影は，AVMのflow dynamicsを解析でき摘出の達成度を容易に確認できるため，従**

2) Marbacher S, Kienzler JC, Mendelowitsch I et al：Comparison of intra- and postoperative 3-dimensional digital subtraction angiography in evaluation of the surgical result after intracranial aneurysm treatment. Neurosurgery 87：689-696, 2020

3) Zhang Y, Tian Z, Li C et al：A modified endovascular treatment protocol for iatrogenic internal carotid artery injuries following endoscopic endonasal surgery. J Neurosurg 132：343-350, 2019

4) Jiang WJ, Liu AF, Yu W et al：Outcomes of Multimodality In situ Recanalization in Hybrid Operating Room（MIRHOR）for symptomatic chronic internal carotid artery occlusions. J Neurointerv Surg 11：825-832, 2019

5) Durner G, Wahler H, Braun M et al：The value of intraoperative angiography in the time of indocyanine green videoangiography in the treatment of cerebrovascular lesions：efficacy, workflow, risk-benefit and cost analysis A prospective study. Clin Neurol Neurosurg 205：106628, 2021

6) Shimada K, Yamaguchi T, Miyamoto T et al：Efficacy of intraarterial superselective indocyanine green videoangiography in cerebral arteriovenous malformation surgery in a hybrid operating room. J Neurosurg 134：1544-1552, 2020

来の経静脈 ICG 撮影と比較して有用であると考える.

脊椎外科でのインストゥルメンテーション術

HOR での術中 cone-beam CT を用いた複雑な脊椎固定術 33 例（頚椎 36％ 3 椎間，胸腰椎 64％　4.8 椎間）の報告がある．全例で満足できる脊椎固定が行われ，全 313 スクリュー中，97.4％が安全な固定，2.6％が許容できる固定であった．放射線被曝も許容範囲内であった[7]．後述する新規 AR ナビを使用した固定術も有用性を評価しており，**HOR での脊椎固定術は今後標準術式になっていく**と考えられる.

拡張現実（augmented reality：AR）を用いたナビゲーション

顕微鏡画像上に三次元で再構成した腫瘍や重要な構造物を重ねて表示する“ナビゲーション”は古くから用いられている.

基礎実験として，腫瘍が埋め込まれ脳室がある頭蓋骨付脳モデルを対象に，HOR 内の cone-beam CT を用い，AR ナビの評価が行われた[8]．生検（n = 30）の平均誤差は 0.8 mm，平均経路長は 39 mm で精度と関連なく（p = 015），平均所要時間は 149 秒であった．脳室穿刺（n = 10）の計画した穿刺部と比較して先端の平均誤差は 2.9 mm，平均角度誤差は 0.7° で，平均処方時間は 188 秒であった．HOR の AR ナビは経皮生検や脳室穿刺に使用可能と考えられた.

低コストで実用的な AR ナビを目指し，3D プリンターで作成した登録マーカーとモバイルデバイス（iPad 類似品）を用いた AR ナビを，主に脳腫瘍を対象に開頭前後で評価（n = 8）した[9]．平均誤差が 1.7 mm と**精度が高く，直感的で開頭範囲や硬膜切開決定に有用**と思われる.

後向きであるが AR ナビの有用性を評価した比較研究がある．椎弓根スクリュー埋め込み術に関して同一術者の AR ナビ導入前と後との比較である[10]．導入前（free hands）後の椎体ごとのスクリュー数（多いほどよい，75％ vs 86％，$p < 0.05$）とフック数（少ないほどよい，9.7％ vs 2.2％，$p < 0.001$）と **AR ナビ導入後の埋め込み結果が有意によく，全所要時間と変形改善は有意差がなかった．Learning curve（手術習熟）のバイアスが含まれているが，間接的で支援型の医療機器の有効性を示す一つの方法**と考えられる.

術中画像診断（intraoperative imaging）

大型装置を用いる術中画像診断として，X 線系で血管障害中心の HOR とともに導入が進むのが，実質臓器疾患のための術中 MRI 室である．近年，出版論文やレビューが飛躍的に増加している（“intraoperative MRI” の検索で 2019～2021 年各年は 2018 年の約 5 倍）．後向きであるが多施設共同研究による術中 MRI の低悪性度神経膠腫に対する摘出率向上や無増悪生存期間

7）Bohoun CA, Naito K, Yamagata T et al：Safety and accuracy of spinal instrumentation surgery in a hybrid operating room with an intraoperative cone-beam computed tomography. Neurosurg Rev 42：417-426, 2019

8）Skyrman S, Lai M, Edström E et al：Augmented reality navigation for cranial biopsy and external ventricular drain insertion. Neurosurg Focus 51：E7, 2021

9）Yavas G, Caliskan KE, Cagli MS：Three-dimensional-printed marker-based augmented reality neuronavigation：a new neuronavigation technique. Neurosurg Focus 51：E20, 2021

10）Edström E, Burström G, Persson O et al：Does augmented reality navigation increase pedicle screw density compared to free-hand technique in deformity surgery? Single surgeon case series of 44 patients. Spine（Phila Pa 1976）45：E1085-e1090, 2020 (progression-free survival：PFS）延長効果を示唆するもの，メタ解析による術中 MRI と他のナビゲーションや 5ALA との比較，術中 MRI で示された残存病変の組織学的確認，術中 MRI での新規造影病変（偽陽性）や術中拡散強調画像（diffusion weighted image：DWI）で超急性期脳梗塞が描出されない現象（偽陰性）の報告があった．

また，術中 MRI の下垂体腺腫に対する内分泌学的評価を含めた術式ごとの有用性と，合併症の検討やパーキンソン病に対する術中 MRI 誘導定位電極埋め込み術の治療成績等，他疾患への応用可能性が示された．

さらに，AR を用いたナビゲーション，近赤外線を用いた言語野と運動野の術中脳機能マッピング，染色不要のラマン分光を用いた術中迅速組織診断，等の新規技術の報告もあり，今後の普及が待たれる．

術中 MRI を利用した神経膠腫摘出術と予後との関係

術中 MRI を有するドイツの多施設においてグレード 2 神経膠腫（n = 140）での摘出率と予後とを後ろ向きに調査した研究がある[11]．全摘例が非全摘例と比較して有意に長い PFS（p = 0.09）を示し，残存腫瘍量（＞0〜5 mL, ＞5〜20 mL，＞20 mL）に応じて PFS は有意に短縮した（p = 0.01）．また多変量解析でも摘出率と残存腫瘍量がともに PFS の予後因子であったが，全生存期間（overall survival：OS）は単変量のみでの予後因子であった．**安全性が担保される限り術中 MRI を用い，画像上の全摘を目指すべき**との主張である．一方で，摘出率と残存腫瘍量による OS での差が明確でなく，分子診断ごとで放射線化学療法への感受性がかかわっていると考えられ，今後はできる限り**分子診断を術前に予測し術中に確定して，摘出計画に反映させる必要がある**と考える．

同様に米国多施設で行われたグレード 2 神経膠腫（n = 232，星細胞腫：112，乏突起膠腫：120）を対象とした術中 MRI や他の因子の生存への影響をみた研究がある[12]．ドイツの多施設研究との違いは，術中 MRI を使用していない症例も含まれていることである．

乏突起膠腫が星細胞腫と比較して OS，PFS ともに長かった．多変量解析で，**全摘が亜全摘やほぼ全摘と比較し有意に OS が長く，全摘と術中 MRI 使用は有意に PFS が長かった**．生存解析で，摘出度と 1p19q 欠損が有意に OS が長く，高摘出率と亜全摘以上は有意に PFS が長かった．補助療法は 35%の患者が受けており，補助療法の有無は年齢と摘出率に関連し，組織型と部位とに関連していなかった．**術中 MRI 撮影後の追加摘出は 66%の症例（105/159）が受け**ており，全摘出の症例は 55%となった．摘出率は OS と PFS の主な予後因子であり，**術中 MRI は PFS 延長に寄与する可能性がある**．術中 MRI の使用有無の症例選択でバイアスはあるが，追加摘出が 3 分の 2 の症例で行われ

11）Scherer M, Ahmeti H, Roder C et al：Surgery for diffuse WHO grade Ⅱ gliomas：volumetric analysis of a multicenter retrospective cohort from the German study group for intraoperative magnetic resonance imaging. Neurosurgery 86：E64-E74, 2020

12）Yahanda AT, Patel B, Shah AS et al：Impact of intraoperative magnetic resonance imaging and other factors on surgical outcomes for newly diagnosed grade Ⅱ astrocytomas and oligodendrogliomas：a multicenter study. Neurosurgery 88：63-73, 2020

摘出率向上に貢献していること，摘出率が予後因子であることから，少なくとも PFS 延長への効果は示されていると考える．

神経膠腫に対する術中 MRI 含めた術中画像のメタ解析

悪性神経膠腫摘出を対象に，ベイズ統計を用いたメタ解析（11 研究）によって，従来のナビゲーション手術を対照に，術中 MRI vs 5ALA の有効性を比較した研究がある[13]．古典的メタ解析では，術中 MRI（オッズ比（OR）5.0，95% CI 2.65–9.39）と 5ALA（OR 2.9，95% CI 2.127–3.863）ともに従来ナビと比較して，画像上全摘した症例割合が有意に高かった（$p < 0.001$）．ベイズ式メタ解析による術中 MRI と 5ALA の比較は，術中 MRI がよい傾向はあったが有意差はなかった（OR 1.9，95% CI 0.905–3.989，$p = 0.09$）．また，**術中 MRI あるいは 5ALA どちらかの使用が PFS と OS の延長に寄与していた．悪性神経膠腫に対して，どちらの方法も画像上全摘に有用だが，両者に明らかな差はない**ことが示唆された．

Fountain らは[14]，術中画像診断と効果について最長 70 年の文献のコクランレビューのアップデートを行った．ランダム化比較試験（RCT）は，術中 MRI で 2 件（$n = 58$，$n = 14$），5ALA で 1 件（$n = 322$），ナビゲーション 1 件（$n = 45$），術中超音波 0 件であり，現在進行中の術中 MRI の試験がある（$n = 304$）．術中 MRI 使用群と全摘出との関連が示された．同様に 5ALA 使用群も同様全摘出と関連があったが，OS との関連は認めなかった．**術中 MRI と 5ALA は最大限摘出への効果が示唆されるが，OS や PFS 延長効果は不明であると結論づけた．**

新規の前向き RCT の結果がないため，以前のレビューと同じ結果である．そもそも**術中 MRI 等の画像診断装置は，“直接的に”腫瘍を治療する装置ではなく，画像を撮影し術者が施行する腫瘍摘出を“間接的に”支援する装置である**．過去にもナビゲーション装置が RCT で生存期間に有意な効果を示せずに有用でないと結論づけられたが，元よりナビゲーションの主要評価項目は正確な位置を示すことであるはずであり，その効果は明らかで，現在脳神経外科で標準的な手術支援装置として確立している．

術中画像→摘出率向上，摘出率向上→生存率向上はそれぞれ関連があっても，さまざまな“仲介”因子がある場合（例：グレード 2 の再発後放射線化学療法）には，術中画像→生存率向上と単純にならない場合も多い．したがって**間接的な手術装置の有用性の検討は，適切な評価項目を選択すべき**と考えられる．

術中 MRI 画像と組織診断との関係，術中 MRI 画像の偽陰性・偽陽性

多施設で，術中 MRI 上の残存病変と術中 MRI 後の摘出病変の組織診断に関する比較を，神経膠腫（$n = 904$）と下垂体腺腫（$n = 176$）の症例で検討し

13) Golub D, Hyde J, Dogra S et al：Intraoperative MRI versus 5-ALA in high-grade glioma resection：a network meta-analysis. J Neurosurg doi：103171/2019.12.JNS191203, 2020［online ahead of print］

14) Fountain DM, Bryant A, Barone DG et al：Intraoperative imaging technology to maximise extent of resection for glioma：a network meta-analysis. Cochrane Database Syst Rev 1：CD013630, 2021

た報告がある[15]．術中 MRI で追加摘出を行った症例の割合は，神経膠腫が 60%（904/1,517）と下垂体腺腫の 34%（176/515）と比較して有意に高かった（$p < 0.001$）が，摘出病変の組織診断を行った症例割合は，それぞれ 44%と 38%となっており有意差を認めなかった（$p = 0.11$）．摘出病変（n = 464）に腫瘍が存在した割合は神経膠腫が 91%（361/398）と，下垂体腺腫の 82%（54/66）と比較して有意に高かった（$p = 0.03$）．神経膠腫では，グレード間（1：89%，2：89%，3：89%，4：93%）や初発・再発間（90% vs 89%）で有意差を認めなかった．この結果，**全グレードの神経膠腫や下垂体腺腫において，術中 MRI の残存腫瘍同定は高い信頼性がある**と結論づけている．

高磁場術中 MRI でみられる，術前 MRI で認められなかった新規造影領域の出現について検討した研究がある[16]．術中 MRI（3Tesla：3T，n = 64）と術後早期 MRI（72 時間以内，n = 42）と術後晩期 MRI（5 日～8 週後，n = 34）を 3 人の放射線科医が比較した．16%（10/64）に術中 MRI で新規造影を認め，うち 70%（7/10）は術後早期 MRI で縮小 / 消失した．2%（1/42）に術後早期 MRI で新規造影を認め，術後晩期 MRI で縮小した．なお，術中 MRI と術後早期 MRI でそれぞれ 74%，81%の評価の一致をみた．**術中 MRI でみられる新規造影領域の原因は，開頭や空気に関連した artifact，術中出血や梗塞，あるいは綿のような止血物質などが考えられ，読影に十分な注意が必要で**ある．

一方で，新規梗塞の早期同定が期待される術中 DWI の限界に関する報告が 2 報あった．Roder らの施設（1.5T）での報告では[17]，術中 DWI（n = 100）撮影のうち，124 回の DWI（n = 78）を対象とした．術中 DWI の陽性的中率と陰性的中率は 94%と 56%で，画質は有意に術中 DWI が術後 DWI に劣っていたという（$p < 0.0001$）．**画質低下の原因は，摘出腔の空気（64%）や人工物（38%）とともに，患者頭部が MRI の撮像中心から外れている**（38%）ことが挙げられた．また前頭開頭が他アプローチと比較して画質低下のリスクが高い傾向にあった（$p = 0.059$）という．**画質が劣りやすい術中 DWI 撮影の画質向上のためには，できる限り摘出腔の空気や人工物を取り除き，頭位を MRI 中心に設置することが必要**と述べている．

Voglis らは，単施設（3T）において，術中 DWI を撮影した患者（n = 225）のうち，追加摘出なく術後 MRI が撮影されている症例（n = 16）を対象とした．術後 DWI で同定された新規あるいは増大虚血病変，すなわち**術中 DWI で同定できない偽陰性は，75%（12/16）も存在した**[18]．組織は，乏突起膠腫（n = 4）と膠芽腫（n = 4）が多く，42%（5/12）は術中 DWI でも同定されたが術後に病変が増大，58%（7/12）は術中 DWI で同定できず術後初めて同定された病変であった．Roder らの報告と異なり，**評価可能な画質であっても超早期脳梗塞は同定できない可能性が高いことを述べており，術中 DWI に基**

15）Shah AS, Yahanda AT, Sylvester PT et al：Using histopathology to assess the reliability of intraoperative magnetic resonance imaging in guiding additional brain tumor resection：a multicenter study. Neurosurgery 88：E49-E59, 2020

16）Miskin N, Unadkat P, Carlton ME et al：Frequency and evolution of new postoperative enhancement on 3 Tesla intraoperative and early postoperative magnetic resonance imaging. Neurosurgery 87：238-246, 2020

17）Roder C, Haas P, Tatagiba M et al：Technical limitations and pitfalls of diffusion-weighted imaging in intraoperative high-field MRI. Neurosurg Rev 44：327-334, 2021

18）Voglis S, Hiller A, Hofer AS et al：Failure of diffusion-weighted imaging in intraoperative 3 Tesla MRI to identify hyperacute strokes during glioma surgery. Sci Rep 11：16137, 2021

づいた判断には注意が必要と思われる．

術中MRIの下垂体腺腫摘出術やパーキンソン病への定位脳手術の応用

下垂体腺腫摘出術に対する術中MRIの有用性に関しては，摘出率向上やPFS延長効果等が報告されているが，術中MRI使用症例（n = 212）で内分泌学的評価を加えた研究が報告された[19]．摘出方法は，顕微鏡下61%，内視鏡下35%，両方3%であり，**62%（131/212）が術中MRI所見で追加摘出を受けており，結果全摘率の有意な向上が認められた**（p = 0.0001）．摘出向上効果は，海綿静脈洞浸潤が軽度群（Knosp grade 1～2）と関連し，重度群（grade ＞ 3）では関連しなかった．術後MRIで評価した摘出率とPFS延長は有意に関連（p ＜ 0.0001）していた．内分泌学的寛解は64%であり，内視鏡下（81%）が顕微鏡下（55%）と比較して有意に高かった（p = 0.02）．新規ホルモン分泌低下は2.8%の永続的尿崩症を含んで8%であったが，45%は術前にあったホルモン分泌低下が術後改善した．再手術が必要な髄液漏は1%で，術後感染はなかった．**術中MRIは，ホルモン機能を温存し摘出術向上を図る安全で効果的な方法であり，内視鏡との組み合わせでより積極的な摘出が可能となり，内分泌学的寛解率が高かった．**特に**海綿静脈洞浸潤の軽度な（Knosp grade ＜ 3）ホルモン分泌腫瘍に対して術中MRI使用が有用であること**が示唆された．

また，下垂体腺腫の全摘出に関して術中MRIと内視鏡とを比べるレビューが報告された[20]．85論文の7,124症例で全摘出症例割合が中心に調査され，下垂体腫瘍全体では内視鏡下（69%）は，顕微鏡下 + iMRI（68%）や内視鏡下 + iMRI（70%）と似たような結果であった．一方，macroadenomaのサブ解析を行うと，内視鏡下（59%）と顕微鏡下 + iMRI（69%）は同等であったが，内視鏡下 + iMRI（81%）と全摘出する症例割合が高かった．髄液漏の合併症に関しても，内視鏡下：4.7%，顕微鏡下 + iMRI：4.6%，内視鏡下 + iMRI：3.7%と大きな差がなかった．**下垂体腺腫の全摘出割合は，顕微鏡＋iMRIと内視鏡（± iMRI）とで同等であり，macroadenomaに関しては内視鏡とiMRIの2技術は相補的であること**が示唆されたという．

パーキンソン病の淡蒼球への脳深部刺激療法（globus pallidus deep brain stimulation：GPi-DBS）のために，近年，全身麻酔下で微小電極記録（microelectrode recording：MER）や電気刺激なしで術中MRIを用いてDBSの電極の埋め込みが行われるようになり，従来のMERとの治療成績を比較した研究が報告された[21]．77症例131電極の埋め込みがあり，精度（予定部位との誤差）は定位装置MERが1.9 mm，術中MRIが0.84 mmであった．重篤な合併症は，MER群が6.9%，術中MRI群が9.4%と有意差がなかった．治療成績（n＝57）は改善率（MER群：26% vs 術中MRI群：43%，p＝0.019），

19）Juthani RG, Reiner AS, Patel AR et al：Radiographic and clinical outcomes using intraoperative magnetic resonance imaging for transsphenoidal resection of pituitary adenomas. J Neurosurg 134：1824-1835, 2020

20）Soneru CP, Riley CA, Hoffman K et al：Intra-operative MRI vs endoscopy in achieving gross total resection of pituitary adenomas：a systematic review. Acta Neurochir（Wien）161：1683-1698, 2019

21）Bezchlibnyk YB, Sharma VD, Naik KB et al：Clinical outcomes of globus pallidus deep brain stimulation for Parkinson disease：a comparison of intraoperative MRI- and MER-guided lead placement. J Neurosurg 134：1072-1082, 2020

UPDRS Ⅲ motor scoresの改善率（MER群：37％ vs 術中MRI群：50％）ともに，有意に術中MRI群が良好であった．しかし，治療反応を予測する手術前L-dopa負荷反応が，MER群は術中MRI群と比べて有意に低く（不利），群間の片寄りがある後向き研究であり，治療後のL-dopa換算服薬量に両群間で有意差がないことからも，結果の解釈として両技術は同等の治療成績と考えられた．また，**MERと同様に術中MRI支援電極埋め込み術は有意な改善を示し，安全性も同等と考えられ，今後治療オプションとなる**と考えられた．

術中画像の新技術

術中MRIの新技術として，臓器変形（brain shift）を“反映した”術中MRI画像に基づいて術前tractography画像を弾性融合（elastic fusion：EF）する方法（intraoperative MRI-based EF：IBEF）が報告された[22]．連続304例のうち，運動野近傍神経膠腫（n = 11）で，術中MRIにより錐体路が示され，MEPが術中消失した8例と消失しなかった3例を対象とした．画像補正（brain shiftに相当）は脳全体が平均8.8 mmで，錐体路は平均5.3 mmであった．IBEF前は錐体路が病変内に存在するのが3例であったが，IBEF後は全例であり（p = 0.026），うち4例では皮質下電気刺激で反応が確認できた．

術前DTIと術中MRI画像を重畳する方法（n = 10）もあり，ナビ上錐体路近傍刺激での運動反応のみならず，上縦束近傍での言語停止や眼球運動を確認したと報告している[23]．**画質が優れている術前特殊画像とbrain shift情報をもつ術中画像を組み合わせる実践的な方法**であり，今後さまざまな応用が期待できる．

従来全身麻酔下で行われていた，術中光学イメージング（intraoperative optic imaging：IOI）による脳機能マッピングを覚醒下で行った（n = 10）報告がある[24]．①Finger tapによる運動野同定，②言語タスクによる言語野同定，③電気刺激による言語マッピング中のフィードバック方法という3つの方法を試した．①の運動野は術前fMRIや術中電気刺激の結果と一致していた．一方，②の言語野の同定は可能だが，多くの症例で3者の結果が大きく異なり，言語のIOIは非特異的で手術の意思決定には使えないとの判断であった．しかし，③の電気刺激時ごとの活動変化を空間上に可視化でき，将来マッピング手順を最適化できる可能性がある．さらに，皮質の活動変化をみることにより，腫瘍と正常との鑑別ができる可能性がある（正常脳は刺激後に活動低下するが腫瘍変化なし）．今後，**自然な活動をよい空間解像度で術中画像化できるIOIは，機能野近傍病変の手術に期待できる方法**である．

別ジャンルの術中画像診断として，ラマン分光装置を用いた術中迅速組織診断法（stimulated Raman histology：SRH）がある[25]．染色を必要とせず，組織提出（n = 82）から診断までの所要時間は平均10分であり，凍結標本によ

22) Ille S, Schroeder A, Wagner A et al：Intraoperative MRI-based elastic fusion for anatomically accurate tractography of the corticospinal tract：correlation with intraoperative neuromonitoring and clinical status. Neurosurg Focus 50：E9, 2021

23) Tamura M, Kurihara H, Saito T et al：Combining pre-operative diffusion tensor images and intraoperative magnetic resonance images in the navigation is useful for detecting white matter tracts during glioma surgery. Front Neurol 12：805952, 2022

24) Oelschlägel M, Meyer T, Morgenstern U et al：Mapping of language and motor function during awake neurosurgery with intraoperative optical imaging. Neurosurg Focus 48：E3, 2020

25) Eichberg DG, Shah AH, Di L et al：Stimulated Raman histology for rapid and accurate intraoperative diagnosis of CNS tumors：prospective blinded study. J Neurosurg doi：10.3171/2019.9.JNS192075, 2019［online ahead of print］

る診断と比較して平均31分早かった．病変を95%（78/82）に認め，組織診断は髄膜腫：29%，悪性神経膠腫：22%，下垂体腺腫：22%，転移性脳腫瘍が10%であった．固定標本による確定診断とは92%が一致しかつ相関があり，凍結標本による迅速診断と確定診断との一致率92%と同等であった．**SRHは凍結標本による迅速診断と比較し有意に早く，同等の正確性をもつ術中組織診断**と考えられる．装置購入が必要であるが，永久標本と同等の画像が得られる実践的な方法であり，術中フローサイトメトリー，術中PCR等の術中迅速の組織診断・分子診断は徐々に普及し，今後より摘出の意思決定に役立つと思われる．

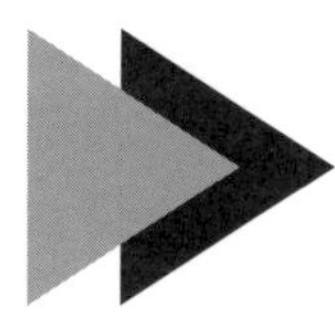

55. 術中ナビゲーション

すごうのぶお
周郷延雄
東邦大学医学部医学科 脳神経外科学講座（大森）

最近の動向

- 近年の術中ナビゲーションは，CT や MRI，超音波などの他の術中画像診断機器との併用により術野の三次元的な解剖学的位置の精度を向上させている．
- また，神経膠腫や下垂体腺腫に対する蛍光ガイド下の術中ナビゲーションを用いた腫瘍組織の同定も広まっている．
- Brain shift の問題解決には，これまでの術中画像診断機器による再レジストレーションのほか，非剛体レジストレーション（non rigid registration：NRR）など，髄液漏出や病変切除に伴う脳の変形に対応する新たな画像補正の方法が開発されている．

術中ナビゲーションと術中画像診断機器との併用

術中ナビゲーションは，CT や MRI などの術前神経放射線画像を基にして，術中に正常解剖や病変の三次元的位置の同定を可能にする機器である．脳神経外科手術において必要不可欠な機器の一つとなっており，神経膠腫や転移性脳腫瘍などの腫瘍範囲の同定，頭蓋底部や下垂体近傍の正常解剖の確認などに用いられている．また，耳鼻科や整形外科でも頻用されている．近年ではさらなる病変の描出精度の向上を目的として，他の術中画像診断機器との併用がなされている[1~3]．フルオレセインナトリウムは蛍光色素の一種であり，眼科領域では静脈投与による造影剤として加齢黄斑変性，糖尿病網膜症，眼内の炎症・腫瘍などの識別に利用されている．Xue らは[4]，神経膠腫の切除においてフルオレセインナトリウムと術中ナビゲーションを併用し，フルオレセインナトリウムの腫瘍境界の描出程度と術中ナビゲーションでの腫瘍境界との誤差を評価した．両者は，50 例中 43 例（86%）で合致し，脳幹群のほうがテント上群より誤差が少なく，小児患者においても有用であった．このことから，フルオレセインナトリウムと術中ナビゲーション技術の併用は，神経膠腫の術後経過を改善させる可能性があると述べている．MRI の拡散テンソル画像は神経線維の集合体である白質病変をとらえるうえで優れており，錐体路の描出を中心に

1）Sollmann N, Krieg SM, Säisänen L et al：Mapping of motor function with neuronavigated transcranial magnetic stimulation：a review on clinical application in brain tumors and methods for ensuring feasible accuracy. Brain Sci 11：897, 2021
2）Aguilar-Salinas P, Gutierrez-Aguirre SF, Avila MJ et al：Current status of augmented reality in cerebrovascular surgery：a systematic review. Neurosurg Rev 45：1951-1964, 2022
3）Gosal JS, Tiwari S, Sharma T et al：Simulation of surgery for supratentorial gliomas in virtual reality using a 3D volume rendering technique：a poor man's neuronavigation. Neurosurg Focus 51：E23, 2021
4）Xue Z, Kong L, Hao S et al：Combined application of sodium fluorescein and neuronavigation techniques in the resection of brain gliomas. Front Neurol 12：747072, 2021

2434-9992/22/¥100/頁/JCOPY

応用されている．Tamuraらは[5]，神経膠腫手術を対象として，術前拡散テンソル画像と術中MRIを合成した術中ナビゲーションシステムを開発し，覚醒開頭下での神経生理学的モニタリングを行うことでその有用性を検討した．術中ナビゲーションのモニターには，術中MRI，統合された術前拡散テンソル画像，顕微鏡下の術野が同一画面に表示され，錐体路，上縦束，言語の白質線維がすべて可視化でき，手術支援に有用であった．また，術後の神経学的転帰も良好であったとしている．さまざまな既往症をもつ高齢者の悪性神経膠腫の手術においても，術中ナビゲーションと他の術中画像診断機器を組み合わせることによって手術成績や安全性が高まることが指摘されている．Barbagalloらは[6]，65歳以上の群と65歳未満の群に分け，術中ナビゲーション，神経生理学的モニタリング，5-アミノレブリン酸（5-ALA）蛍光，11C-メチオニンpositron emission tomography（PET），術中超音波，術中CTなどの多数の術中画像診断機器を用い，高齢患者の腫瘍切除範囲と臨床転帰への影響を分析した．その結果，2群間にKarnofsky Performance Scale（KPS）や生存率に有意差は認められなかった．また，群間の年齢を70歳まで引き上げても同様の結果が得られたとし，高齢者手術における術中ナビゲーションと他の術中画像診断機器との併用の有用性を報告している．視床などの深部に発生した神経膠腫の手術は難度が高く，手術成績を向上させるうえで術中ナビゲーションは有用である[7]．Limらは[8]，視床膠芽腫に対して，術中ナビゲーション，拡散テンソル画像，術中CT，神経生理学的モニタリングを使用して80%以上の最大腫瘍切除術を行ったところ，生検群と比較して，全生存期間（中央値：676日，$p < 0.001$），無増悪生存期間（中央値：328日，$p < 0.001$）で有意に長かったと報告している．それゆえに，術中ナビゲーションに拡散テンソル画像および神経生理学的モニタリングを追加することは，視床腫瘍の最大限の外科的切除を可能とし，予後を改善させると述べている．以上の報告から，術中ナビゲーションは，他の術中画像診断機器との併用によって，既往症の多い高齢者や視床などの深部の腫瘍における手術成績と安全性を高めるといえよう．

術中ナビゲーションと神経内視鏡との併用

下垂体腫瘍に対する経鼻内視鏡手術は，外表に手術創がないことから整容的で，低侵襲な頭蓋底外科手術として標準的治療となっている．しかし，術者側からみると，一般的な顕微鏡のごとく浅い部分から深部を見る術野ではなく，深部に挿入した神経内視鏡先端のカメラからの術野であること，角度付カメラは直線的な術野でないことから，その操作には術者の慣れが必要となる．術野の解剖学的位置や角度を客観的に確認するために，術中ナビゲーションを神経内視鏡に装備することは有用であるとされる．Patilは[9]，経鼻内視鏡手術を施行した下垂体腫瘍139例を後方視的に検討し，術中ナビゲーション使用群と

5) Tamura M, Kurihara H, Saito T et al：Combining pre-operative diffusion tensor images and intraoperative magnetic resonance images in the navigation is useful for detecting white matter tracts during glioma surgery. Front Neurol 12：805952, 2022

6) Barbagallo GMV, Altieri R, Garozzo M et al：High grade glioma treatment in elderly people：is it different than in younger patients? Analysis of surgical management guided by an intraoperative multimodal approach and its impact on clinical outcome. Front Oncol 10：631255, 2021

7) Alluhaybi AA, Altuhaini KS, Soualmi L et al：Thalamic tumors in a pediatric population：surgical outcomes and utilization of high-definition fiber tractography and the fiber tracking technique. Cureus 14：e23611, 2022

8) Lim J, Park Y, Ahn JW et al：Maximal surgical resection and adjuvant surgical technique to prolong the survival of adult patients with thalamic glioblastoma. PLoS One 16：e0244325, 2021

9) Patil NR, Dhandapani S, Sahoo SK et al：Differential independent impact of the intraoperative use of navigation and angled endoscopes on the surgical outcome of endonasal endoscopy for pituitary tumors：a prospective study. Neurosurg Rev 44：2291-2298, 2021

非使用群に分けたところ，術中ナビゲーション使用群では高い摘出率と低い再治療率を示し，特に角度付き内視鏡での術中ナビゲーションの使用は，非機能性腫瘍の手術成績を向上させたと述べている．小児の鞍上部腫瘍においても，術中ナビゲーションを組み合わせた神経内視鏡の有用性が報告されている．Pennacchiettiらは[10]，小児における内視鏡補助下術中ナビゲーション手術に拡張現実を導入した経験を分析している．平均年齢14.5 ± 2.4歳の鞍部または傍鞍部病変17例を対象とし，臨床所見，MRI，術中所見，術後MRI，起こりうる合併症，転帰を検討した．その結果，拡張現実ナビゲーションは病巣の同定および病変の広がりを明らかにし，65％の症例において術後MRIで根治的切除が証明され，死亡例はなかった．これらのことから，内視鏡補助下術中ナビゲーション手術への拡張現実の導入は，小児の稀な鞍部または傍鞍部病変に対する難度の高い手術において有用であると述べている．下垂体腺腫は解剖学的に両側の内頚動脈の間に存在し，内分泌機能を司る正常下垂体に近接していることから，術中ナビゲーションを用いた解剖学的位置同定とともに，蛍光ガイド下で正常下垂体と腫瘍組織の鑑別もなされている．近年では，蛍光色素である5-ALA，フルオレセインナトリウム，インドシアニングリーン，およびOTL38などが腫瘍細胞へ選択的に蓄積することが基礎実験および臨床研究で証明され[11]，蛍光ガイド下手術が進歩したことから，完全切除率および全生存率の向上が報告されている．今後，これらの薬剤において感度および特異度の向上，機能性腺腫と非機能性腺腫での差異等の問題が解決されることで，臨床的有用性がさらに高まると期待される．

術中ナビゲーションにおけるbrain shift

術中ナビゲーションの使用において，その精度低下にもっとも影響する因子はbrain shiftである[12]．これは，軟らかい脳が病変の摘出や髄液の流出で偏移・変形することにより，術前神経放射線画像との位置関係にずれを生じるものである．Brain shiftを解決するために術中MRIやCTが非常に有用であることは言をまたない．一方で，一般の施設において手術室にこれらの機器を導入することは，コスト面で困難であることが多い．また，術中に検査を行うことで手術を中断せざるを得ないという問題もある．術中超音波診断は，術中ナビゲーションの再レジストレーションに使用でき，腫瘍切除の進捗状況を即時に提供することを可能にする．De Almeida Bastosらは[13]，術中超音波診断の有用性について術中MRIと比較検討した．対象は神経膠腫を主とする23例で，12例で肉眼的全摘出が達成され，5例で術後の一時的な神経脱落症状が観察された．術中超音波を用いることによって22例（95.7％）で腫瘍の位置，腫瘍縁を明確にすることができたことから，その有用性を示している．新たなbrain shiftの補正方法としては非剛体レジストレーション（non rigid

10) Pennacchietti V, Stoelzel K, Tietze A et al：First experience with augmented reality neuronavigation in endoscopic assisted midline skull base pathologies in children. Childs Nerv Syst 37：1525-1534, 2021

11) Lakomkin N, Van Gompel JJ, Post KD et al：Fluorescence guided surgery for pituitary adenomas. J Neurooncol 151：403-413, 2021

12) Saß B, Pojskic M, Zivkovic D et al：Utilizing intraoperative navigated 3D color doppler ultrasound in glioma surgery. Front Oncol 11：656020, 2021

13) De Almeida Bastos DC, Juvekar P, Tie Y et al：Challenges and opportunities of intraoperative 3D ultrasound with neuronavigation in relation to intraoperative MRI. Front Oncol 11：656519, 2021

registration：NRR）が考案されている．NRRは，位置合わせ対象の点群全体を非剛体とみなし，各点に対して位置合わせ対象への変換を適用することで点群の位置合わせを行うというものである．術中ナビゲーションにおける術前画像データのNRRは，術前画像の画質を維持したまま，術中画像の変形をとらえたレジストレーション画像を作成することができる．Drakopoulosらは[14]，臨床データを用いて，脳の変形を扱う複数のNRR手法間の性能を誤差の少なさと補正時間の短さで比較検討した．神経膠腫30例の手術を対象としたところ，adaptive physics-based NRRは，rigid registration（RR）や従来のphysics-based NRRと比較してbrain shiftの補正の精度が高く，平均2分未満で適用できることから，臨床の場での応用が可能であると述べている．

術中ナビゲーションを用いた脊椎手術

脊椎手術におけるナビゲーションの使用時には，術中三次元的透視画像を描出するCアームやOアーム，術中CTを併用し，骨性部位の位置同定やスクリュー設置の精度を向上させていることが多い[15～17]．Jannelliらは[18]，Cアームと組み合わせた脊髄ナビゲーションを用いて，環椎軸椎不安定症に対する後方固定術の精度と信頼性を分析した．平均年齢72歳（51～85歳）の11例の連続症例において，全例でスクリューの位置決めに問題はなく，椎骨動脈損傷も観察されなかった．平均手術時間は123分で，3ヵ月後においてスクリューの緩みや偏移はなかったとし，術中Cアームを併用した脊髄ナビゲーションは，環椎軸椎不安定症に対するスクリュー設置手術の信頼性と安全性を高めることを示している．術中CTを用いた術中ナビゲーションおよび拡張現実を併用した報告もある．脊椎への側方アプローチは，脊椎への低侵襲なアクセスを可能にし，出血が少なく，手術時間が短縮され，術後疼痛が少ないことから，一般的になりつつある．一方で，術野が狭く，大血管，尿管，腸管，腰神経叢などの損傷の危険性があり，術中の解剖学的同定が重要となる．Pojskićらは[19]，脊椎への側方アプローチにおけるナビゲーション付き術中CTの使用および拡張現実の有用性を分析した．年齢中央値64.3歳の16例（椎間板ヘルニア6例，腫瘍7例，胸椎または腰椎骨折後の不安定性2例，脊椎椎間板炎1例）に対して術中CTを用いた術中ナビゲーション下で胸腰椎への側方アプローチを行った結果，術中CTを応用した自動レジストレーションにより，誤差0.84 ± 0.10 mmの高い精度が得られた．また，拡張現実は，腫瘍の外形，椎弓根スクリュー，椎間板ヘルニア，周辺構造の可視化において有用であったとし，ナビゲーション付き術中CTは，脊椎への側方アプローチの施行を容易にすると述べている．椎骨動脈損傷は，頸椎手術における重篤な合併症の一つであり，その発生率は0.07％と稀ではあるが[20]，出血，永続的な神経脱落症状，さらには死亡などをもたらす危険性がある．頸椎手術のうち，前頚部や後

14) Drakopoulos F, Tsolakis C, Angelopoulos A et al：Adaptive physics-based non-rigid registration for immersive image-guided neuronavigation systems. Front Digit Health 2：613608, 2021

15) Kendlbacher P, Tkatschenko D, Czabanka M et al：Workflow and performance of intraoperative CT, cone-beam CT, and robotic cone-beam CT for spinal navigation in 503 consecutive patients. Neurosurg Focus 52：E7, 2022

16) Coric D, Rossi V：Percutaneous posterior cervical pedicle instrumentation（C1 to C7）with navigation guidance：early eeries of 27 eases. Global Spine J 12（2_suppl）：27S-33S, 2022

17) Kelly PD, Zuckerman SL, Yamada Y et al：Image-guidance in spine tumor surgery. Neurosurg Rev 43：1007-1017, 2020

18) Jannelli G, Moiraghi A, Paun L et al：Atlantoaxial posterior screw fixation using intra-operative spinal navigation with three-dimensional isocentric C-arm fluoroscopy. Int Orthop 46：321-329, 2022

19) Pojskić M, Bopp M, Saß B et al：Intraoperative computed tomography-based navigation with augmented reality for lateral approaches to the spine. Brain Sci 11：646, 2021

20) Kiessling JW, Ramnot A, Odell T et al：Use of O-arm with intraoperative arteriography for localization and stealth navigation of the vertebral arteries during posterior cervical spine surgery. Int J Spine Surg 14：S10-S15, 2021

頚部の手術では，他の頚椎手術と比較して椎骨動脈損傷の発生率が高いとされているものの，一般的に術前血管撮影検査は行われないことが多い．術中Oアームは，移動型イメージングシステムであり，軟部組織の描出ではCTに劣るが，骨の解剖学的構造や金属体などの対象部位を明瞭に描出し，術中ナビゲーションと併用することで，脊椎手術における手術操作と安全性を高めることができる．Kiessling[20]らは，不安定な軸椎骨折に対する後方固定術の際に，術中Oアームによる動脈造影をナビゲーションと統合することで椎骨動脈の位置を確認し，安全に手術を遂行できたと報告している．これらのことから，脊椎手術において術中ナビゲーションの使用は，円滑な手術および手術合併症の低減の面からも必要不可欠となるであろう．

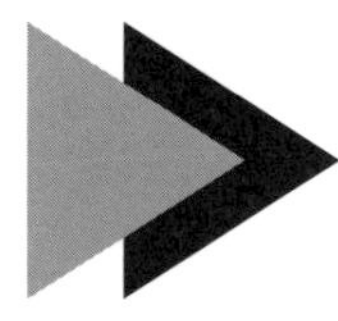

56. 術中モニタリング

佐々木達也（ささき たつや）
東北医科薬科大学 脳神経外科

最近の動向

- 運動誘発電位（motor evoked potential：MEP）に関する報告は，その半数が体性感覚誘発電位（somatosensory evoked potential：SEP）を併用していたが，特にSEPが有用であったという報告はなかった．経頭蓋刺激MEPが主流であるが，いまだ刺激強度の設定に問題点があり，偽陰性および偽陽性の原因となっていることも指摘されていた．脳動脈瘤手術では特に前脈絡叢動脈瘤に関する報告が多く，腫瘍，carotid endarterectomy（CEA），血管内手術，小児手術における有用性も示されていた．
- 視覚誘発電位（visual evoked potential：VEP）に関する報告では，頭蓋咽頭腫の拡大経鼻経蝶形骨洞手術における有用性が示されていた．血管内手術における有用性も示されていた．
- 皮質皮質間誘発電位（corticocortical evoked potential：CCEP）は覚醒下手術とともに進歩してきたが，全身麻酔がCCEPに及ぼす影響が検討され，さらに全身麻酔下で言語機能温存における有用性・可能性が示されていた．
- 脳神経のモニタリングでは顔面MEPおよび顔面けいれんにおける異常筋反応（abnormal muscle response：AMR）の報告が多かった．迷走神経モニタリングの有用性も示されていた．

運動誘発電位（MEP）

クリッピング術における有用性

スペイン・バルセロナの病院のMiró Lladóらの報告[1)]．脳動脈瘤クリッピング術における術中神経生理学的モニタリング（intraoperative neurophysiological monitoring：IOM）の有用性について検討した．破裂および未破裂脳動脈瘤268例を対象とした．IOMは，脳波，SEP，経頭蓋および皮質直接刺激MEPを行った．IOMを施行した180例と施行しなかった88例について比較検討を行った．IOMを施行した症例で有意に脳梗塞が少なく（p = 0.011），運動障害も少なかった（p = 0.016）．独立した危険因子は，血流一時遮断6分5秒以上（p = 0.037），動脈瘤7.5 mm以上（p = 0.026），IOM非施行（p = 0.021）

1) Miró Lladó J, Lópes-Ojeda P, Pedro J et al：Evaluation of multimodal intraoperative neurophysiologic monitoring during supratentorial aneurysm surgery：a comparative study. Neurosurg Rev 45：2161-2173, 2022

2434-9992/22/¥100/頁/JCOPY

であった．破裂脳動脈瘤は危険因子ではなかった（$p = 0.4$）．皮質直接刺激MEPを含むIOMは，脳動脈瘤手術において脳梗塞および運動障害を減少させるのに有用であった．

モニタリングの有用性を示した価値ある論文であるが，脳波の有用性，経頭蓋刺激MEPと皮質直接刺激MEPの比較が不明瞭であった．

韓国の忠清南道大学のByounらの報告[2]．前脈絡叢動脈瘤は術後の運動麻痺が11.4〜16%に出現すると報告されていた．本動脈瘤に対するSEPおよび経頭蓋刺激MEPモニタリングの有用性について検討した．115例の未破裂前脈絡叢動脈瘤においてSEPと経頭蓋刺激MEPをモニタリングした．7例（6.1%）で虚血性合併症を生じ，3例（2.6%）が症候性であった．偽陰性率は6.1%，特異度100%，陽性的中率100%，陰性的中率93%，感度11.1%であった．術中神経生理学的モニタリングの有用性は限られていた．これを補うためには皮質直接刺激MEPの併用や，経頭蓋刺激MEPの改善が必要である．

経頭蓋刺激MEPにより内包後脚の脳梗塞による片麻痺は減少したが，その限界も同時に示している報告である．さらなる経頭蓋刺激MEPの改善を要するという意見に賛同する．

韓国のカトリック大学のLeeらの報告[3]．前脈絡叢動脈瘤は術後の運動麻痺が5〜16%に出現すると報告されていた．前脈絡叢動脈が1本かそれ以上かにより分類し，脳梗塞の頻度およびMEPモニタリングの有用性について検討した．未破裂前脈絡叢動脈瘤の手術症例153例を，前脈絡叢動脈が1本の101例（66%）と，複数本の52例（34%）に分類し検討した．複数本の症例で，術後の運動麻痺，脳梗塞，MEP低下の頻度が有意に高かった．多変量解析の結果では前脈絡叢動脈の複数本（$p = 0.026$）と多房性形態（$p = 0.004$）が術後の虚血性合併症に有意に相関していた．MEPが低下した9例でクリップのかけ直しなどを行い，術後虚血性症状を呈したのは2例であった．**前脈絡叢動脈が複数本の症例ではさらなる注意が必要であることを認識すべきであり**，MEPにより合併症を最小限にすることが可能である．

MEPの手法に関する詳細な記載がなかった点が残念であった．

中国の首都医科大学のLiらの報告[4]．脳動脈瘤手術におけるMEPモニタリングの有用性をMEP悪化時間に着目して検討した．587例の手術で経頭蓋刺激上下肢記録MEPを施行し，92例（15.7%）の症例でMEPが悪化した．76例では回復したが，16例（2.7%）では永続した．16例中15例で術後運動麻痺が出現した．MEP悪化時間と術後運動麻痺の相関をROC曲線解析で検討した．術後運動麻痺はMEP悪化時間と有意に相関していた（$p < 0.01$）．ROC解析では13分未満と13分以上で術直後運動麻痺（$p < 0.01$），短期運動麻痺（$p < 0.01$），長期運動麻痺（$p < 0.05$）に有意差があった．CT上の脳梗塞とは相関は認めなかった．**MEP悪化時間は術後の予後を予測するのに有用**

2）Byoun HS, Oh CW, Kwon OK et al：Intraoperative neuromonitoring during microsurgical clipping for unruptured anterior choroidal artery aneurysm. Clin Neurol Neurosurg 186：105503, 2019

3）Lee JK, Choi JH, Shin YS：Multiple anterior choroidal arteries and perioperative ishemic complictions in unruptured anterior choroidal artery aneurysms treated with microsugical clipping. Acta Neurochir（Wien）163：2947-2953, 2021

4）Li Z, Fan X, Wang M et al：Prediction of postoperative motor deficits using motor evoked potential deterioration duration in intracranial aneurysm surgery. Clin Neurophysiol 130：707-713, 2019

である．

多数例の症例で MEP 悪化時間と術後の症状を検討した，有意義な論文である．

消失に先行する振幅増大

奈良県立医科大学の Gurung らの報告[5]．MCA 動脈瘤手術時の MEP の振幅増大に関する論文である．134 例の MCA 動脈瘤手術時に MEP（直接皮質刺激および経頭蓋刺激）振幅の 50％以上の増大の有無について検討した．振幅増大を 9 例で認め，全例中大脳動脈のクリッピング後早期に確認された（平均 2.6 倍，平均 2.4 分後）．10 例では血流一時遮断後に振幅増大を認めなかった．振幅増大を認めた症例の遮断部位は有意に近位部であった（p = 0.033）．**振幅増大は MEP 消失に先行する早期虚血の徴候**を示していると思われた．

中大脳動脈血流一時遮断における振幅増大を示した貴重な論文である．直接皮質刺激と経頭蓋刺激の比較については検討されていなかった．同様のことは内頚動脈一時遮断でも起きうるが，記録の頻度が低いために捉えられることが少ないのかもしれないと考えている．

5）Gurung P, Motoyama Y, Takatani T et al：Transient augumentation of intraoperative motor evoked potentials during middle cerebral artery aneurysm surgery. World Neurosurg 130：e127-e132, 2019

テント上神経膠腫手術における 3 種類の MEP

米国の UCSF の Gogos らの報告[6]．テント上神経膠腫手術における 3 種類の MEP，すなわち経頭蓋刺激 MEP，皮質刺激（単極および双極）MEP の有用性について検討した．データの集積は prospective に行い，最低 6ヵ月のフォローを行った．テント上運動領野近傍の神経膠腫 58 例の 59 手術を対象とした．結局，6 例（10.2％）で術直後に運動麻痺を認めた．4 例は一過性の Medical Research Council（MRC）grade 4 の運動麻痺で，2 例で 6ヵ月後も運動麻痺が残存し，拡散強調像にて皮質脊髄路に虚血巣を認めた．リハビリテーションにより MRC grade 3～4 まで改善し，歩行可能になった．皮質下の皮質脊髄路は単極刺激で 51 例（86.4％）で同定可能であった．双極刺激は 20 例で試み 6 例（30％）で同定可能であった．経頭蓋刺激 MEP は 6 例で行い，3 例で術直後の運動麻痺を認め，1 例で症状残存した．単変量解析では島皮質の腫瘍（p = 0.001）と MEP 悪化（p = 0.01）が術後運動麻痺の予測因子になっていた．また，島皮質は術後運動麻痺残存の唯一の予測因子であった（p = 0.046）．腫瘍摘出率は平均で 98.0％という割合だった．**全身麻酔下の 3 種類の MEP によるマッピングおよびモニタリングにより摘出率を低下させることなく，運動麻痺の頻度を減らすことができた．**

皮質下刺激の刺激強度と皮質脊髄路の距離も詳細に検討しており，非常に質の高い論文という印象である．

6）Gogos AJ, Young JS, Morshed RA et al：Triple motor mapping：transcranial, bipolar, and monopolar mapping for supratentorial glioma resection adjacent to motor pathways. J Neurosurg 134：1728-1737, 2020

CEAにおける有用性

中国のWangらの報告[7)]．CEA症例において術中神経生理学的モニタリングとtranscranial doppler（TCD）の術中低灌流，術後過灌流における有用性について検討されている．152例のCEA症例において上下肢SEP，経頭蓋刺激上下肢MEP，脳波（4チャンネル）およびTCDをモニタリングした．132例（87%）はTCDのvelocityの低下が50%以下で，モニタリングにも変化を認めなかった．5例（3%）はTCDの低下が50〜100%であったが，モニタリングに変化を認めなかった．15例（10%）はTCDの低下が50〜100%で，モニタリングにすべて変化を認めた．この15例中8例は，血圧の上昇によりすべて警告が解除された．残る7例中6例は遮断解除により速やかに回復した．1例のみ術後に運動麻痺を呈したが48時間後には回復した．TCDはクランプ解除後の過灌流を同定できた．TCDのvelocityはモニタリングとよく相関した．クランプ解除後の過灌流は，過灌流予防のための血圧管理に有用であった．

TCDの有用性を示唆する論文であった．

7) Wang J, Guo L, Holdefer RN et al：Intraoperative neurophysiology and transcranial doppler for detection of cerebral ischemia and hyperperfusion during carotid endarterectomy. World Neurosurg 154：e245-e253, 2021

川崎医科大学のUnoらの報告[8)]．CEAにおけるSEP単独モニタリングとSEP + MEPモニタリングの比較検討を行った．CEA連続123例を正中神経刺激SEP単独モニタリングの72例（Group A）とSEP +経頭蓋MEPモニタリングの51例（Group B）に分けて比較した．モニタリングの変化によりシャントを施行した症例は12例（9.8%）で，Group A 5.6%，Group B 15.7%で有意差はなかった（p = 0.07）．**術前のMRA所見における対側のA1の欠如症例で，有意にシャント使用率が高かった**（p = 0.001）．Group Bで有意な変化を示した9例中4例は同時に変化したが，残る5例ではMEP変化がSEP変化に先行していた．両者のモニタリングにより偽陰性症例を減らせるかもしれない．

モニタリング法によりシャント施行率に有意差は出なかったが，モニタリングによる選択的シャント使用には賛成である．自験例でもMEPのほうが感度が高く，先行して変化する傾向を認めている．

8) Uno M, Yagi K, Takai H et al：Comparison of single and dual monitoring during carotid endarterectomy. Neurol Med Chir (Tokyo) 61：124-133, 2021

コイル塞栓術における有用性

奈良県立医科大学のNakagawaらの報告[9)]．脳動脈瘤に対するコイル塞栓術におけるMEPの有用性について述べられている．全身麻酔下にコイル塞栓術を施行した脳動脈瘤症例164例において，経頭蓋刺激上下肢MEPをモニタリングした．前方循環の動脈瘤が71%と多く，14例（9%）は穿通枝分岐部または皮質脊髄路を供給する分枝分岐部の動脈瘤であった．手技中の合併症が8例で生じ，4例で術後症状が出現した．MEPの有意な変化は8例中7例で生

9) Nakagawa I, Park H, Kotsugi M et al：Diagnostic impact of monitoring transcranial motor-evoked potentials to prevent ischemic complications during endovascular treatment for intracranial aneurysms. Neurosurg Rev 44：1493-1501, 2021

じ，救助処置により4例では10分以内に回復し，症状は出現しなかった．3例ではMEPが回復せず，神経症状が出現した．残る1例はMEPに変化がなく，症状を呈した網膜中心動脈閉塞症の症例と思われる．穿通枝分岐部または皮質脊髄路を供給する分枝分岐部の動脈瘤でMEPの恒久的変化を呈し，症状が残存した．MEPモニタリングは虚血性変化を確実に捉え，救助処置を早急に開始させることができ，有用であった．

経頭蓋MEPを上下肢で記録しているようだが，その詳細な比較がないのが残念に思う．

CMAP補正の有用性

帝京平成大学のTanakaらの報告[10]．経頭蓋刺激MEPの問題点はanesthetic fade（AF）による偽陽性の多さにある．これらに対する末梢神経刺激compound muscle action potential（CMAP）補正の有用性を検討した．運動麻痺を認めなかった578手術における1,842筋で，手術時間と振幅を末梢神経刺激CMAP補正の有無についてROC解析にて比較検討した．CMAP補正により振幅は手術を通じて増大した．補正なしでは235分以上と以下で有意差を認めたが，補正ありでは有意差を認めなかった．**経頭蓋刺激MEPにおいて末梢神経刺激CMAP補正によりAFを回避できる．AFは従来いわれてきたpropofol蓄積によるα-運動ニューロンの興奮性低下よりもプロポフォールの蓄積による神経筋接合部におけるシナプス伝達性の低下が原因であると考えられた．**

CMAP補正によりAFを回避できることを示し，AFの原因について考察した重要な報告である．

10) Tanaka S, Watanabe T, Takanashi J et al：Effect of compound muscle action potential after peripheral nerve stimulation normalization on anesthetic fade of intraoperative transcranial motor-evoked potential. J Clin Neurophysiol 38：306-311, 2021

クロスオーバー現象

米国のUSCのGonzalezらの報告[11]．経頭蓋刺激MEPの偽陰性率上昇の原因であるクロスオーバー現象について検討した．頭部の手術症例において186例の経頭蓋刺激MEPのベースライン波形のみを検討対象とした．同側の25 μV以上の反応が認められる場合，クロスオーバーありとした．Group Aは刺激強度を低下させてもクロスオーバーなしに目的のMEPを記録できなかった群で44例（24%），Group Bは刺激強度を低下させクロスオーバーなしに50 mV以上の反応を上下肢ともに記録できた群で120例（64%），Group Cは最初からクロスオーバーを認めず，刺激強度を低下させる必要がなかった群で22例（12%）であった．刺激強度を低下させることにより63%の症例で解消できたが，37%の症例では解消できなかった．モニタリングチームはさらにクロスオーバーを減少させる努力が必要である．

11) Gonzalez AA, Akopian V, Lagoa I et al：Crossover phenomena in motor evoked potentials during intraoperative neurophysiological monitoring of cranial surgeries. J Clin Neurophsiol 36：236-241, 2019

Gonzalezらは定電圧刺激装置を用いている．筆者は定電流刺激を用いた際に刺激閾値プラス20%程度の刺激強度でクロスオーバー現象は経験していない．刺激法の基準に関してはさらなる検討を要すると考えている．

陰部神経テタヌス刺激による増強

奈良県立医科大学のTakataniらの報告[12]．陰部神経のテタヌス刺激による経頭蓋刺激MEPの増強について，小児例で検討した．**テタヌス刺激とは神経伝達パターンの変化をきたす痛み刺激のことで，テタヌス刺激を先行することによりMEP振幅の増大が期待される**．31例の小児手術症例（平均6歳）において，テタヌス刺激なしの従来のMEP（c-MEP），正中神経および脛骨神経刺激によるMEP（mt-MEP），陰部神経刺激によるMEP（p-MEP）を比較した．p-MEPの記録率はmt-MEP，c-MEPよりも有意に高かった（87.5％，72.6％，63.3％，$p < 0.01$）．p-MEPのほうがmt-MEPよりも振幅増大率は有意に高かった（3.64，1.98，$p < 0.01$）．陰部神経のテタヌス刺激は従来のMEPが記録できない症例において有用である．

陰部神経のテタヌス刺激が，小児において記録率および振幅を有意に増大させることを示した価値の高い報告である．

12) Takatani T, Motoyama Y, Park YS et al : Tetanic stimulation of the pudendal nerve prior to taranscranial electrical stimulation auguments the amplitude of motor evoked potentials during pediatric neurosurgery. J Neurosurg Pediatr 27 : 707-715, 2021

小児例における有用性

韓国のソウル国立大学のYiらの報告[13]．3ヵ月以内の小児例における経頭蓋刺激MEPについて検討した．3ヵ月未満の小児25例（日齢39～87日，平均73日）を対象とした．19例が脊髄係留症候群，5例が脳腫瘍，1例が骨軟骨形成症であった．麻酔はプロポフォールとレミフェンタニルを使用した．24例でMEPの記録が可能であった．記録できなかった1例は昏睡状態で，術前から四肢麻痺を認めた症例であった．MEPに変化を認めなかった19例，および一過性の変化で回復した症例は，術後運動麻痺を認めなかった．残る4例ではMEP悪化のまま手術を終了し，術後運動麻痺2例，麻痺なし1例，不明1例であった．**3ヵ月未満の小児手術例においても経頭蓋刺激MEPは記録可能で有用であった**．

3ヵ月未満でもプロポフォール麻酔により経頭蓋刺激MEPが記録可能であること，術後運動麻痺と相関することを示した重要な論文と考える．

13) Yi YG, Kim K, Shin HI et al : Feasibility of intraoperative monitoring of motor evoked potentials abtained through transcranial electrical stimulation in infants younger than 3 months. J Neurosurg Pediatr 23 : 758-766, 2019

イスラエルのテルアビブ大学のRothらの報告[14]．IOMの有用性を小児テント上手術で検討した．プロポフォールを用いた全身麻酔下で手術を施行した57例（3～207ヵ月，平均7.8歳）のテント上手術を対象とした．病変部位は，深部が31.5％，浅部が47.4％，両者に及ぶものが31.5％，脳室系が5.2％であった．運動皮質マッピングの成功率はshort-train法84％，Penfield法25％で，より年少の症例で顕著であった．成功した最年少例はshort-train法：3ヵ月，Penfield法：93ヵ月であった．術前の筋力の程度は成功率に影響しなかった．術後運動麻痺の予測は直接皮質刺激MEPのほうが経頭蓋刺激MEPより

14) Roth J, Korn A, Sala F et al : Intraoperative neurophysiology in pediatric supratentorial surgery : experience with 57 cases. Childs Nerv Syst 36 : 315-324, 2020

も感度が高かった．直接皮質刺激 MEP は腫瘍の grade や摘出度とは相関しなかったが，より深部の病変で変化した．IOM の変化は皮質切開部位の変更などの術中判断に有用であった．小児例における IOM は特に年齢が若いと限界があった．IOM が成功すれば術中判断に有用で手術の安全性を高めることができる．

小児テント上手術でも MEP，とりわけ直接皮質刺激 MEP が有用であることを示している．

視覚誘発電位（VEP）

拡大内視鏡経鼻手術による成人頭蓋咽頭腫摘出時の有用性

中国の首都医科大学の Qiao らの報告[15]．拡大内視鏡経鼻手術による成人頭蓋咽頭腫摘出時の VEP モニタリングの報告は少ない．著者らは 65 例の成人頭蓋咽頭腫症例に拡大内視鏡経鼻手術を行い，術中 VEP 振幅と術後視機能の相関について検討した．59 例（90.8％）で全摘が行われた．130 眼中 128 眼（98.5％）で再現性のある VEP を記録できた．108 眼では術中 VEP に変化（振幅の 50％以上の低下）を認めず，術後 10 眼（9.3％）で視機能の悪化を認めた．一過性の振幅低下を認めた 15 眼では，術後 4 眼（26.7％）で視機能の悪化を認めた．VEP 振幅が低下し回復しなかった 5 眼では 3 眼（60.0％）で視機能が悪化した．**永続的な VEP 振幅の低下と強固な癒着が術後視力悪化の有意な因子であった**．また，**強固な癒着と腫瘍の大きさは術後視野悪化の有意な因子であった**．

これまでの最大規模の症例数で，術後視機能障害の防止に VEP モニタリングが有用であることを示した価値ある論文である．振幅低下を認めると潜時の詳細な検討ができないという limitation があったとの記載があった．

中国の首都医科大学の Tao らの報告[16]．拡大内視鏡経鼻手術による成人頭蓋咽頭腫摘出時の VEP 潜時の変化にと術後視機能との相関に関して述べられている．著者らは 90 例の成人頭蓋咽頭腫症例に拡大内視鏡経鼻手術を行い，術中 VEP 潜時と術後視機能の相関について検討した．術前から高度の視機能障害のある症例は除外した 180 眼を対象とした．P100 潜時の延長と術後視機能悪化について，ROC 曲線による分析を行った．術後視機能の悪化は潜時延長例で有意に多かった（$p < 0.001$）．8.61％以上の延長は有意に視機能が悪化した（$p < 0.001$）．術前の視機能障害の期間や腫瘍の大きさと術後視機能障害は有意な相関を示さなかった．

提示されている代表例の生波形が小さく，本当に潜時の変化があったのかわかりにくい印象であった．また，同じ施設から出されている[15]との結論の相違も気になった．その論文には，振幅低下を認めると潜時の詳細な検討ができ

15）Qiao N, Yang X, Li C et al：The predictive value of intraoperative visual evoked potential for visual outcome after extended endoscopic endonasal surgery for adult craniopharyngioma. J Neurosurg 135：1714-1724, 2021

16）Tao N, Yang X, Fan X et al：Prediction of post-operative visual deterioration using visual-evoked potential latency in extended endoscopic endonasal resection of craniopharyngiomas. Front Neurol 12：753902, 2021

ないという limitation があったとの記載があった．

コイル塞栓術における有用性

奈良県立医科大学の Nakagawa らの報告[17]．脳動脈瘤の血管内コイル塞栓術中の VEP モニタリングの有用性について検討されている．104 例の脳動脈瘤症例において VEP および経頭蓋刺激 MEP をモニタリングした．95％は内頚動脈瘤の症例で，残る 5％は後大脳動脈瘤の症例であった．4 例（4％）で VEP 振幅の 50％以上の低下を認めた．4 例中 1 例は同時にモニタリングしていた MEP に変化を認めなかった．至急で対応し術後視機能障害を呈した症例はなかった．すべて一過性の低下であった．バルーン閉塞試験を施行した 3 例中 1 例で PCA 閉塞により VEP 変化を認めず，親動脈の閉塞を行い，術後に視機能障害は認めなかった．コイル塞栓術中の VEP 変化は 4％と少なかったが，視覚路の虚血を捉え至急対応することにより良好な結果が得られたうえに，早急な対応が可能であった．

血管内手術においても，VEP モニタリングは視覚路の虚血を捉えることができ，有用と思われた．

皮質皮質間誘発電位（CCEP）

麻酔の影響

札幌医科大学の Suzuki らの報告[18]．言語機能の温存における CCEP の有用性が報告されてきている．その有用性を向上させるために CCEP に及ぼす麻酔深度の影響について検討した．脳腫瘍またはてんかんで覚醒下手術を施行した 20 症例を対象とした．切除前に前頭葉と側頭頭頂葉の皮質上に電極を設置した．Pars opercularis と pars triangularis を双極で 1 Hz で電気刺激を行った．側頭頭頂葉の皮質から記録される電位を平均加算して CCEP を記録した．CCEP 波形と bispectral index（BIS）値の相関について検討した．CCEP の振幅は BIS 値の上昇により増大した．CCEP の潜時は 5 例で短縮し，15 例で延長した．CCEP 振幅は BIS 値 65％未満で 11.3〜75.2％（平均 31.3％）有意に減少した（$p < 0.01$）．潜時に関しては有意な変化を認めなかった．本法を術中モニタリングとして使用する際には，麻酔深度を考慮する必要がある．

京都大学の Yamao らの報告[19]．言語背側経路の CCEP に対するプロポフォールの影響を検討した．プロポフォール麻酔下および覚醒状態で言語背側経路の CCEP を記録した 14 例を対象とした．CCEP の分布および最大振幅部位には，わずかな影響のみであった．麻酔状態から覚醒させることにより，14 例中 11 例で CCEP N1 振幅は平均 25.8％増加した．N1 潜時には有意差は認めなかった．大きい N1 振幅の分布にはプロポフォールの影響は少なく，N1 振

17) Nakagawa I, Park HS, Kotsugi M et al：Diagnostic impact of monitoring visual evoked potentials to prevent visual complications during endovascular treatment for intracranial aneurysms. Front Neurol 13：761263, 2022

18) Suzuki Y, Enatsu R, Kanno A et al：The influence of anesthesia on corticocortical evoked potential monitoring network between frontal and temporoparietal cortices. World Neurosurg 123：e685-e692, 2019

19) Yamao Y, Matsumoto R, Kunieda T et al：Effects of propofol in cortico-cortical evoked potentials in the dorsal language white matter pathway. Clin Neurophysiol 132：1919-1926, 2021

幅は覚醒することにより増大する傾向があった．

前述の札幌医科大学からの報告[18]と一部結論が異なっている．さらなる検討が必要と思われる．

イタリアのヴェロナ大学のGiampiccoloらの報告[20]．全身麻酔下における弓状束のCCEPに関する論文である．全身麻酔下において，覚醒下手術が施行できないと判断された9例（膠芽腫8例，海綿状血管腫1例）で弓状束のCCEPの記録を試みた．左シルビウス裂近傍皮質において高角度分解能拡散強調画像により前頭および側頭の弓状束の終末をマッピングし，ストリップ電極を設置した．前頭部の刺激により，側頭部から9例中5例で12 msecのP1と21 msecのN1が記録できた．CCEPは後中側頭回でもっとも電位が大きかった．側頭部の刺激では前頭部からCCEPは記録できなかった．覚醒下手術が施行できない症例において，全身麻酔下に言語機能（弓状束のCCEP）のモニタリングが可能と思われた．

弓状束のCCEPを全身麻酔下に記録できたことは明らかであるが，それが言語機能の温存に有用であったかどうかの記載はなかった．

20）Giampiccolo D, Parmigiani S, Basaldella F et al：Recording cortico-cortical evoked potentials of the human arcuate fasciculus under general anesthesia. Clin Neurophysiol 132：1966-1973, 2021

脳血管手術における有用性

柏葉脳神経外科病院のYoshimotoらの報告[21]．本研究の目的は全身麻酔下の脳血管手術時にCCEPモニタリングが可能かどうか，脳血流量と相関があるかどうか，特に左側の手術で言語機能をモニタリングできるかどうか検討することである．脳血管障害の手術でCCEPモニタリングを施行した58例（クリッピング42例，バイパス15例，うち1例はクリッピングも施行，左前頭葉脳内血腫除去1例，左側頭葉脳内血腫除去1例）を対象とした．再現性のあるCCEPが記録可能であった．術後に神経症状やMRI上の虚血巣を認めた症例はなかった．しかし，血流一時遮断を施行した5例で一過性のCCEPの低下を認めた．MEPとSEPも同時にモニタリングしていたが，変化は認めなかった．**CCEPは全身麻酔下でも記録可能で，虚血に対して鋭敏であった．**

左側のCCEPは，全身麻酔下でも言語機能をモニタリングできる新しい方法になるかもしれない．

21）Yoshimoto T, Maruichi K, Itoh Y et al：Monitoring corticocortical evoked potentials during intracranial vascular surgery. World Neurosurg 122：e947-e954, 2019

脳神経のモニタリング

臭い刺激による嗅神経モニタリング

スイスのジュネーヴ大学のMomjianらの嗅神経モニタリングについての論文[22]．臭いや味などの化学感覚の術中モニタリングはこれまで報告されていない．本研究の目的は，臭い刺激による嗅覚誘発電位が全身麻酔下で記録できるかどうか確認することである．標準的な嗅覚刺激装置を手術室に設置し，硫

22）Momjian S, Tyrand R, Landis BN et al：Intraoperative monitoring of olfactory function：a feasibility study. J Neurosurg 132：1659-1664, 2019

化水素（4 ppm，200 msec）で刺激した．全身麻酔下の脳神経外科手術症例 8 例で記録を試みた．麻酔はプロポフォールを用いた全静脈麻酔とした．同側および対側の前頭部，側頭部，頭頂部の皮下電極から記録した．70 epochs (0.5〜100 Hz)，threshold 45 μV のアーチファクトリジェクションを使用した．8 例中 5 例で有意な記録が得られた．嗅覚誘発電位は N1 反応が平均 442.8 ＋40.0 msec で，その後の反応は得られなかった．**全身麻酔下でも臭い刺激による嗅覚誘発電位が記録できることが明らかになった**．臭い刺激による嗅覚誘発電位は実現可能な方法である．

臭い刺激による術中モニタリングは確かに初の報告であるが，本邦からの報告である Sato M, Kodama N, Sasaki T et al：Olfactory evoked potentials：experimental and clinical studies. J Neurosurg 85：1122-1126, 1996 の論文が引用されていないことが残念であった．

三叉神経痛の微小血管減圧術における瞬目反射のモニタリング

中国の上海交通大学からの，三叉神経痛の微小血管減圧術における瞬目反射の三叉神経感覚路のモニタリングに関する報告[23]．103 例の三叉神経痛の微小血管減圧術の症例で，術前と術中に瞬目反射を記録した．全例に全静脈麻酔を施行している．瞬目反射の術中変化と術後の感覚障害の相関について検討がなされた．全例で術前の記録は可能で，患側と健側での相違もなかった．103 例中 93 例（90.29％）で瞬目反射の R1 のモニタリングが可能であった．7 例で患側の R1 が消失した．術後 103 例中 98 例では痛みは消失した．残る 5 例では部分的緩解であった．R1 が消失した 7 例では全例術後に顔面のしびれが出現した．R1 が記録可能であった 86 例中 2 例で顔面のしびれが出現した．R1 が記録できなかった 10 例中 1 例で顔面のしびれが出現した．瞬目反射のモニタリングは全麻下の微小血管減圧術中の三叉神経感覚路のモニタリングとして有用かもしれない．

生波形の提示がなく，手術操作との関連も分析されていない点が残念であった．

23) Ying T, Bao B, Yuan Y et al：Blink reflex monitoring in microvascular decompression for trigeminal neuralgia. Neurol Res 43：591-594, 2021

顔面運動誘発電位（facial MEP：FMEP）の有用性

信州大学の Hardian らの報告[24]．橋海綿状血管腫手術における顔面神経機能温存のための顔面運動誘発電位（facial MEP：FMEP）の有用性を検討した．症例は，橋海綿状血管腫に第四脳室底からアプローチした 10 例である．6 例は suprafacial triangle（ST）から 4 例は infrafacial triangle（IT）からアプローチした．FMEP は以前報告されている頭蓋 peg screw 電極を用い，陰極定電流刺激を 4〜5 連発で閾値刺激とした．8 例で FMEP の記録が可能で分析した．記録できなかった 2 例は IT からアプローチした 2 例で，術前から高度

24) Hardian RF, Goto T, Fujii Y et al：Intraoperative facial motor evoked potential monitoring for pontine cavernous malformation resection. J Neurosurg 132：265-271, 2019

の顔面麻痺を伴っていた．ST からアプローチした 6 例全例で警告が出され，手術操作の停止により回復した．IT の 2 例では FMEP に変化を認めなかった．術後顔面神経の機能は 3 例で改善，1 例で悪化，6 例は不変であった．**FMEP は橋海綿状血管腫に ST からアプローチする際に有用な方法である．**

症例数は少ないが，詳細に検討された質の高い報告である．

福島県立医科大学の Hiruta らの報告[25]．小脳橋角部腫瘍の手術において FMEP の低下と，回復から術後の顔面神経機能（facial nerve function：FNF）を予測する新たな方法について．73 例の小脳橋角部腫瘍の手術において，二相性の定電流閾値上刺激にて口輪筋から FMEP を記録した．ベースラインから最小の振幅（minimum-to-baseline amplitude ratio：MBR），ベースラインから手術終了時の振幅（final-to-baseline amplitude ratio：FBR），回復値（recovery value：RV）について検討した．RV は FBR-MBR とした．73 例中 62 例で記録可能であった．術後 FNF は早期（術後 1 週間）と晩期（術後 1 年）に分けて評価した．術後早期の顔面麻痺は 22 例で，晩期までに 14 例が回復し，8 例で残存した．MBR と FBR は早期の顔面麻痺と有意に相関した．**RV は術後晩期の顔面麻痺と相関することを初めて明らかにした．RV は術後顔面神経機能の回復の予測に使用することができ，MBR は早期の FNF を予測できる．**

FNF 回復に関する新たな指標を提示した，有意義な報告である．

ドイツのルートヴィヒ・マクシミリアン大学ミュンヘンの Greve らの報告[26]．前庭神経鞘腫の手術で FMEP が用いられているが，偽陽性が多い（20％以上）ことが問題である．これは，術中の脳シフトや空気が入ることが原因と考えられる．著者らはこの点を克服するために，健側の FMEP の閾値を参考にして 20％以上上昇した時に警告を発する方法を考案した．60 例の前庭神経鞘腫の手術でモニタリングを施行し，90 日の時点で偽陽性は 9％に抑えられた．この新しいモニタリング法は偽陽性を減らす有用な方法である．

本報告では対側をコントロールとしているが，筆者は対側も術中にある程度変動することを経験している．さらに偽陽性を減らすためには，定期的な閾値の術中フォローが必要と考えている．

Lateral spread response の導出筋による相違

韓国のカンヌンアサン病院からの報告[27]．LSR の導出筋による相違を明らかにした．1,288 例の顔面けいれん手術症例で顔面神経側頭枝を刺激してオトガイ筋と口輪筋から LSR を導出した．LSR が残存したのはオトガイ筋 100 例（7.7％）で口輪筋 279 例（21.6％）であった．術後の予後はオトガイ筋の LSR 消失と相関したが，口輪筋の LSR 消失とは相関しなかった．**オトガイ筋と口輪筋の LSR は別々に解釈すべきである．**

25）Hiruta R, Sato T, Itakura T et al：Intraoperative transcranial facial motor evoked potential monitoring in surgery of cerebellopontine angle tumors predicts early and late postoperative facial nerve function. Clin Neurophysiol 132：864-871, 2021

26）Greve T, Wang L, Katzendobler S et al：Bilateral and optimistic warning paradigms improve the predictive power of intraoperative facial motor evoked potential during vestibular schwannoma surgery. Cancers（Basel）13：6196, 2021

27）Kim M, Park SK, Lee S et al：Lateral spread response of different facial muscles during microvascular decompression in hemifacial spasm. Clin Neurophysiol 132：2503-2509, 2021

オトガイ筋と口輪筋のLSRの相違を明らかにした重要な論文といえる．

Lateral spread responseのフォローアップ

韓国のソウル国立大学のChoらの報告[28]．Lateral spread response（LSR）の術後フォローアップの新たな診断価値について検討されている．247例の顔面けいれんの手術症例において，術中LSR（IO-LSR）と術後2日目のLSR（POD2-LSR）を比較した．228例（92.3％）が治癒した．IO-LSRは189例（76.5％）で消失し，181例（95.8％）が術後1年で治癒していた．POD2-LSRは193例（78.1％）で消失し，185例（95.9％）が術後1年で治癒していた．IO-LSRが消失した189例中26例（13.8％）でPOD2-LSRが出現し，IO-LSRが消失しなかった58例中30例（51.7％）でPOD2-LSRが消失した．IO-LSRとPOD2-LSRの消失の有無により4つのgroupで比較すると，IO-LSRおよびPOD2-LSRともに消失していたgroupの治癒率は98.2％で，他の3 groupよりも有意に高かった．**LSRの術後フォローアップは予後判定に有用である．**

術後LSRの有用性を示した，有意義な論文と考える．

28) Cho M, Ji SY, Go KO et al：The novel prognostic value of postoperative follow-up lateral spread response after microvascular decompression for hemifacial spasm. J Neurosurg doi：10.3171/2021.3.JNS21137, 2021 [online ahead of print]

ボツリヌス毒素治療後のAMR

新潟大学のNakayamaらの報告[29]．ボツリヌス毒素（BTX）治療後のAMRについて述べられている．104例の顔面けいれん手術症例のうち62例はBTX治療なし（group A），42例はBTX治療あり（group B）であった．眼輪筋のAMRを記録できなかったのは，group B：38.1％，group A：14.5％で，有意差があった（p = 0.006）．オトガイ筋のAMRでは有意差はなかった．さらにBTX治療4回以上ではそれ未満に比べて有意に眼輪筋のAMRの記録率が低かった（p = 0.001）．**AMRの記録率を上げるためにはBTX治療は4回未満にすべきと思われた．AMRはBTX治療なしでもありでも有用であった．**

BTX治療後のAMRについて多数例で検討した有意義な論文と考える．

29) Nakayama Y, Kawaguchi T, Fukuda M et al：Intraoperative findings of abnormal muscle response for hemifacial spasm following botulinum neurotoxin treatment. Acta Neurochir (Wein) 163：3303-3309, 2021

迷走神経モニタリング

東京医科大学のMatsushimaらの報告[30]．頚静脈孔腫瘍の手術では高頻度に嚥下障害や声帯麻痺が出現する．これを防止するための新たな持続迷走神経モニタリング法の有用性について検討した．11年間に経験した頚静脈孔近傍腫瘍の連続50症例を対象とした．迷走神経刺激は，直径1.5 mmのボール電極で0.2～0.8 mA，0.2 msec，1～Hzで術中を通して連続刺激し，軟口蓋の単極の針電極から誘発筋電図を記録した．平均摘出率は96.2％で，平均65ヵ月のフォローアップで再手術を要した症例はなかった．手術直後の抜管および術後10日以内の経口摂取はそれぞれ49例（98％）であった．7例（14％）で軽度の嚥下障害や嗄声を認めたが，気管切開や胃瘻造設を要した症例はなかっ

30) Matsushima K, Kohno M, Ichimasu N et al：Intraoperative continuous vagus nerve monitoring with repetitive direct stimulation in surgery for jugular foramen tumors. J Neurosurg 135：1036-1043, 2021

た．術後悪化症例において有意に術中振幅の低下を認めた（cutoff value 63％，sensitivity 86％，specificity 79％）．**持続迷走神経モニタリング法はreal-timeに定量可能で術後障害の予防に有用であり，腫瘍の摘出度の向上にも寄与する．**

本邦からの素晴らしい内容の報告であり，一読をお勧めする．

米国のMt. Sinai西病院のTéllezらの報告[31]．声門を急速に閉じることによって誤嚥を防ぐための喉頭の重要な保護機能である喉頭内転筋反射（laryngeal adductor reflex：LAR）を用いた，迷走神経のモニタリングに関して検討した．小脳橋角部および脳幹病変53例に対して，LARおよび声帯筋のMEPをモニタリングしている．LARおよびMEPは送管チューブの電極から記録を行った．LARは50％以上の振幅低下を変化ありとした．LARが恒久的に消失した5例および50％以下に低下した3例で，術後嚥下障害や誤嚥およびそれによる肺炎を呈した（5.6％）．MEP所見は術後の嚥下障害をより精度高く反映していた．一過性の変化を呈した7例では，手術操作の一旦中止や変更により恒久的な障害は残さなかった．**LARモニタリングは迷走神経のモニタリングとして有用であった．**

LARとMEPが相関しなかった症例についても髄内病変・髄外病変に分けて詳細に考察しており，質の高い論文と考える．

31) Téllez MJ, Mirallave-Pescador A, Seidel K et al：Neurophysiological monitoring of the laryngeal adductor reflex during cerebellar-pontine angle and braistem surgery. Clin Neurophysiol 132：622-631, 2021

舌下神経のモニタリング

スイスのチューリッヒ大学のSarntheinらの報告[32]．術中経頭蓋刺激は数msec後に支配筋の潜時の短い反応を記録することができる．また，喉頭神経では潜時の長い反応も記録できることが報告されている．本研究では，舌の筋肉から長い潜時の反応が記録できるかどうか検討した．全身麻酔下の脳神経外科手術症例22例で記録を行った．刺激はC3/C4-Czと，より筋肉の反応が少ないとされるC1-C2の2種類を用いた．舌に針電極を刺入して舌下神経をターゲットとした．潜時14 msec，振幅60 mVの短潜時反応と潜時58 msec，振幅30 mVの長潜時反応が記録できた．C3/C4-Cz刺激では短潜時反応と長潜時反応が記録されたが，C1-C2刺激では18例中16例（89％）で長潜時反応のみが記録された．

全身麻酔下の経頭蓋刺激により，舌下神経の長潜時反応が記録できた．長潜時反応の生理学的意義については，さらなる検討を要するものと考える．

32) Sarnthein J, Albisser C, Regli L：Transcranial electrical stimulation elicits short and long latency responses in the tongue muscles. Clin Neurophysiol 138：148-152, 2022

XI章　画像診断

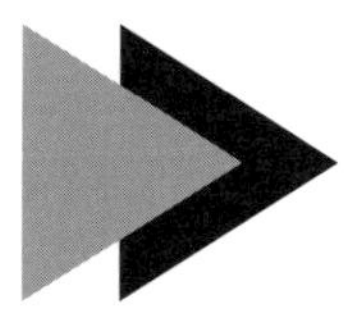

57. 画像診断と人工知能

わた だに たけ ゆき
渡谷岳行
東京大学医学部 放射線医学講座

最近の動向

- 近年の人工知能技術の発展は目覚ましく，研究のみでなく国内で人工知能を活用したことを明らかにして承認された脳動脈瘤検出ソフトウェアが登場している．
- 人工知能に関する論文発表数も飛躍的に増加しており，腫瘍の質的診断や病変の検出・セグメンテーション，遺伝子や予後予測といった定型的タスクについて新しい技術の応用による成績の向上が報告されている．
- 脊髄腫瘍への応用や動静脈奇形，もやもや病といった，これまであまり人工知能応用が試みられてこなかった疾患など新しい分野への適用も報告数が増加してきており，人工知能研究と応用の裾野の広がりが期待される．

脳腫瘍の診断

機械学習や人工知能による脳腫瘍の検出およびセグメンテーションに関しては2019年以前にも活発に研究されており，良好な成績が報告されてきた．2019年以降には，特に転移性脳腫瘍においてさらに精度の高い報告がなされるようになってきている．Grøvikら[1]は造影後のspin echo，gradient echoそれぞれの3D T1強調像および3D FLAIR像を入力に転移性脳腫瘍に対してGoogLeNetを用いてセグメンテーションし，Dice係数0.79，転移検出のregion of interest（ROI）解析のarea under the curve（AUC）値0.98の結果を得ている．Hsuら[2]は定位放射線手術において放射線腫瘍医が作成した腫瘍輪郭を正解データとして造影後3D T1強調像および造影CTの画像をレジストレーションしたものを3D V-netに学習させ，転移性脳腫瘍のセグメンテーションを行った．脳転移の検出感度は95％で，Dice係数は0.975と優れた成績を報告している．Takaoら[3]は単純CT，造影CTを入力としたsingle shot検出器モデルを構築し，患者あたりで転移性脳腫瘍の感度88.7％，陽性的中率44％と報告している．転移性脳腫瘍の検出，セグメンテーションにおいては条件のよい3D MRI画像を用いれば非常に高い成績が得られることが

1）Grøvik E, Yi D, Iv M et al：Deep learning enables automatic detection and segmentation of brain metastases on multisequence MRI. J Magn Reson Imaging 51：175-182, 2020

2）Hsu DG, Ballangrud Å, Shamseddine A et al：Automatic segmentation of brain metastases using T1 magnetic resonance and computed tomography images. Phys Med Biol 66：10.1088/1361-6560/ac1835, 2021

3）Takao H, Amemiya S, Kato S et al：Deep-learning single-shot detector for automatic detection of brain metastases with the combined use of contrast-enhanced and non-enhanced computed tomography images. Eur J Radiol 144：110015, 2021

2434-9992/22/¥100/頁/JCOPY

証明されており，相対的に条件のよくないCTを用いてもある程度の結果が得られるようになってきている．

転移性脳腫瘍以外の腫瘍についても検出やセグメンテーションの試みが報告されるようになってきている．Laukampら[4]は深層学習モデルにおいてFLAIR像と造影T1強調像から髄膜腫を56例中55例で検出し，Dice係数は0.81であったと良好な検出結果を報告している．Ranjbarzadehら[5]はBRATS 2018データセットに含まれる，造影される，あるいはされない腫瘍に対してカスケード畳み込みニューラルネットワークを構築し，全体でDice計数0.92のセグメンテーション成績を報告している．

これまで試みが少なかった小児脳腫瘍の診断に対してもよい成績が報告されるようになってきている．Quonら[6]は多施設で収集した小児後頭蓋窩腫瘍617例を用いてT2強調像をResNeXTネットワークに学習させ，腫瘍の検出とdiffuse midline glioma，髄芽腫，毛様細胞性星細胞腫，上衣腫の4クラス分類を行った．モデルの腫瘍検出性能はAUC値0.99，分類性能はaccuracy 92%，F1値0.80と高い値が報告された．

膠芽腫とリンパ腫の鑑別診断についてもよい成績が報告されている．McAvoyら[7]は160例ずつ，合計320例の膠芽腫とリンパ腫を収集し，EfficientNetB4に造影後T1強調像のみを学習させることにより，AUC 0.94–0.95と高い値で両者を識別できることを報告している．

ここまで紹介したような最近の報告の成績をみると，質の高い正解データがあり統一された入力を与えることで，脳腫瘍の検出やセグメンテーション，有力な鑑別診断からの択一は人工知能により十分に達成可能なタスクであるということが示されている．問題はこのような能力をもつ人工知能システムをいかに製品化し，多様な条件の画像が生成される臨床現場に普及させるかということに移行してゆくと考えられる．

脳腫瘍の遺伝子・予後予測

画像診断を用いた人工知能の利用法は，病変の検出や自動的な画像所見の判定のみにはとどまらない．医師による診断ではこれまで読み取ることが難しかったような腫瘍の遺伝子変異や予後を推測することも可能である．画像内に遺伝子変異などに相関する因子が存在するものを，何らかの形で特徴として捉えているものと考えられる．

Bangaloreら[8]は214例のグリオーマの症例のMRIからT2強調像単独やT2強調像，FLAIR像，造影後T1強調像の複合した情報を3D Dense-UNetに学習させ，*IDH1*遺伝子変異を予測し，遺伝子異常予測の平均精度97.12%を達成した．

Yogananda[9]らはT2強調像をディープラーニングで学習させ，O^6-メチルグ

4) Laukamp KR, Thiele F, Shakirin G et al：Fully automated detection and segmentation of meningiomas using deep learning on routine multiparametric MRI. Eur Radiol 29：124-132, 2019
5) Ranjbarzadeh R, Bagherian Kasgari A, Jafarzadeh Ghoushchi S et al：Brain tumor segmentation based on deep learning and an attention mechanism using MRI multi-modalities brain images. Sci Rep 11：10930, 2021
6) Quon JL, Bala W, Chen L et al：Deep learning for pediatric posterior fossa tumor detection and classification：a multi-institutional study. AJNR Am J Neuroradiol 41：1718-1725, 2020
7) McAvoy M, Prieto PC, Kaczmarzyk JR et al：Classification of glioblastoma versus primary central nervous system lymphoma using convolutional neural networks. Sci Rep 11：15219, 2021
8) Bangalore Yogananda CG, Shah BR, Vejdani-Jahromi M et al：A novel fully automated MRI-based deep-learning method for classification of IDH mutation status in brain gliomas. Neuro Oncol 22：402-411, 2020
9) Yogananda CGB, Shah BR, Nalawade SS et al：MRI-based deep-learning method for determining glioma MGMT promoter methylation status. AJNR Am J Neuroradiol 42：845-852, 2021

アニン-DNA メチルトランスフェラーゼ（MGMT）プロモーターメチル化の状態を予測させた．247 例のグリオーマの症例を 3 群に分けクロスバリデーションを行い，平均 94.73％の精度で予測できることを報告した．

Haim ら[10]は非小細胞肺癌脳転移の上皮由来成長因子受容体（epidermal growth factor receptor：EGFR）の変異について 59 例の MRI 造影後 T1 強調像を学習させ，平均精度 89.8％，AUC 値 0.91 の予測精度を報告した．肺癌脳転移においては原発巣と転移巣の EGFR 変異不一致がしばしばみられるため，非侵襲的な予測が可能になれば有用であると推測される．

特定の遺伝子型のみではなく，生存予後を人工知能により画像から予測する試みもある．Tang ら[11]は 120 例の膠芽腫の造影後 3D T1 強調像と拡散強調像を入力としてニューラルネットワークを構築し，*IDH1* 変異，*MGMT* 変異，1p/19q 共欠失，*TERT* 遺伝子変異に加えて全生存期間を予測した．それぞれの変異の予測精度は 79％，94.6％，88.1％，66.0％であり，生存期間予測と実生存期間に統計的有意差はみられなかった．Li ら[12]は造影前後の T1 強調像，T2 強調像，FLAIR 像を学習させ，腫瘍のセグメンテーションを行わずに全脳画像からグリオーマの生存予測を低リスク，中リスク，高リスクに分類した．アテンション機構を導入したニューラルネットワークで 6, 12, 24, 36, 48ヵ月後の生存に関する AUC 値は 0.77～0.94 であった．当然のことではあるが，人工知能に未来予知ができるわけではないため，このような生存予測の期間そのものを臨床に応用することには慎重になるべきである．実際に人工知能が画像から学習しているのは予後に相関する何らかの画像情報であり，本来はその情報がどのようなものなのか，それによって予後がどの程度影響されるものなのかということを明らかにする方向に利用すべきであろう．

脊髄腫瘍の診断

人工知能の脳神経外科分野への応用は脳腫瘍と脳血管障害が主流であるが，応用領域にも徐々に広がりがみられ，脊髄腫瘍診断への応用の試みも少数みられるようになってきている．

Maki ら[13]は 50 例の脊髄神経鞘腫，34 例の脊髄髄膜腫の症例を収集し，矢状断 T2 強調像，造影後 T1 強調像で畳み込みニューラルネットワーク（convolutional neural network：CNN）を学習させた．CNN による ROC 曲線の AUC 値は T2 強調像で 0.876，造影後 T1 強調像で 0.870 であった．

Lemay ら[14]は 343 例の脊柱管内腫瘍（星細胞腫，上衣腫，血管芽腫）の症例を収集し，U-Net ベースのニューラルネットワークで腫瘍のセグメンテーションを行い，腫瘍および浮腫部分の Dice 係数で 0.767，腫瘍部分で 0.618 の結果を得ている．

脊髄腫瘍に対する人工知能の研究は脳腫瘍に比較して数も少なく，現時点で

10）Haim O, Abramov S, Shofty B et al：Predicting EGFR mutation status by a deep learning approach in patients with non-small cell lung cancer brain metastases. J Neurooncol 157：63-69, 2022

11）Tang Z, Xu Y, Jin L et al：Deep learning of imaging phenotype and genotype for predicting overall survival time of glioblastoma patients. IEEE Trans Med Imaging 39：2100-2109, 2020

12）Li Z C, Yan J, Zhang S et al：Glioma survival prediction from whole-brain MRI without tumor segmentation using deep attention network：a multicenter study. Eur Radiol 32：5719-5729, 2022

13）Maki S, Furuya T, Horikoshi T et al：A deep convolutional neural network with performance comparable to radiologists for differentiating between spinal schwannoma and meningioma. Spine（Phila Pa 1976）45：694-700, 2020

14）Lemay A, Gros C, Zhuo Z et al：Automatic multiclass intramedullary spinal cord tumor segmentation on MRI with deep learning. Neuroimage Clin 31：102766, 2021

は脳腫瘍ほどよい成績も報告されていないが，今後脳腫瘍同様に報告の増加と成績の向上が期待される．

脳血管障害・血管性病変の診断支援

脳神経外科領域における画像診断タスクとしては，脳腫瘍以外にも救急現場での外傷や脳血管障害の診断が重要な領域である．この領域はディープラーニングの医学応用の初期から応用が試みられ，すでに多数の成果が挙げられている．したがって最近の研究はさらに性能が向上しているか，あるいは応用法に工夫を加えたものが発表されている．製品化が進んでいる領域の一つでもある．本邦では脳動脈瘤の検出補助ソフトウェアが2022年7月時点で1種承認されている．

Yeら[15]はCNNとリカレントニューラルネットワーク（RNN）を連結した構築で2,836例の頭蓋内出血および正常CTを学習し，出血の有無の分類を0.98以上の制度，出血の種類のカテゴリ分類では0.8以上のAUC値を報告した．

Shahzadら[16]はくも膜下出血が存在する状況下のCT angiography 68症例，79個の動脈瘤をアンサンブル学習させ動脈瘤の検出を試み，185名215個の動脈瘤を有するテストセットで感度87%，偽陽性個数/症例0.42を達成した．また動脈瘤セグメンテーションのDice係数は0.80であった．

Nishiら[17]は非造影CT 419例のくも膜下出血の学習を行い，338例のテストセットでくも膜下出血の候補領域を示す方法により，非専門医5名中4名のくも膜下出血検出精度が上昇し，AIを用いることで非専門医のAUC 0.99を達成したと報告している．

やや方向性の異なる研究として，Kelloggら[18]は3D CNNを用いてCTにおける慢性硬膜下血腫のセグメンテーションを行い，Dice係数0.835を達成し，血腫量の自動計測支援の有用性を提案している．

脳梗塞の診断においてはNazari-Farsaniら[19]が拡散強調像とADCマップを入力にanomaly detectionの手法を用いて急性期脳梗塞の検出とセグメンテーションを行い，精度77%，Dice係数0.50を報告している．Naganumaら[20]は単純CT 151例をCNNに学習させ，梗塞巣そのものの検出ではなくAlberta Stroke Program Early Computed Tomography Score（ASPECTS）を推測させた．急性期脳梗塞の感度は0.80，精度0.97と高い精度で推定することが可能であり，脳卒中専門神経内科医よりも優れていた．

特定の異常所見にとどまらない異常検知の手法も試みられており，Naelら[21]は13,215例の多シーケンスをCNNに学習させ，梗塞，出血，腫瘤いずれかの異常検知を行い，異常検知のAUCは0.91を達成した．

これまでにあまり報告されてきていない新しい試みとして，Wangら[22]は80例の脳動静脈奇形の造影3D CTを3D V-Netに学習させ，平均Dice係数

15) Ye H, Gao F, Yin Y et al：Precise diagnosis of intracranial hemorrhage and subtypes using a three-dimensional joint convolutional and recurrent neural network. Eur Radiol 29：6191-6201, 2019
16) Shahzad R, Pennig L, Goertz L et al：Fully automated detection and segmentation of intracranial aneurysms in subarachnoid hemorrhage on CTA using deep learning. Sci Rep 10：21799, 2020
17) Nishi T, Yamashiro S, Okumura S et al：Artificial intelligence trained by deep learning can improve computed tomography diagnosis of nontraumatic subarachnoid hemorrhage by nonspecialists. Neurol Med Chir（Tokyo）61：652-660, 2021
18) Kellogg RT, Vargas J, Barros G et al：Segmentation of chronic subdural hematomas using 3D convolutional neural networks. World Neurosurg 148：e58-e65, 2021
19) Nazari-Farsani S, Nyman M, Karjalainen T et al：Automated segmentation of acute stroke lesions using a data-driven anomaly detection on diffusion weighted MRI. J Neurosci Methods 333：108575, 2020
20) Naganuma M, Tachibana A, Fuchigami T et al：Alberta Stroke Program Early CT Score calculation using the deep learning-based brain hemisphere comparison algorithm. J Stroke Cerebrovasc Dis 30：105791, 2021
21) Nael K, Gibson E, Yang C et al：Automated detection of critical findings in multi-parametric brain MRI using a system of 3D neural networks. Sci Rep 11：6876, 2021
22) Wang T, Lei Y, Tian S et al：Learning-based automatic segmentation of arteriovenous malformations on contrast CT images in brain stereotactic radiosurgery. Med Phys 46：3133-3141, 2019

0.85，正解データとの体積相関係数0.992を報告している．これは定位放射線手術などにおける領域選択に有用な可能性を示唆するものである．Haoら[23]は血管造影像を学習するCNNを構築し，80例のもやもや病症例および正常症例からもやもや病の検出を行い，97.6%の精度を報告した．この研究そのものはまだ単純なクラス分類タスクとして行われているが，人工知能による診断補助の適用疾患が広がりつつあることには期待したい．

23) Hao X, Xu L, Liu Y et al：Construction of diagnosis model of moyamoya disease based on convolution neural network algorithm. Comput Math Methods Med 2022：4007925, 2022

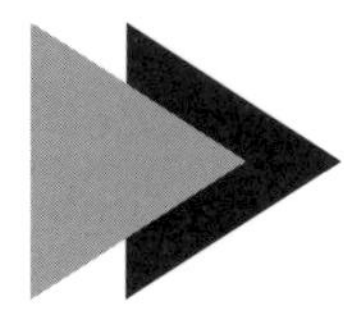

58. MRIの最新情報

松澤（まつざわ）　等（ひとし）
柏葉脳神経外科病院 先端医療研究センター

最近の動向

- 静磁場強度が3TeslaのMRI装置はもはや“超”高磁場とは呼ばれていない．今回渉猟した複数の文献において，ultra-high field MRIは7Tesla（以上）の静磁場強度のMRI装置として分類されている．“ultra-high field MRI”の臨床運用が世界中で始まり，その報告が多数みられるようになった．近年は通常の水分子プロトンの画像のみならず，Na（ナトリウム）の臨床画像も報告されている．
- QSMやNODDIのように，その開発初期はoff-lineで長時間計算が必要だった画像法も，現在はMRI装置のon-consoleで短時間に計算結果を出せるようにもなって，急性期の虚血性疾患に対する臨床応用も報告されている．
- MR fingerprintingは計算コストの高さが問題であったが，近年では，撮像シーケンスの工夫による3D化や高精細化が報告されており，さらには“dictionary”のindex検索アルゴリズムの部分にAI（機械学習，ニューラルネットワーク）が導入され，高速化が報告されている．最後のAI導入の部分は本チャプターの範囲ではないので，別の項を参照いただきたい．
- 前回の脳神経外科学レビューの発刊からわずか3年の間に，これら計算コストの高い，膨大な量のiteration（反復計算）を要する処理技術が身近なものになり，その臨床応用の報告例が著明に増加している．

高磁場MRI

ヒト用7 Tesla MRI（7T MRI）装置は，本邦では2003年に新潟大学脳研究所に最初に設置されて以来，現在までに，岩手医科大学，脳情報通信融合研究センター（CiNET，情報通信研究機構と大阪大学の共同運用），生理学研究所，京都大学で計5台が稼働している．

研究用ではなく臨床用途の超高磁場（ultra-high field）7T MRI装置がFood and Drug Administration（FDA）によって認可されたのが2017年であった．1986年に1.5T MRI装置が認可され，その12年後の1998年に3T MRI装置が認可されている．さらにその19年後にこの7T MRIが臨床用途に認可されてから現在に至るまで，7T MRI装置を用いた臨床論文の数は著明に増加し，

2434-9992/22/¥100/頁/JCOPY

PubMedで単純に臨床応用例を検索してみると，2021年の1年間で275件に上る．

Cosottiniらは[1)]，昨年8月に出たEur Radiol Expのeditorialの中で，全世界で90台のultra-high fieldの装置が稼働していると述べ，臨床応用に向けた世界の動向を俯瞰している．高い空間解像度や高いSN比がultra-high field imagingの優位な点であるが，逆に不利な点としてB1磁場の不均一な照射特性などの問題があり，解決策として複数の送信エレメントを用いたparallel transmissionやadiabatic passageなど種々の手法が適用されつつあると述べている．

1) Cosottini M, Roccatagliata L：Neuroimaging at 7 T：are we ready for clinical transition? Eur Radiol Exp 5：37, 2021

7T MRI装置を用いた臨床論文の数は著明に増加している．以下，7T MRI装置の臨床応用の最近の報告を取り上げる．

Regneryらは[2)]，1H/23Naのdouble-resonantのRFコイルを用いて，7T MRI装置でsodiumを核種とした23Na MRIを施行し，28例のグリオーマ患者を撮像した結果，腫瘍細胞における*IDH* mutationの程度を把握でき，さらに腫瘍細胞の浸潤に関する画像情報を得られたと報告している．水分子のプロトン以外の核種を用いたヒト用7T MRI装置の臨床画像を取り扱った報告としてここに挙げる．

2) Regnery S, Behl NGR, Platt T et al：Ultra-high-field sodium MRI as biomarker for tumor extent, grade and IDH mutation status in glioma patients. Neuroimage Clin 28：102427, 2020

Suらは[3)]，もやもや病の患者の7T MRIにおける磁化率強調画像（susceptibility weighted image：SWI）とtime-of-flight magnetic resonance angiography（TOF-MRA）の画像を解析した．SWIでは非対称に拡張した皮質静脈を表すasymmetric cortical vessel sign（ACVS）および拡張した髄質静脈を表すbrush sign（BS）と呼ばれる信号低下が，TOF-MRAでは発達した側副血行路が，ともに明瞭に描出され，特に両者のfusionイメージが病態の評価に有効であったと述べている．

3) Su J, Ni W, Yang B et al：Preliminary study on the application of ultrahigh field magnetic resonance in moyamoya disease. Oxid Med Cell Longev 2021：5653948, 2021

Opheimらは[4)]，欧州，北米，中国などの計21施設の2,000人を超えるてんかん患者の病変検出のための7T MRI撮像のプロトコールを“7T epilepsy task force”のコンセンサスとしてまとめている．

各種シーケンスごとの詳細な推奨パラメーター，てんかん源のlesion type（hippocampal sclerosis, focal cortical dysplasia, polymicrogyria, vascular malformationなど）に応じた推奨シーケンスを呈示するとともに，7T MRIでの撮像時に，特に問題となる誘電率効果によるアーチファクトの抑制のための，誘電パッドの使い方など，実際に運用している施設ならではのコメントが有用である．

4) Opheim G, van der Kolk A, Bloch KM et al：7T Epilepsy Task Force consensus recommendations on the use of 7T MRI in clinical practice. Neurology 96：327-341, 2021

この原稿の分担筆者も日本国内で最初に7T MRIの使用を始めたチームの一人であったので，誘電パッドの使い方など，実際の臨床運用時に問題となる細かな点について詳細が触れられていて，役に立つ有用な論文である．

Wangらは[5)]，3T MRIではてんかん焦点が不明な薬剤抵抗性のてんかん患

5) Wang I, Oh S, Blümcke I et al：Value of 7T MRI and post-processing in patients with nonlesional 3T MRI undergoing epilepsy presurgical evaluation. Epilepsia 61：2509-2520, 2020

者67例について，7T MRIにて撮像を行ったところ，その50％にfocal cortical dysplasia（FCD）の存在が確認されたと報告した．voxel-basedのpost processing形態解析プログラムであるmorphometric analysis program（MAP）を適用することで病変の検出率が上昇した例を挙げ，7T MRI装置での病変検出におけるpost processingの有用性を強調している．

Zongらは[6]，glymphatic systemの構成要素としてのperivascular space（PVS）について，21歳から55歳までの45例の健常人を対象に7T MRI装置のT2強調画像を用いて分析した結果，基底核ではPVSとその内部の血管構造（併せてPVSV）の数とその占有体積volume fractionについて，年齢とともに優位に増加したと延べ，さらに5％ CO_2 の吸入により基底核と白質のvolume fractionは優位に増加したと報告している．この報告のように，7T MRI装置の高解像度を生かしてglymphatic systemにアプローチしようとする臨床報告が増えてきている．

Neurite orientation dispersion and density imaging（NODDI）

教科書的な拡散テンソル解析は，拡散特性がガウス分布に従う正規拡散モデルを前提としている．しかし，単純な正規分布モデルを，複雑な構造を有する生体内拡散の解析に単純に当てはめるために生じる臨床画像上の不具合に対し，これを考慮すべくさまざまな非正規分布モデル，非Gaussianモデルを用いた解析が考案されている．

タイトルのNODDIは，Zhangら[7]によって2012年に報告された手法であり，非正規分布を前提としたmulti-shell，multi-directionの撮像データから，組織の拡散特性を，intracellular compartment（IC），extracellular compartment（EC），isotropic volume fraction（IVF）の3つの分画に分けcompartment analysisを行って，神経突起（neurite）＝軸索（axon）＋樹状突起（dendrite）についてその密度neurite density（ND）と，方向のばらつきorientation dispersion index（OD），CSF compartmentについての情報を得ることができるとしている重要な論文であるので，発行年次はやや古いがここに挙げる．

この手法は結果を得るための計算に時間を要する，いわゆる“計算コストの高い”手法であったが，近年その臨床応用例が多く報告されている．ここではALS，結節性硬化症，もやもや病，外傷，腫瘍，アルツハイマー病のそれぞれについて報告例を挙げる．

ALS

Broadらは[8]，amyotrophic lateral sclerosis（ALS）の患者の皮質脊髄路と中心前回をDTIおよびNODDIを使って解析し，DTIによって皮質脊髄路の

6）Zong X, Lian C, Jimenez J et al：Morphology of perivascular spaces and enclosed blood vessels in young to middle-aged healthy adults at 7T：dependences on age, brain region, and breathing gas. Neuroimage 218：116978, 2020

7）Zhang H, Schneider T, Wheeler-Kingshott CA et al：NODDI：practical in vivo neurite orientation dispersion and density imaging of the human brain. Neuroimage 61：1000-1116, 2012

8）Broad RJ, Gabel MC, Dowell NG et al：Neurite orientation and dispersion density imaging（NODDI）detects cortical and corticospinal tract degeneration in ALS. J Neurol Neurosurg Psychiatry 90：404-411, 2019 axonの変性を，NODDIによって中心前回の樹状突起の変性を確認することができたと報告している．

結節性硬化症

Taokaら[9]，結節性硬化症における白質の微細構造の分析を行い，NODDIのintracellular volume fraction（ICV）によってDTIよりも広範囲に白質の微細構造の変化を捉えることができたと報告している．

9) Taoka T, Aida N, Fujii Y et al：White matter microstructural changes in tuberous sclerosis：Evaluation by neurite orientation dispersion and density imaging（NODDI）and diffusion tensor images. Sci Rep 10：436, 2020

もやもや病

Haraら[10]，もやもや病患者において，NODDIを用いた分析を行い，虚血の程度が増すに従ってneuriteやaxonal densityは減少，さらには神経ネットワークの複雑性は低下し，これらNODDI分析の3つの指標は患者の認知機能とよく相関したと述べている．また，O_2-gasPETの結果もこれらの指標とよく相関していたと報告している．

10) Hara S, Hori M, Ueda R et al：Unraveling specific brain microstructural damage in Moyamoya disease using diffusion magnetic resonance imaging and positron emission tomography. J Stroke Cerebrovasc. Dis 28：1113-1125, 2019

外　傷

Churchillら[11]，concussionを起こしたアスリートの急性期および競技復帰return to play（RTP）までの脳の拡散特性をNODDIとDTIを用いて計測し，各種DTI指標の他に，NODDIの特にND（neurite dispersion）が上昇しており，通常のRTPを過ぎてもこれらの異常が観察されたと報告している．concussionの病態にエビデンスをもった解析を進める論文である．

11) Churchill NW, Caverzasi E, Graham SJ et al：White matter during concussion recovery：comparing diffusion tensor imaging（DTI）and neurite orientation dispersion and density imaging（NODDI）. Hum Brain Mapp 40：1908-1918, 2019

腫　瘍

Kadotaら[12]，NODDIを用いてglioblastomaとmetastatic brain tumorについて，造影されるコアの部分とその辺縁部分peritumoral signal-changeにおけるIC，EC，IVFのMAPを作成し，特にperitumoral signal-changeのEC volume fractionが二者の鑑別に有用であったと報告している．

12) Kadota Y, Hirai T, Azuma M et al：Differentiation between glioblastoma and solitary brain metastasis using neurite orientation dispersion and density imaging. J Neuroradiol 47：197-202, 2020

アルツハイマー病

Vogtら[13]，アルツハイマー病およびmild cognitive impairment（MCI）の患者を対象に，NODDIを用いて大脳皮質の構造解析を行い，通常のT1強調画像やDTIを用いた解析よりも早期の病期に，皮質の神経変性に伴う微細構造変化に関する情報を得ることができたと報告している．

13) Vogt NM, Hunt JF, Adluru N et al：Cortical microstructural alterations in mild cognitive impairment and Alzheimer's disease dementia. Cereb Cortex 30：2948-2960, 2020

Quantitative susceptibility mapping（QSM）

物質の磁場に対する反応性，すなわち常磁性（para-magnetism），反磁性（dia-magnetism）を定量的に現す物理量に，磁化率（susceptibility）がある．

Susceptibilityの差異による位相変位の情報を強度画像に加えることで，定性的，半定量的に磁化率を"強調"した画像が，古くからあるSWIであった．QSMは磁化率そのものを"定量化して描出する"技術であり，信号源の同定がある程度可能である．例えば，常磁性物質であるデオキシヘモグロビン，フェリチンは高輝度に，弱い反磁性物質である生体内の水，石灰，ミエリンは低輝度に描出される．

ところが，生体内での上記磁場分布は，磁化率分布を空間的に畳み込み積分したものであるため，QSMのように逆に磁場分布から磁化率分布を求めることを目的とする場合には畳み込み積分の逆問題となり，一意に解が得られない不良設定問題（ill-posed problem）に分類されてきた．この問題を克服するためにさまざまな手法が導入され，解が不安定になるmagic angle領域が存在することや，Fourier変換時のaliasingの影響を除外する工夫が実用域に達し，臨床応用が進んできているので，以下に臨床報告を挙げる．

Bandtらは[14)]，脳神経外科領域におけるQSMの臨床応用例について報告し，転移性脳腫瘍内の出血，髄膜腫の部分的石灰化の同定や脳深部刺激療法（deep brain stimulation：DBS）のターゲットを決めるための深部灰白質，深部核の正確な同定が可能であったと述べ，さらに多発性の微小な転移性腫瘍の検出，pleomorphic xanthoastrocytoma（PXA）やglioblastoma multiforme（GBM）の鑑別において有用であったと述べている．

QSMは撮像時間も短く，画像計算にかかる時間も比較的短時間であり，脳神経外科領域の有用性は大きいと報告している．

Uchidaらは[15)]，急性期のischemic strokeの患者において，QSMから算出したoxgen extraction fraction（OEF）の増加率により，dynamic susceptibility contrast-MRI（DSC-MRI）におけるperfusion-core mismatchから計算したpenumbra領域を良好に予測できたとして，QSMの有効性を報告している．

Ishiiらは[16)]，QSMによるsentinel頭痛患者における頭蓋内microbleedの検出が可能であったと報告している．ガドリニウム（Gd）造影後のMR-vessel wall imaging（VWI）によって未破裂動脈瘤のaneurysm wall enhancement（AWE）の検出が可能であり，両者の組み合わせが有効と報告している．

Nakagawaらは[17)]，sentinel頭痛患者における動脈瘤壁においてmicrobleedsの存在がQSMによって描出可能である例を報告し，QSMで検出できた動脈瘤は多くがその壁が不整（high undulation index）であったと述べている．

Audreyらは[18)]，QSMを用いて急性期脳梗塞患者20例の大脳静脈のoxygen extraction fraction（OEF）を測定し，患側のdiffusion-perfusion mismatchの局所ではOEFの絶対値が上昇していること，Gd造影剤の急速静注によるDSC-MRIで測定した相対的CBFと精度の高い逆相関を示したことを報告している．

14) Bandt SK, de Rochefort L, Chen W et al：Clinical integration of quantitative susceptibility mapping magnetic resonance imaging into neurosurgical practice. World Neurosurg 122：e10-e19, 2019

15) Uchida Y, Kan H, Inoue H et al：Penumbra detection with oxygen extraction fraction using magnetic susceptibility in patients with acute ischemic stroke. Front Neurol 13：752450, 2022

16) Ishii D, Nakagawa D, Zanaty M et al：Quantitative susceptibility mapping and vessel wall imaging as screening tools to detect microbleed in sentinel headache. J Clin Med 9：979, 2020

17) Nakagawa D, Kudo K, Awe O et al：Detection of microbleeds associated with sentinel headache using MRI quantitative susceptibility mapping：pilot study. J Neurosurg 130：1391-1397, 2019

18) Fan AP, Khalil AA, Fiebach JB et al：Elevated brain oxygen extraction fraction measured by MRI susceptibility relates to perfusion status in acute ischemic stroke. J Cereb Blood Flow Metab 40：539-551, 2020

Koch らは[19]，急性期の concussion 患者（アメリカンフットボール選手）の大脳白質および皮質下灰白質の磁化率を測定し，その臨床的予後を追跡した．結果，白質の磁化率は増加し，皮質下灰白質の磁化率は減少した．特に，皮質下灰白質の磁化率の変化の程度は予後の予測に有用であったと述べている．

MR fingerprinting（MRF）

Ma ら[20]が 2013 年に Nature に報告した MRF の論文は，従来の MRI 画像診断に大きな意識改革をもたらすものであった．撮像時の繰り返し時間 TR や，flip 角を view ごとに変化させながら短時間にデータ収集を行ったただ 1 つの撮像シーケンスで得た信号の変化パターンを，あらかじめ Bloch 方程式を解いて作成しておいた“dictionary”と照合し，その照合結果の T1，T2 の結果をそのまま定量画像情報とする画期的な考え方である．発表された年は古いが，AI の導入と相まって今後ますます臨床応用の報告が多くなると予想される分野なので，その原著を再掲する．

その後，MRF 技術の臨床応用の結果が次々と報告され，2019 年には MRF を最初に報告したグループから，高速撮像化して three dimension（3D）化した高解像度 high-resolution 3D MRF を用いて，てんかん患者のてんかん源の検出に有効であったと報告されている[21]．

Keil ら[22]は，frontotemporal lobe degenerative dementia の患者 8 名と健常人 30 名に対して，3T MRI を用いて MRF による解析を行い，灰白質と白質のいずれにおいても患者群で T1，T2 の延長を認め，pilot study ではあるが病変局在の検出に有効であったと述べている．

Ma と同グループの Chen らは[23]，MRF について，通常の T1/T2“強調”画像に比べて，T1/T2 を“定量”する MRF は，放射線腫瘍学，放射線治療の臨床的ワークフローに大きな貢献をするものであると述べている．

一方で，まだいくつかの克服すべき問題があり，特に計算コストが大きく，定量 MRF はまだリアルタイムにできない欠点を挙げているが，graphics processing unit（GPU）を用いた並列演算による高速化，機械学習の導入によるリアルタイムな画像再生が試みられており，脳のような静止臓器だけではなく，肝臓などの動きのある臓器における適用も進んでいる．

Hamilton[24]らは，phase offset multi planar によるマルチスライスの同時励起を MRF のデータ収集に用いて心臓の MRF，すなわち cardiac MRF（cMRF）を実現し，心筋の T1，T2 緩和時間計測の臨床例を報告している．

19）Koch KM, Nencka AS, Swearingen B et al：Acute post-concussive assessments of brain tissue magnetism using magnetic resonance imaging. J Neurotrauma 38：848-857, 2021

20）Ma D, Gulani V, Seiberlich N et al：Magnetic resonance fingerprinting. Nature 495：187-192, 2013

21）Ma D, Jones SE, Deshmane A et al：Development of high-resolution 3D MR fingerprinting for detection and characterization of epileptic lesions. J Magn Reson Imaging 49：1333-1346, 2019

22）Keil VC, Bakoeva SP, Jurcoane A et al：MR fingerprinting as a diagnostic tool in patients with frontotemporal lobe degeneration：a pilot study. NMR Biomed 32：e4157, 2019

23）Chen Y, Lu L, Zhu T et al：Technical overview of magnetic resonance fingerprinting and its applications in radiation therapy. Med Phys 49：2846-2860, 2022

24）Hamilton JI, Jiang Y, Ma D et al：Simultaneous multislice cardiac magnetic resonance fingerprinting using low rank reconstruction. NMR Biomed 32：e4041, 2019

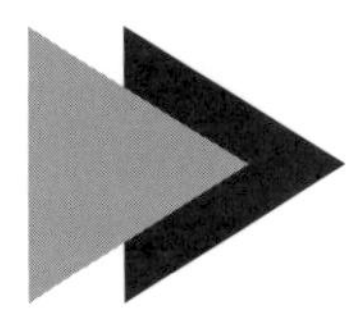

59. 血流と髄液動態の MRI

厚見秀樹（あつみ ひでき）
東海大学医学部 脳神経外科

最近の動向

- MRI を用いた脳血流動態把握に，phase contrast 法（PC 法）の応用として 4D flow MRI が応用されている．撮像時間短縮技術の進歩により，現実的な撮像時間でのデータ収集が可能となり，臨床での応用が期待される．本法は，血流のみならず，脳脊髄液動態の把握へも応用されている．
- Arterial spin labeling（ASL）は，血管障害の評価のみならず，脳腫瘍，頭痛，てんかんへの応用が報告され，非侵襲的な検査として小児も含めた臨床応用が報告されている．
- 脳脊髄液動態は，概念の変化が始まっており，新たに neurofluid，glymphatic system といった頭蓋内環境を維持する生理的機構が検討されている．MRI はトレーサー，位相，拡散を利用した技術を用い，脳脊髄液の移動のみならず，頭蓋内の物質移動の解明，関連する病態の解明を目指した研究が続いている．

MRI を用いた脳血流動態

4D flow MRI

4D flow magnetic resonance imaging（4D flow MRI）を紹介する．4D flow MRI とも呼ばれる手法で，magnetic resonance angiography（MRA）や脳脊髄液（cerebro spinal fluid：CSF）の流速測定に用いられてきた PC 法を利用した撮像法である．双極傾斜磁場を使い，速度を位相でエンコードする PC 法は，心電図同期下で撮影することで各時相データを可視化させ，cine PC MRI として流体の解析に用いられてきた．測定対象に直行する撮像断面のみを設定する場合を 2D，撮像領域をスライス方向に 3 次元化した場合を 3D と呼び，撮像面内の速度方向（x，y，z）を得ることができる．2003 年に Markl らは，撮像時間の短縮や同期方法の改良などにより，3D cine PC に時間軸の情報を含む撮像，解析法を発表し，4D flow MRI として利用が始まった．

本法の利点として，周期的に動くプロトンの経時的な速度ベクトル情報を得られること，三次元フーリエ変換により，複数スライスの連続撮影に比べて信

2434-9992/22/¥100/頁/JCOPY

号雑音比（signal noise ratio：SNR）が高くなることが挙げられる．ただ欠点として，収集されるデータ量は膨大となり，撮像時間が長くなること，細い血管ではパーシャルボリューム効果により流量が過大評価されることが知られる．

1. 測定精度

4D flow MRIについて，礒田の総説[1]が詳しい．著者は本論文の中で本法の測定精度に関して，脳血管として評価される3 mm程度の血管では，流速誤差は20％以下であるが10％以下にはなっていないと述べ，評価する血管の径が空間分解能とSNRに関与することを示している．細い脳血管への応用へは，空間分解能とSNRに注意が必要であるが，精度向上に向けた取り組みが期待されている．

1例として，Dunåsら[2]は，小さな脳血管内の4Dフローボクセル数が少ないこと（多くの血管断面が直径4ボクセル（0.7 mm等方性分解能）以下であること）に注目し，後処理を行う関心領域設定の手法の工夫により，2D PC MRIと比較して精度よく定量化し得ることを示し，主要な脳動脈における血流分布評価への応用について報告した．

また，4D flow MRIでの血流を比較した評価として，測定の一貫性について報告がなされた．

Wenら[3]は，10人の健康なボランティアの頭蓋内血管の4D flow MRIについて，3つの異なるセンターで各被験者を2回スキャンし，多施設での再現性，信頼性，観察者間依存性について評価した．頭蓋内血管の血流とピーク速度の測定では，高い多施設間再現性（クラス内相関係数（intraclass correlation coefficients：ICC）$= 0.77 \sim 0.96$，すべて$p < 0.001$）および検査－再検査信頼性（相関係数$r = 0.75 \sim 0.94$，すべて$p < 0.001$）を認め，これらの測定結果は，観察者間でも大きな一致（すべてのICC > 0.9，すべて$p < 0.001$）を示した．本研究では流速に限定した評価で，対象者も20～30歳代と若年者であるが，検査機器に依存しない手法であることを示していると考える．

2. 微小血管障害

加齢による脳血管の評価を目的とした研究が報告されている．Birnefeldら[4]は，脳梗塞または一過性脳虚血発作（transient ischemic attack：TIA）患者89名を対象に，内頸動脈（internal carotid artery：ICA）と中大脳動脈（middle cerebral artery：MCA，M1，M3）に4D flow MRIを用い，pulsatile indices（PI）を測定した．また，測定された流速を用いて，動脈血管の周期的な拡張に対応する指標であるflow volume pulsatility（FVP）を同部位で計測した．ICA-FVPはwhite matter hyperintensities（WMH）容積と関連し（$\beta = 1.67$，95％ CI 0.1-3.24，$p = 0.037$），M1-PIおよびM1-FVPは，認知機能の低下と関連していた（それぞれ$\beta = -4.4$，95％ CI －7.7-1.1，$p = 0.009$および$\beta = -13.15$，95％ CI －24.26-2.04，$p = 0.02$）．Cerebral small vessel disease

1）礒田治夫：4D-Flowの精度検証と解析アプリケーション．JJMRM 39：126-136, 2019

2）Dunås T, Holmgren M, Wåhlin A et al：Accuracy of blood flow assessment in cerebral arteries with 4D flow MRI：evaluation with three segmentation methods. J Magn Reson Imaging 50：511-518, 2019

3）Wen B, Tian S, Cheng J et al：Test-retest multisite reproducibility of neurovascular 4D flow MRI. J Magn Reson Imaging 49：1543-1552, 2019

4）Birnefeld J, Wåhlin A, Eklund A et al：Cerebral arterial pulsatility is associated with features of small vessel disease in patients with acute stroke and TIA：a 4D flow MRI study. J Neurol 267：721-730, 2020

（SVD）の評価法としての応用であり，有用なバイオマーカー測定につながると論じている．

3. High flow EC-IC バイパス後の評価

Orita ら[5]は，内頚動脈結紮を伴う，high flow bypass 施行 11 例を対象に，術後の血行動態変化評価を行った．手術前後に 4D flow MRI を行い，同側 ICA（BFViICA），バイパス動脈（BFVbypass），対側 ICA（BFVcICA），脳底動脈（BFVBA）の血流量（BFV）を定量的に測定した．その後，総 BFV を算出し（BFVtotal = BFViICA + BFVcICA + BFVBA（術前），BFVcICA + BFVBA + BFVbypass（術後）），術後の BFV の変化を統計的に解析した．

結果として BFVbypass は BFViICA よりわずかに低いが，その差は統計的に有意ではなかった（3.84 ± 0.94 vs 4.42 ± 1.38 mL/s）．BFVcICA と BFVBA はバイパス手術後に有意に増加した（BFVcICA 5.89 ± 1.44 vs 7.22 ± 1.37 mL/s（p = 0.0018），BFVBA 3.06 ± 0.41 vs 4.12 ± 0.38 mL/s（p < 0.001））．BFVtotal は術後に有意に増加した（13.37 ± 2.58 vs 15.18 ± 1.77 mL/s（p = 0.015））．この結果より著者らは，ICA 永久結紮による高流量 EC-IC バイパス術後，バイパス動脈は犠牲となった ICA の BFV の喪失を部分的に補うことができるうえに，対側 ICA と BA の流量の増加により，側副血行路が供給されたと結論した．計測時間はアンダーサンプリングと呼ばれる手法を用いて 6 分と短く，臨床例への応用が可能な手法であったが，空間分解能の低さについての言及もあり，径の細い頭蓋内血管の評価にはまだ制限があることも示した結果であった．

Arterial spin labeling（ASL）

MRI を用いた脳灌流測定法には，dynamic susceptibility contrast（DSC）法と，arterial spin labeling（ASL）法が用いられる．造影剤の投与を不要とする ASL 法は，頭蓋内に流入する動脈血のスピンに対して磁気的な標識を加え，ラベルされた血流の移動を追跡，利用する手法である．SNR が低く，時間的空間的分解能が低いことが問題であったが，機器の向上により臨床応用が進んでいる．

1. もやもや病

ASL を用いた評価では，灌流速度が遅く，ラベルした血液の到着時間が遅くなる白質でもっとも SNR が低下することが問題であった．velocity selective ASL（VSASL）と呼ばれる手法は，関心領域内でも動脈ラベルを作成し，ラベルされたスピンの到着時間を短時間としたものである．

Bolar ら[6]は，小児もやもや病症例に対して，従来の ASL 法とこの VSASL を用いた評価を行った．小児もやもや病患者 22 例と，もやもや病ではない同胞 5 例に，VSASL 法，通常の ASL 法で検査を行い，患者では digital subtraction angiography（DSA）を施行した．MCA，前大脳動脈（anterior cerebral artery：ACA），後大脳動脈（posterior cerebral artery：PCA）領域

5）Orita E, Murai Y, Sekine T et al：Four-dimensional flow MRI analysis of cerebral blood flow before and after high-flow extracranial-intracranial bypass surgery with internal carotid artery ligation. Neurosurgery 85：58-64, 2019

6）Bolar DS, Gagoski B, Orbach D et al：Comparison of CBF measured with combined velocity-selective arterial spin-labeling and pulsed arterial spin-labeling to blood flow patterns assessed by conventional angiography in pediatric moyamoya. AJNR Am J Neuroradiol 40：1842-1849, 2019

にて，ASL 法による cerebral blood flow（CBF）と，VSASL 法による CBF の比較検討を行った．結果としては，VSASL に基づく灌流画像は，DSA にて得られる脳実質相（parenchymal phase）を反映した灌流像を示した．逆に，従来の ASL に基づく灌流画像は，ASL ラベリング付加遅延に近い注入後時間経過後の DSA 像（vascular phase）を反映した．ASPECTS 比較では，ASL と DSA の間に優れた一致（88％，$\kappa = 0.77$，$p < 0.001$）がみられ，VSASL と ASL がそれぞれ主要な灌流と通過遅延情報を捉えていることが示唆された．これらの結果より，VSASL は，通過遅延の影響を受けにくく，通過遅延の情報を得るための ASL と組み合わせることで，DSA 情報にて得られた灌流情報を画像化する MR 撮像法となりうると結論づけている．非侵襲的な評価が特に求められる小児例への応用が行われた一例である．

2. 脳腫瘍

脳腫瘍に対する応用についても，報告が始まっている．Abdel Razek[7] は，脳腫瘍に対する ASL の利用について概説している．この中で，非腫瘍性病変との鑑別，神経膠腫の悪性度判定，病変生検時の決定などへの応用が報告されている．

Pellerin ら[8] は，［^{18}F］DOPA-PET を用い，神経膠腫の治療後経過観察における ASL の評価能を報告した．腫瘍の進行に伴う新生血管の検出法として ASL を利用し，pseudo-progression や radiation necrosis の評価を行った．

一側性治療神経膠腫患者 58 例（進行性 34 例，偽進行性 24 例）を対象とした評価について，isocontour maps と T-maps で示す評価では，PET による取り込みが high grade glioma の進行に対して高感度（100％）であり，ASL を用いた CBF 評価が高い特異性（94.1％）を示す結果であった．進行度評価に，同時期の検査による解析が客観的な方法になりうると結論している．

Abdel Razek ら[9] は，primary central nervous system lymphoma（PCNSL）と glioblastoma との鑑別に ASL と diffusion tensor imaging を用いた検討を報告した．PCNSL の tumor blood flow（TBF）（26.41 ± 4.03 mL/100 g/min）は膠芽腫のそれ（51.08 ± 3.9 mL/100 g/min，$p = 0.001$）より有意に低い結果が示され，鑑別の一助になる可能性を示唆している．

3. 頭　痛

Kano らは[10]，可逆性脳血管収縮症候群（reversible cerebral vasoconstriction syndrome：RCVS）例で，ASL を用いた追跡評価を報告した．5 名の RCVS 例に対して，定量的 ASL を用いて経時的な追跡評価を行った．CBF は発症初期では減少し，2 週目に増加していくことが示されたが，血管攣縮所見は進行していた．著者らは，血管攣縮と低灌流は，自動調節機能の低下と血管麻痺による過灌流に至ることが知られており，RCVS に関連する血管収縮の進行と 2 週間以内の顕著な血液脳関門の破壊を考慮すると，これらの障害は低灌流と調節障害を引き起こし，その後に血管麻痺と CBF 増加をもたらすと考察している．

7) Abdel Razek AAK, Talaat M, El-Serougy L et al：Clinical applications of arterial spin labeling in brain tumors. J Comput Assist Tomogr 43：525-532, 2019

8) Pellerin A, Khalifé M, Sanson M et al：Simultaneously acquired PET and ASL imaging biomarkers may be helpful in differentiating progression from pseudo-progression in treated gliomas. Eur Radiol 31：7395-7405, 2021

9) Abdel Razek AAK, El-Serougy L, Abdel-salam M et al：Differentiation of primary central nervous system lymphoma from glioblastoma：quantitative analysis using arterial-spin labeling and diffusion tensor imaging. World Neurosurg 123：e303-e309, 2019

10) Kano Y, Inui S, Uchida Y et al：Quantitative arterial spin labeling magnetic resonance imaging analysis of reversible cerebral vasoconstriction syndrome：a case series. Headache 61：687-693, 2021

Michels らは[11)]，ASL を用いて偏頭痛発作時の CBF の評価について報告した．偏頭痛患者 17 例（平均年齢 32.7 ± 9.9 歳，女性 13 例）および健常対照者群 19 例（平均年齢 31.0 ± 9.3 歳，女性 11 例）にて，発作時と間欠期での評価を行った．結果として，前兆のある偏頭痛群（n = 13，MwA）では，右 MT +（運動視中枢）および上側頭回において健常群と比較して過灌流が認められた（健常群平均 CBF ± SD：33.1 ± 5.9 mL/100 g/min，MwA 平均 CBF：43.3 ± 8.6 mL/100 g/min）．また偏頭痛群では，不安は頭頂弁蓋および角回における CBF と正の相関を認めた．これらの結果より，皮質性拡延性抑制現象（cortical spreading depression：CSD）に関与していると思われる視覚前野は，発作時の CBF 変化と関連していることが示唆され，ASL は偏頭痛患者の発作間欠期における CBF の局所的な神経機能異常を同定するための高感度な方法であると結論づけられた．神経細胞の興奮性変化に対応した MRI 信号変化を示す例と考える．

11) Michels L, Villanueva J, O'Gorman R et al：Interictal hyperperfusion in the higher visual cortex in patients with episodic migraine. Headache 59：1808-1820, 2019

4. てんかん

Lam らは[12)]，ASL を利用した小児局所てんかんの術前評価について報告した．方法として，epileptogenic zone（EZ）が不明確な小児てんかん 25 例に，ASL を用いた画像評価を行った．ASL の結果と，頭皮脳波，解剖学的 3T-MRI，FDG-PET，発作・間欠期 SPECT，脳磁図（magnetoencephalography：MEG），頭蓋内記録，少なくとも 1 年間の良好な発作転帰（Engel class Ⅰ/Ⅱ），および病理検査結果について検討した．その結果，ASL 灌流異常は 17/25 例（68%），特に MRI 陽性 17/20 例（85.0%）に認められ，MRI 陰性 5 例には認めなかった．ASL は頭皮脳波所見の 66.7%，解剖学的 3T-MRI 90%，FDG-PET 75%，発作・間欠 SPECT 62.5%，MEG 75%と一致し，頭蓋内記録結果とは 40%の症例に一致がみられた．11 例は手術を受け，11 例とも病理組織学的に EZ が証明され，少なくとも 1 年間は良好な発作予後が得られた．ASL の結果は，10/11 症例において，最終的に外科的に証明された EZ と一致した（感度 91%，特異度 50%）．詳細な検討では，偽陰性 1 例，偽陽性結果が 3 例と判定された（感度 100%，特異度 23%）．著者らは，ASL が，小児の焦点性てんかんの定義が不十分な症例における EZ 特定の有用性を報告している．また，ASL の利便性と非侵襲性が強調され，術前検査として推奨すると述べている．

12) Lam J, Tomaszewski P, Gilbert G et al：The utility of arterial spin labeling in the presurgical evaluation of poorly defined focal epilepsy in children. J Neurosurg Pediatr 27：243-252, 2020

Hybrid PET/MRI

Hybrid PET/MRI 装置には，同一の寝台に PET 装置と MRI 装置を直線上に配置したシーケンシャル型，MRI 装置内に PET 検出装置が内蔵されている統合型などが開発されており，脳血流評価に関する報告が始まっている．

Puig らは[13)]，hybrid PET/MRI スキャナーを用いて，安静時および灌流状態変化時の global cerebral blood flow（gCBF）の定量測定を，$^{15}O\text{-}H_2O$ PET 測定と phase contrast mapping（PCM）MRI で行い，比較した．方法とし

13) Puig O, Vestergaard MB, Lindberg U et al：Phase contrast mapping MRI measurements of global cerebral blood flow across different perfusion states - a direct comparison with $^{15}O\text{-}H_2O$ positron emission tomography using a hybrid PET/MR system. J Cereb Blood Flow Metab 39：2368-2378, 2019

て，3T hybrid PET/MRIスキャナーを用い，安静時，過呼吸時，アセタゾラミド投与後（ACZ後）のPCM-MRIおよび$^{15}O\text{-}H_2O$ PET測定を，14人の健常ボランティアにおいて施行して，合計62回のペアgCBF測定を行った．結果は，PCM-MRIと$^{15}O\text{-}H_2O$ PETで測定した安静時の平均gCBFはそれぞれ58.5 ± 10.7と38.6 ± 5.7 mL/100 g/min，過呼吸時はそれぞれ33 ± 8.6と24.7 ± 5.8 mL/100 g/min，ACZ後はそれぞれ89.6 ± 27.1と57.3 ± 9.6 mL/100 g/minであった．PCM-MRIで測定したgCBFは，$^{15}O\text{-}H_2O$ PETと比較して平均で49％高かった．すべての状態において，2つの方法の間に強い相関が認められた（r^2 = 0.72，$p < 0.001$）．健常ボランティアにおけるPCM-MRIによるgCBFの測定は，$^{15}O\text{-}H_2O$ PETと強い相関を示したが，測定方法間の技術的な灌流に依存した相対的なバイアスを認めることも示す結果となった．

Ishiiらは[14]，もやもや病患者においてphase contrast MRIを使用して，hybrid MRI装置を用いたCBF測定応用について報告した．方法として，健常対照者群12名，もやもや病患者群13名を対象に，2D心拍ゲートPC MRIおよび$H_2{}^{15}O$-PETを用いてCBF測定を行い，健常群の全脳（WB），灰白質（GM），白質（WM）で評価した．もやもや病患者群および健常群のCBFと脳血管反応性（安静時とアセタゾラミド（血管拡張剤）投与後のCBF変化率として定義）についても同様に評価した．その結果，健常群のWB，GM，WMの平均CBF値はそれぞれ42 ± 7 mL/100 g/min，50 ± 7 mL/100 g/min，23 ± 3 mL/100 g/minであり，文献報告値とよく一致していた．正常部位（57 ± 23％）と比較して，軽度/中等度の狭窄部位（47 ± 17％，p = 0.011）および高度/閉塞部位（40 ± 16％，p = 0.016）でcerebrovascular reactivity（CVR）が有意に低下していた．本報告は，低侵襲と脳血管狭窄の程度との高い相関を示し，健常者と脳血管障害患者の脳血管反応性の違いを同定する手法の一つになりうる可能性を示した．

14）Ishii Y, Thamm T, Guo J et al：Simultaneous phase-contrast MRI and PET for noninvasive quantification of cerebral blood flow and reactivity in healthy subjects and patients with cerebrovascular disease. J Magn Reson Imaging 51：183-194, 2020

CSF動態

MRIによるCSF動態観察

Yamadaら[15]より，「MRIを用いた脳血流動態」の項で紹介した4D flow MRIを用いた水頭症例での観察が報告された．本報告にて測定されたoscillatory shear stress（OSS）は，wall shear stress（WSS）やoscillatory shear indexと比してwall shear stress vectorを反映することを示し，特発性正常圧水頭症（idiopathic normal pressure hydrocephalus：iNPH）における中脳水道での観察にて，高い傾向であることを明らかにした．

また，Sakakibaraら[16]は，iMSDE-SSFP法を用い，呼吸周期に同期する脳脊髄液運動の観察結果を報告した．シルビウス裂の外側では脳室系に比べ，呼

15）Yamada S, Ito H, Ishikawa M et al：Quantification of oscillatory shear stress from reciprocating CSF motion on 4D flow imaging. AJNR Am J Neuroradiol 42：479-486, 2021
16）Sakakibara Y, Yatsushiro S, Konta N et al：Respiratory-driven cyclic cerebrospinal fluid motion in the intracranial cavity on magnetic resonance imaging：insights into the pathophysiology of neurofluid dysfunction. Neurol Med Chir（Tokyo）61：711-720, 2021

吸駆動によるCSF運動が抑制される部位が観察されており，この結果は心拍同期PC法で得られた結果と一致し，arachnoid trabeculaeによるくも膜下腔の圧力勾配の抑制に起因すると考察している．

PC法を用いた観察では，Tarumiら[17]は，若年健常者でmoderate-intensity rhythmic handgrip（RHG）運動を行った際に，頭蓋内への脳血流が増加し，中脳水道での脳脊髄液移動の減少を明らかにし，RHGがMonro-Kellie仮説に合致した方法で脳血流と脳脊髄液の両方の動態に影響を与え，若年健康成人における頭蓋内容積-圧力の恒常性を維持することを示唆すると考察している．また同様の現象は，Yamada[18]も4D flow MRIの観察にて，脳内に血液が流入する収縮期にマジェンディ孔から脳室外へ流出する方向にCSFが勢いよく流れ，逆に拡張期には脳室内へ流入する方向へ流れる周期性反復運動が観察される，と報告した．

CSF, neurofluid, glymphatic system

Yamada[19]の総説に詳しいが，「流れ」と表現されるCSF循環説に対する議論が続いている．外部から注入したトレーサー研究で得られた結果に基づく，髄液の産生部位から吸収部位への大量の髄液の移動を基本とする生理的解釈は，内因性トレーサーを利用した生体MRI研究の観察では認められず，脳脊髄液は脈動を示すが，外部注入トレーサー研究で構築された理論である産生部位から吸収部位へのバルクフローは示していない．

また同様にKlaricaら[20]，Taokaら[21]らは，neurofluidとも表現されるCSF，間質液（interstitial fluid：ISF），血液を含む中枢神経系周囲の流体評価について報告している．動き，運動と表現され始めたCSFには①一方向の流れはなく，②収縮期-拡張期の脈動として全方向に移動し，③CSF中の水は毛細管から流入し，毛細管に吸収され，④CSFとISFは自由に交換可能であると考えられ始めている．Glymphatic systemとは，脳内の老廃物を排出する概念として提案されたが，MRIによる検証では．Taokaら[21]が提示したglymphatic system/neurofluid dynamicsに関するMRI評価法が理解しやすい．観察可能な対象として，①血流，②CSF，③ISFがあり，検査手法として，ⒶTracer研究，ⒷPhase images，Ⓒ拡散imagesが用いられ，それぞれを利用した撮像法が開発されている．

その他，ガドリニウムをトレーサーとし動態評価を行った検討[22]，intervoxel incoherent motion（IVIM）を利用し血管周囲の拡大と白質病変との関連を示した報告[23]，ASLを利用しアクアポリン4（AQP4）欠損マウスを用いblood-brain interface（BBI）を介した水透過性を評価した検討[24]，T_2成分を利用し脳内の高分子移動の解析を試みた検討[25]などさまざまな検討が続いており，頭蓋内の物質移動の解明が続いている．

17）Tarumi T, Yamabe T, Fukuie M et al：Brain blood and cerebrospinal fluid flow dynamics during rhythmic handgrip exercise in young healthy men and women. J Physiol 599：1799-1813, 2021

18）Yamada S：[Hydrocephalus]. No Shinkei Geka 49：317-327, 2021

19）Yamada S：Cerebrospinal fluid dynamics. Croat Med J 62：399-410, 2021

20）Klarica M, Radoš M, Orešković D：The movement of cerebrospinal fluid and its relationship with substances behavior in cerebrospinal and interstitial fluid. Neuroscience 414：28-48, 2019

21）Taoka T, Naganawa S：Neurofluid dynamics and the glymphatic system：a neuroimaging perspective. Korean J Radiol 21：1199-1209, 2020

22）Zhou Y, Cai J, Zhang W et al：Impairment of the glymphatic pathway and putative meningeal lymphatic vessels in the aging human. Ann Neurol 87：357-369, 2020

23）Wong SM, Backes WH, Drenthen GS et al：Spectral diffusion analysis of intravoxel incoherent motion MRI in cerebral small vessel disease. J Magn Reson Imaging 51：1170-1180, 2020

24）Ohene Y, Harrison IF, Nahavandi P et al：Non-invasive MRI of brain clearance pathways using multiple echo time arterial spin labelling：an aquaporin-4 study. Neuroimage 188：515-523, 2019

25）Oshio K, Yui M, Shimizu S et al：The spatial distribution of water components with similar T_2 may provide insight into pathways for large molecule transportation in the brain. Magn Reson Med Sci 20：34-39, 2021

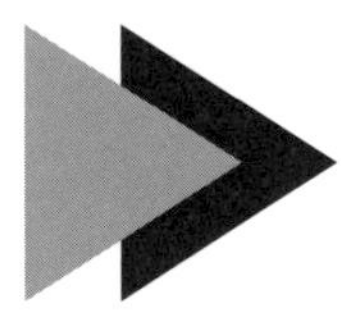

60. 核医学検査の最新情報

千田光平（ちだ こうへい）
岩手医科大学 脳神経外科学講座

最近の動向

●かつて虚血性脳血管障害に対する血行再建術の適応を決めるために用いられてきた核医学検査であるが，近年は血行再建術前後の脳循環の変化，および血行再建術後の長期的な機能予後の評価に用いられている．

●血行再建術後の機能改善のメカニズムを解明する手法として，IMZ-SPECT や ^{18}F-FRP170 PET が用いられている．

もやもや病

脳梗塞や脳出血を合併する，進行性の脳血管障害であるもやもや病に関して，保存的加療や血行再建術前後の脳循環の変化について多くの研究がなされている．これらの研究の多くは，脳循環に伴う認知機能の変化も評価している．保存的加療に関して Kitakami ら[1] は，^{15}O-gas PET 上貧困灌流を呈していない虚血発症成人もやもや病患者 68 例を対象に，抗血小板薬および厳重な血圧・脂質管理による内科的治療を行い，発症から 5 年間追跡した．期間内に 6％（4/68）が脳虚血イベントを起こしたが，いずれも一過性の症状であり，modified Rankin Scale（mRS）は低下しなかったと報告している．しかし同グループの Oomori ら[2] は，虚血イベントを起こした 4 例に加え，虚血イベントを起こさなかった症例のうち 4 例の計 8 例（12％）で，追跡中に magnetic resonance angiography（MRA）における同側中大脳動脈（middle cerebral artery：MCA）の信号強度が低下し，患側大脳半球の脳血流量（cerebral blood flow：CBF）が低下したと報告している．また Ogasawara ら[3] は，^{15}O-gas PET 上貧困灌流を呈している虚血発症成人もやもや病患者のうち，血行再建術を希望しなかった 3 例に対し内科的治療のみで追跡したところ，発症から 1 年以内に 2 例が脳虚血イベントを起こして mRS が低下し，残りの 1 例は致命的な脳内出血を発症したとも報告している．これらの報告を踏まえると，**発症時に ^{15}O-gas PET 上貧困灌流を呈している虚血発症成人もやもや病**

1) Kitakami K, Kubo Y, Yabuki M et al：Five-year outcomes of medical management alone for adult patients with ischemic moyamoya disease without cerebral misery perfusion. Cerebrovasc Dis 51：158-164, 2022

2) Oomori D, Kubo Y, Yabuki M et al：Angiographic disease progression in medically treated adult patients with ischemic moyamoya disease without cerebral misery perfusion：supplementary analysis of a 5-year prospective cohort. Neurosurg Rev 45：1553-1561, 2022

3) Ogasawara K, Uchida S, Akamatsu Y et al：Outcomes of medical management alone for adult patients with cerebral misery perfusion due to ischemic moyamoya diseas. J Stroke Cerebrovasc Dis 31：106588, 2022

2434-9992/22/¥100/頁/JCOPY

は，血行再建術が必要であるといえる．Araiら[4]は，保存的に加療したもやもや病患者の144半球の安静時 ^{123}I-iodoamphetamine（IMP）SPECTを後方視的に検討し，IMP SPECTにおいてMCA領域に対するlenticular nucleusのCBFの比，すなわちhemodynamic stress distribution（hdSD）が虚血症状を有するもやもや病患者で有意に高かった（$p < 0.001$）と報告している．ROC解析を行ったところ，虚血症状を検知するためのhdSDの至適cut-off値は1.040となり，感度91.7%，特異度54.9%であった．このhdSD値とPETの各パラメータとの相関は興味深く，手術適応を決めるうえでの指標となりうるのか，さらなる研究が期待される．

もやもや病に対する直接血行再建術後に脳虚血症状が出現したり，過灌流が起こることが知られている．Takahashiら[5]はcrossed cerebellar diaschisis（CCD）に着目して，もやもや病に対する直接間接複合血行再建術後の脳虚血症状との関連を検討した．術後に術側大脳半球のCBF低下に伴い脳虚血症状が出現している症例では，無症候性の症例に比べて，有意にcerebellar asymmetry index（AI）（[患側小脳CBF－健側小脳CBF]×2/[患側小脳CBF＋健側小脳CBF]）が高かった（$p < 0.0001$）が，脳虚血症状の改善とともにcerebellar AIも低下したと報告している．Uchinoら[6]はCCDに着目し，成人および小児もやもや病に対する血行再建術後過灌流の重症度との関連を検討した．無症候性の過灌流は41.3%（62/150）に，過灌流症候群は16.7%（25/150）に認め，これらの過灌流のうち18.4%（16/87）にCCDを認めた．多変量解析では，CCDの出現が有意に過灌流症候群と関連（$p = 0.0015$）し，過灌流症候化の指標となることが示唆された．この研究で，症候性・無症候性を含めた過灌流は，成人の73.3%（74/101）に，小児の26.5%（13/49）に発生しており，あらためてもやもや病に対する直接血行再建術後過灌流の発生頻度の高さを痛感する．これらの報告より，**もやもや病に対する血行再建術後早期に出現するCCDは，術側大脳半球の虚血または過灌流の症候化を反映し，症状の改善に伴いCCDも消失すると考えられる**．Kameyamaら[7]は，血行再建術後のIMP-SPECTにおける局所CBF定量値と過灌流の重症度との関連を検討した．過灌流症候群は7.7%（5/65）に出現し，そのうち2例（3%）が脳内出血を合併している．過灌流症候群が出現した症例の局所CBF定量値（54.9 ± 14.0 mL/100 g/min）は，過灌流症候群が出現しなかった症例（40.5 ± 8.9 mL/100 g/min）に比べて有意に高かった（$p = 0.002$）と報告している．ROC解析にて，過灌流症候群を検知するためのCBF increase ratio（同側小脳半球で調整した術後/術前CBF比）の至適cut-offは184.5%であり，感度83.3%，特異度94.2%の精度であった．上述のように血行再建術後過灌流の症候化を診断したり，脳への影響を可視化する研究は多岐にわたるが，過灌流症候群の予防や治療に関する研究は乏しいため，今後の萌芽が期待される．小

4) Arai N, Horiguchi T, Takahashi S et al：Hemodynamic stress distribution identified by SPECT reflects ischemic symptoms of Moyamoya disease patients. Neurosurg Rev 43：1323-1329, 2020

5) Takahashi S, Horiguchi T：Relationship between ischaemic symptoms during the early postoperative period in patients with moyamoya disease and changes in the cerebellar asymmetry index. Clin Neurol Neurosurg 197：106090, 2020

6) Uchino H, Kazumata K, Ito M et al：Crossed cerebellar diaschisis as an indicator of severe cerebral hyperperfusion after direct bypass for moyamoya disease. Neurosurg Rev 44：599-605, 2021

7) Kameyama M, Fujimura M, Tashiro R et al：Significance of quantitative cerebral blood flow measurement in the acute stage after revascularization surgery for adult moyamoya disease：implication for the pathological threshold of local cerebral hyperperfusion. Cerebrovasc Dis 48：217-225, 2019

児もやもや病に対する血行再建術に限定した研究として，Kanokeら[8]は，16例21半球に直接間接複合血行再建術を行い，周術期の脳循環の変化を検討した．術直後にCBFが改善する“immediate redistribution pattern”を19.0％（4/21）に認め，術直後に一過性の低灌流を呈してから術7日後までに徐々に改善する“transient hypoperfuson pattern”を42.9％（9/21）に認めたと報告している．この小児に特徴的な現象である“global hypoperfusion”についてKanokeらは，もともと脆弱である吻合部の血管に，側頭筋弁などから血管新生に伴う炎症反応が生じ，血管攣縮を誘発すると考察している．以上のように，**もやもや病は血行再建術後に脳循環が劇的に変動するため，早期に脳循環を含めた病態を把握し，それに応じた周術期管理を行うことが後遺症を予防するうえで重要である．**

もやもや病に対する血行再建術後の長期的な脳循環や，認知機能の変化についても多くの報告がある．Uchida[9]らは，貧困灌流を呈する虚血発症成人もやもや病のみを対象に直接間接複合血行再建術を行い，5年後の認知機能およびCBFについて検討した．31例中認知機能が改善したのは11例，10例が不変，10例が悪化し，認知機能改善例（$p = 0.0033$）および不変例（$p = 0.0093$）ではCBFが有意に上昇し，認知機能悪化例（$p = 0.0367$）ではCBFが有意に低下した．なお，認知機能が悪化した症例は，血行再建術後に過灌流症候群をきたした7例を含め，全例術後SPECTにて過灌流をきたしていた．血行再建術後に認知機能が改善するメカニズムに関して，Andoら[10]は，直接間接複合血行再建術を行った貧困灌流を呈する虚血発症成人もやもや病患者17例に対し，術前後に^{15}O-gas PETおよび1-(2-^{18}F-fluoro-1-[hydroxymethyl]ethoxy）methyl-2-nitroimidazole（^{18}F-FRP170）PETを行い，術後認知機能の変化との関連を検討した．^{18}F-FRP170はもともと悪性脳腫瘍で使用されていた低酸素細胞を検出するPETトレーサーであり，慢性脳虚血においては，貧困灌流かつ酸素代謝が中等度低下している部位に集積すると報告されている．この研究では，血行再建術後に認知機能が改善した症例は，術前にCBF（$p = 0.0444$）および$CMRO_2$（$p = 0.0350$）が有意に低下しており，^{18}F-FRP170の集積（$p = 0.0447$）が有意に上昇していた．さらに術後認知機能の改善は，術後の$CMRO_2$（$p = 0.0013$）の改善および^{18}F-FRP170の集積（$p = 0.0015$）の低下と有意に関連したと報告している．この研究により，**血行再建術後に認知機能が改善するメカニズムには，術前に脳代謝の低下に伴い活動を休止していた低酸素細胞が，脳血流の改善とともに活動を再開することが関与している，ということが示されたといえよう．**言い換えれば，この^{18}F-FRP170の上昇は，血行再建術により脳機能が回復しうる限界を示している，ともいえる．一方で**血行再建術後の過灌流をきたした症例では，たとえ症候化しなかったとしても長期的な認知機能に悪影響を及ぼすことを示唆しており，貧困灌流を呈**

8）Kanoke A, Fujimura M, Tashiro R et al：Transient global cerebral hypoperfusion as a characteristic cerebral hemodynamic pattern in the acute stage after combined revascularization surgery for pediatric moyamoya disease：N-isopropyl-p-[^{123}I] iodoamphetamine single-photon emission computed tomography study. Cerebrovasc Dis 51：453-460, 2022

9）Uchida S, Kubo Y, Oomori D et al：Long-term cognitive changes after revascularization surgery in adult patients with ischemic moyamoya disease. Cerebrovasc Dis Extra 11：145-154, 2021

10）Ando T, Shimada Y, Fujiwara S et al：Revascularisation surgery improves cognition in adult patients with moyamoya disease. J Neurol Neurosurg Psychiatry 91：332-334, 2020

する症例に対しては，過灌流をきたさない間接血行再建術を単独で行うほうが合理的であるように思われる．間接血行再建術後の認知機能および脳循環に関してHara[11]らは，間接血行再建術を行った19例の成人もやもや病患者の術後認知機能の変化を^{15}O-gas PETのパラメータと比較した．47％（9/19）に術後認知機能の改善を認め，周術期に脳梗塞を合併した症例を含む26％（5/19）で術後認知機能が悪化した．術後認知機能が改善した症例は，術前に酸素摂取率（oxygen extraction fraction：OEF）が有意に上昇（p = 0.03）しており，術後に$CMRO_2$が有意に改善（p = 0.02）したと報告している．**術前の脳循環不全が重度であれば，成人でも間接血行再建術単独で脳循環が改善することが示唆されたが，一方で周術期合併症は長期的な認知機能の悪化をきたすため，最小限におさえる必要がある．**Kimuraら[12]は，貧困灌流を呈する虚血発症成人もやもや病のみを対象に間接血行再建術を単独で行い，術後の脳血管撮影上の側副血行路の発達，認知機能および脳循環の変化を検討した．85％（17/20）に脳血管撮影上MCA領域の1/3以上の側副血行路の発達を認め，65％（13/20）で術後認知機能が改善し，術後認知機能が悪化した症例はなかった．術後のRCBF（患側MCA領域の同側小脳比）は，術前のregional CBF（RCBF）に比べて有意に改善（p ＜ 0.001）し，この変化率は同グループが直接血行再建術を行っていたものと比較して有意に大きかった（p = 0.0493）．この研究において，術後認知機能の変化も直接血行再建術に比べて改善率が高かったことから，貧困灌流を呈している虚血発症成人もやもや病患者において，直接血行再建術に対する間接血行再建術の優位性が示唆された．また，これを裏付ける研究として同グループのYasudaら[13]は，術前後に^{123}I-iomazenil（IMZ）SPECTを行い，間接血行再建術単独による術後の認知機能改善のメカニズムを検討した．このIMZ SPECTは，早期像がCBFを，後期像が神経受容体機能（benzodiazepine receptor binding potential：BRBP）を反映するとされ，これまでにさまざまな脳神経外科領域における手術前後の神経細胞機能の改善や悪化を可視化するために用いられてきた．この研究では，間接血行再建術を単独で行うことで術後に術側大脳半球のBRBPが有意に改善し，さらに術後認知機能が改善した症例は，不変だった症例に比べて有意に術側大脳半球BRBPが改善したと報告している．つまり，これらの報告によって，**元来脳梗塞を予防するための血行再建術により脳の機能は改善することが証明された．**当然，これらの結果は**慢性的な脳虚血により一時的に低下していた機能が回復したことを示唆しているわけだが，認知機能以外にもさまざまな脳機能の回復に関与する可能性があると思われる．**

虚血性脳血管障害

虚血性脳血管障害に関する研究でも，血行再建術後の脳循環に伴う認知機能

11）Hara S, Kudo T, Hayashi S et al：Improvement in cognitive decline after indirect bypass surgery in adult moyamoya disease_ implication of ^{15}O-gas positron emission tomography. Ann Nucl Med 34：467-475, 2020

12）Kimura K, Kubo Y, Dobashi K et al：Angiographic, cerebral hemodynamic, and cognitive outcomes of indirect revascularization surgery alone for adult patients with misery perfusion due to ischemic moyamoya disease. Neurosurgery 90：676-683, 2022

13）Yasuda S, Katakura Y, Kubo Y et al：Recovery of cortical neurotransmitter receptor function and its impact on cognitive improvement after indirect revascularization surgery alone for adult patients with ischemic moyamoya disease：^{123}I-iomazenil single-photon emission computed tomography study. World Neurosurg doi：10.1016/j.wneu.2022.05.118, 2022［online ahead of print］

や運動機能の変化に関する研究がなされている．頚動脈ステント留置術（carotid artery stenting：CAS）後の脳循環および認知機能の変化に関してHaraら[14]は，16例の頚部内頚動脈狭窄症患者に対しCASを行い前向きに検討したところ，75％（12/16）に術後認知機能の改善を認め，術後認知機能の改善は術前のCBFの低下（p = 0.02～0.04）および術後のcerebrovascular reactivity（CVR）の改善（p = 0.0097～0.019）と相関したと報告している．頚部内頚動脈狭窄症に対する血行再建術後に認知機能が改善するメカニズムに関してShimadaら[15]は，術前にCBFが低下している18例に対して，頚動脈内膜剥離術（carotid endarterectomy：CEA）前後で^{18}F-FRP170 PETを行った．CEA後に脳血流の改善（p = 0.0006）とともに^{18}F-FRP170 PETの集積が消失（p = 0.0084）することが示され，ROC解析にて術後認知機能の改善は，脳血流の改善よりも^{18}F-FRP170 PET集積の消失と関連した（p = 0.0248）と報告している．前述のように，^{18}F-FRP170の上昇は可逆的であることが示され，これは血行再建により脳機能が回復する指標になるといえよう．またSatoら[16]は，定量的歩行分析計を用いて頚動脈内膜剥離術前後に下肢運動機能を評価し，IMZ-SPECTとの関連を検討したところ，11％（7/64）で有意に術後下肢運動機能が改善しており，これは運動野・運動前野のCBFの改善（p = 0.0477）およびBRBPの改善（p = 0.0173）と関連した．**もやもや病と同様，動脈硬化性病変でも，脳梗塞を予防するための血行再建術により認知機能や運動機能までもが改善することが証明された．このように脳機能の改善が見込まれるのであれば，それに応じた手術適応の拡大もあり得るのではないだろうか．**

出血性脳血管障害

一般的に出血性脳血管障害で核医学検査が行われることは少ないが，前項と同様，IMZ-SPECTを用いてCBFおよび神経細胞機能を評価した研究がある．Kuboら[17]は，11例の内頚動脈瘤に対しバイパス併用親動脈閉塞術を行い，術前後にIMZ-SPECTおよび認知機能検査を行ったところ，長期的なCBFやBRBP，認知機能の低下を認めた症例はなかったと報告している．この研究では術中に脳表のCBFを計測しながらlow flow bypassのみで内頚動脈を閉塞するか，high flow bypassを追加するかを決定している．慢性脳虚血において，MRIでは検出できないような微細なダメージもIMZ-SPECTを用いることで可視化されるため，同グループのバイパス併用親動脈閉塞術の長期的な有効性が示されたことになる．

14) Hara S, Seida M, Kumagai K et al：Beneficial effect of carotid artery stenting on cerebral hemodynamic impairment and cognitive function. Neurol Med Chir（Tokyo）60：66-74, 2020

15) Shimada Y, Kobayashi M, Yoshida K et al：Reduced hypoxic tissue and cognitive improvement after revascularization surgery for chronic cerebral ischemia. Cerebrovasc Dis 47：57-64, 2019

16) Sato S, Fujiwara S, Miyoshi K et al：Improvement in gait function after carotid endarterectomy is associated with postoperative recovery in perfusion and neurotransmitter receptor function in the motor-related cerebral cortex：a ^{123}I-iomazenil SPECT study. Nucl Med Commun. 41：1161-1168, 2020

17) Kubo Y, Koji T, Murakami T et al：Long-term outcomes of cerebral blood flow and neurotransmitter receptor function on iodine-123-iomazenil single-photon emission computed tomography and cognitive assessments after parent artery occlusion combined with cerebral revascularization for internal carotid artery aneurysms. World Neurosurg 143：e199-e205, 2020

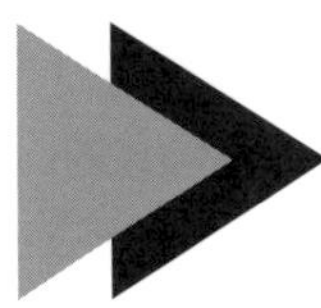

61. 術前シミュレーション画像

金　太一（きん　たいち）
東京大学医学部 脳神経外科

最近の動向

- バーチャルリアリティ術前シミュレーションは，医用画像等から三次元コンピュータグラフィックスを生成し，仮想空間上で手術検討を実施するものであり，コンピュータ技術の発展に伴い，最近の10年間で臨床に定着した感がある．
- 本稿では，患者固有の医用画像データから再構成した三次元画像を素材に用いた，術前シミュレーションの臨床研究に関する報告を対象とした．二次元断面画像のみを用いた手術検討，術中支援，教育目的，および基礎研究に関する報告は除外した．
- 対象疾患としては，脳腫瘍，脳血管障害，および神経血管圧迫症候群が多い．術式としては，経鼻内視鏡手術や他科との合同手術などが増えている．
- 評価に関しては，システムの精度，解剖構造の三次元的な視認性向上や同定率，治療計画への貢献度など多岐にわたる．臨床的有用性に関する質問紙法による定性的な報告や，術前検討が手術成績に影響を及ぼす報告も散見される．
- 融合三次元画像作成にかかる手間や時間に関しては，かなり効率化が進んでおり，課題としている報告は少なくなったが，複雑高度化する画像処理技術のブラックボックス化，複数のソフトウェアを習熟する必要があること，ソフトウェアやハードウェア間の連携などが課題として挙げられる．

対象疾患および術式

術前シミュレーションを活用している対象疾患としては，脳腫瘍，脳血管障害，および神経血管圧迫症候群が多い．術式としては，経鼻内視鏡頭蓋底手術や，頭蓋内外に及ぶ腫瘍性病変に対する他科との合同手術に関する報告が増えている[1~3]．

術前シミュレーションの素材

CTやMRIから複数の医用画像データを用いて再構成した融合三次元画像を素材として用いている報告が主流である[1, 4, 5]．流体解析や3Dプリンタを手術検討に活用する報告もみられる[6~8]．

1) Hasegawa H, Shin M, Kin T et al：Fully endoscopic minimally invasive tumor resection for cystic cerebellar hemangioblastoma. World Neurosurg 126：484-490, 2019
2) Tel A, Bagatto D, Tuniz F et al：The evolution of craniofacial resection：a new workflow for virtual planning in complex craniofacial procedures. J Craniomaxillofac Surg 47：1475-1483, 2019
3) Filimonov A, Zeiger J, Goldrich D et al：Virtual reality surgical planning for endoscopic endonasal approaches to the craniovertebral junction. Am J Otolaryngol 43：103219, 2022

2434-9992/22/¥100/頁/JCOPY

三次元再構成画像の元画像

頭蓋骨三次元モデルはCT，血管三次元モデルはCTアンギオグラフィ，MRアンギオグラフィ，もしくは三次元脳血管撮影などが元画像として用いられている[4, 5, 9]．血管三次元モデルに関しては，異なる複数の医用画像データを用いて詳細な血管を構築している報告もある[1, 4]．脳実質，脳神経や脳室の3次元モデルはconstructive interference in steady state（CISS）やfast imaging employing steady-state acquisition（FIEATA）などのbalanced-SSFP（steady-state free precession）[4, 5, 10]がよく用いられる．脳腫瘍の三次元モデルに関しては，病変がもっともよく描出される造影T1強調画像，T2強調画像，PET，FLAIRなどが元画像として用いられる[11, 12]．トラクトグラフィに関してKoikeらは，diffusion tensor tractography（DTT）とQ-ball tractography（QBT）の精度に関して術中脳表電気刺激を真として比較したところ，QBTのほうが感度や特異度が有意に高かったと報告している[12]．3Dプリントに関しては，CTもしくはCTアンギオグラフィが元画像として用いられることが多い[7]．詳細な三次元モデルを作成するためには，元画像はできるだけ高解像度（512 pixel）かつthin slice（0.4～1 mm）で撮像する必要がある[4, 10]．

画像解析ソフト

多数の画像解析ソフトウェアが使用されている．大きく分けて，三次元画像作成用，生体工学的解析用，シミュレーション用，デバイス活用の4つの用途によって使い分けられている．用途によって複数のソフトウェアを使用している報告も多い．

三次元再構成用および生体工学的解析用

多数のソフトウェアが使用されている．医療機器として認証されているものやそうでないもの，フリーソフトウェアから比較的高額なものまで幅広い．Avizo（Thermo Fisher Scientific, Waltham, Massa-chusetts）[4, 8, 12, 13]，Amira（Thermo Fisher Scientific, Waltham, Massa-chusetts）[10]，Mimics software（Materialise, Leuven, Belgium）[2, 5]，3D Slicer（Surgical Planning Laboratory, Harvard University, USA）[14, 15]，LIVRETもしくはGRID（Kompath Inc., Tokyo, Japan）[10]，OsiriX（Pixmeo SARL）[11]，Banana Vision（Department of Biomedical Sciences, Department of Biomedical Sciences at Colorado State University, Fort Collins, Colorado）[16]，RadiAnt（Medixant）[11]などがある．

4) Yoshino M, Kin T, Hara T：Usefulness of high-resolution three-dimensional multi-fusion medical imaging for preoperative planning in patients with cerebral arteriovenous malformation. World Neurosurg 124：e755-e763, 2019
5) Wang B, Chen Y, Mo J et al：Preoperative evaluation of neurovascular relationships for microvascular decompression：Visualization using Brainvis in patients with idiopathic trigeminal neuralgia. Clin Neurol Neurosurg 210：106957, 2021
6) Kuribara T, Mikami T, Komatsu K et al：Preoperatively estimated graft flow rate contributes to the improvement of hemodynamics in revascularization for Moyamoya disease. J Stroke Cerebrovasc Dis 30：105450, 2021
7) Uzunoglu I, Kizmazoglu C, Husemoglu RB et al：Three-dimensional printing assisted preoperative surgical planning for cerebral arteriovenous malformation. J Korean Neurosurg Soc 64：882-890, 2021
8) Uchikawa H, Kin T, Takeda Y et al：Correlation of inflow velocity ratio detected by phase contrast magnetic resonance angiography with the bleb color of unruptured intracranial aneurysms. World Neurosurg X 10：100098, 2021
9) Steineke TC, Barbery D：Microsurgical clipping of middle cerebral artery aneurysms：preoperative planning using virtual reality to reduce procedure time. Neurosurg Focus 51：E12, 2021
10) Uchida T, Kin T, Koike T et al：Identification of the facial colliculus in two-dimensional and three-dimensional images. Neurol Med Chir（Tokyo）61：376-384, 2021
11) Gosal JS, Tiwari S, Sharma T et al：Simulation of surgery for supratentorial gliomas in virtual reality using a 3D volume rendering technique：a poor man's neuronavigation. Neurosurg Focus 51：E23, 2021
12) Koike T, Tanaka S, Kin T et al：Accurate preoperative identification of motor speech area as termination of arcuate fasciculus depicted by Q-ball imaging tractography. World Neurosurg doi：10.1016/j.wnew.2022.05.041, 2022 [online ahead of print]
13) Yamada K, Tanaka Y, Sumita K et al：Computational fluid dynamics analysis of the offending artery at sites of neurovascular compression in trigeminal neuralgia using preoperative MRI data. Neurol Med Chir（Tokyo）59：415-422, 2019

シミュレーション用

前頁の三次元再構成用および生体工学的解析用ソフトウェアは，放射線学的画像診断を主目的としたソフトウェアを使用している場合もあり，組織の削除や変形などのバーチャルリアリティ手術シミュレーション操作機能を有さないことも多い．そのような場合には，ProPlan CMF（Depuy Synthes, Solothurn, Switzerland and Materialise, Leuven, Belgium）[2]，LIVRET もしくは GRID[10] などが使用される．

デバイスの活用

仮想手術シミュレーションでは，さまざまなハードウェアデバイスとの融合も試みられている．ヘッドマウントディスプレイを使用したバーチャルリアリティ手術検討は没入感が向上し，立体視効果もあることから，患者固有の解剖構造の理解度に貢献し，手術手技に関する意思決定プロセスにも貢献するとされる[16～18]．3D プリントモデルを用いた手術検討は10年以上前から報告されているが，プリンターの技術の進歩もあり，近年は複雑な形状でもプリントすることが可能になってきている．Uzunoglu らは脳動静脈奇形の 3D プリントモデルを術前検討に使用したと報告している[7]．複雑な操作を必要とするコンピュータシミュレーションに対するユーザーインターフェースや操作性改善のため，ヘッドマウントディスプレイとコントローラーを用いた HTC VIVE（HTC Corporation, Xindian District, New Taipei City, Taiwan）[14] や，SuRgical Planning platform（Surgical Theater, Inc）[3, 9] の報告がある．これらは手術シミュレーションにおける没入感やユーザビリティの向上に貢献するとされる．

画像処理

手術シミュレーションのツールである融合三次元画像の作成に関しては，かなりの効率化が進んでいる反面，複雑高度化する画像処理技術のブラックボックス化によって，融合三次元画像の正確性や精度を読み取ることが容易ではなく，結果として手術シミュレーションの精度検証や臨床的有用性評価の妥当性の判断を困難にさせている可能性がある．また，複数のソフトを習熟する必要があることや，ソフトウェアとハードウェア間の連携などが課題として挙げられる．融合三次元画像作成に使用されている主な画像処理技術は下記となる．

レジストレーション

融合三次元画像作成のためには，異なる複数の医用画像データの座標系を一致させる作業であるレジストレーション（＝位置合わせ）が必要となる．レジストレーション法は正規化相互情報量法など具体的に記載されている報告もあ

14) Zawy Alsofy S, Nakamura M, Suleiman A et al：Cerebral anatomy detection and surgical planning in patients with anterior skull base meningiomas using a virtual reality technique. J Clin Med 10：681, 2021
15) Zawy Alsofy S, Sakellaropoulou I, Stroop R：Evaluation of surgical approaches for tumor resection in the deep infratentorial region and impact of virtual reality technique for the surgical planning and strategy. J Craniofac Surg 31：1865–1869, 2020
16) Sugiyama T, Clapp T, Nelson J et al：Immersive 3-dimensional virtual reality modeling for case-specific presurgical discussions in cerebrovascular neurosurgery. Oper Neurosurg（Hagerstown）20：289–299, 2021
17) Perin A, Galbiati TF, Ayadi R et al：Informed consent through 3D virtual reality：a randomized clinical trial. Acta Neurochir（Wien）163：301–308, 2021
18) Zawy Alsofy S, Sakellaropoulou I, Nakamura M et al：Impact of virtual reality in arterial anatomy detection and surgical planning in patients with unruptured anterior communicating artery aneurysms. Brain Sci 10：963, 2020

るが[4, 12]．レジストレーション法が記載されていない報告も多い．用手的操作で対応している報告もある．

セグメンテーション

元画像から対象領域を抽出する作業をセグメンテーションという．頭蓋骨，血管や腫瘍などの粗大領域は，単純閾値法やリージョングローイング法などの自動もしくは半自動セグメンテーションで抽出可能である[12]．脳神経や微小組織は完全な自動抽出は困難であるため，粗大な組織は自動で，微小組織は用手的操作で抽出するなど，自動，半自動，用手的操作を組み合わせている報告も多い[2, 4]．セグメンテーション法の実際はソフトウェアや施設によって，そのノウハウが異なることが多い．

レンダリング

データを三次元的に可視化することをレンダリングという．ボリュームレンダリングとサーフェスレンダリング法が代表的である．医用画像の三次元可視化には歴史的にボリュームレンダリングが長く使用されているので，これに対応しているソフトウェアが多い[11, 15]．一方で，サーフェスレンダリングはボリュームレンダリングよりも境界明瞭な可視情報となるので，特に微小領域の描出に優れる[10]．さらに，サーフェスレンダリングモデルはポリゴンで構成されているので，ポリゴンの編集機能を要するソフトウェアであれば，脳の仮想変形や，それに付随する仮想手術器具の使用，3D プリンタへの出力も可能である[2, 7, 10]．

シミュレーション操作

脳動静脈奇形（arteriovenous malformation：AVM）における異常血管を三次元的に理解して手術計画の立案に利用すること[4, 15]などは，仮想空間上での三次元モデルの入念な観察が主体行為であり，仮想手術操作などは介在しないので，厳密にはシミュレーションというよりはプランニングの範疇に入ると考えられる．手術器具を用いたシミュレーション操作としては，Steineke らの 21 例の中大脳動脈瘤に対して，仮想空間内でのクリップを用いて手術検討を実施した報告などがある[9]．しかし，患者固有の融合三次元画像を用いて，手術器具・組織変形・開頭などの手術操作までを含めたシミュレーションに関する臨床活用の報告は，まだまだ少ないのが現状である．3D プリントモデルでは現実空間下での手術計画やシミュレーションが可能であり，複雑な解剖構造の理解や実際の手術器具を使用できるメリットがある[7]．

血流解析

脳動脈瘤に対して数値流体力学（computational fluid dynamics：CFD）を使用した血流解析法は多くの報告があるが，最近では脳動脈瘤以外の疾患に対しても血流解析を手術検討に応用した報告が散見される[6]．また，phase-contrast MRI（PC-MRI）を用いた血流解析の報告もある[8]．

評　価

手術シミュレーションの有用性に関しては，下記のようにさまざまな方法で評価されている．

ユーザーの主観的評価

Zawy Alsofy らは前頭蓋底髄膜腫 30 例の手術検討において，二次元断面画像と融合三次元画像とで手術検討の精度を，脳神経外科医に質問紙法を用いることで解析したところ，解剖構造の描出，体位，アプローチ検討の点において，融合三次元画像のほうが有意に優れていたと報告している[14]．Zawy Alsofy らは，前交通動脈瘤や深部のテント下腫瘍の手術検討でも同様の報告をしており，特に手術アプローチの選択に有用であったとしている[15,18]．Yoshino らは，AVM 8 例の融合三次元画像を用いた手術検討において，執刀医に術後アンケートを実施したところ，全例で従来の画像診断では得ることができない有用な情報が得られ，さらに半数以上の症例で，従来の画像診断だけでは合併症が起こった可能性があると報告している[4]．

組織の視認性向上や診断精度

神経血管圧迫症候群の責任血管診断における，融合三次元画像を用いた術前シミュレーションの有用性はかねてより報告されている[5,19]．Zawy Alsofy らは，24 例の三叉神経痛において二次元断面 MRI 画像よりも三次元画像のほうが責任血管の同定に優れていたと報告している[19]．Yamada らは，三叉神経痛の術前シミュレーションに流体解析を用いており，術中に三叉神経への圧迫を認めた 13 例において，neurovascular compression（NVC）部での壁せん断応力（wall share stress：WSS）を標的の平均 WSS で割った WSS ratio（WSSR）を算出したところ，平均 WSSR は動脈の圧迫を認めなかったコントロール群に比べて有意に高く，WSSR はコントロール群に比べ有意に低かったとし，責任血管の予測に CFD 解析が有用であることを報告している[13]．Kuribara らは，もやもや病 23 例に対して，CFD 解析を用いて術前に推定したグラフトの血流と，血行再建術後の急性期における血行動態の変化との相関を検討した．中大脳動脈と浅側頭動脈の流速比と，CT perfusion で得られた

19）Zawy Alsofy S, Saravia HW, Nakamura M et al：Virtual reality-based evaluation of neurovascular conflict for the surgical planning of microvascular decompression in trigeminal neuralgia patients. Neurosurg Rev 44：3309-3321, 2021

血流速度と再灌流後の急性期における血行動態の変化との相関を評価したところ，術前に推定された流速比は平均通過時間の変化と有意に相関し，年齢および浅側頭動脈の起始部から分岐部までの直径とも相関があったと報告している[6]．Uchikawa らは，10 例の脳動脈瘤 18 個のブレブに関して術前の PC-MRI を用いた流体解析を実施し，ブレブの赤さとブレブ / 動脈瘤頚部の流速比が有意に相関したと報告しており，ブレブの壁性状の予測に術前 PC-MRI が有用であったとしている[8]．

手術計画，手術成績，転帰

動脈瘤に関しては，術前検討で使用したクリップを術中でも使用したという報告が散見される．Steineke らは，21 例の中大脳動脈瘤の仮想クリップを用いた術前シミュレーションは，対照群と比し手術時間が有意に短縮したと報告している．同報告では動脈瘤の形状の複雑さが比較的シンプルな症例で，特に手術時間が短縮されたというのは興味深い[9]．Hasegawa らは，複数回の手術が施行されることの多い von Hippel-Lindau 病の後頭蓋窩多発性血管芽腫に対する内視鏡腫瘍摘出術において，最適なアプローチルートと最小限の侵襲の検討には，結節，嚢胞，および小脳実質の空間的位置関係を詳細に把握できるバーチャルリアリティ術前シミュレーションが貢献していると述べている[1]．Tel らは，頭蓋顔面手術の手術検討には，三次元再構成画像，手術シミュレーション，手術ナビゲーションシステム，および生体工学的解析の一連のワークフローが手術検討の精度を上げるために重要であると述べている[2]．

その他

Perin らは，前向きの単一施設無作為化臨床試験において，頭蓋内腫瘍の手術を受ける 40 症例に対して，三次元没入型デバイスを使用した手術説明を実施したところ，従来の二次元断面画像を用いた手術説明と比して，主観的な理解度や不安度に差は認めなかったが，客観的理解度が有意に向上し，術前のインフォームドコンセントに貢献したと報告している[17]．融合三次元画像作成ソフトウェアは安価なものも多く，皮膚切開や開頭範囲の決定では手術ナビゲーションシステムの代替え手法としても使用できるという報告がある[11]．深層学習などの機械学習技術を用いた臨床応用の報告はまだないようであるが，今後臨床への応用が大きく期待されている分野であり，基礎研究では報告が多い．Dundar らは MRI 上の神経，血管，および腫瘍などを用手的にセグメンテーションした解剖特徴をメルクマールとして，Q-learning という強化学習法を使って進入ルートを予測させる方法を報告している[20]．Wu らは，頭蓋骨欠損部の形状予測に術後 CT データから再構成した三次元モデルから深層学習技術を用いて欠損部を予測している[21]．

20）Dundar TT, Yurtsever I, Pehivanoglu MK et al：Machine learning-based surgical planning for neurosurgery：artificial intelligent approaches to the cranium. Front Surg 9：863633, 2022
21）Wu CT, Yang YH, Chang YZ：Three-dimensional deep learning to automatically generate cranial implant geometry. Sci Rep 12：2683, 2022

課　題

術前シミュレーションの臨床応用には，画像作成時間や材料費などのコストに関しても留意する必要がある．術前シミュレーションで使用するための融合三次元画像の自動作成は困難であるため，時間と手間がかかるとの報告が多かったが[20]，ソフトウェアの進歩によってその処理は効率化されつつあり，最近の報告では limitation として画像作成時間を記載しているものは少なくなった．一方で，複雑な融合三次元画像作成技術のブラックボックス化や，複数のソフトウェアやハードウェアを使いこなすための操作習熟や機器間の連携が課題として挙げられる．

索　引

あ 行

か 行

さ　行

索　引

た 行

な 行

は 行

ま 行

索 引

索引

最新主要文献でみる
脳神経外科学レビュー2023-'24

2022年10月20日　発行　　第1版第1刷©

監修者　新井（あらい）　一（はじめ）
　　　　齊藤（さいとう）　延人（のぶひと）
　　　　若林（わかばやし）　俊彦（としひこ）

発行者　渡辺　嘉之

発行所　株式会社　**総合医学社**
〒101-0061　東京都千代田区神田三崎町1-1-4
電話　03-3219-2920　FAX　03-3219-0410　URL　https://www.sogo-igaku.co.jp

Printed in Japan
ISBN978-4-88378-749-4

壮光舎印刷株式会社
検印省略

・本書に掲載する著作物の複製権・翻訳権・上映権・譲渡権・公衆送信権（送信可能化権を含む）は株式会社総合医学社が保有します．
・JCOPY〈(社) 出版者著作権管理機構　委託出版物〉
本書の無断複製は著作権法上での例外を除き禁じられています．複写される場合は，そのつど事前に，(社) 出版者著作権管理機構（電話 03-5244-5088，FAX 03-5244-5089，e-mail：info@jcopy.or.jp）の許諾を得て下さい．

総合医学社の好評シリーズ

レビュー シリーズ

最新主要文献とガイドラインでみる
消化器内科学レビュー 2022-'23

監修
竹原 徹郎
大阪大学大学院医学系研究科 消化器内科学 教授 /
大阪大学医学部附属病院 病院長

- 1～2年に発表された消化器内科領域の重要論文を厳選して解説！
- 広く消化器内科関連の最近のトピックスを把握でき，専門医だけでなく，専門医を目指す方にも必携の1冊！

AB判／本文376頁／定価15,400円（本体14,000円+税）
ISBN978-4-88378-461-5

集中治療医学レビュー
最新主要文献と解説
2022-'23

監修 岡元 和文　編集 大塚 将秀
佐藤 直樹
松田 直之

- 直近2年間の最新文献を渉猟し，約1,200編を抽出！
- 各領域における進歩と論点を第一人者がレビュー！
- 待望の2022-'23年度版が出来上がりました！

AB判／本文368頁／定価13,200円（本体12,000円+税）
ISBN978-4-88378-733-3

最新主要文献とガイドラインでみる
麻酔科学レビュー 2022

監修
山蔭 道明 札幌医科大学医学部麻酔科学講座 教授
廣田 和美 弘前大学大学院医学研究科麻酔科学講座 教授

麻酔科学領域の最新文献 約1,200を渉猟し，
各領域における進歩と論点を，第一人者が
わかりやすくレビュー！ 待望の2022年度版！

AB判／本文352頁／定価13,200円（本体12,000円+税）
ISBN978-4-88378-748-7

最新主要文献とガイドラインでみる
呼吸器内科学レビュー 2022-'23

監修
弦間 昭彦 日本医科大学大学院医学研究科
呼吸器内科学分野 大学院教授／学長

- 呼吸器分野ののエキスパートによって厳選された，直近2年間を中心に国内外で発表された最新の文献レビュー！
- 広く呼吸器内科関連の最近のトピックスを把握でき，呼吸器内科専門医だけでなく，専門医を目指す方にも役立つ1冊！

AB判／本文368頁／定価14,300円（本体13,000円+税）
ISBN978-4-88378-747-0

最新主要文献とガイドラインでみる
循環器内科学レビュー 2022-'23

監修
清水 渉 日本医科大学大学院医学研究科
循環器内科学分野 教授

- 循環器内科学のエキスパートによって厳選された，直近2年間を中心に国内外で発表された最新の文献レビュー！

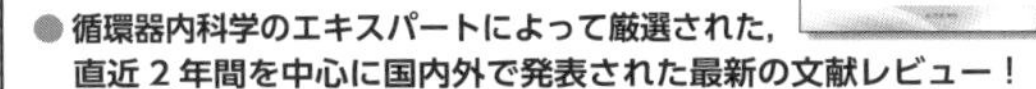

- 広く循環器内科関連の最近のトピックスを把握でき，循環器内科医だけでなく，専門医を目指す方にも役立つ1冊！

AB判／本文432頁／定価16,500円（本体15,000円+税）
ISBN978-4-88378-746-3

最新主要文献とガイドラインでみる
脳神経内科学レビュー 2022-'23

総監修
鈴木 則宏 湘南慶育病院院長 / 慶應義塾大学名誉教授

編集
永田栄一郎 東海大学医学部内科学系脳神経内科 教授
伊藤 義彰 大阪市立大学大学院医学研究科脳神経内科学 教授

- 直近1～2年に発表された脳神経内科領域の重要論文を厳選して解説！
- 脳神経内科各領域のエキスパートによって，各論文の位置づけとコメントも掲載！

AB判／本文456頁／定価17,600円（本体16,000円+税）
ISBN978-4-88378-464-6

最新主要文献とガイドラインでみる
整形外科学レビュー 2021-'22

監修
松本 守雄 慶應義塾大学医学部 整形外科学教室 教授

- 直近1～2年に発表された整形外科領域の重要論文を厳選して解説！
- 整形外科各領域のエキスパートによって，各論文の位置づけとコメントも掲載！

AB判／本文296頁／定価13,200円（本体12,000円+税）
ISBN978-4-88378-734-0

最新主要文献でみる
眼科学レビュー 2021-'22

監修
大鹿 哲郎 筑波大学 教授

- 直近2年間に発表された眼科領域の重要論文を厳選して解説！
- 眼科各領域のエキスパートによって，各論文の位置付けとコメントも掲載！
- 広く眼科関連の最近のトピックスを把握でき，眼科医だけでなく，専門医を目指す方にも役立つ1冊！

AB判／本文336頁／定価13,200円（本体12,000円+税）
ISBN978-4-88378-736-4

総合医学社　〒101-0061　東京都千代田区神田三崎町1-1-4
TEL 03(3219)2920　FAX 03(3219)0410　https://www.sogo-igaku.co.jp

好評発売中　**臨床に欠かせない１冊！**

最新ガイドラインに基づく
神経疾患 診療指針

編集：鈴木 則宏　湘南慶育病院 院長　慶應義塾大学 名誉教授

●国内外の最新ガイドラインの要点と，改訂点をわかりやすく解説！

●ガイドラインに則った専門医の診療の実際と処方を解説！

●神経疾患診療に携わるすべての医師に必携の一冊！

B5 判／本文 464 頁
定価（本体 12,000 円＋税）
ISBN978-4-88378-741-8

目　次

1. 脳血管障害
アテローム血栓性脳梗塞
心原性脳塞栓症
ラクナ梗塞
一過性脳虚血発作（TIA）
無症候性脳梗塞
脳動脈解離
脳出血
くも膜下出血
もやもや病（ウイリス動脈輪閉塞症）
脳静脈洞血栓症
CADASIL，CARASIL
高血圧性脳症
巨細胞性動脈炎
抗リン脂質抗体症候群

2. 認知症を主とする疾患
アルツハイマー病
レビー小体型認知症
前頭側頭型認知症（FTD）
血管性認知症
正常圧水頭症

3. 錐体外路症状を主とする疾患
パーキンソン病
進行性核上性麻痺（PSP）
ハンチントン病
本態性振戦
ミオクローヌス，アテトーゼ，バリズム，コレア

4. 脊髄小脳変性症・多系統萎縮症
脊髄小脳変性症・多系統萎縮症

5. 脊髄症状を主とする疾患
脊髄腫瘍と類似疾患
OPLL/OLF
筋萎縮性側索硬化症（運動ニューロン疾患）
球脊髄性筋萎縮症（Kennedy-Alter-Sung 症候群）
脊髄血管障害
平山病
急性横断性脊髄炎
脊髄空洞症
HTLV-Ⅰ-associated myelopathy（HAM）
亜急性脊髄連合変性症

6. 内科関連疾患
肺性脳症
低酸素脳症
傍腫瘍性神経症候群
糖尿病性昏睡（糖尿病性ケトアシドーシス）
糖尿病性末梢神経障害
髄膜癌腫症

7. 代謝性疾患
ファブリー病
Wilson 病
Wernicke 脳症

8. 脱髄性および炎症性疾患
多発性硬化症・視神経脊髄炎
急性散在性脳脊髄炎
神経ベーチェット病
神経 Sweet 病

9. 末梢神経障害
Guillain-Barré 症候群
Fisher 症候群
慢性炎症性脱髄性多発ニューロパチー（CIDP）
多巣性運動ニューロパチー（MMN）
M 蛋白に伴うニューロパチー
Charcot-Marie-Tooth 病
家族性アミロイドポリニューロパチー
圧迫性ニューロパチー
血管炎性ニューロパチー
中毒性ニューロパチー
特発性顔面神経麻痺（Bell 麻痺）
ICUAW（Intensive Care Unit-acquired weakness）
神経痛性筋萎縮症（neuralgic amyotrophy）

10. 筋疾患
多発性筋炎（PM）および皮膚筋炎（DM）を含む特発性炎症性筋疾患（IIM）
重症筋無力症
ランバート・イートン筋無力症候群
周期性四肢麻痺
筋ジストロフィー（デュシェンヌ型筋ジストロフィー）
筋強直性ジストロフィー
ミトコンドリア病
筋痙攣

11. 機能性疾患
神経痛
慢性頭痛
てんかん

12. 感染性疾患
細菌性髄膜炎
単純ヘルペス脳炎
結核性髄膜炎
HIV 脳症
リオン病

〒101-0061　東京都千代田区神田三崎町 1-1-4
TEL 03(3219)2920　FAX 03(3219)0410　https://www.sogo-igaku.co.jp

臨床に欠かせない１冊！　好評発売中

CRITICAL CARE GUIDELINES

重症患者診療指針

総監修　岡元 和文　信州大学名誉教授

● 研修医から各科専門医まで，すべての医療従事者必携の重症患者に対する診療ガイド！

● わが国の重症患者診療のエキスパート約 350 名が執筆した，最新で最高水準の診療マニュアル！

A5 判／本文 1634 頁
定価（本体 36,000 円＋税）
ISBN：978-4-88378-713-5

【内　容】

●「疾患の項目」➡「病態生理」「診断の要点」「治療のコツ」「合併症」「薬の使い方」「ケアのポイント」「患者・家族への説明のポイント」「高次施設への移送」など．

●「手技の項目」➡「適応」「リスク評価」「手順とコツ」「合併症」「ケアのポイント」「患者・家族への説明のポイント」など．

●診療ガイドラインがあれば，それを尊重しつつ，筆者の方法やコツを具体的に記載．

●薬は，筆者の推奨度が高い順に記載，投与薬の濃度や投与速度も詳しく記載．

●合併症は，頻度は少なくても危険性が高い合併症は必ず記載．

●ケア上のポイント，●患者家族への説明，●高次施設への移送についても記載．

総合医学社　〒101-0061　東京都千代田区神田三崎町 1-1-4
TEL 03(3219)2920　FAX 03(3219)0410　https://www.sogo-igaku.co.jp

総合医学社の好評シリーズ

診療指針・ガイドライン シリーズ

救急・集中治療 最新ガイドライン 2022-'23

編著：岡元 和文
信州大学 名誉教授
丸子中央病院 特別顧問

- 救急・集中治療に必須の「診療ガイドライン」132 項目を網羅！
- 要点をまとめ，最新の情報がひと目で判る！
- Emergency&Intensive Care 必携の 1 冊！

B5 判／本文 500 頁／定価 14,300 円（本体 13,000 円+税）
ISBN978-4-88378-725-8

小児科診療 第4版 ガイドライン —最新の診療指針—

編集：五十嵐 隆
国立成育医療研究センター 理事長

- この一冊に，小児科疾患診療のゴールデンスタンダードが満載！
- 臨床で遭遇するほとんどの疾患について，7 つの視点からエキスパートが簡潔に解説！

B5 判／本文 768 頁／定価 16,500 円（本体 15,000 円+税）
ISBN978-4-88378-672-5

最新ガイドラインに基づく 呼吸器疾患 診療指針 2021-'22

編集：弦間 昭彦
日本医科大学大学院医学研究科
呼吸器内科学分野 大学院教授／学長

- 国内外の最新ガイドラインの要点と，改訂点を判りやすく解説！
- ガイドラインに則った専門医の診療の実際と処方を解説！
- 旧版「呼吸器疾患診療 最新ガイドライン」を全面改訂．新たに「年度版」として，刊行！

B5 判／本文 432 頁／定価 12,100 円（本体 11,000 円+税）
ISBN978-4-88378-723-4

最新ガイドラインに基づく 循環器疾患 診療指針 2021-'22

編集：清水 渉
日本医科大学大学院医学研究科
循環器内科学分野 大学院教授

- 国内外の最新ガイドラインの要点と，改訂点を判りやすく解説！
- ガイドラインに則った専門医の診療の実際と処方を解説！
- 循環器疾患診療に携わるすべての医師に必携の一冊！

B5 判／本文 376 頁／定価 11,000 円（本体 10,000 円+税）
ISBN978-4-88378-724-1

最新ガイドラインに基づく 神経疾患 診療指針 2021-'22

編集：鈴木 則宏
湘南慶育病院 院長
慶應義塾大学 名誉教授

- 国内外の最新ガイドラインの要点と，改訂点を判りやすく解説！
- ガイドラインに則った専門医の診療の実際と処方を解説！
- 神経疾患診療に携わるすべての医師に必携の一冊！

B5 判／本文 464 頁／定価 13,200 円（本体 12,000 円+税）
ISBN978-4-88378-741-8

最新ガイドラインに基づく 代謝・内分泌疾患 診療指針 2021-'22

編集：
門脇 孝 国家公務員共済組合連合会 虎の門病院 院長
下村伊一郎 大阪大学大学院医学系研究科 内分泌・代謝内科学 教授

- 国内外の最新ガイドラインの要点と，改訂点を判りやすく解説！
- ガイドラインに則った専門医の診療の実際と処方を解説！
- 代謝・内分泌疾患診療に携わるすべての医師に必携の一冊！

B5 判／本文 512 頁／定価 14,300 円（本体 13,000 円+税）
ISBN978-4-88378-738-8

最新ガイドラインに基づく 消化器疾患 診療指針 2021-'22

編集：中島 淳
横浜市立大学大学院医学研究科
肝胆膵消化器病学教室 主任教授

- 国内外の最新ガイドラインの要点と，改訂点を判りやすく解説！
- ガイドラインに則った専門医の診療の実際と処方を解説！
- 消化器疾患診療に携わるすべての医師に必携の一冊！

B5 判／本文 372 頁／定価 11,000 円（本体 10,000 円+税）
ISBN978-4-88378-735-7

最新ガイドラインに基づく 腎・透析 診療指針 2021-'22

編集：岡田 浩一
埼玉医科大学医学部 腎臓内科 教授

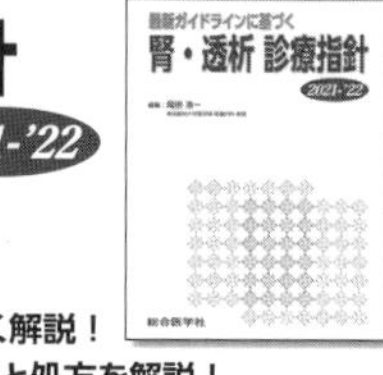

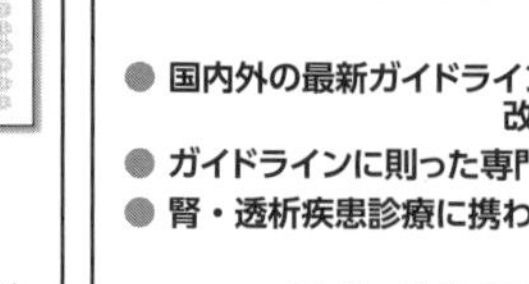

- 国内外の最新ガイドラインの要点と，改訂点を判りやすく解説！
- ガイドラインに則った専門医の診療の実際と処方を解説！
- 腎・透析疾患診療に携わるすべての医師に必携の一冊！

B5 判／本文 308 頁／定価 9,900 円（本体 9,000 円+税）
ISBN978-4-88378-743-2

総合医学社 〒101-0061 東京都千代田区神田三崎町 1-1-4
TEL 03(3219)2920 FAX 03(3219)0410 https://www.sogo-igaku.co.jp